C000094023

HISTOIRE DE GIL BLAS
DE SANTILLANE

(Livres I à VI)

LESAGE

HISTOIRE DE GIL BLAS DE SANTILLANE

(Livres I à VI)

Présentation, notes, annexes,
chronologie et bibliographie
par
Érik LEBORGNE

GF Flammarion

PRÉSENTATION

> « [Mlle du Châtelet] avait ce goût de morale
> observatrice qui porte à étudier les hommes ;
> et c'est d'elle, en première origine, que ce même
> goût m'est venu. Elle aimait les romans de
> Lesage et particulièrement *Gil Blas* ; elle m'en
> parla, me le prêta ; je le lus avec plaisir ; mais
> je n'étais pas mûr encore pour ces sortes de
> lectures ; il me fallait des romans à grands sen-
> timents. »
>
> JEAN-JACQUES ROUSSEAU [1]

L'*Histoire de Gil Blas de Santillane* est un des rares
romans du XVIIIᵉ siècle à être lu au siècle suivant, plus
encore que *Manon Lescaut* ou *La Nouvelle Héloïse*.
Continuellement publié – une édition par an en
moyenne [2] –, admiré par les plus grands écrivains (Walter
Scott, Balzac, Hugo), il fut également embaumé par la
critique (La Harpe, Patin, Janin, Sainte-Beuve) au prix de
plusieurs malentendus. Réduit à quelques formules
brillantes – il est « notre *Don Quichotte* », disait Nodier [3] –,
Gil Blas a été tenu tour à tour pour un montage d'originaux
espagnols et pour un roman picaresque à la française, jugé

---

1. Rousseau, *Confessions*, livre IV, éd. A. Grosrichard, GF-
Flammarion, 2002, p. 211.
2. C'est le chiffre que donne Roger Laufer qui a recensé soixante-
quinze éditions au XVIIIᵉ siècle et une centaine au XIXᵉ siècle (*Lesage ou
le métier de romancier*, Gallimard, 1971, p. 29).
3. Cité par Sainte-Beuve (voir la réception de *Gil Blas* en annexe,
infra, p. 464). « Molière lui-même, s'il eût fait un roman, n'en eût pas
fait un plus vrai », renchérit Henri Patin (*Répertoire de la littérature
ancienne et moderne*, t. XVII, Paris, 1825, p. 382).

plus « réaliste » que les autres romans du XVIIIᵉ siècle. On loue la vérité de ses portraits, la vigueur de sa satire, l'instruction plaisante qu'il procure : seuls quelques grands romanciers perçoivent son originalité profonde. Il faut attendre les années 1970 pour que s'imposent des perspectives de lecture plus soucieuses du texte, prenant en considération la composition, le mode de narration, l'esthétique et l'idéologie de ce roman à l'écriture si lisse en apparence [1]. Ce renouveau de la critique, inauguré en 1968 par un article de Jean Molino [2], permet d'évaluer à sa juste mesure la notion de création littéraire telle que la conçoit Lesage dans le premier *Gil Blas* de 1715, celui que nous avons retenu pour cette édition [3]. Avec ces mémoires imaginaires d'un héros moyen, il invente un nouveau type de fiction, nourrie de sa triple expérience de traducteur, de dramaturge et de romancier.

Un début dans les Lettres

Lorsqu'il publie en 1715 les deux premiers tomes du roman qui jalonnera toute sa carrière, Lesage n'a rien d'un débutant. À près de cinquante ans, il possède un solide métier d'écrivain et une imagination qui ne déclinera que dans les années 1730. Vers 1698, son protecteur l'abbé Jules Paul de Lionne, fils d'un ambassadeur à Madrid, lui ouvre sa bibliothèque : Lesage découvre le

1. Citons les contributions de R. Laufer (*Lesage ou le métier de romancier*, 1971), J. Proust (« Lesage ou le regard intérieur », 1971) et R. Démoris (*Le Roman à la première personne*, 1975), dont on trouvera le détail dans la bibliographie.

2. La conclusion de son article sur la structure du roman ouvrait alors un vaste chantier à la critique : « Une structure cellulaire, des aventures juxtaposées, des tiroirs artificiellement reliés à l'œuvre, une première personne ambiguë et discontinue, des chapitres construits selon le modèle d'une scène dramatique, une durée faite d'instants, l'espace clos du théâtre » (J. Molino, « Les six premiers livres de *Gil Blas* », *Annales de la faculté des Lettres d'Aix-en-Provence*, n° 44, 1968, p. 100).

3. Le *Gil Blas* fut publié en trois livraisons : les deux premiers tomes en 1715 (livres I à VI), le tome III en 1724 (livres VII à IX) et le tome IV en 1735 (livres X à XII).

fonds considérable du Siècle d'or espagnol, dans lequel il puisera toute sa vie : des romans, bien sûr, mais aussi des centaines de *comedias*[1]. Il se met aussitôt à traduire Rojas, Lope de Vega, Calderón. Il adapte *Los Empeños del mentir* (« Le menteur opiniâtre ») de Hurtado de Mendoza sous le titre *Crispin rival de son maître* (pièce jouée en 1707 à la Comédie-Française) ainsi que la première continuation du *Don Quichotte*[2].

Le contexte politique est favorable à un regain d'intérêt pour l'Espagne : la grande affaire du temps est la succession de Charles II, mort en 1700. Imposer son petit-fils, un Bourbon, plutôt que de laisser les Habsbourg régner à nouveau sur l'Espagne sera la dernière obsession de Louis XIV. Le choix est monarchiquement défendable, judicieux pour l'avenir du commerce colonial, mais la France, épuisée par des conflits incessants, n'a plus les moyens d'engager une guerre supplémentaire. Celle-ci dure pourtant dix ans, mène le pays au bord de l'abîme, et se termine par l'accession au trône de Philippe V – dont les descendants enlaidiront les portraits officiels de Goya. Gageons que pour les contemporains, cette guerre de succession fut moins éclatante que la conquête du Portugal évoquée dans *Gil Blas* (IV, 1).

À la demande d'un public avide de nouvelles fraîches d'Espagne, les professionnels de la littérature répondent en augmentant les rubriques spécialisées des périodiques savants ou mondains (*Le Mercure Galant*, *Le Journal des*

---

1. Sur le traitement de la littérature espagnole par Lesage, voir les travaux de C. Cavillac (*L'Espagne dans la trilogie « picaresque » de Lesage : emprunts littéraires, empreinte culturelle*, Atelier de reproduction des thèses de Lille III, 1984) et de F. Mancier (*Le Modèle aristocratique français et espagnol dans l'œuvre romanesque de Lesage. L'Histoire de Gil Blas de Santillane : un cas exemplaire*, Brindisi/Paris, Schena Editore/Presses de l'université de Paris-Sorbonne, 2001).

2. Cervantès publie la première partie du *Don Quichotte* en 1605. En 1614 paraît une suite apocryphe commise par Avellaneda. Lesage reprend ce texte et l'adapte librement en français. Il en obtient un privilège dès 1702 et en cède les droits à l'imprimeur historique de la version française du *Quichotte*, la maison Barbin, qui le publie en 1704.

savants), en publiant des mémoires historiques ou préten-
dus tels [1], et bien entendu des fictions. C'est le cas du *Diable
boiteux* (1707), premier succès romanesque de Lesage,
adapté de l'*El Diablo cojuelo* de Luis Vélez de Guevara
(1641). Ce roman débute comme un conte merveilleux :
l'écolier Cléofas, en fuite sur les toits de Madrid pour
échapper aux frères de sa maîtresse Séraphine, trouve
refuge dans le grenier d'un astrologue. Il y délivre le diable
Asmodée, *alias* Cupidon, prisonnier d'une fiole [2]. En
récompense, celui-ci l'emporte dans les airs, d'où ils
peuvent observer sans être vus tous les habitants de la ville
– Asmodée a le pouvoir de soulever les toits –, et connaître
ainsi « leurs plus secrètes pensées [3] ». Par son irréalisme, sa
théâtralisation des épisodes, sa dominante satirique, *Le
Diable boiteux* est représentatif des intentions littéraires de
son auteur. Lesage reste toutefois conscient des limites de
son roman : il insère une nouvelle tragique pour atténuer le
caractère répétitif de cette galerie de portraits chargés, mais
le contraste ne suffit pas à relancer l'intérêt [4]. Autre défaut,
Cléofas et Asmodée restent de simples spectateurs : ils
commentent les différentes scènes qui défilent sous leurs
yeux mais n'agissent pas [5]. À l'inverse, Gil Blas sera conçu

---

1. *La Guerre d'Espagne, de Bavière et de Flandre ou Mémoires du
Marquis D.* de Courtilz de Sandras (1707), histoire d'un petit noble qui
fait carrière sous le ministère de Louvois. L'*Histoire politique et amoureuse du fameux cardinal Louis Portocarrero, archevêque de Tolède* (1704,
rééd. 1710) relève de la chronique scandaleuse.

2. On pense inévitablement à Aladin et sa lampe merveilleuse, mais
ce conte n'a été publié qu'en 1712 par Galland, dans les tomes IX et X
de sa traduction des *Mille et Une Nuits* (éd. J.-P. Sermain et A. Chraïbi,
GF-Flammarion, 2004, t. III, p. 7-118).

3. Lesage, *Le Diable boiteux*, éd. R. Laufer, Gallimard, « Folio »,
p. 41.

4. L'esthétique du contraste est mieux maîtrisée dans *Gil Blas* : ainsi,
la nouvelle tragique « Le mariage de vengeance » (IV, 4) peut se lire
comme une variation cruellement ironique sur le thème du quiproquo
et du malentendu, dont le stratagème d'Aurore constitue une version
heureuse (IV, 5-6).

5. La seule action héroïque est accomplie par Asmodée qui prend les
traits de Cléofas pour sauver sa maîtresse Séraphine d'un incendie (*Le
Diable boiteux*, I, 11).

comme un personnage directement impliqué dans les événements qu'il rapporte. Dans ses mémoires, le regard que le héros narrateur porte sur les autres varie selon le mode de relation qu'il entretient avec eux : complicité, service, soumission ou, plus rarement, rivalité.

Le Diable boiteux a mis Asmodée à la mode et l'auteur en réputation. Commencent alors les ennuis avec les Comédiens-Français. Fort du succès de *Crispin*, Lesage leur propose deux courtes pièces, *La Tontine* et *Les Étrennes*, qu'ils renâclent à monter. Têtu, il remanie *Les Étrennes* et en tire une grande comédie en cinq actes : *Turcaret*. Les comédiens traînent les pieds pour la jouer, trop conscients que la représentation des hommes d'affaires est – et reste – un sujet politique à risques[1]. Créée sur ordre du Dauphin (fils de Louis XIV) le 14 février 1709, la pièce est retirée malgré son succès au bout de sept représentations. La rancune de Lesage envers les Comédiens-Français sera tenace : en témoigne le féroce tableau de la « troupe » d'Arsénie dans *Gil Blas* (III, 11). Cette rupture avec le théâtre officiel marque un tournant décisif dans sa carrière. Il mettra désormais sa plume au service de leurs principaux concurrents, les comédiens forains.

Lesage à la Foire

Qui sont ces forains ? À côté des deux théâtres subventionnés par la monarchie, la Comédie-Française et l'Opéra, Paris comptait d'autres scènes temporaires, installées dans des baraques – appelées « loges » –, lors des deux grandes foires Saint-Germain (de février à mars) et Saint-Laurent (de juillet à septembre). Les acteurs jouaient des petites pièces tirées du répertoire des

---

1. Seules deux maisons de théâtre ont accueilli en France l'intelligente et caustique mise en scène de *Turcaret* par Gérard Desarthe et Jean Badin en 2002. Sur cette création, voir l'entretien entre J. Badin et M. Poirson dans *Art et argent en France au temps des premiers Modernes* (Oxford, *SVEC*, 2004/10, p. 299-318).

Comédiens-Italiens, chassés par Louis XIV en 1697, et
des spectacles de marionnettes, accompagnés de jongle-
ries et d'acrobaties, devant un public populaire auquel se
mêlaient bourgeois et « honnêtes gens [1] ». Puis les forains
se sont mis à créer des pièces parodiques en rapport avec
l'actualité dramatique ou musicale. Chaque tragédie ou
opéra à succès connut ainsi sa version comique à la Foire.
Les institutions officielles réagirent à partir de 1707 par
une politique très répressive, rappelée par Lesage dans
son historique du théâtre forain :

> Le théâtre de la Foire a commencé par des farces que les dan-
> seurs de corde mêlaient à leurs exercices. On joua ensuite des
> fragments de vieilles pièces italiennes. Les Comédiens-Français
> firent cesser ces représentations, qui attiraient déjà beaucoup de
> monde, et obtinrent des arrêts qui faisaient défense aux acteurs
> forains de donner aucune comédie par dialogue ni par mono-
> logue. Les Forains, ne pouvant plus parler, eurent recours aux
> écriteaux : c'est-à-dire que chaque acteur avait son rôle écrit en
> gros caractère sur du carton qu'il présentait aux yeux des specta-
> teurs. Ces inscriptions parurent d'abord en prose. Après cela on
> les mit en chansons, que l'orchestre jouait, et que les assistants
> s'accoutumèrent à chanter [2].

Ce théâtre vivant et populaire qui usait massivement
du merveilleux (enchantements, poudre d'invisibilité,
baguettes magiques) était pour le spectateur autant à lire
qu'à voir, et même à chanter, puisque le public, accompagné
par l'orchestre, était invité à interpréter les vaudevilles [3].
Lesage mentionne cette querelle des institutions théâtrales dès sa *Critique de la comédie de Turcaret* (1709) [4]

---

1. La Bruyère fait plusieurs allusions à ce succès mondain des acteurs
forains dans *Les Caractères* (« De la ville », 13, et « De la mode », 6).

2. *Le Théâtre de la Foire ou l'Opéra-Comique*, Paris, Prault, 1721, t. I,
Préface de Lesage et d'Orneval.

3. Les vaudevilles sont à l'origine des chansons populaires tirées des
airs de la cour. Le terme s'étend par la suite aux airs satiriques chantés
à la Foire, d'où le nom d'Opéra-Comique donné au théâtre de la Foire.

4. « Il y aurait davantage [de dames] sans les spectacles de la Foire :
la plupart des femmes y courent avec fureur. Je suis ravi de les voir dans
le goût de leurs laquais et de leurs cochers. [...] J'inspire tous les jours de
nouvelles chicanes aux bateleurs », dit le diable à Cléofas venu assister à

où il prend déjà parti pour les forains. Chaque saison, ces artistes subversifs et ingénieux mettent joyeusement en pièces le répertoire classique et les débats d'actualité : la querelle des Anciens et des Modernes s'invite par exemple à la Foire sous le titre *Arlequin défenseur d'Homère*, comédie de Fuzelier jouée en 1715. L'auteur de *Crispin* fut certainement séduit par leur inventivité, leur insolence, leur réactivité face aux arrêts de la cour et leur goût de la parodie. Nathalie Rizzoni, qui a évalué avec précision les traces de cette collaboration avec les forains dans le premier *Gil Blas*[1], estime que l'engagement de Lesage relève d'un « choix politique (résistance au pouvoir) autant que d'un choix esthétique (refus des normes et des valeurs académiques)[2] ». Vers 1709, à une époque où les forains attirent une nouvelle génération de dramaturges[3], Lesage va jouer pour eux un rôle comparable à celui de Marivaux chez les Comédiens-Italiens dans les années 1720. Il contribue à créer un répertoire écrit qu'il théorise dans sa préface au *Théâtre de la Foire*. Concision, précision, rapidité d'action : tels sont les principes de composition[4] que Lesage postule dans les pièces foraines, et qu'il applique dans son roman. Les intrigues d'Arlequin et les aventures de Gil Blas répondent à un même

---

la première représentation de *Turcaret* (*Critique de la comédie de Turcaret*, in *Turcaret*, éd. N. Rizzoni, LGF, Le Livre de poche, 1999, p. 196).

1. Voir son édition de *Turcaret*, précédé de *Crispin rival de son maître* (éd. citée), et son article « De l'origine théâtrale de *Gil Blas* » (*RHLF*, 2003, p. 823-845). N. Rizzoni prépare une édition intégrale des pièces de la Foire de Lesage (comportant les airs notés), à paraître aux éditions Honoré Champion.

2. N. Rizzoni, « De l'origine théâtrale de *Gil Blas* », art. cité, p. 826-827.

3. Fuzelier, d'Orneval, l'acteur Dominique, Lafont, Piron, Fromaget, Autreau et Carolet.

4. « Il n'y faut point chercher [dans les pièces de la Foire] d'intrigues composées. Chaque pièce contient une action simple et même si serrée, qu'on n'y voit point de ces scènes de liaison languissantes qu'il faut toujours essuyer dans les meilleures comédies. [...] nous avons mieux aimé divertir en ne faisant qu'effleurer les matières, que d'ennuyer en les épuisant » (*Le Théâtre de la Foire*, Préface de Lesage et d'Orneval, éd. citée).

souci d'efficacité dramatique. La même verve incisive, la même virtuosité sont déployées dans les pièces de la Foire et dans les véritables scènes de comédies que sont les ruses de Camille (I, 16) ou les métamorphoses de Raphaël (V, 1). Mais cette assimilation du modèle forain dans les années 1712-1715 ne se limite pas à la transposition des procédés dramatiques dans la fiction romanesque. Elle relève chez Lesage d'une conception personnelle de la variation et de la parodie.

Pour fixer les idées, ouvrons la première pièce que Lesage fait jouer à la Foire, *Arlequin roi de Serendib* (1713). L'argument est très librement dérivé d'un passage des *Mille et Un Jours*, « contes persans » que l'orientaliste Pétis de la Croix vient de publier en 1712[1]. Naufragé sur une île, Arlequin est nommé roi par un peuple idolâtre dont la coutume est de sacrifier son souverain au dieu Késaya[2]. Il est sauvé *in extremis* par son ami Mezzetin déguisé en grande prêtresse, et tous deux s'enfuient après avoir pillé le temple. La première scène, en forme de pantomime chantée (à cause des arrêts de la cour), présente plusieurs similitudes avec les débuts de Gil Blas dans le monde. Arlequin y est dépouillé par trois mendiants éclopés mais bien armés, répondant aux doux noms de Gnaff gnaff, Gniff gniff et Gnoff gnoff. Leur méfait commis, les voleurs « se défont, l'un de son emplâtre, l'autre de sa jambe de bois, le troisième sort de sa jatte, et tous se mettent à danser autour d'Arlequin[3] », avant de dresser

---

1. Lesage a multiplié les emprunts aux *Mille et Un Jours* pour composer ses pièces de la Foire : *Arlequin Mahomet* (1714), *Arlequin Hulla* (1716), *La Princesse de Carizme* (1718), *Le Jeune Vieillard* (1722), *Les Pèlerins de La Mecque* (1726), *La Princesse de la Chine* (1729). On a même pu croire qu'il était l'auteur du recueil de Pétis de la Croix (1653-1713), un des pionniers, avec Antoine Galland, de l'orientalisme français : sur cette idée reçue, voir l'introduction de P. Sebag aux *Mille et Un Jours* (Phébus, 2003, p. 26-29).

2. Le héros de l'« Histoire du prince Seyf-el-Mulouk », en route pour Serendib, fait halte sur une île « habitée par des nègres idolâtres qui adoraient un serpent auquel ils donnaient à dévorer tous les étrangers » (*Les Mille et un jours*, éd. citée, p. 317).

3. *Arlequin roi de Serendib*, I, 1, in *Le Théâtre de la Foire*, t. I, éd. citée.

une table et de faire bombance. Triomphe de l'illusion théâtrale et du comique d'absurde : ces redoutables voleurs n'avaient nul besoin de se déguiser en mendiants pour dévaliser les passants[1].

On aura reconnu dans cette scène au *tempo vivace* plusieurs motifs disséminés dans le premier livre du roman : la charité forcée par l'escopette du « pauvre soldat estropié » qui couche en joue Gil Blas (I, 2), le banquet des voleurs dans la caverne (I, 5) ou encore les ruses pour contrefaire l'éclopé, révélées par le lieutenant de Rolando, le chef des voleurs[2]. Tous ces éléments qui servaient de supports aux *lazzi* d'Arlequin[3] s'inscrivent cette fois dans une histoire du sujet, c'est-à-dire dans la temporalité longue que permet le roman : ils prennent sens par rapport à l'enfance protégée de Santillane découvrant la violence et la misère, ou à celle du lieutenant, fils malheureux d'un père brutal. À un autre niveau, intertextuel, un lecteur instruit – comme l'est Gil Blas – aura reconnu dans la caverne des voleurs un souvenir de *L'Âne d'or* d'Apulée, et dans la supercherie du faux mendiant un trait typique des romans picaresques espagnols comme le *Guzmán de Alfarache* (1599-1604) de Mateo Alemán[4]. Nul exotisme à attendre, on l'aura compris, de cette Espagne de papier

---

1. Même comique d'absurde dans le châtiment que prononce Arlequin, nouveau roi de Serendib, retrouvant ses voleurs : « Je veux qu'on branche ces compères ; [...] Après qu'on les aura pendus,/Qu'on les mène aux galères » (II, 3).

2. « Je me faufilai avec des gueux qui menaient une vie assez heureuse. Ils m'apprirent à contrefaire l'aveugle, à paraître estropié, à mettre sur les jambes des ulcères postiches », dit le lieutenant (I, 5).

3. Les *lazzi* sont des jeux de scène et des gestes expressifs à caractère bouffon (révérences grotesques, singeries, pleurs d'enfant, cris, coups de batte, etc.).

4. Un vieillard « qui avait près de soixante-dix ans de gueuserie », écrit Guzmán, « m'apprit à feindre la lèpre, à contrefaire des plaies, à m'enfler la jambe [...] et autres beaux traits du métier pour ne point nous entendre dire que puisque nous étions drus et sains, nous n'avions qu'à travailler » (Mateo Alemán, *Guzmán de Alfarache*, I, III, 3, in *Romans picaresques espagnols*, Gallimard, « Bibliothèque de la Pléiade », 1968, p. 287). Le narrateur justifie cyniquement son imposture en disant qu'elle force les chrétiens à pratiquer la charité.

qui n'a pas plus de consistance que les décors de la Foire.
Le nom même de Santillane semble tout droit issu de
réminiscences littéraires[1].

Dans les pièces de la Foire, les contes orientaux se
réduisent à de simples unités formelles utilisées pour leur
potentiel dramatique : beauté inaccessible, île déserte, idolâtres barbares, sultan ou prêtre cruel, etc. La déréalisa-
tion, au même titre que le merveilleux, est admise comme
telle par le spectateur. Dans le *Gil Blas*, le référent hispa-
nique est utilisé à la fois comme marqueur de fiction et
comme miroir d'une réalité socio-historique, la France
toute catholique d'après 1685. Le travestissement espagnol ne trompe personne : « on voit en Castille comme
en France [...] partout les mêmes vices et les mêmes originaux », prévient l'auteur dans sa déclaration initiale. Si la
chronologie du roman reste difficile à établir linéairement,
les allusions à la conquête du Portugal (1580) permettent
au moins de situer l'époque vers 1595[2], sous le règne
finissant de Philippe II – de Louis XIV, traduit le lecteur
contemporain habitué à ce genre de transposition. À lui
d'ajuster sa lecture selon la double perspective qu'offre
l'*Histoire de Gil Blas de Santillane* : une vision de près (la
veine historico-satirique, la caricature des personnages),

---

1. Tout se passe comme si Lesage avait déterminé arbitrairement le
nom et le parcours initial de son héros à partir de deux vers de Corneille : « Eh bien ! seyez-vous donc, marquis de Santillane,/Comte de
Pennafiel, gouverneur de Burgos » (*Don Sanche d'Aragon*, I, 3).

2. Don Pompeyo (III, 7) et le père d'Aurore, le prolixe don Vincent
(IV, 1), évoquent tous deux leur campagne du Portugal. Gil s'invente
devant Laure un ancêtre de même farine, ce qui situe l'action autour de
1695 : « Je suis fils unique de l'illustre don Fernand de Ribera, qui fut
tué il y a quinze ans dans une bataille qui se donna sur les frontières de
Portugal » (III, 5). Les aventures du tome III (1724) se passent sous le
règne de Philippe III (1598-1621), dominé par les favoris comme le duc
de Lerme. Enfin, les premières lignes du tome V (1735) précisent que le
pape « Paul V nomma le duc de Lerme au cardinalat » pour établir
l'Inquisition dans le royaume de Naples (X, 1) : historiquement, nous
sommes donc en 1615, soit vingt ans après le début des aventures de
Santillane. Cette chronologie est cohérente avec la toute fin du tome III :
le héros déclare qu'il est « à peine au milieu de [s]a carrière » (IX, 9).

et une vision de loin (la veine parodique, l'exhibition ou la mise à distance du matériau fictionnel). Ainsi, le roman tend simultanément vers la peinture fortement théâtralisée de types sociaux et vers la « mise à nu de ce qu'est un texte littéraire [1] ».

Fiction parodique et fiction réflexive

Parodier, c'est chanter à côté et chanter faux – comme le public à la Foire. L'écriture du *Gil Blas* est fondée sur un usage ludique de la citation et de la variation déformée. De même qu'il multiplie dans les pièces de la Foire les allusions comiques au « grand » répertoire, Lesage joue sur le décalage entre les références culturelles et leur mise en contexte dans le roman. Isolons un instant les plaintes de Santillane enfermé dans la caverne ou dans la prison d'Astorga :

Ô Ciel, m'écriai-je, est-il une destinée aussi affreuse que la mienne ? On veut que je renonce à la vue du soleil, et comme si ce n'était pas assez d'être enterré tout vif à dix-huit ans, il faut encore que je sois réduit à servir des voleurs, à passer le jour avec des brigands et la nuit avec des morts ! (I, 6)

Ô vie humaine, m'écriai-je quand je me vis seul et dans cet état ! que tu es remplie d'aventures bizarres et de contre-temps ! (I, 12)

Quel héros tragique au funeste destin parle ici ? Détrompez-vous, ce n'est que le nouveau domestique des voleurs, qui n'est pas mal loti, si l'on en croit ses maîtres (« il faut que tu sois né coiffé, pour être tombé entre nos mains », plaisante Rolando, I, 4). Gil adopte pourtant la pose d'un illustre infortuné et se met à parler comme Artamène, le protagoniste du *Grand Cyrus* de Georges et Madeleine de Scudéry, ou comme tout autre héros de

_____

1. P. Frantz, article « Lesage », *Dictionnaire des littératures de langue française*, Bordas, 1987.

roman baroque [1]. L'effet parodique de ce discours déplacé
est souligné par le narrateur : « vaines plaintes » (I, 6),
« réflexions inutiles » (I, 12), commente-t-il *a posteriori*.
Tout comme Robert Challe dans ses *Illustres Françaises*
(1713), Lesage associe deux procédés de mise à distance
des codes fictionnels : la théâtralisation et la réinterpréta-
tion des événements par la narration rétrospective.

Traducteur de *comedias* et dramaturge-né, Lesage use
des références théâtrales à tous les niveaux de son roman :
intrigues de comédies (souvent adaptées de l'espagnol),
rencontres avec des acteurs, débats sur les spectacles et les
mœurs des actrices, condamnation des « désordres de la
vie comique » (III, 12), etc. La mobilité du héros nous fait
passer de la satire moliéresque des médecins au livre II à
la comédie galante (la conquête de don Luis Pacheco par
Aurore) au livre IV ou à la farce cruelle (la descente du
faux inquisiteur chez le juif Simon) au livre VI. L'originalité de ces intrigues tient à la manière dont les personnages apprécient la *qualité* de leur propre jeu théâtral.
« Foi de fripon, je vous regarde comme un prodige »,
s'exclame Moralés devant son complice Raphaël qui vient
de se faire passer pour un prince italien (V, 1). Les prota-
gonistes ont conscience de jouer un rôle sur le « grand
théâtre » du monde, surtout quand ils usurpent un titre
ou un nom [2]. Fils de comédienne, Raphaël se dit toujours
prêt à jouer un rôle : c'est là sa « fantaisie [3] ».

---

1. « Ô destins ! rigoureux destins ! déterminez-vous sur ma fortune,
rendez-moi absolument heureux ou absolument misérable, et ne me
tenez pas toujours entre la crainte et l'espérance, entre la vie et la mort »,
s'exclame Artamène (Georges et Madeleine de Scudéry, *Artamène ou le
Grand Cyrus* [1653], éd. C. Bourqui et A. Gefen, GF-Flammarion, 2005,
p. 91).

2. Voir sur ce point l'article de J.-F. Perrin, « Sur la référence théâtrale
dans les six premiers livres de *Gil Blas* » (in *D'une gaîté ingénieuse*,
Louvain, Peeters, 2004, p. 140-154).

3. « J'approuvai cette bizarre imagination [prendre la place de
l'ermite], moins pour les raisons qu'Ambroise me disait que par fantaisie
et comme pour jouer un rôle dans une pièce de théâtre », confie Raphaël
(V, 1).

Le jeu parodique des acteurs forains tient beaucoup à l'outrance gestuelle et verbale, ainsi qu'aux apartés adressés au public. De même, dans *Gil Blas*, les personnages se laissent deviner à travers des indices aussi grossiers que les flatteries hyperboliques de l'écornifleur de Peñaflor (I, 2) ou la dévotion exagérée d'Ambroise-le-béat (I, 16). Le clin d'œil est parfois explicite : le faux anachorète qui a reconnu Gil Blas le regarde « avec attention », avant de l'accueillir sous son humble toit (IV, 9). Mais une fois débusqué par les archers, il se découvre par un théâtral « changeons de style » – et Raphaël apparaît aux yeux du héros (IV, 11). À l'inverse de ces habiles comédiens, Santillane se révèle un piètre acteur. Pour lui seul, l'habit ne fait pas le moine : sa toge de médecin déclenche l'hilarité de Fabrice, et le bel habit d'« hommes à bonnes fortunes » de don Mathias qu'il s'approprie « par mégarde » après la mort de son maître (III, 8) ne le rend pas plus crédible devant Laure déguisée en « jeune veuve de qualité [1] ». Ainsi travesti, Gil n'est que la copie d'une copie, puisqu'il imite le valet Mogicon qui lui a appris comment se faire passer pour son maître. Ironiquement, le seul rôle qui lui convienne est celui de valet de comédie, pleinement assumé sous la direction d'Aurore de Guzman, experte en intrigue : « Oh çà, monsieur Gil Blas, vous faites donc le valet dans cette comédie ? Hé bien, mon ami, montrez que vous avez assez d'esprit pour remplir un si beau rôle », s'invective le héros en allant porter les billets à la rivale d'Aurore (IV, 5).

Ce jeu conscient avec l'illusion théâtrale culmine dans l'échange entre les deux petits-maîtres dupés par leurs intendants [2], qui se plaisent à transformer leur vie en spectacle :

---

1. Gil déguisé en galant cavalier multiplie les contorsions et les bourdes : « Ma princesse, vous voyez un seigneur qui en a dans l'aile » (III, 5). Voir mon étude : « Les amours de Santillane : Gil et Laure » (*Méthode !*, n° 3, 2002, p. 149-156).

2. Gil est témoin des manœuvres de l'intendant : en cheville avec un usurier, Rodriguez force don Mathias à emprunter à un taux exorbitant le revenu de ses propres terres.

Mais attends, poursuivit-il [don Centellés] en riant de toute sa force, il me vient une idée assez plaisante. Rien n'a jamais été mieux imaginé. Nous pouvons rendre comiques les scènes sérieuses que nous avons avec eux [leurs intendants], et nous divertir de ce qui nous chagrine. Écoute : il faut que ce soit moi qui demande à ton intendant tout l'argent dont tu auras besoin. Tu en useras de même avec mon homme d'affaires. Qu'ils raisonnent alors tous deux tant qu'il leur plaira ; nous les écouterons de sang-froid. Ton intendant viendra me rendre ses comptes ; mon homme d'affaires te rendra les siens. Je n'entendrai parler que de tes dissipations ; tu ne verras que les miennes. Cela nous réjouira (III, 3).

« Vous riez de quoi ? – C'est de vous-mêmes que vous riez[1] ! » On appliquera volontiers ce mot profond de Gogol aux petits-maîtres qui optent pour le monde des apparences trompeuses[2], mais aussi au héros narrateur qui nous fait apprécier par l'autodérision la dimension comique de ses aventures. « Je sortis de l'hôtel garni, sans avoir, Dieu merci, besoin de personne pour porter mes hardes », dit Gil Blas dépouillé par la fausse doña Camille (I, 17). À cet effet boomerang du rire[3], une des signatures de Lesage depuis *Turcaret*, la narration rétrospective à la première personne offre des ressources nouvelles.

L'*Histoire de Gil Blas de Santillane* est en effet l'un des premiers romans-mémoires du XVIIIe siècle. Ce genre s'impose en France sous l'influence de Lesage, puis de Prévost (*Manon Lescaut*, *Cleveland*), Marivaux (*La Vie de Marianne*, *Le Paysan parvenu*) et Crébillon (*Les Égarements du cœur et de l'esprit*) à partir de 1728[4]. Le principe

---

1. Gogol, *Le Révizor* (V, 8), in *Théâtre complet*, trad. A. Markowicz, Actes Sud, « Babel », 2006, p. 336.
2. Sur les implications psychologiques de ce processus, je renvoie à l'article de C. Martin : « Gil Blas ou le jeu des apparences » (in *D'une gaîté ingénieuse*, Peeters, 2004, p. 280-297).
3. Emblématisé par la devise du frontispice de l'édition de 1771 (voir *infra*, p. 36), qui invite à la lecture du roman comme « théâtre de la vie humaine » : « On voit en moi de bien des gens,/Le portrait fait d'après nature :/Et tel rit, voyant ma figure,/Qui rit peut-être à ses dépens. »
4. Sur l'invention du roman-mémoires au XVIIIe siècle, voir le livre de R. Démoris, *Le Roman à la première personne*, Droz, 2002 [1975].

de composition est le suivant : un narrateur âgé raconte les aventures de sa jeunesse, sa découverte du monde et de la sexualité. Deux voix se superposent alors dans les mémoires : celle du héros jeune – Gil Blas a dix-sept ans lorsqu'il quitte Oviedo – et celle du narrateur, beaucoup plus vieux. Parvenu au terme de sa carrière, ce dernier est quasi omniscient puisqu'il connaît l'issue des événements qu'il retrace. Il peut donc à ce titre intervenir dans le récit pour les annoncer ou les commenter. Ce dédoublement de l'instance narrative en « je narré » (le héros) et « je narrant » (le narrateur) détermine la réception du texte et l'interprétation que peut en faire le lecteur. « Après m'être si avantageusement défait de ma mule... » : c'est par cette formule ironique que Gil Blas narrateur résume le marché de dupe que Gil Blas personnage a conclu avec un « honnête maquignon » (I, 2). Le lecteur pourra ainsi identifier immédiatement, dans la comédie que joue le parasite, une tromperie de plus.

Seul détenteur de la valeur de vérité de son discours, le narrateur peut indifféremment raconter tout ce qui s'est passé, en cacher une partie ou en donner une vision déformée. L'art de Lesage romancier consiste à suggérer les non-dits, les blancs, le double-fond des mémoires de Santillane, en jouant sur la distance entre la naïveté du héros et l'interprétation orientée qu'en donne le narrateur. Le lecteur est ainsi amené à adopter une position critique par rapport au texte et à ses silences. Il est curieux, par exemple, que Gil Blas ne semble éprouver aucun remords, aucune pitié même, envers les victimes de ses assassinats médicaux : ses scrupules ne portent que sur les conséquences judiciaires de ses actes [1]. Par son mode de narration, le roman-mémoires ouvre donc sur un champ d'interprétation polysémique, voire sur une lecture du soupçon, comme ce sera le cas avec les romans de Marivaux et de Prévost. Pourquoi le tome IV de l'*Histoire de*

---

[1]. « Comme je n'étais qu'un jeune médecin qui n'avait pas encore eu le temps de s'endurcir au meurtre, je m'affligeais des événements funestes qu'on pouvait m'imputer » (II, 5).

Gil Blas de Santillane est-il si décevant ? Ce n'est pas dû
seulement au rabâchage des aventures, mais aussi à
l'absence de tout écart entre le personnage et le narrateur,
tous deux bien-pensants : le texte de 1735 est littéralement
plombé par un narrateur moralisateur qui impose un sens
univoque et conformiste à ses mémoires.

La narration à la première personne offre au lecteur
la possibilité de dépasser la seule position extérieure de
spectateur ou de voyeur – celle que lui assigne Lesage
dans *Le Diable boiteux* – et d'adopter le regard surplom-
bant du héros sur son passé, voire d'en plaisanter avec
lui. « Le fripier, après ce préambule, que je pris sottement
au pied de la lettre, dit à ses garçons de défaire leurs
paquets » (I, 15) : Gil Blas souligne par l'adverbe sa
naïveté de jeune homme inexpérimenté. Partageant la distance ironique ou humoristique cultivée par le narrateur
envers son moi passé, ou par l'auteur envers ses personnages, le lecteur peut ainsi éprouver le même plaisir que
le récepteur du mot d'esprit [1]. De même, l'humour cultivé
par les personnages du roman tient au détachement du
locuteur par rapport à l'objet de son discours : « Croyez-
moi, il faut oublier cette jeune dame qui ne saurait être à
vous. [...] Vous trouverez sans doute quelque jeune personne qui fera sur vous la même impression et dont vous
n'aurez pas tué le frère », conseille le faux ermite Raphaël
au malheureux Alphonse (IV, 11).

Dans le *Gil Blas* de 1715, le macabre, le comique et le
grotesque se mêlent avec une virtuosité que l'on ne retrou-
vera pas dans le tome III [2]. Lorsque le héros raconte au
chanoine Sedillo la friponnerie de Camille et de don
Raphaël (II, 1), le vieillard manque de s'étouffer de rire :

---

1. Le mot d'esprit polémique (*Witz*) nécessite au moins trois personnes, explique Freud : « celle qui fait le mot d'esprit, celle qui est prise
comme objet de l'agression à caractère hostile ou sexuel, et une troisième
en qui s'accomplit l'intention du mot d'esprit, qui est de produire du
plaisir » (*Le Mot d'esprit et sa relation à l'inconscient* [1905], trad.
D. Messier, Gallimard, « Folio Essai », 1988, p. 193).

2. Je renvoie sur ce point à mon étude, « Grotesque et humour noir
dans *Gil Blas* » (in *D'une gaîté ingénieuse*, Peeters, 2004, p. 155-175).

cet accident provoque la panique de dame Jacinte qui redoute que son maître meure *ab intestat*. Le gain de plaisir du lecteur vient de ce qu'il adopte, consciemment ou non, le flegme du narrateur humoriste [1]. Ainsi, les oraisons funèbres des maîtres comportent de fulgurants raccourcis entre effet et cause, procédé dont se souviendra Voltaire dans ses contes : « Telle fut la fin du seigneur don Vincent, qui perdit la vie parce que son médecin ne savait pas le grec » (IV, 3) ; ou encore : « Ainsi périt le seigneur don Mathias de Silva, pour s'être avisé de lire mal à propos des billets doux supposés » (III, 8). D'une manière générale, ces effets d'humour noir relèvent de la distanciation opérée par Lesage à l'égard du matériau littéraire, en particulier celui des romans espagnols.

Du picaro

Le début du XVIIIe siècle est propice à l'invention de nouvelles formes romanesques. Ce « temps de vertige du roman », selon la formule de René Démoris, voit naître toute une série de chefs-d'œuvre inclassables : le *Télémaque* de Fénelon (1699), *Les Mille et Une Nuits* traduites par Galland (1704-1717), *Les Illustres Françaises* de Challe (1713), ou encore les *Lettres persanes* de Montesquieu (1721). Exactement contemporains du *Gil Blas*, les premiers romans de Marivaux [2] réinventent le don quichottisme et le roman comique, en misant sur l'exhibition et la parodie des codes romanesques. Cette voie sera prolongée au cours du siècle par Fielding (*Tom Jones*, 1749), puis par Diderot qui ajoutera une dominante

---

1. « True humour generally looks serious, while everybody laughs about him » (« Le véritable humoriste a presque toujours l'air sérieux pendant que tout le monde rit autour de lui »), écrit Addison dans la 35e feuille du *Spectator* (10 avril 1711), Londres, Dent, 1967, p. 106.
2. *Les Effets surprenants de la sympathie, La Voiture embourbée, Pharsamon ou les Nouvelles Folies romanesques* et *Le Télémaque travesti*, composés entre 1712 et 1714, ont été publiés dans les *Œuvres de jeunesse* de Marivaux, éd. F. Deloffre, Gallimard, « Bibliothèque de la Pléiade », 1972.

philosophique personnelle dans *Jacques le Fataliste*
(1765-1780). Curieusement, la participation de Lesage à
ce renouvellement de la fiction narrative a été sous-
estimée par la critique aussi longtemps que son activité
de dramaturge forain. Sa libre adaptation des originaux
espagnols, assimilée à un démarquage servile, lui a valu
un jugement lapidaire de Voltaire trop souvent pris à la
lettre : « Son roman de *Gil Blas* est demeuré, parce qu'il
y a du naturel. Il est entièrement pris du roman espagnol
intitulé *La Vida del escudero don Marcos de Obrego*[1]. »
Cette misérable calomnie, récusée par Neufchâteau dans
son édition savante de 1819[2], empoisonna la critique pendant plus d'un siècle, à tel point que le traducteur espagnol de Lesage exigeait en 1783 que le roman fût restitué
à sa patrie et à sa langue d'origine[3]. Ce contresens mérite
une explication et une mise au point sur l'influence réelle
des romans picaresques dans *Gil Blas*.

Lesage ne cache pas ses sources d'inspiration. Dans
l'histoire du garçon barbier (II, 7), il cite l'auteur d'*El
Diablo cojuelo*, Luis Vélez de Guevara, et rend hommage
à Vicente Espinel en faisant de Marcos de Obregón un
personnage à part entière[4]. Il ne s'agit pas pour lui de

---

1. « La vie de l'écuyer don Marcos de Obregón » : Voltaire cite de
mémoire le titre du roman d'Espinel (*Le Siècle de Louis XIV*, LGF, Le
Livre de poche, 2005, p. 965 et 1170).

2. Dans son examen du *Marcos de Obregón*, Neufchâteau aligne surtout des évidences : les emprunts de Lesage restent ponctuels et mineurs,
et le plan du *Gil Blas* n'a rien de commun avec celui du roman d'Espinel.

3. Le titre complet de la traduction du Padre Isla est ainsi conçu :
*Aventuras de Gil Blas de Santillana, robadas a Espana, y adaptatas en
Francia por M. Le Sage, restituidas a su patria y a su lengua nativa por
un Espagnol zeloso que no sufre se burlen de su nacion* (« Aventures de
Gil Blas de Santillane, dérobées à l'Espagne, et adaptées en français par
M. Lesage, restituées à leur patrie et dans leur langue d'origine par un
Espagnol jaloux qui ne souffre pas qu'on se moque de sa nation »). Un
émigré espagnol, Juan Llorente, publia en 1822 un livre d'*Observaciones
criticas sobre el romance de Gil Blas* pour répondre à Neufchâteau. Le
récit de ces querelles stériles et prétendument érudites figure dans le
Lesage romancier de Léo Claretie (1890, rééd. Slatkine, 1970).

4. De même, dans le « roman moresque » de Raphaël (V, 1), Lesage
emprunte le nom de la favorite Farrukhnaz à l'héroïne du conte-cadre
des *Mille et Un Jours*.

réécrire le *Marcos* : la simple comparaison des avis au lecteur prouve que la visée des deux romans diffère totalement [1]. L'argument de la fable est le même dans les deux versions : deux écoliers sont face à une épitaphe ; seul le plus *intelligent* (au sens étymologique) des deux parvient à en déchiffrer le sens caché et à trouver fortune. Mais dans l'Avertissement d'Espinel, l'écolier avisé dépouille la sépulture des amants d'Antequera, alors que chez Lesage, le bon lecteur reçoit *en héritage* la bourse du défunt Pedro Garcias, figure de clerc ou de lettré. Ce legs est authentifié par le testament du licencié, et accompagné d'une mise en garde (« fais-en meilleur usage ») qui invite à rêver sur ce premier destin romanesque résumé en deux phrases [2]. Laïcisant le sens religieux que le prêtre espagnol donne aux aventures de son héros, Lesage établit un lien étroit entre l'or, le texte, le lecteur subtil, le clerc et son héritage. Lui aussi fut à sa manière un bon lecteur, qui fit son miel des auteurs espagnols ou antiques, au lieu de les laisser reposer dans la poussière des bibliothèques. Son traitement de l'imaginaire picaresque, en particulier, témoigne d'une compréhension exacte de l'originalité du *Marcos*. Le personnage de Gil Blas est encore trop souvent associé à un *picaro*, malgré les études critiques consacrées au sujet [3]. Tentons de réviser cette idée reçue, en rappelant certaines données élémentaires du roman picaresque.

Le *picaro* est un vaurien, un filou, un gueux. Au milieu du XVIe siècle, en pleine vogue des romans de chevalerie et des pastorales, un génial anonyme publie *La Vie de Lazarillo de Tormes* (1554), transformant ce gueux exemplaire en personnage littéraire. Fils d'un meunier banni de son pays, Lazarillo vit de mendicité et de rapines dans cet obsédant roman de la faim dont Luis Buñuel s'est

---

1. L'Avertissement du roman d'Espinel est reproduit en annexe, *infra*, p. 461.

2. Sur ce type de « roman virtuel » dans *Gil Blas*, je renvoie à l'étude de M. Escola, « Récits perdus à Santillane » (in *D'une gaîté ingénieuse*, Peeters, 2004, p. 263-279).

3. Citons les contributions de M. Molho (1968, partial), R. Démoris (1975) et D. Souiller (1980).

sûrement souvenu dans son film *Los Olvidados* (1950). Dans le *Guzmán de Alfarache* (1599-1604) de Mateo Alemán, le *picaro* évolue : bâtard d'un Juif banqueroutier, il devient escroc de haut vol, proxénète, et finit aux galères [1]. Plus tardif, le *Buscón* (« filou ») de Quevedo (1626) étonne quant à lui par son sens inédit du grotesque, voire du dégoûtant [2]. Le héros Pablo, fils d'une sorcière et d'un barbier voleur, est voué dès son enfance à l'état de larron. Cet écolier dévoyé, lui aussi tiraillé par la faim, parcourt l'Espagne, fraye avec des fripons, des comédiens, des fous, des imposteurs. Le *picaro* est donc conçu à l'origine comme le représentant d'une « noblesse à l'envers, *hidalguia* négative, fondée sur une ascendance de larrons, d'escrocs, de prostituées », de renégats, de morisques ou de marranes [3]. Dans ses mémoires triomphent le manque de parole, l'anti-honneur et la duperie. Cette vision pessimiste, voire désespérée, de l'Espagne toute catholique de Philippe II montre l'homme abject, méchant et pécheur, livré au *desengaño* (« désenchantement »). Ce n'est pas la perspective du *Gil Blas*, ni même celle du *Marcos de Obregón*.

Le roman qu'Espinel publie en 1618 marque une première rupture avec cette sévère tradition picaresque qui va évoluer progressivement vers le roman comique. Jeune hidalgo pauvre, Marcos est détroussé en chemin et se voit contraint à travailler comme précepteur pour subsister : c'est le sort auquel se prépare Santillane à Valladolid, avant de suivre les conseils de son ami Fabrice (I, 17). Du

---

1. Cette fripouille de Guzmán dénonce la révolte fomentée par ses compagnons d'infortune : le roman se termine ainsi sur la cynique trahison du *picaro*.

2. L'oncle de Pablo, bourreau de son état, apprend à son neveu que les pâtissiers du pays font des pâtés avec les corps des condamnés (Quevedo, *La Vie de l'aventurier Don Pablo de Ségovie*, chap. 7, Gallimard, « Bibliothèque de la Pléiade », p. 795). Pablo a peut-être sans le savoir mangé son père pendu pour vol !

3. M. Molho, introduction à son édition des *Romans picaresques espagnols*, Gallimard, « Bibliothèque de la Pléiade », 1968, p. XIX. Les morisques et les marranes sont respectivement les musulmans et les juifs convertis, généralement de force, au catholicisme.

picaro, Marcos partage l'errance et l'instabilité mais non l'abjection à laquelle il échappe par sa naissance, son instruction et son sens moral. S'il est poursuivi par la justice, c'est par erreur et non de son fait. De même, c'est à cause du faux témoignage du muletier que Gil Blas reste en prison (I, 12). Lesage retient les éléments structurels du roman picaresque – les rencontres aléatoires, les motifs de la route et de l'auberge –, ainsi que la veine « comique », c'est-à-dire anti-héroïque, tant appréciée du public français, si l'on en croit l'*Histoire comique de Francion* de Sorel[1]. Mais pas plus que Francion, jeune noble libertin, Marcos ni Gil ne sauraient être confondus avec de véritables *picaros*.

Absent du *Gil Blas* de 1715, le mot même de *picaro* n'apparaît qu'au tome III, dans un contexte clairement parodique. À la demande du duc de Lerme, Gil raconte l'histoire de sa vie[2]. Son ami Fabrice jugeait ses aventures « assez bizarres » (I, 17) ; le ministre, lui, manie le compliment antiphrastique : « Monsieur de Santillane, me dit-il en souriant à la fin de mon récit, à ce que je vois, vous avez été tant soit peu *picaro* » (VIII, 2). Mis en italiques, le mot fonctionne comme un marqueur de littérarité (il fait référence explicitement à une tradition romanesque espagnole) et d'ironie. Il serait plaisant que le favori du roi d'Espagne emploie à son service un authentique filou : c'est par dérision que Gil est traité de *picaro* par son nouveau maître[3]. L'examen du texte de

---

1. À Francion qui répugne à raconter ses « aventures scolastiques », son ami Raymond objecte : « Ignorez-vous que ces actions basses sont infiniment agréables, et que nous prenons même du contentement à ouïr celles des gueux et des faquins comme de Guzmán d'Alfarache et de Lazaril de Tormes ? » (Sorel, *Histoire comique de Francion* [1623], livre III, texte de 1626, éd. Y. Giraud, GF-Flammarion, 1979, p. 179 et 288).

2. Situation récurrente dans les deux tomes de 1715 : le héros raconte sa vie à doña Mencia (I, 10), à Fabrice (I, 17), au chanoine Sedillo et à dame Jacinte (I, 1), au garçon barbier (II, 6).

3. Le terme s'appliquera avec plus de justesse à Scipion, fils d'un archer de l'Inquisition et d'une bohémienne : « Si dans son enfance Scipion était un vrai *picaro*, il s'est depuis si bien corrigé qu'il est devenu le modèle d'un parfait domestique », conclut benoîtement le narrateur (X, 12).

1715 laisse peu de doute à ce sujet : dans ce roman où les
scènes de repas abondent, le héros n'a pas à lutter pour
subvenir à ses besoins et n'est jamais menacé par la faim [1].
Quand il l'évoque, c'est avec humour (« J'étais accoutumé
depuis deux mois à une vie très frugale », dit-il en sortant
de prison, I, 13) ou sous les traits exotiques du comédien
« passablement gueux » qui trempe ses croûtes de pain
dans la fontaine (II, 8). Il ne manque jamais d'argent ni
de ressources au point d'être réduit à mendier [2]. Lesage
opère ici un détournement de l'imaginaire picaresque, en
vue de créer un autre type de héros.

Un valet exemplaire

Les origines et la carrière de Gil Blas n'ont donc rien
de commun avec le destin du *picaro* espagnol, ni même
avec sa version « aristocratique » développée en France
au début du XVIIIᵉ siècle. La problématique dominante du
« picaresque à la française » n'est plus la subsistance, mais
l'insertion ou la réintégration du héros (de bonne et non
plus de basse naissance) dans le milieu aristocratique des
« honnêtes gens [3] », alors que l'authentique *picaro*
demeure hors de la bonne société. Ce type de roman du
parvenu n'est guère exploité dans le premier *Gil Blas*. Ce
n'est que dans le tome III (1724), centré sur la satire des
hautes sphères, que se manifestent l'arrivisme et la vanité
boursouflée de Santillane. Introduit à la cour et employé
secrètement à titre de « Mercure de la monarchie »
– entendez le maquereau du prince –, il se prend pour

---

1. Gil fait quelques repas d'oignons (avec le garçon barbier, II, 6), de
ciboules et de noisettes (chez le faux ermite, IV, 9), mais il se rattrape
après, en dévorant force viandes rôties apportées par le « frère »
Ambroise (IV, 11).
2. À sa sortie de prison, il puise dans la bourse du petit chantre une
somme qu'il ne remboursera jamais (I, 13).
3. Je renvoie aux pages de R. Démoris sur les *Mémoires du chevalier
Hasard* (1703), *Le Chevalier Bordelois* (1711), les *Mémoires de M. le
marquis de...* (1728), dans *Le Roman à la première personne, op. cit.*,
p. 339-345.

« l'égal des grands » et rêve de passer pour un des bâtards
du duc de Lerme... [1]. Dans le texte de 1715, Gil ne cherche
pas à faire oublier ses origines roturières ni la condition
servile de ses parents : sa mère, petite bourgeoise, travaille
comme femme de chambre, et son père est écuyer. Grâce
à son oncle le chanoine Perez, il reçoit l'instruction qui
lui permettra de passer de la domesticité basse (servir à
table, aider aux cuisines, vider le pot de chambre du vieux
Sedillo) à la domesticité haute (secrétariat, intendance).
Grande différence par rapport au roman picaresque ou
au roman de parvenu : le héros se satisfait de ce rôle de
valet modèle qu'il investit totalement.

Sa vocation prend naissance dans l'antre de la
Léonarde, la cuisinière des voleurs : cet « heureux apprentissage » se révèle fort utile chez le licencié Sedillo (II,
1). Son zèle non désintéressé n'est guère récompensé. Son
premier maître, un vieux libertin retombé en enfance,
lui fait miroiter un legs censé le dédommager des
« désagréments » de son service : Gil hérite de vieux livres
sans valeur (II, 2). Même déconfiture chez don Gonzale,
avec cette différence qu'en dénonçant l'amant aperçu chez
la chaste Eufrasie, Santillane mise sur la reconnaissance
des héritiers de son maître (qu'il n'a jamais vus) :

> Je me représentais la satisfaction qu'auraient les héritiers
> naturels de don Gonzale, quand ils apprendraient que leur
> parent n'était plus le jouet d'une passion si contraire à leurs
> intérêts. Je me flattais qu'ils m'en tiendraient compte, et
> qu'enfin j'allais me distinguer des autres valets de chambre
> qui sont ordinairement plus disposés à maintenir leurs
> maîtres dans la débauche qu'à les en retirer. J'aimais l'hon-
> neur, et je pensais avec plaisir que je passerais pour le cory-
> phée des domestiques (IV, 7).

On n'accordera pas trop de crédit à l'honneur ou aux
principes de morale dont se réclame à bon compte le narrateur [2]. Le plus surprenant est que le héros n'anticipe à

---

1. *Gil Blas*, VIII, 5, et VIII, 9.
2. Ainsi, Gil Blas dit partager les scrupules moraux de don Alphonse,
mais ne remet pas en question les assassinats médicaux qu'il a commis

aucun moment la réaction de Gonzale qui préfère renvoyer son valet indiscret plutôt que de donner tort à sa
dulcinée. Le narrateur relève *a posteriori* cette erreur
d'appréciation :

> Que j'étais fat, quand j'y pense, de raisonner de la sorte !
> Il fallait plutôt rire de cette aventure, et la regarder comme
> une compensation des ennuis et des langueurs qu'il y avait
> dans le commerce de mon maître. J'aurais du moins mieux
> fait de n'en dire mot, que de me servir de cette occasion pour
> faire le bon valet (IV, 7).

Les mobiles intéressés du personnage ne reposent que
sur des plans chimériques (il escompte un profit de la part
des héritiers de Gonzale) et sur un modèle fantasmatique
de valet exemplaire qui semble lui ôter tout discernement :
non seulement il ne prévoit pas l'ingratitude de ses
maîtres, mais il refuse même de considérer sa position de
rivalité envers dame Jacinte, Eufrasie ou encore les deux
Italiens chez le comte Galiano (VII, 15) [1].

Gil préfère ainsi attendre un profit posthume de ses
maîtres plutôt que de les considérer comme des vaches à
lait, selon la théorie de Fabrice (I, 17) si bien appliquée
par l'intendant de don Mathias (III, 3). À aucun moment
il n'adopte le discours cynique du chef des voleurs justi-
fiant son métier par le règne généralisé de la friponnerie
(« je ne te crois pas assez sot pour te faire une peine d'être
avec des voleurs. Hé, voit-on d'autres gens dans le
monde ? », I, 5), ou d'un Fabrice apologiste des valets qui
gouvernent leurs maîtres – à l'instar de Frontin dans

---

sur ordre de Sangrado. « La présence du maître assure un confort moral
[...]. L'autocritique de Gil Blas débouche sur une satisfaction que rend
suspecte l'excessive limpidité du récit » (R. Démoris, *Le Roman à la
première personne*, *op. cit.*, p. 369 et 375).
  1. Au tome III, Gil est nommé surintendant du comte Galiano et
chargé de l'importante affaire de réformer les cuisines. Ses efforts sont
ruinés par deux matois, l'intendant Messinois et le maître d'hôtel Napo-
litain : « Le comte n'était guère plus avancé d'avoir le phénix des intendants », reconnaît-il (VII, 15).

Turcaret[1]. Santillane entend, lui, mériter l'estime de son
maître par son seul dévouement. Statistiquement, le zèle
qu'il déploie est un mauvais calcul, puisque seulement
deux maîtres sur dix, don Alphonse et Aurore de Guzman, reconnaissent ses efforts. Cet aveuglement peut donc
s'interpréter comme un fait de structure dans le roman.
Le héros choisit de rester dans la contradiction : il
accorde crédit à la parole de ses maîtres, alors qu'il sait
par expérience qu'elle a peu de valeur. Là réside une des
étrangetés irréductibles du personnage de Lesage.

L'anti-héros

D'autres traits caractérisent ce comportement bizarre
de Gil Blas : sa tendance à répéter les mêmes erreurs, son
incapacité à profiter de ses expériences, et surtout la faci-
lité avec laquelle il se laisse engluer dans les discours des
autres. Prévenu contre les flatteries après ses déboires à
Peñaflor où il est successivement la dupe de l'hôte, de
l'écornifleur et du maquignon (I, 2), il n'en est pas moins
trompé par le fripier de Burgos (I, 15) et par Camille à
Valladolid (I, 16). La matoise se révèle une habile cro-
queuse de bague : voilà notre héros en défiance contre
toutes les femmes, ce qui ne l'empêchera pas d'être abusé
par le déguisement et les manières de Laure (III, 5). Cette
bonne dupe s'effraye facilement des menaces verbales :
celles du muletier qui lui promet la torture (I, 3) ou du
biscayen dont il tue – médicalement – la maîtresse (II, 5).
À Madrid, sur la foi des rumeurs, il se met à soupçonner
don Bernard d'être un espion du roi du Portugal – alors
que le pays n'a plus de roi depuis 1580 –, et perd sottement une sinécure (III, 1).

---

1. « Un génie supérieur qui se met en condition, ne fait pas son service matériellement, comme un nigaud. Il entre dans une maison, pour
commander plutôt que pour servir. Il commence par étudier son maître.
Il se prête à ses défauts, gagne sa confiance et le mène ensuite par le
nez », lui conseille Fabrice (I, 17).

D'une manière générale, l'*Histoire de Gil Blas de Santillane* pourrait s'intituler « le voyageur dans le monde
faux », pour paraphraser un titre de Marivaux [1]. L'épisode fameux de l'archevêque de Grenade (VII, 4) est
emblématique du rapport *piégé* qu'il entretient à la parole
des groupes dominants. Épris de belles-lettres, l'archevêque se pique de composer de belles homélies et
demande à Gil Blas d'être à son égard un censeur impitoyable. Mais il le renvoie dès que Gil s'avise de dire ce
qu'il pense sincèrement de ses sermons. Les rares
exemples de franchise et de loyauté sont à chercher du
côté des voleurs ou de don Alphonse, le seul maître avec
lequel le héros noue une relation désintéressée [2]. À côté
d'une aristocratie en déclin, l'esprit et les valeurs de la
chevalerie ne subsistent plus que chez les brigands et les
fripons, même sous une forme parodique [3]. Ce n'est pas
par pure forfanterie que Rolando, le jovial chef des
voleurs que l'habit d'alguazil rendra mélancolique, se pro-
clame l'héritier des rois Wisigoths (I, 4) : il fait réellement
preuve de générosité quand il épargne le fils du corregidor
ou pardonne à Gil son évasion (III, 2). Né pour les
grandes actions, le capitaine renvoie à la « bassesse de ses
inclinations » (III, 2) un héros dont la seule ambition se
borne à ne vouloir servir que des « personnes hors du
commun » (III, 9), entendez des aristocrates.
    Gil Blas n'a certes rien d'un paladin. On ne le voit
guère mettre l'épée à la main au cours de ses aventures :
désarmé par le « petit secrétaire » de la marquise de

    1. *Le Cabinet du philosophe*, périodique publié par Marivaux en 1734,
contient un étrange texte pseudo-utopique intitulé *Le Voyageur dans le
Nouveau Monde* ou *Le Monde vrai*.
    2. Lorsque Gil avertit don Alphonse qu'il est recherché par les
archers, le jeune aristocrate le gratifie d'un « généreux inconnu » (IV, 9)
unique dans ses mémoires.
    3. Moralés parodie les serments des chevaliers errants lorsqu'il croise
Raphaël : « Je rends grâce au Ciel qui m'a fait rencontrer un chevalier
de mon ordre, lorsque j'y pensais le moins. Unissons-nous ; voyageons
ensemble ; attentons sur la bourse du prochain ; profitons de toutes les
occasions qui se présenteront d'exercer notre savoir-faire » (V, 1).

Chaves (IV, 8-9), il choisit le plus souvent la fuite plutôt
que l'affrontement[1]. Ses rares actes de bravoure se
réduisent à des exploits dérisoires (dépouiller un Domini-
cain de ses médailles, I, 8) ou sont dévalués par les circonstances : il libère doña Mencia en l'absence des voleurs et
affronte, bien armé, la vieille cuisinière et le domestique
noir mourant (I, 10)[2]. Gil n'est pas mieux loti dans ses
intrigues galantes, sorte de point aveugle de ses mémoires
– alors que le thème amoureux prime dans l'histoire de
Raphaël. L'issue normale de l'évasion de la caverne
devrait être le roman d'amour qu'évoque Rolando :

> Je vous entends : la dame que l'amour vous a fait enlever,
> vous tient encore au cœur, et sans doute vous menez avec elle
> à Madrid cette vie douce que vous aimez. Avouez, monsieur
> Gil Blas, que vous l'avez mise dans ses meubles, et que vous
> mangez ensemble les pistoles que vous avez emportées du
> souterrain ? (III, 2)

Incapable de dissimuler sur cette matière, Santillane
désabuse son ancien capitaine, de même qu'il avait
détrompé Fabrice admirant son habit d'homme à bonnes
fortunes : « bien loin d'être la coqueluche des femmes de
Valladolid, apprends, mon ami, que j'en suis la dupe » (I,
17). Si Gil est ainsi privé de destin amoureux, c'est parce
qu'il reste inadapté à l'univers de la galanterie qu'il pratique de manière uniquement livresque. Se croyant aimé
d'Aurore, il se prépare au rendez-vous qu'elle lui fixe en
répétant des rôles déjà lus :

> Songeons au rôle que je dois jouer. Il est assez nouveau
> pour moi. Je ne suis encore point fait aux fantaisies des
> femmes de qualité. Je sais de quelle manière on en use avec
> les grisettes et les comédiennes [...]. Je rappelai même dans

---

1. Au début du tome III, pour évoquer son combat contre un barbier
armé d'une longue rapière, Santillane se compare à un matamore « aussi
troublé que Pâris » devant Ménélas (VII, 1).
2. De même lorsqu'il participe à la délivrance de Séraphine et de son
père : « Pour dire les choses sans trahir la vérité, le danger n'était pas
grand » (V, 2).

ma mémoire tous les endroits de nos pièces de théâtre dont
je pouvais me servir dans notre tête-à-tête (IV, 1).

Ce simulacre amoureux qui aboutit à un quiproquo de
comédie est symptomatique de l'évitement de l'objet
d'amour, constant dans le roman de 1715. Tout se passe
comme si Gil n'avait jamais totalement quitté l'univers du
collège et des « disputes » philosophiques avec les Hibernois d'Oviedo (I, 1) : débats sans risque car ils n'engagent
pas l'individu dans une relation de désir. Le héros n'accède
à aucun moment au monde du *sentiment*, que Marivaux
situera à l'origine de la constitution du moi. Son parcours
n'a rien de commun avec celui du paysan parvenu qui fait
carrière grâce à sa perspicacité et à sa dévorante séduction.
Ce défaut fondamental de Gil Blas n'est pas sans rapport
avec son incapacité à deviner les demandes non verbalisées
de ses maîtres [1]. Ce valet modèle reste en dehors de la
sphère des passions, de l'esprit de finesse et du cœur.

Le traitement anti-héroïque du personnage se lit symbo-
liquement dans sa première rencontre avec le « pauvre
soldat estropié » sur la route de Peñaflor. Sa frousse lui fait
prendre la téméraire résolution de ne plus voyager seul (I,
2). Gil ne craint pas seulement pour ses quarante ducats, il
a peur d'*être son propre maître* : grande différence avec le
lieutenant de Rolando, tout heureux de mener une exis-
tence libre de *picaro* (I, 5). À rebours de la Marianne de
Marivaux, animée par un sûr instinct de sa propre valeur,
Santillane se retrouve « déplacé » dès qu'il quitte le monde
de la domesticité ou qu'il tente d'adopter un langage qui lui
est socialement étranger – celui des voleurs, des médecins
ou des petits-maîtres. La myopie de Gil à l'égard de ses
maîtres le rend inapte à donner un sens synthétique à son
expérience, contrairement à d'autres personnages du
roman, comme Fabrice ou Scipion, qui ne fétichisent pas,
eux, la relation de maître à serviteur.

---

1. Grande différence sur ce point avec Jacob : « ce talent de lire dans
l'esprit des gens et de débrouiller leurs sentiments secrets est un don que
j'ai toujours eu et qui m'a quelquefois bien servi » (Marivaux, *Le Paysan
parvenu*, IIe partie, GF-Flammarion, 1965, p. 91).

En publiant le *Gil Blas* en 1715, l'auteur du *Diable boiteux* est passé d'un roman satirique un peu laborieux à une forme inédite de roman critique, très différente de ceux de Cervantès ou de Marivaux[1]. Lesage convoque l'imaginaire littéraire du roman picaresque tout en maintenant son héros hors de ses eaux ignobles ; il renouvelle le roman comique – anti-héroïque – en jouant, comme à la Foire, sur l'exhibition ou le recyclage des lieux communs, sur les procédés de distanciation comme l'ironie ou la parodie. Il invente ainsi, à partir d'un traitement paradoxal du roman d'aventures, le roman non romanesque d'un héros médiocre – tour de force qu'il ne réitérera pas dans les deux autres tomes[2]. Les mémoires de Gil Blas engagent une réflexion de fond sur le matériau de la fiction, sur son utilisation ou son détournement, l'auteur invitant son lecteur à adopter une position critique et amusée face au texte. C'est peut-être par ce côté « western spaghetti » que *Gil Blas* continue aujourd'hui encore à nous séduire.

Érik Leborgne.

---

1. « Est *critique* (au sens classique) un texte qui porte sur d'autres écrits pour en faire un examen métadiscursif ; est *satirique* un texte qui porte sur le monde et la société pour en stigmatiser les défauts », écrit J.-P. Sermain au sujet des romans critiques de Marivaux (*Le Singe de Don Quichotte*, Oxford, SVEC, 2003, p. 222, note 26).

2. C'est pour ces raisons de cohérence esthétique et d'unité du projet romanesque que nous n'avons retenu que les deux premiers tomes du *Gil Blas*.

NOTE SUR L'ÉTABLISSEMENT DU TEXTE

À la suite d'Étiemble (Gallimard, « Folio », 1973) et de Roger Laufer (GF-Flammarion, 1977), j'ai écarté l'édition de 1747 corrigée ou plutôt alourdie par un Lesage probablement sénile. Optant pour le texte qu'il avait su rendre si vivant trente ans plus tôt, j'ai retenu l'édition originale de 1715 (Paris, Pierre Ribou, notée 1715*a*), revue par Lesage la même année chez le même éditeur (notée 1715*b*, texte retenu par Roger Laufer).

L'exemplaire de référence pour 1715*a* est celui de la BNF (rés. Y² 3652-3653), collationné avec 1715*b*. En vérité, les corrections de Lesage sont minimes (j'ai signalé les principales en note). Ce n'est pas là-dessus qu'a porté l'essentiel du travail, mais dans la correction de quelques erreurs et surtout dans le rétablissement d'une ponctuation plus conforme à celle pratiquée au XVIIIe siècle.

La ponctuation de 1715 n'est pas si aberrante que l'affirmait Étiemble : elle possède sa logique propre, basée sur la respiration du texte lu à voix haute, mode de lecture courant à l'époque, surtout sur la scène. Roger Laufer avait proposé une « solution de compromis » entre les habitudes typographiques du XVIIIe siècle et les normes héritées du XIXe siècle[1]. Cette recherche d'un tempérament entre deux pratiques de lecture différentes l'a amené à surcharger la ponctuation, par exemple en rajoutant systématiquement des virgules après les conjonctions de coordination en tête de proposition (« ; et, », « ; mais, »).

---

1. *Histoire de Gil Blas de Santillane*, GF-Flammarion, 1977, p. 14.

Il ne s'agit pas de fétichiser la virgule ou tout autre signe de ponctuation, mais de respecter, autant que possible, le *tempo* alerte et souple de la phrase de Lesage, homme de théâtre attentif, tout comme Marivaux ou Diderot, à l'oralité de ses textes. Pour la même raison, nous avons choisi d'être fidèle à l'usage des points d'exclamation ou d'interrogation : placés en fin de phrase, ils peuvent marquer précisément un jeu scénique ou un état psychologique du personnage (« Ô vie humaine, m'écriai-je quand je me vis seul et dans cet état ! », I, 12).

Le problème qui se pose régulièrement dans l'établissement des textes de cette époque porte sur l'usage ancien des deux points et des points-virgules, souvent intervertis dans les éditions successives de *Gil Blas* entre 1715 et 1732. Lorsqu'ils marquent une simple pause dans la phrase, leur remplacement par une virgule s'avère parfois nécessaire pour ne pas indisposer le lecteur moderne. On ne peut maintenir la ponctuation originale d'une phrase comme : « et quand mes regards ne vous auraient point fait juger que j'ai quelque bonne volonté pour vous ; la démarche que je fais cette nuit ne vous permettrait pas d'en douter » (IV, 2). Dans notre texte, le point-virgule a été remplacé par une virgule.

Selon l'usage du XVIIIe siècle, les citations sont indiquées en italiques, et les dialogues ne comportent pas de guillemets. Nous respectons les majuscules qui figurent dans le texte original (« Roi » désigne toujours le roi régnant, « Ciel » la divinité, etc.). L'orthographe est modernisée conformément aux habitudes éditoriales de la collection, à l'exception des noms propres espagnols pour lesquels nous suivons la graphie qui s'est imposée à l'époque.

Les notes se bornent à expliquer le sens des termes, des références historiques, des allusions mythologiques ou littéraires, plus familières au public de 1715 qu'à celui du XXIe siècle. J'ai proposé une estimation des sommes mentionnées en euros, mais j'avertis le lecteur qu'il ne faut pas les prendre pour argent comptant : il ne peut s'agir que d'un ordre de grandeur approximatif, sur la base

1 livre = 10 à 15 euros. La plupart des notes de Roger Laufer ont été reproduites et complétées le cas échéant. Pour la partie lexicale, la priorité est donnée au *Dictionnaire universel* de Furetière (1690), mine irremplaçable pour apprécier l'état de la langue au début du XVIIIᵉ siècle. Les notes appelées par des astérisques sont de Lesage.

L'édition de 1715 comporte quatorze gravures soignées (six dans le tome I, huit dans le tome II). Nous en avons reproduit deux, en privilégiant l'effet de tableau vivant recherché par Lesage dans deux épisodes : le dénouement du mariage de vengeance (IV, 4) et don Alphonse découvrant Séraphine endormie (IV, 10). Nous avons également reproduit le frontispice de l'édition de 1771, intitulé *Le Théâtre de la vie humaine*.

On voit en moy de bien des gens,
Le Portrait fait d'apres nature:
Et tel rit, voyant ma figure,
Qui rit peutestre à ses depens.

Le Théâtre de la vie humaine
Frontispice de l'édition de 1771

HISTOIRE DE GIL BLAS
DE SANTILLANE

(Livres I à VI)

APPROBATION

J'ai lu par ordre de Monseigneur le Chancelier l'*Histoire de Gil Blas de Santillane*. J'ai trouvé dans cet ouvrage des peintures agréables qui peuvent égayer l'esprit, et des traits propres à corriger les mœurs. Fait à Paris ce 2 janvier 1715.

DANCHET

TOME PREMIER

DÉCLARATION DE L'AUTEUR [1]

Comme il y a des personnes qui ne sauraient lire sans faire des applications, des caractères vicieux ou ridicules qu'elles trouvent dans les ouvrages, je déclare à ces lecteurs malins [2] qu'ils auraient tort d'appliquer les portraits [3] qui sont dans le présent livre. J'en fais un aveu public : je ne me suis proposé que de représenter la vie des hommes telle qu'elle est ; à Dieu ne plaise que j'aie eu dessein de désigner quelqu'un en particulier ! Qu'aucun lecteur ne prenne donc pour lui ce qui peut convenir à d'autres aussi bien qu'à lui ; autrement, comme dit Phèdre, il se fera connaître mal à propos. *Stulte nudabit animi conscientiam* [4].

On voit en Castille comme en France des médecins dont la méthode est de faire un peu trop saigner leurs malades. On voit partout les mêmes vices et les mêmes originaux [5]. J'avoue que je n'ai pas toujours exactement

---

1. Cette déclaration de l'auteur, absente de 1715*a*, est reproduite dans les éditions à partir de 1715*b*.
2. Mal intentionnés, enclins à faire ou à dire du mal.
3. Ils auraient tort de les appliquer à des personnes réelles.
4. Lesage paraphrase et cite trois vers de l'épilogue du deuxième livre des *Fables* de Phèdre (II, 43) : *Suspicione si quis errabit sua/Et rapiet ad se quod erit commune omnium/Stulte nudabit animi conscientiam* (« Si quelque lecteur, s'égarant dans ses conjectures, prend pour lui une leçon commune à tous, il montrera sottement à même le fond de sa conscience », trad. A. Brenot, Les Belles Lettres, « Budé », 1961).
5. « On appelle proverbialement et ironiquement un *original*, un homme qui est ridicule et singulier en ses manières, qui fait rire par la nouveauté de ses actions » (Furetière). Sangrado (II, 4, p. 143) et « l'histrion honoraire » (III, 11, p. 260) seront qualifiés d'originaux.

suivi les mœurs espagnoles, et ceux qui savent dans quel désordre vivent les comédiennes de Madrid, pourraient me reprocher de n'avoir pas fait une peinture assez forte de leurs dérèglements ; mais j'ai cru devoir les adoucir, pour les conformer à nos manières.

GIL BLAS AU LECTEUR [1]

Avant que d'entendre l'histoire de ma vie, écoute, ami lecteur, un conte que je vais te faire [2].

Deux écoliers allaient ensemble de Peñafiel à Salamanque. Se sentant las et altérés, ils s'arrêtèrent au bord d'une fontaine qu'ils rencontrèrent sur leur chemin. Là tandis qu'ils se délassaient après s'être désaltérés, ils aperçurent par hasard auprès d'eux sur une pierre à fleur de terre quelques mots déjà un peu effacés par le temps et par les pieds des troupeaux qu'on venait abreuver à cette fontaine. Ils jetèrent de l'eau sur la pierre pour la laver, et ils lurent ces paroles castillanes : *Aqui está encerrada el alma del Licenciado Pedro Garcias.* Ici est enfermée l'âme du Licencié [3] Pedro Garcias.

Le plus jeune des écoliers, qui était vif et étourdi, n'eut pas achevé de lire l'inscription, qu'il dit en riant de toute sa force : Rien n'est plus plaisant. Ici est enfermée l'âme.... Une âme enfermée...... Je voudrais savoir quel original a pu faire une si ridicule épitaphe. En achevant ces paroles, il se leva pour s'en aller. Son compagnon plus judicieux, dit en lui-même : Il y a là-dessous quelque mystère. Je veux demeurer ici pour l'éclaircir. Celui-ci laissa donc

---

1. L'Avertissement de Gil Blas est également absent de 1715a.
2. Cet apologue s'inspire librement de l'Avertissement du *Marcos de Obregón* de Vicente Espinel (voir annexes, *infra*, p. 461).
3. La licence est l'avant-dernier titre universitaire avant celui de docteur. « Presque tous les officiers de judicature d'Espagne ne sont connus que sous le nom de *licenciés* » (Furetière).

partir l'autre ; et sans perdre de temps se mit à creuser avec son couteau tout autour de la pierre. Il fit si bien qu'il l'enleva. Il trouva dessous une bourse de cuir qu'il ouvrit. Il y avait dedans cent ducats avec une carte[1] sur laquelle étaient écrites ces paroles en latin : Sois mon héritier, toi qui as eu assez d'esprit pour démêler le sens de l'inscription, et fais un meilleur usage que moi de mon argent. L'écolier ravi de cette découverte, remit la pierre comme elle était auparavant, et reprit le chemin de Salamanque avec l'âme du licencié[2].

Qui que tu sois, ami lecteur, tu vas ressembler à l'un ou à l'autre de ces deux écoliers. Si tu lis mes aventures sans prendre garde aux instructions morales qu'elles renferment, tu ne tireras aucun fruit de cet ouvrage ; mais si tu le lis avec attention, tu y trouveras, suivant le précepte d'Horace, l'utile mêlé avec l'agréable[3].

---

1. Un carton. Cent ducats d'or valent 200 écus ou 600 livres (approximativement 7 000 euros). Le ducat, monnaie d'Italie, vaut « un écu (3 livres) en argent et deux (6 livres) étant d'or » (Furetière).

2. Lesage joue sur la polysémie du mot *âme*, auquel il donne ici un sens matériel. « L'âme d'une devise est son explication » (Furetière).

3. Vers célèbres de l'*Art poétique* (titre courant de l'*Épître aux Pisons*) d'Horace : « il obtient tous les suffrages, celui qui unit l'utile à l'agréable, et plaît et instruit en même temps » (*Œuvres*, trad. F. Richard, GF-Flammarion, 1967, p. 268).

LIVRE PREMIER

————— •◆• —————

CHAPITRE PREMIER

De la naissance de Gil Blas, et de son éducation.

Blas [1] de Santillane, mon père, après avoir longtemps porté les armes pour le service de la monarchie espagnole, se retira dans la ville où il avait pris naissance. Il y épousa une petite bourgeoise, qui n'était plus dans sa première jeunesse, et je vins au monde dix mois après leur mariage. Ils allèrent ensuite demeurer à Oviedo, où ma mère se fit femme de chambre et mon père écuyer [2]. Comme ils n'avaient pour tout bien que leurs gages, j'aurais couru risque d'être assez mal élevé, si je n'eusse pas eu dans la ville un oncle chanoine. Il se nommait Gil Perez. Il était frère aîné de ma mère et mon parrain. Représentez-vous un petit homme haut de trois pieds et demi, extraordinairement gros, avec une tête enfoncée entre les deux épaules : voilà mon oncle. Au reste, c'était un ecclésiastique qui ne songeait qu'à bien vivre, c'est-à-dire qu'à faire bonne chère, et sa prébende [3], qui n'était pas mauvaise, lui en fournissait les moyens.

---

1. Forme espagnole du prénom Blaise.
2. Le terme *écuyer* n'a pas ici le sens de « gentilhomme servant d'un chevalier » (Furetière) ; il désigne une fonction domestique attachée traditionnellement à l'intendance des écuries.
3. Revenu d'une église ou d'une collégiale.

Il me prit chez lui dès mon enfance, et se chargea de mon éducation. Je lui parus si éveillé, qu'il résolut de cultiver mon esprit. Il m'acheta un alphabet et entreprit de m'apprendre lui-même à lire : ce qui ne lui fut pas moins utile qu'à moi ; car en me faisant connaître mes lettres, il se remit à la lecture qu'il avait toujours fort négligée, et à force de s'y appliquer, il parvint à lire couramment son bréviaire, ce qu'il n'avait jamais fait auparavant. Il aurait encore bien voulu m'enseigner la langue latine ; c'eût été autant d'argent d'épargné pour lui : mais, hélas, le pauvre Gil Perez ! il n'en avait de sa vie su les premiers principes ; c'était peut-être (car je n'avance pas cela comme un fait certain) le chanoine du chapitre [1] le plus ignorant. Aussi j'ai ouï dire qu'il n'avait point obtenu son bénéfice [2] par son érudition : il le devait uniquement à la reconnaissance de quelques bonnes religieuses dont il avait été le discret commissionnaire, et qui avaient eu le crédit de lui faire donner l'ordre de prêtrise sans examen.

Il fut donc obligé de me mettre sous la férule d'un maître : il m'envoya chez le docteur Godinez, qui passait pour le plus habile pédant [3] d'Oviedo. Je profitai si bien des instructions qu'on me donna, qu'au bout de cinq à six années j'entendais un peu les auteurs grecs et assez bien les poètes latins. Je m'appliquai aussi à la logique, qui m'apprit à raisonner beaucoup. J'aimais tant la dispute, que j'arrêtais les passants, connus ou inconnus, pour leur proposer des arguments. Je m'adressais quelquefois à des figures hibernoises [4], qui ne demandaient pas mieux, et il fallait alors nous voir disputer. Quels gestes ! quelles

---

1. Le *chapitre* est « la communauté des ecclésiastiques qui desservent une église cathédrale ou une collégiale » (Furetière).

2. Le terme *bénéfice*, d'après Furetière, désigne à la fois l'église dotée d'un revenu pour y faire le service divin, et le revenu qui y est affecté.

3. Un *pédant* désigne « un homme de collège qui a soin d'instruire et de gouverner la jeunesse, de lui enseigner les humanités et les arts » (Furetière), sans nuance péjorative ici.

4. Nom latin des habitants de l'Irlande (*Hibernia*). Beaucoup de « figures hibernoises » accompagnèrent en 1688 le roi Jacques II, exilé en France à Saint-Germain.

grimaces ! quelles contorsions ! nos yeux étaient pleins de fureur et nos bouches écumantes. On nous devait plutôt prendre pour des possédés que pour des philosophes [1].

Je m'acquis toutefois par là dans la ville la réputation de savant. Mon oncle en fut ravi, parce qu'il fit réflexion que je cesserais bientôt de lui être à charge. Ho çà, Gil Blas, me dit-il un jour, le temps de ton enfance est passé. Tu as déjà dix-sept ans, et te voilà devenu habile garçon. Il faut songer à te pousser ; je suis d'avis de t'envoyer à l'université de Salamanque : avec l'esprit que je te vois, tu ne manqueras pas de trouver un bon poste. Je te donnerai quelques ducats pour faire ton voyage, avec ma mule qui vaut bien dix à douze pistoles [2] ; tu la vendras à Salamanque et tu en emploieras l'argent à t'entretenir jusqu'à ce que tu sois placé.

Il ne pouvait rien me proposer qui me fût plus agréable, car je mourais d'envie de voir le pays. Cependant j'eus assez de force sur moi, pour cacher ma joie ; et lorsqu'il fallut partir, ne paraissant sensible qu'à la douleur de quitter un oncle à qui j'avais tant d'obligation, j'attendris le bon homme, qui me donna plus d'argent qu'il ne m'en aurait donné, s'il eût pu lire au fond de mon âme. Avant mon départ, j'allai embrasser mon père et ma mère, qui ne m'épargnèrent pas les remontrances. Ils m'exhortèrent à prier Dieu pour mon oncle, à vivre en honnête homme, à ne me point engager dans de mauvaises affaires, et sur toutes choses, à ne pas prendre le bien d'autrui. Après qu'ils m'eurent très longtemps harangué, ils me firent présent de leur bénédiction, qui était le seul bien que j'attendais d'eux. Aussitôt je montai sur ma mule, et sortis de la ville.

---

1. Gil Blas évoque les disputes de ces métaphysiciens en herbe lorsqu'il retrouve Fabrice (I, 17, p. 114).
2. Monnaie espagnole valant 10 livres (plus d'une centaine d'euros).

CHAPITRE 2

Des alarmes qu'il eut en allant à Peñaflor ;
de ce qu'il fit en arrivant dans cette ville,
et avec quel homme il soupa.

Me voilà donc hors d'Oviedo, sur le chemin de Peñaflor [1],
au milieu de la campagne, maître de mes actions, d'une
mauvaise mule et de quarante bons ducats, sans compter
quelques réaux que j'avais volés à mon très honoré oncle.
La première chose que je fis fut de laisser ma mule aller
à discrétion, c'est-à-dire au petit pas. Je lui mis la bride
sur le cou, et tirant de ma poche mes ducats, je commençai à les compter et recompter dans mon chapeau. Je
n'étais pas maître de ma joie. Je n'avais jamais vu tant
d'argent. Je ne pouvais me lasser de le regarder et de le
manier. Je le comptais peut-être pour la vingtième fois,
quand tout à coup ma mule, levant la tête et les oreilles,
s'arrêta au milieu du grand chemin. Je jugeai que quelque
chose l'effrayait ; je regardai ce que ce pouvait être :
j'aperçus sur la terre un chapeau renversé sur lequel il y
avait un rosaire à gros grains, et en même temps j'entendis
une voix lamentable qui prononça ces paroles : Seigneur
passant, ayez pitié, de grâce, d'un pauvre soldat estropié ;
jetez, s'il vous plaît, quelques pièces d'argent dans ce chapeau ; vous en serez récompensé dans l'autre monde. Je
tournai aussitôt les yeux du côté que partait la voix ; je
vis au pied d'un buisson, à vingt ou trente pas de moi,
une espèce de soldat, qui sur deux bâtons croisés appuyait
le bout d'une escopette [2] qui me parut plus longue qu'une
pique, et avec laquelle il me couchait en joue. À cette vue,
qui me fit trembler pour le bien de l'Église, je m'arrêtai

---

1. Voir l'itinéraire de Gil Blas reproduit sur la carte d'Espagne
(annexes, *infra*, p. 459).
2. « Arme à feu en forme de petite arquebuse » (Furetière). Au début
d'*Arlequin roi de Serendib*, pièce de Lesage jouée à la Foire en 1713, trois
faux mendiants forcent de même la charité d'Arlequin (voir la Présentation, *supra*, p. 10).

tout court ; je serrai promptement mes ducats, je tirai quelques réaux [1] et m'approchant du chapeau disposé à recevoir la charité des fidèles effrayés, je les jetai dedans l'un après l'autre, pour montrer au soldat que j'en usais noblement. Il fut satisfait de ma générosité et me donna autant de bénédictions que je donnai de coups de pied dans les flancs de ma mule, pour m'éloigner promptement de lui ; mais la maudite bête, trompant mon impatience, n'en alla pas plus vite ; la longue habitude qu'elle avait de marcher pas à pas sous mon oncle, lui avait fait perdre l'usage du galop.

Je ne tirai pas de cette aventure un augure trop favorable pour mon voyage. Je me représentai que je n'étais pas encore à Salamanque et que je pourrais bien faire une plus mauvaise rencontre. Mon oncle me parut très imprudent de ne m'avoir pas mis entre les mains d'un muletier. C'était sans doute ce qu'il aurait dû faire ; mais il avait songé qu'en me donnant sa mule, mon voyage me coûterait moins ; et il avait plus pensé à cela qu'aux périls que je pouvais courir en chemin. Ainsi, pour réparer sa faute, je résolus, si j'avais le bonheur d'arriver à Peñaflor, d'y vendre ma mule et de prendre la voie du muletier pour aller à Astorga, d'où je me rendrais à Salamanque par la même voiture [2]. Quoique je ne fusse jamais sorti d'Oviedo, je n'ignorais pas le nom des villes par où je devais passer ; je m'en étais fait instruire avant mon départ.

J'arrivai heureusement à Peñaflor : je m'arrêtai à la porte d'une hôtellerie d'assez bonne apparence. Je n'eus pas mis pied à terre, que l'hôte vint me recevoir fort civilement. Il détacha lui-même ma valise, la chargea sur ses épaules et me conduisit à une chambre, pendant qu'un de ses valets menait ma mule à l'écurie. Cet hôte, le plus grand babillard des Asturies et aussi prompt à conter sans nécessité ses propres affaires, que curieux de savoir celles

---

1. Le réal (ou réale), monnaie espagnole, vaut moins d'un écu (3 livres).
2. Par le même moyen de locomotion.

d'autrui, m'apprit qu'il se nommait André Corcuelo ;
qu'il avait servi longtemps dans les armées du roi en qualité de sergent et que depuis quinze mois il avait quitté le
service pour épouser une fille de Castropol [1], qui bien que
tant soit peu basanée, ne laissait pas de faire valoir le
bouchon [2]. Il me dit encore une infinité d'autres choses,
que je me serais fort bien passé d'entendre. Après cette
confidence, se croyant en droit de tout exiger de moi, il
me demanda d'où je venais, où j'allais et qui j'étais. À
quoi il me fallut répondre article par article, parce qu'il
accompagnait d'une profonde révérence chaque question
qu'il me faisait, en me priant d'un air si respectueux
d'excuser sa curiosité, que je ne pouvais me défendre de
la satisfaire. Cela m'engagea dans un long entretien avec
lui et me donna lieu de parler du dessein et des raisons
que j'avais de me défaire de ma mule, pour prendre la
voie du muletier. Ce qu'il approuva fort, non succincte-
ment, car il me représenta là-dessus tous les accidents
fâcheux qui pouvaient m'arriver sur la route. Il me
rapporta même plusieurs histoires sinistres de voyageurs.
Je croyais qu'il ne finirait point. Il finit pourtant, en
disant que si je voulais vendre ma mule, il connaissait un
honnête maquignon [3] qui l'achèterait. Je lui témoignai
qu'il me ferait plaisir de l'envoyer chercher : il y alla sur-
le-champ lui-même avec empressement.

Il revint bientôt accompagné de son homme, qu'il me
présenta et dont il loua fort la probité. Nous entrâmes
tous trois dans la cour, où l'on amena ma mule. On la
fit passer et repasser devant le maquignon, qui se mit à
l'examiner depuis les pieds jusqu'à la tête. Il ne manqua
pas d'en dire beaucoup de mal. J'avoue qu'on n'en pouvait dire beaucoup de bien : mais quand ç'aurait été la

---

1. Ville des Asturies, près d'Oviedo.
2. Le terme *bouchon* finit par désigner le cabaret, sous l'influence des
expressions *bouchon de cabaret* (enseigne) et *droit de bouchon* (taxe sur
les débits de vin).
3. Marchand de chevaux. « Terme odieux » dérivé de *maquereau*
(Furetière).

mule du pape, il y aurait trouvé à redire. Il assurait donc qu'elle avait tous les défauts du monde ; et pour mieux me le persuader, il en attestait l'hôte qui sans doute avait ses raisons pour en convenir. Hé bien, me dit froidement le maquignon, combien prétendez-vous vendre ce vilain animal-là ? Après l'éloge qu'il en avait fait et l'attestation du seigneur Corcuelo, que je croyais homme sincère et bon connaisseur, j'aurais donné ma mule pour rien : c'est pourquoi je dis au marchand que je m'en rapportais à sa bonne foi, qu'il n'avait qu'à priser [1] la bête en conscience et que je m'en tiendrais à la prisée. Alors faisant l'homme d'honneur, il me répondit qu'en intéressant sa conscience, je le prenais par son faible. Ce n'était pas effectivement par son fort ; car au lieu de faire monter l'estimation à dix ou douze pistoles, comme mon oncle, il n'eut pas honte de la fixer à trois ducats, que je reçus avec autant de joie, que si j'eusse gagné à ce marché-là.

Après m'être si avantageusement défait de ma mule, l'hôte me mena chez un muletier qui devait partir le lendemain pour Astorga. Ce muletier me dit qu'il partirait avant le jour et qu'il aurait soin de me venir réveiller. Nous convînmes de prix, tant pour le louage d'une mule que pour ma nourriture ; et quand tout fut réglé entre nous, je m'en retournai vers l'hôtellerie avec Corcuelo, qui, chemin faisant, se mit à me raconter l'histoire de ce muletier. Il m'apprit tout ce qu'on en disait dans la ville. Enfin, il allait de nouveau m'étourdir de son babil important, si par bonheur un homme assez bien fait ne fût venu l'interrompre en l'abordant avec beaucoup de civilité. Je les laissai ensemble et continuai mon chemin, sans soupçonner que j'eusse la moindre part à leur entretien.

Je demandai à souper dès que je fus dans l'hôtellerie. C'était un jour maigre [2]. On m'accommoda des œufs. Pendant qu'on me les apprêtait, je liai conversation avec

---

1. Estimer, donner un prix.
2. L'Église catholique interdisait de manger de la viande certains jours de la semaine (le vendredi) et de l'année (durant la période précédant le Carnaval). Voir le début de III, 11, p. 259.

l'hôtesse, que je n'avais point encore vue. Elle me parut
assez jolie et je trouvai ses allures si vives, que j'aurais
bien jugé, quand son mari ne me l'aurait pas dit, que ce
cabaret devait être fort achalandé. Lorsque l'omelette
qu'on me faisait fut en état de m'être servie, je m'assis
tout seul à une table. Je n'avais pas encore mangé le premier morceau, que l'hôte entra, suivi de l'homme qui
l'avait arrêté dans la rue. Ce cavalier portait une longue
rapière et pouvait bien avoir trente ans. Il s'approcha de
moi d'un air empressé : Seigneur écolier, me dit-il, je viens
d'apprendre que vous êtes le seigneur Gil Blas de
Santillane, l'ornement d'Oviedo et le flambeau de la philosophie. Est-il bien possible que vous soyez ce savantis-
sime, ce bel esprit dont la réputation est si grande en ce
pays-ci ? Vous ne savez pas, continua-t-il en s'adressant à
l'hôte et à l'hôtesse, vous ne savez pas ce que vous possé-
dez. Vous avez un trésor dans votre maison. Vous voyez
dans ce jeune gentilhomme la huitième merveille du
monde. Puis se tournant de mon côté et me jetant les bras
au cou : Excusez mes transports, ajouta-t-il, je ne suis
point maître de la joie que votre présence me cause.

   Je ne pus lui répondre sur-le-champ, parce qu'il me
tenait si serré que je n'avais pas la respiration libre ; et ce
ne fut qu'après que j'eus la tête dégagée de l'embrassade
que je lui dis : Seigneur cavalier, je ne croyais pas mon
nom connu à Peñaflor. Comment connu, reprit-il sur le
même ton ? Nous tenons registre de tous les grands personnages qui sont à vingt lieues à la ronde. Vous passez
ici pour un prodige et je ne doute pas que l'Espagne ne
se trouve un jour aussi vaine [1] de vous avoir produit, que
la Grèce d'avoir vu naître ses Sages. Ces paroles furent
suivies d'une nouvelle accolade, qu'il me fallut encore
essuyer, au hasard d'avoir le sort d'Antée [2]. Pour peu que
j'eusse eu d'expérience, je n'aurais pas été la dupe de ses
démonstrations ni de ses hyperboles ; j'aurais bien connu

---

   1. Aussi vaniteuse.
   2. C'est-à-dire d'être étouffé comme le géant Antée vaincu par
Hercule.

à ses flatteries outrées que c'était un de ces parasites que l'on trouve dans toutes les villes et qui, dès qu'un étranger arrive, s'introduisent auprès de lui pour remplir leur ventre à ses dépens ; mais ma jeunesse et ma vanité m'en firent juger tout autrement. Mon admirateur me parut un fort honnête homme et je l'invitai à souper avec moi. Ah ! très volontiers, s'écria-t-il ; je sais trop bon gré à mon étoile de m'avoir fait rencontrer l'illustre Gil Blas de Santillane, pour ne pas jouir de ma bonne fortune le plus longtemps que je pourrai. Je n'ai pas grand appétit, poursuivit-il, je vais me mettre à table pour vous tenir compagnie seulement et je mangerai quelques morceaux par complaisance.

En parlant ainsi, mon panégyriste s'assit vis-à-vis de moi. On lui apporta un couvert. Il se jeta d'abord sur l'omelette avec tant d'avidité, qu'il semblait n'avoir mangé de trois jours. À l'air complaisant dont il s'y prenait, je vis bien qu'elle serait bientôt expédiée. J'en ordonnai une seconde, qui fut faite si promptement, qu'on nous la servit comme nous achevions, ou plutôt comme il achevait de manger la première. Il y procédait pourtant d'une vitesse toujours égale et trouvait moyen, sans perdre un coup de dent, de me donner louanges sur louanges : ce qui me rendait fort content de ma petite personne. Il buvait aussi fort souvent ; tantôt c'était à ma santé et tantôt à celle de mon père et de ma mère, dont il ne pouvait assez vanter le bonheur d'avoir un fils tel que moi. En même temps il versait du vin dans mon verre et m'excitait à lui faire raison. Je ne répondais point mal aux santés qu'il me portait : ce qui, avec ses flatteries, me mit insensiblement de si belle humeur, que voyant notre seconde omelette à moitié mangée, je demandai à l'hôte s'il n'avait pas de poisson à nous donner. Le seigneur Corcuelo, qui selon toutes les apparences s'entendait avec le parasite, me répondit : J'ai une truite excellente ; mais elle coûtera cher à ceux qui la mangeront : c'est un morceau trop friand [1] pour vous. Qu'appelez-vous trop friand, dit alors

_____
1. Trop délicat.

mon flatteur d'un ton de voix élevé ? vous n'y pensez pas,
mon ami. Apprenez que vous n'avez rien de trop bon
pour le seigneur Gil Blas de Santillane, qui mérite d'être
traité comme un prince.

Je fus bien aise qu'il eût relevé les dernières paroles de
l'hôte et il ne fit en cela que me prévenir. Je m'en sentais
offensé et je dis fièrement à Corcuelo : Apportez-nous
votre truite et ne vous embarrassez pas du reste. L'hôte,
qui ne demandait pas mieux, se mit à l'apprêter et ne
tarda guère à nous la servir. À la vue de ce nouveau plat,
je vis briller une grande joie dans les yeux du parasite, qui
fit paraître une nouvelle complaisance, c'est-à-dire qu'il
donna sur le poisson comme il avait donné sur les œufs.
Il fut pourtant obligé de se rendre, de peur d'accident, car
il en avait jusqu'à la gorge. Enfin, après avoir bu et mangé
tout son soûl, il voulut finir la comédie. Seigneur Gil Blas,
me dit-il en se levant de table, je suis trop content de la
bonne chère que vous m'avez faite, pour vous quitter sans
vous donner un avis important dont vous me paraissez
avoir besoin. Soyez désormais en garde contre les
louanges. Défiez-vous des gens que vous ne connaîtrez
point. Vous en pourrez rencontrer d'autres qui voudront
comme moi se divertir de votre crédulité et peut-être
pousser les choses encore plus loin. N'en soyez point la
dupe et ne vous croyez point sur leur parole la huitième
merveille du monde. En achevant ces mots, il me rit au
nez et s'en alla [1].

Je fus aussi sensible à cette baie [2], que je l'ai été dans
la suite aux plus grandes disgrâces qui me sont arrivées.
Je ne pouvais me consoler de m'être laissé tromper si
grossièrement, ou pour mieux dire, de sentir mon orgueil
humilié. Hé quoi, dis-je, le traître s'est donc joué de moi ?
Il n'a tantôt abordé mon hôte que pour lui tirer les vers
du nez, ou plutôt ils étaient d'intelligence tous deux. Ah,
pauvre Gil Blas, meurs de honte d'avoir donné à ces fri-

---

1. Dans le roman d'Espinel, le héros, victime de deux flatteurs, les
dénonce au juge (*Marcos de Obregón*, I, 9, Paris, 1618, p. 178).

2. *Baie* (du verbe *bayer* : « rester la bouche ouverte ») : moquerie.

pons un juste sujet de te tourner en ridicule. Ils vont composer de tout ceci une belle histoire, qui pourra bien aller
jusqu'à Oviedo, et qui t'y fera beaucoup d'honneur. Tes
parents se repentiront sans doute d'avoir tant harangué
un sot. Loin de m'exhorter à ne tromper personne, ils
devaient [1] me recommander de ne me pas laisser duper.
Agité de ces pensées mortifiantes, enflammé de dépit, je
m'enfermai dans ma chambre et me mis au lit : mais je
ne pus dormir et je n'avais pas encore fermé l'œil, lorsque
le muletier me vint avertir qu'il n'attendait plus que moi
pour partir. Je me levai aussitôt et pendant que je
m'habillais, Corcuelo arriva avec un mémoire de la
dépense, où la truite n'était pas oubliée, et non seulement
il m'en fallut passer par où il voulut, j'eus même le chagrin, en lui livrant mon argent, de m'apercevoir que le
bourreau se ressouvenait de mon aventure. Après avoir
bien payé un souper dont j'avais fait si désagréablement
la digestion, je me rendis chez le muletier avec ma valise,
en donnant à tous les diables le parasite, l'hôte et l'hôtellerie.

CHAPITRE 3

De la tentation qu'eut le muletier sur la route ;
quelle en fut la suite et comment Gil Blas tomba
dans Charybde en voulant éviter Scylla [2].

Je ne me trouvai pas seul avec le muletier. Il y avait
deux enfants de famille de Peñaflor, un petit chantre de
Mondoñedo qui courait le pays et un jeune bourgeois

---

1. Ils auraient dû.
2. Dans l'*Odyssée*, Charybde et Scylla sont les deux monstres fabu-
leux qui gardent le détroit de Messine, le second étant plus terrifiant
que le premier. D'où le sens de l'expression « tomber de Charybde en
Scylla » : échapper à un danger pour tomber dans un autre encore plus
grand.

d'Astorga, qui s'en retournait chez lui avec une jeune personne qu'il venait d'épouser à Verco. Nous fîmes tous connaissance en peu de temps et chacun eut bientôt dit d'où il venait et où il allait. La nouvelle mariée, quoique jeune, était si noire et si peu piquante, que je ne prenais pas grand plaisir à la regarder : cependant sa jeunesse et son embonpoint donnèrent dans la vue du muletier, qui résolut de faire une tentative pour obtenir ses bonnes grâces. Il passa la journée à méditer ce beau dessein et il en remit l'exécution à la dernière couchée. Ce fut à Cacabelos. Il nous fit descendre à la première hôtellerie en entrant. Cette maison était plus dans la campagne que dans le bourg et il en connaissait l'hôte pour un homme discret et complaisant. Il eut soin de nous faire conduire dans une chambre écartée, où il nous laissa souper tranquillement ; mais, sur la fin du repas, nous le vîmes entrer d'un air furieux. Par la mort, s'écria-t-il, on m'a volé. J'avais dans un sac de cuir cent pistoles. Il faut que je les retrouve. Je vais chez le juge du bourg, qui n'entend pas raillerie là-dessus et vous allez tous avoir la question [1], jusqu'à ce que vous ayez confessé le crime et rendu l'argent. En disant cela d'un air fort naturel, il sortit, et nous demeurâmes dans un extrême étonnement [2].

Il ne nous vint pas dans l'esprit que ce pouvait être une feinte, parce que nous ne nous connaissions point les uns les autres. Je soupçonnai même le petit chantre d'avoir fait le coup, comme il eut peut-être de moi la même pensée. D'ailleurs, nous étions tous de jeunes sots. Nous ne savions pas quelles formalités s'observent en pareil cas : nous crûmes de bonne foi qu'on commencerait par nous mettre à la gêne [3]. Ainsi, cédant à notre frayeur, nous sortîmes de la chambre fort brusquement. Les uns gagnent la rue, les autres le jardin ; chacun cherche son salut dans

---

1. Être torturé.
2. Dans le *Marcos de Obregón*, le muletier joue le même tour aux étudiants qu'il conduit à Salamanque, et pour les mêmes raisons (I, 10, éd. citée, p. 182).
3. Au sens étymologique de *géhenne* : « torture ».

la fuite et le jeune bourgeois d'Astorga, aussi troublé que nous de l'idée de la question, se sauva comme un autre Énée, sans s'embarrasser de sa femme. Alors le muletier, à ce que j'appris dans la suite, plus incontinent que ses mulets, ravi de voir que son stratagème produisait l'effet qu'il en avait attendu, alla vanter cette ruse ingénieuse à la bourgeoise et tâcher de profiter de l'occasion ; mais cette Lucrèce des Asturies [1], à qui la mauvaise mine de son tentateur prêtait de nouvelles forces, fit une vigoureuse résistance et poussa de grands cris. La patrouille, qui par hasard en ce moment se trouva près de l'hôtellerie, qu'elle connaissait pour un lieu digne de son attention, y entra et demanda la cause de ces cris. L'hôte, qui chantait dans sa cuisine et feignait de ne rien entendre, fut obligé de conduire le commandant et ses archers à la chambre de la personne qui criait. Ils arrivèrent bien à propos. L'Asturienne n'en pouvait plus. Le commandant, homme grossier et brutal, ne vit pas plus tôt de quoi il s'agissait, qu'il donna cinq ou six coups du bois de sa hallebarde à l'amoureux muletier, en l'apostrophant dans des termes dont la pudeur n'était guère moins blessée, que de l'action même qui les lui suggérait. Ce ne fut pas tout : il se saisit du coupable et le mena devant le juge avec l'accusatrice, qui, malgré le désordre où elle était, voulut aller elle-même demander justice de cet attentat. Le juge l'écouta, et l'ayant attentivement considérée, jugea que l'accusé était indigne de pardon. Il le fit dépouiller sur-le-champ et fustiger [2] en sa présence ; puis il ordonna que le lendemain, si le mari de l'Asturienne ne paraissait point, deux archers, aux frais et dépens du délinquant, escorteraient la complaignante jusqu'à la ville d'Astorga.

Pour moi, plus épouvanté peut-être que tous les autres, je gagnai la campagne. Je traversai je ne sais combien de champs et de bruyères, et sautant tous les fossés que je trouvais sur mon passage, j'arrivai enfin auprès d'une

---

1. En référence à Lucrèce, vertueuse épouse romaine de Collatin violée par Tarquin.
2. Fouetter.

forêt. J'allais m'y jeter et me cacher dans le plus épais
hallier [1], lorsque deux hommes à cheval s'offrirent tout à
coup au-devant de mes pas. Ils crièrent : Qui va là ? et
comme ma surprise ne me permit pas de répondre sur-le-
champ, ils s'approchèrent de moi et me mettant chacun
un pistolet sur la gorge, ils me sommèrent de leur
apprendre qui j'étais, d'où je venais, ce que je voulais aller
faire en cette forêt, et surtout de ne leur rien déguiser.
À cette manière d'interroger, qui me parut bien valoir la
question dont le muletier nous avait fait fête, je leur
répondis que j'étais un jeune homme d'Oviedo qui allait
à Salamanque ; je leur contai même l'alarme qu'on venait
de nous donner et j'avouai que la crainte d'être appliqué
à la torture m'avait fait prendre la fuite. Ils firent un éclat
de rire à ce discours, qui marquait ma simplicité et l'un
des deux me dit : Rassure-toi, mon ami. Viens avec nous
et ne crains rien. Nous allons te mettre en sûreté. À ces
mots, il me fit monter en croupe sur son cheval et nous
nous enfonçâmes dans la forêt.

Je ne savais ce que je devais penser de cette rencontre.
Je n'en augurais pourtant rien de sinistre : Si ces gens-ci,
disais-je en moi-même, étaient des voleurs, ils m'auraient
volé et peut-être assassiné. Il faut que ce soit de bons
gentilshommes de ce pays-ci, qui, me voyant effrayé, ont
pitié de moi et m'emmènent chez eux par charité. Je ne
fus pas longtemps dans l'incertitude. Après quelques
détours, que nous fîmes dans un grand silence, nous nous
trouvâmes au pied d'une colline où nous descendîmes de
cheval. C'est ici que nous demeurons, me dit un des cavaliers. J'avais beau regarder de tous côtés, je n'apercevais
ni maison, ni cabane, pas la moindre apparence d'habita-
tion. Cependant ces deux hommes levèrent une grande
trappe de bois couverte de broussailles, qui cachait
l'entrée d'une longue allée en pente et souterraine, où les
chevaux se jetèrent d'eux-mêmes, comme des animaux qui
y étaient accoutumés. Les cavaliers m'y firent entrer avec
eux ; puis baissant la trappe avec des cordes qui y étaient

---

1. Buisson ou arbrisseau.

attachées pour cet effet, voilà le digne neveu de mon oncle Perez pris comme un rat dans une ratière [1].

CHAPITRE 4

Description du souterrain,
et quelles choses y vit Gil Blas.

Je connus alors avec quelle sorte de gens j'étais, et l'on doit bien juger que cette connaissance m'ôta ma première crainte. Une frayeur plus grande et plus juste vint s'emparer de mes sens. Je crus que j'allais perdre la vie avec mes ducats. Ainsi, me regardant comme une victime qu'on conduit à l'autel, je marchais déjà plus mort que vif entre mes deux conducteurs, qui sentant bien que je tremblais, m'exhortaient inutilement à ne rien craindre. Quand nous eûmes fait environ deux cents pas en tournant et en descendant toujours, nous entrâmes dans une écurie qu'éclairaient deux grosses lampes de fer pendues à la voûte. Il y avait une bonne provision de paille et plusieurs tonneaux remplis d'orge. Vingt chevaux y pouvaient être à l'aise ; mais il n'y avait alors que les deux qui venaient d'arriver. Un vieux nègre, qui paraissait pourtant encore assez vigoureux, s'occupait à les attacher au râtelier.

Nous sortîmes de l'écurie, et à la triste lueur de quelques autres lampes, qui semblaient n'éclairer ces lieux que pour en montrer l'horreur, nous parvînmes à une cuisine où une vieille femme faisait rôtir des viandes sur des brasiers et préparait le souper. La cuisine était ornée des ustensiles nécessaires, et tout auprès on voyait une office pourvue de toutes sortes de provisions. La cuisinière, il

---

1. L'épisode de la caverne des brigands est inspiré du livre IV de *L'Âne d'or* d'Apulée (auteur latin du IIe siècle). L'« Histoire d'Ali Baba et de quarante voleurs » ne parut qu'en 1717, au tome XI des *Mille et Une Nuits* (éd. J.-P. Sermain et A. Chraïbi, GF-Flammarion, 2004, t. III, p. 181-216).

faut que j'en fasse le portrait, était une personne de soixante et quelques années. Elle avait eu dans sa jeunesse
les cheveux d'un blond très ardent, car le temps ne les
avait pas si bien blanchis, qu'ils n'eussent encore quelques
nuances de leur première couleur. Outre un teint olivâtre,
elle avait un menton pointu et relevé avec des lèvres fort
enfoncées ; un grand nez aquilin lui descendait sur la
bouche et ses yeux paraissaient d'un très beau rouge
pourpré.

Tenez, dame Léonarde, dit un des cavaliers en me présentant à ce bel ange des ténèbres, voici un jeune garçon
que nous vous amenons. Puis il se tourna de mon côté, et
remarquant que j'étais pâle et défait : Mon ami, me dit-il,
reviens de ta frayeur. On ne te veut faire aucun mal. Nous
avions besoin d'un valet pour soulager notre cuisinière.
Nous t'avons rencontré. Cela est heureux pour toi. Tu
tiendras ici la place d'un garçon qui s'est laissé mourir
depuis quinze jours. C'était un jeune homme d'une com-
plexion très délicate. Tu me parais plus robuste que lui,
tu ne mourras pas sitôt. Véritablement tu ne reverras plus
le soleil, mais, en récompense, tu feras bonne chère et
beau feu. Tu passeras tes jours avec Léonarde, qui est une
créature fort humaine. Tu auras toutes tes petites commo-
dités. Je veux te faire voir, ajouta-t-il, que tu n'es pas ici
avec des gueux. En même temps il prit un flambeau et
m'ordonna de le suivre.

Il me mena dans une cave, où je vis une infinité de
bouteilles et de pots de terre bien bouchés, qui étaient
pleins, disait-il, d'un vin excellent. Ensuite il me fit traverser plusieurs chambres. Dans les unes, il y avait des pièces
de toile ; dans les autres, des étoffes de laine et de soie.
J'aperçus dans une autre de l'or et de l'argent, et beaucoup de vaisselle à diverses armoiries. Après cela je le
suivis dans un grand salon, que trois lustres de cuivre
éclairaient et qui servait de communication à d'autres
chambres. Il me fit là de nouvelles questions. Il me
demanda comment je me nommais ; pourquoi j'étais sorti
d'Oviedo ; et lorsque j'eus satisfait sa curiosité : Hé bien,
Gil Blas, me dit-il, puisque tu n'as quitté ta patrie que

pour chercher quelque bon poste, il faut que tu sois né coiffé[1], pour être tombé entre nos mains. Je te l'ai déjà dit, tu vivras ici dans l'abondance, et rouleras sur l'or et sur l'argent. D'ailleurs, tu y seras en sûreté. Tel est ce souterrain, que les officiers de la sainte Hermandad[2] viendraient cent fois dans cette forêt sans le découvrir. L'entrée n'en est connue que de moi seul et de mes camarades. Peut-être me demanderas-tu comment nous l'avons pu faire sans que les habitants des environs s'en soient aperçus ; mais apprends, mon ami, que ce n'est point notre ouvrage et qu'il est fait depuis longtemps. Après que les Maures se furent rendus maîtres de Grenade, de l'Aragon et de presque toute l'Espagne, les chrétiens qui ne voulurent point subir le joug des infidèles prirent la fuite et vinrent se cacher dans ce pays-ci, dans la Biscaye et dans les Asturies, où le vaillant don Pélage s'était retiré[3]. Fugitifs et dispersés par pelotons, ils vivaient dans les montagnes ou dans les bois. Les uns demeuraient dans les cavernes, et les autres firent plusieurs souterrains, du nombre desquels est celui-ci. Ayant ensuite eu le bonheur de chasser d'Espagne leurs ennemis, ils retournèrent dans les villes. Depuis ce temps-là leurs retraites ont servi d'asile aux gens de notre profession. Il est vrai que la sainte Hermandad en a découvert et détruit quelques-unes ; mais il en reste encore et grâce au Ciel, il y a près de quinze années que j'habite impunément celle-ci. Je m'appelle le capitaine Rolando[4]. Je suis chef de la

---

1. Né chanceux.

2. La sainte Hermandad (littéralement, « sainte confrérie ») est la maréchaussée au service de l'Inquisition.

3. Pélage ou Pelayo (mort en 737), chef des Wisigoths et roi des Asturies, remporta en 718 la première grande bataille de la Reconquista contre les Maures. La Biscaye est l'ancien nom du pays basque espagnol, les Asturies sont la région qui entoure Oviedo.

4. Sous ce nom de preux chevalier (Roland) se cache une plaisanterie personnelle : les Rollando sont une famille de Sarzeau, village natal de Lesage (d'après E. Lintilhac, compte rendu du *Lesage romancier* de Léo Claretie, *Revue critique d'histoire et de littérature*, 1892, p. 454).

compagnie, et l'homme que tu as vu avec moi est un de mes cavaliers.

CHAPITRE 5

De l'arrivée de plusieurs autres voleurs
dans le souterrain, et de l'agréable conversation
qu'ils eurent tous ensemble.

Comme le seigneur Rolando achevait de parler de cette sorte, il parut dans le salon six nouveaux visages. C'était le lieutenant avec cinq hommes de la troupe qui revenaient chargés de butin. Ils apportaient deux mannequins remplis de sucre, de cannelle, de poivre, de figues, d'amandes et de raisins secs. Le lieutenant adressa la parole au capitaine et lui dit qu'il venait d'enlever ces mannequins à un épicier de Benavente, dont il avait aussi pris le mulet. Après qu'il eut rendu compte de son expédition au bureau, les dépouilles de l'épicier furent portées dans l'office. Alors il ne fut plus question que de se réjouir. On dressa dans le salon une grande table et l'on me renvoya dans la cuisine, où la dame Léonarde m'instruisit de ce que j'avais à faire. Je cédai à la nécessité, puisque mon mauvais sort le voulait ainsi, et dévorant ma douleur, je me préparai à servir ces honnêtes gens.

Je débutai par le buffet, que je parai de tasses d'argent et de plusieurs bouteilles de terre pleines de ce bon vin que le seigneur Rolando m'avait vanté. J'apportai ensuite deux ragoûts, qui ne furent pas plus tôt servis que tous les cavaliers se mirent à table. Ils commencèrent à manger avec beaucoup d'appétit ; et moi, debout derrière eux, je me tins prêt à leur verser du vin. Je m'en acquittai de si bonne grâce, que j'eus le bonheur de m'attirer des compliments. Le capitaine en peu de mots leur conta mon histoire, qui les divertit fort. Ensuite il leur dit que j'avais du mérite : mais j'étais alors revenu des louanges et j'en pou-

vais entendre sans péril. Là-dessus ils me louèrent tous.
Ils dirent que je paraissais né pour être leur échanson [1] :
que je valais cent fois mieux que mon prédécesseur. Et
comme depuis sa mort c'était la señora Léonarda qui
avait l'honneur de présenter le nectar à ces dieux infer-
naux, ils la privèrent de ce glorieux emploi pour m'en
revêtir. Ainsi, nouveau Ganymède, je succédai à cette
vieille Hébé [2].

Un grand plat de rôt servi peu de temps après les
ragoûts, vint achever de rassasier les voleurs, qui buvant
à proportion qu'ils mangeaient, furent bientôt de belle
humeur et firent un beau bruit. Les voilà qui parlent tous
à la fois. L'un commence une histoire, l'autre rapporte un
bon mot, un autre crie, un autre chante. Ils ne s'entendent
point. Enfin Rolando, fatigué d'une scène où il mettait
inutilement beaucoup du sien, le prit sur un ton si haut,
qu'il imposa silence à la compagnie. Messieurs, leur dit-il,
écoutez ce que j'ai à vous proposer. Au lieu de nous étourdir les uns les autres en parlant tous ensemble, ne ferions-
nous pas mieux de nous entretenir comme des gens
raisonnables ? Il me vient une pensée. Depuis que nous
sommes associés, nous n'avons pas eu la curiosité de nous
demander quelles sont nos familles et par quel enchaînement d'aventures nous avons embrassé notre profession.
Cela me paraît toutefois digne d'être su. Faisons-nous
cette confidence pour nous divertir. Le lieutenant et les
autres, comme s'ils avaient eu quelque chose de beau à
raconter, acceptèrent avec de grandes démonstrations de
joie la proposition du capitaine, qui parla le premier dans
ces termes.

Messieurs, vous saurez que je suis fils unique d'un riche
bourgeois de Madrid. Le jour de ma naissance fut célébré
dans la famille par des réjouissances infinies. Mon père,

_____

1. Voir p. 256, note 1.
2. Dans la mythologie grecque, Ganymède, enlevé par Jupiter pour
sa beauté, devint l'échanson des dieux. Hébé, déesse de la jeunesse, servait le nectar aux dieux avant le rapt de Ganymède et s'occupait des
tâches domestiques.

qui était déjà vieux, sentit une joie extrême de se voir un
héritier et ma mère entreprit de me nourrir de son propre
lait. Mon aïeul maternel vivait encore en ce temps-là.
C'était un bon vieillard qui ne se mêlait plus de rien que
de dire son rosaire et de raconter ses exploits guerriers,
car il avait longtemps porté les armes. Je devins insensiblement l'idole de ces trois personnes. J'étais sans cesse
dans leurs bras. De peur que l'étude ne me fatiguât dans
mes premières années, on me les laissa passer dans les
amusements les plus puérils. Il ne faut pas, disait mon
père, que les enfants s'appliquent sérieusement, que le
temps n'ait un peu mûri leur esprit. En attendant cette
maturité, je n'apprenais ni à lire ni à écrire ; mais je ne
perdais pas pour cela mon temps. Mon père m'enseignait
mille sortes de jeux. Je connaissais parfaitement les
cartes ; je savais jouer aux dés et mon grand-père
m'apprenait des romances sur les expéditions militaires
où il s'était trouvé. Il me chantait tous les jours les mêmes
couplets et, lorsque, après avoir répété pendant trois mois
dix ou douze vers, je venais à les réciter sans faute, mes
parents admiraient ma mémoire. Ils ne paraissaient pas
moins contents de mon esprit, quand profitant de la
liberté que j'avais de tout dire, j'interrompais leur entretien pour parler à tort et à travers. Ah, qu'il est joli, s'écriait mon père, en me regardant avec des yeux charmés !
Ma mère m'accablait aussitôt de caresses et mon grand-
père en pleurait de joie. Je faisais aussi devant eux impunément les actions les plus indécentes. Ils me
pardonnaient tout. Ils m'adoraient. Cependant j'entrais
déjà dans ma douzième année, et je n'avais pas encore eu
de maîtres. On m'en donna un. Mais il reçut en même
temps des ordres précis de m'enseigner, sans en venir aux
voies de fait. On lui permit seulement de me menacer
quelquefois, pour m'inspirer un peu de crainte. Cette permission ne fut pas fort salutaire, car ou je me moquais
des menaces de mon précepteur, ou bien les larmes aux
yeux, j'allais m'en plaindre à ma mère ou à mon aïeul et
je leur disais qu'il m'avait maltraité. Le pauvre diable
avait beau venir me démentir, il passait pour un brutal et

l'on me croyait toujours plutôt que lui. Il arriva un jour que je m'égratignai moi-même. Puis je me mis à crier comme si l'on m'eût écorché. Ma mère accourut et chassa le maître sur-le-champ, quoiqu'il protestât et prît le Ciel à témoin qu'il ne m'avait pas touché.

Je me défis ainsi de tous mes précepteurs, jusqu'à ce qu'il vînt s'en présenter un tel qu'il me le fallait. C'était un bachelier d'Alcala. L'excellent maître pour un enfant de famille ! Il aimait les femmes, le jeu et le cabaret. Je ne pouvais être en meilleure main. Il s'attacha d'abord à gagner mon esprit par la douceur. Il y réussit et par là se fit aimer de mes parents qui m'abandonnèrent à sa conduite. Ils n'eurent pas sujet de s'en repentir. Il me perfectionna de bonne heure dans la science du monde. À force de me mener avec lui dans tous les lieux qu'il aimait, il m'en inspira si bien le goût, qu'au latin près, je devins un garçon universel[1]. Dès qu'il vit que je n'avais plus besoin de ses préceptes, il alla les offrir ailleurs.

Si dans mon enfance j'avais vécu au logis fort librement, ce fut bien autre chose, quand je commençai à devenir maître de mes actions. Je me moquais à tous moments de mon père et de ma mère. Ils ne faisaient que rire de mes saillies et plus elles étaient vives, plus ils les trouvaient agréables. Cependant, je faisais toutes sortes de débauches avec de jeunes gens de mon humeur : et comme nos parents ne nous donnaient point assez d'argent pour continuer une vie si délicieuse, chacun dérobait chez lui ce qu'il pouvait prendre, et cela ne suffisant point encore, nous commençâmes à voler la nuit. Malheureusement le corregidor[2] apprit de nos nouvelles. Il voulut nous faire arrêter, mais on nous avertit de son mauvais dessein. Nous eûmes recours à la fuite et nous nous

---

1. « On appelle un homme *universel* celui qui a appris toutes les sciences » (Furetière).
2. Le *corregidor* (« celui qui corrige », en espagnol) est un lieutenant de police. Ses attributions étaient celles d'un commissaire et d'un juge d'instruction.

mîmes à exploiter [1] sur les grands chemins. Depuis ce temps-là, messieurs, Dieu m'a fait la grâce de vieillir dans la profession, malgré les périls qui y sont attachés.

Le capitaine cessa de parler en cet endroit et le lieutenant prit ainsi la parole : Messieurs, une éducation tout opposée à celle du seigneur Rolando a produit le même effet. Mon père était un boucher de Tolède. Il passait avec justice pour le plus grand brutal de la ville et ma mère n'avait pas un naturel plus doux. Ils me fouettaient dans mon enfance, comme à l'envi l'un de l'autre [2]. J'en recevais tous les jours mille coups. La moindre faute que je commettais était suivie des plus rudes châtiments. J'avais beau demander grâce les larmes aux yeux et protester que je me repentais de ce que j'avais fait, on ne me pardonnait rien et le plus souvent on me frappait sans raison. Quand mon père me battait, ma mère, comme s'il ne s'en fût pas bien acquitté, se mettait de la partie, au lieu d'intercéder pour moi. Ces traitements m'inspirèrent tant d'aversion pour la maison paternelle, que je la quittai avant que j'eusse atteint ma quatorzième année. Je pris le chemin d'Aragon et me rendis à Saragosse en demandant l'aumône. Là je me faufilai avec des gueux qui menaient une vie assez heureuse. Ils m'apprirent à contrefaire l'aveugle, à paraître estropié, à mettre sur les jambes des ulcères postiches, *et caetera*. Le matin, comme des acteurs qui se préparent à jouer une comédie, nous nous disposions à faire nos personnages. Chacun courait à son poste ; et le soir, nous réunissant tous, nous nous réjouissions pendant la nuit aux dépens de ceux qui avaient eu pitié de nous pendant le jour [3]. Je m'ennuyai pourtant d'être avec ces misérables et voulant vivre avec de plus honnêtes gens, je m'associai avec des chevaliers de

---

1. Extrapolation ironique du sens juridique : « On dit en jurisprudence féodale qu'un seigneur *exploite* le fief de son vassal, quand il l'a saisi féodalement faute de foi et d'hommage, parce qu'alors il fait les fruits siens » (Furetière).

2. Ils me fouettaient à qui mieux mieux.

3. Traits typiques d'une enfance de *picaro*.

l'industrie [1]. Ils m'apprirent à faire de bons tours ; mais il
nous fallut bientôt sortir de Saragosse, parce que nous
nous brouillâmes avec un homme de justice qui nous avait
toujours protégés. Chacun prit son parti. Pour moi,
j'entrai dans une troupe d'hommes courageux qui faisaient contribuer les voyageurs ; et je me suis si bien
trouvé de leur façon de vivre, que je n'en ai pas voulu
chercher d'autre depuis ce temps-là. Je sais donc, messieurs, très bon gré à mes parents de m'avoir si maltraité ;
car s'ils m'avaient élevé un peu plus doucement, je ne
serais présentement sans doute qu'un malheureux boucher, au lieu que j'ai l'honneur d'être votre lieutenant.

Messieurs, dit alors un jeune voleur qui était assis entre
le capitaine et le lieutenant, les histoires que nous venons
d'entendre ne sont pas si composées [2] ni si curieuses que
la mienne. Je dois le jour à une paysanne des environs de
Séville. Trois semaines après qu'elle m'eut mis au monde
(elle était encore jeune, propre, et bonne nourrice) on lui
proposa un nourrisson. C'était un enfant de qualité, un
fils unique qui venait de naître dans Séville. Ma mère
accepta volontiers la proposition. Elle alla chercher
l'enfant. On le lui confia, et elle ne l'eut pas sitôt apporté
dans son village, que trouvant quelque ressemblance entre
nous, cela lui inspira le dessein de me faire passer pour
l'enfant de qualité, dans l'espérance qu'un jour je recon-
naîtrais bien ce bon office. Mon père qui n'était pas plus
scrupuleux qu'un autre paysan, approuva la supercherie.
De sorte qu'après nous avoir fait changer de langes, le fils
de don Rodrigue de Herrera fut envoyé sous mon nom à
une autre nourrice et ma mère me nourrit sous le sien.

Malgré tout ce qu'on peut dire de l'instinct et de la
force du sang, les parents du petit gentilhomme prirent

---

1. « On appelle proverbialement *chevalier de l'industrie*, des gens qui
n'ont point de bien, qui subsistent par leur adresse et leur industrie,
comme les filous, flatteurs, écornifleurs, donneurs d'avis, etc. » Furetière
cite comme exemple le *Buscón* (« filou ») de Quevedo, roman picaresque
publié en 1626.

2. Si bien inventées.

aisément le change. Ils n'eurent pas le moindre soupçon
du tour qu'on leur avait joué ; et jusqu'à l'âge de sept ans
je fus toujours dans leurs bras. Leur intention étant de
me rendre un cavalier parfait, ils me donnèrent toutes
sortes de maîtres ; mais j'avais peu de disposition pour les
exercices qu'on m'apprenait et encore moins de goût pour
les sciences qu'on me voulait enseigner. J'aimais beaucoup mieux jouer avec les valets que j'allais chercher à
tous moments dans les cuisines ou dans les écuries. Le jeu
ne fut pas toutefois longtemps ma passion dominante. Je
n'avais pas dix-sept ans que je m'enivrais tous les jours.
J'agaçais aussi toutes les femmes du logis. Je m'attachai
principalement à une servante de cuisine qui me parut
mériter mes premiers soins. C'était une grosse joufflue
dont l'enjouement et l'embonpoint me plaisaient fort. Je
lui faisais l'amour avec si peu de circonspection [1], que don
Rodrigue même s'en aperçut. Il m'en reprit aigrement, me
reprocha la bassesse de mes inclinations, et, de peur que
la vue de l'objet aimé ne rendît ses remontrances inutiles,
il mit ma princesse à la porte.

Ce procédé me déplut. Je résolus de m'en venger. Je
volai les pierreries de la femme de don Rodrigue, et courant chercher ma belle Hélène [2] qui s'était retirée chez une
blanchisseuse de ses amies, je l'enlevai en plein midi, afin
que personne n'en ignorât. Je passai plus avant ; je la
menai dans son pays où je l'épousai solennellement, tant
pour faire plus de dépit aux Herrera, que pour laisser aux
enfants de famille un si bel exemple à suivre. Trois mois
après ce mariage, j'appris que don Rodrigue était mort.
Je ne fus pas insensible à cette nouvelle. Je me rendis
promptement à Séville pour demander son bien ; mais j'y
trouvai du changement. Ma mère n'était plus et en mourant, elle avait eu l'indiscrétion d'avouer tout en présence
du curé de son village et d'autres bons témoins. Le fils de
don Rodrigue tenait déjà ma place ou plutôt la sienne, et

---

1. Je la courtisais si ouvertement.
2. Épouse de Ménélas. Son enlèvement par le troyen Pâris est à l'origine de l'expédition des Grecs contre Troie.

il venait d'être reconnu avec d'autant plus de joie, qu'on était moins satisfait de moi. De manière que, n'ayant rien à espérer de ce côté-là et ne me sentant plus de goût pour ma grosse femme, je me joignis à des chevaliers de la fortune, avec qui je commençai mes caravanes [1].

Le jeune voleur ayant achevé son histoire, un autre dit qu'il était fils d'un marchand de Burgos ; que dans sa jeunesse, poussé d'une dévotion indiscrète, il avait pris l'habit et fait profession dans un ordre fort austère, et que quelques années après il avait apostasié [2]. Enfin les huit voleurs parlèrent tour à tour, et lorsque je les eus tous entendus, je ne fus pas surpris de les voir ensemble. Ils changèrent ensuite de discours. Ils mirent sur le tapis divers projets pour la campagne prochaine, et après avoir formé une résolution, ils se levèrent de table pour s'aller coucher. Ils allumèrent des bougies et se retirèrent dans leurs chambres. Je suivis le capitaine Rolando dans la sienne, où pendant que je l'aidais à se déshabiller : Hé bien, Gil Blas, me dit-il, tu vois de quelle manière nous vivons. Nous sommes toujours dans la joie. La haine ni l'envie ne se glissent point parmi nous. Nous n'avons jamais ensemble le moindre démêlé. Nous sommes plus unis que des moines. Tu vas, mon enfant, poursuivit-il, mener ici une vie bien agréable ; car je ne te crois pas assez sot pour te faire une peine d'être avec des voleurs. Hé, voit-on d'autres gens dans le monde [3] ? Non, mon ami ; tous les hommes aiment à s'approprier le bien d'autrui. C'est un sentiment général. La manière seule en est différente. Les conquérants, par exemple, s'emparent des États de leurs voisins. Les personnes de qualité empruntent et ne rendent point. Les banquiers, trésoriers, agents de change, commis et tous les marchands tant gros que petits ne sont pas fort scrupuleux. Pour les gens de justice, je n'en parlerai point. On n'ignore pas ce qu'ils

---

1. Référence parodique aux caravanes (campagnes) qu'effectuent les chevaliers de Malte sur la mer.
2. Il avait quitté son ordre (religieux).
3. Argument typique de *picaro*.

savent faire. Il faut pourtant avouer qu'ils sont plus
humains que nous, car souvent nous ôtons la vie aux
innocents et eux quelquefois la sauvent aux coupables.

CHAPITRE 6

*De la tentative que fit Gil Blas pour se sauver,
et quel en fut le succès.*

Après que le capitaine des voleurs eut fait ainsi l'apolo-
gie de sa profession, il se mit au lit, et moi, je retournai
dans le salon, où je desservis et remis tout en ordre. J'allai
ensuite à la cuisine, où Domingo, c'était le nom du vieux
nègre, et la dame Léonarde soupaient en m'attendant.
Quoique je n'eusse point d'appétit, je ne laissai pas de
m'asseoir auprès d'eux. Je ne pouvais manger, et comme
je paraissais aussi triste que j'avais sujet de l'être, ces deux
figures équivalentes entreprirent de me consoler. Pourquoi vous affligez-vous, mon fils, me dit la vieille ? vous
devez plutôt vous réjouir de vous voir ici. Vous êtes jeune
et vous paraissez facile. Vous vous seriez bientôt perdu
dans le monde. Vous y auriez rencontré des libertins qui
vous auraient engagé dans toutes sortes de débauches. Au
lieu que votre innocence se trouve ici dans un port assuré.
La dame Léonarde a raison, dit gravement à son tour le
vieux nègre, et l'on peut ajouter à cela qu'il n'y a dans le
monde que des peines ; rendez grâce au Ciel, mon ami,
d'être tout d'un coup délivré des périls, des embarras et
des afflictions de la vie.

J'essuyai tranquillement ce discours, parce qu'il ne
m'eût servi de rien de m'en fâcher. Enfin Domingo après
avoir bien bu et bien mangé, se retira dans son écurie.
Léonarde prit aussitôt une lampe et me conduisit dans un
caveau qui servait de cimetière aux voleurs qui mouraient
de leur mort naturelle, et où je vis un grabat qui avait plus
l'air d'un tombeau que d'un lit. Voilà votre chambre, me

dit-elle. Le garçon dont vous avez le bonheur d'occuper la place y a couché tant qu'il a vécu parmi nous, et il y repose encore après sa mort. Il s'est laissé mourir à la fleur de son âge. Ne soyez pas assez simple pour suivre son exemple. En achevant ces paroles, elle me donna la lampe et retourna dans sa cuisine. Je posai la lampe à terre et me jetai sur le grabat, moins pour prendre du repos que pour me livrer tout entier à mes réflexions. Ô Ciel, m'écriai-je, est-il une destinée aussi affreuse que la mienne ? On veut que je renonce à la vue du soleil, et comme si ce n'était pas assez d'être enterré tout vif à dix-huit ans, il faut encore que je sois réduit à servir des voleurs, à passer le jour avec des brigands et la nuit avec des morts ! Ces pensées qui me semblaient très mortifiantes et qui l'étaient en effet, me faisaient pleurer amèrement. Je maudis cent fois l'envie que mon oncle avait eue de m'envoyer à Salamanque. Je me repentis d'avoir craint la justice de Cacabelos. J'aurais voulu être à la question [1]. Mais considérant que je me consumais en plaintes vaines, je me mis à rêver aux moyens de me sauver. Hé quoi, dis-je, est-il donc impossible de me tirer d'ici ? Les voleurs dorment. La cuisinière et le nègre en feront bientôt autant. Pendant qu'ils seront tous endormis, ne puis-je avec cette lampe trouver l'allée par où je suis descendu dans cet enfer ? Il est vrai que je ne me crois point assez fort pour lever la trappe qui est à l'entrée. Cependant voyons. Je ne veux rien avoir à me reprocher. Mon désespoir me prêtera des forces et j'en viendrai peut-être à bout.

Je formai donc ce grand dessein. Je me levai, quand je jugeai que Léonarde et Domingo reposaient. Je pris la lampe et sortis du caveau en me recommandant à tous les saints du paradis. Ce ne fut pas sans peine que je démêlai les détours de ce nouveau labyrinthe. J'arrivai pourtant à la porte de l'écurie et j'aperçus enfin l'allée que je cherchais. Je marche, je m'avance vers la trappe avec autant de légèreté que de joie : mais, hélas, au milieu de l'allée,

---

1. Être mis à la question, être torturé.

je rencontrai une maudite grille de fer bien fermée et dont les barreaux étaient si près l'un de l'autre, qu'on y pouvait à peine passer la main. Je me trouvai bien sot à la vue de ce nouvel obstacle dont je ne m'étais point aperçu en entrant, parce que la grille était alors ouverte. Je ne laissai pas pourtant de tâter les barreaux. J'examinai la serrure. Je tâchais même de la forcer, lorsque tout à coup je me sentis appliquer entre les deux épaules cinq ou six bons coups de nerf de bœuf. Je poussai un cri si perçant, que le souterrain en retentit, et regardant aussitôt derrière moi, je vis le vieux nègre en chemise qui d'une main tenait une lanterne sourde, et de l'autre l'instrument de mon supplice. Ah, ah, dit-il, petit drôle, vous voulez vous sauver ! Oh, ne pensez pas que vous puissiez me surprendre. Je vous ai bien entendu. Vous avez cru la grille ouverte, n'est-ce pas ? apprenez, mon ami, que vous la trouverez désormais toujours fermée. Quand nous retenons ici quelqu'un malgré lui, il faut qu'il soit plus fin que vous pour nous échapper.

Cependant, au cri que j'avais fait, deux ou trois voleurs se réveillèrent en sursaut, et ne sachant si c'était la sainte Hermandad qui venait fondre sur eux, ils se levèrent et appelèrent leurs camarades. Dans un instant ils sont tous sur pied. Ils prennent leurs épées et leurs carabines et s'avancent presque nus jusqu'à l'endroit où j'étais avec Domingo. Mais sitôt qu'ils surent la cause du bruit qu'ils avaient entendu, leur inquiétude se convertit en éclats de rire. Comment donc, Gil Blas, me dit le voleur apostat, il n'y a pas six heures que tu es avec nous, et tu veux déjà t'en aller ? Il faut que tu aies bien de l'aversion pour la retraite. Hé que ferais-tu donc si tu étais chartreux ? Va te coucher. Tu en seras quitte cette fois-ci pour les coups que Domingo t'a donnés ; mais s'il t'arrive jamais de faire un nouvel effort pour te sauver, par saint Barthélemy ! nous t'écorcherons tout vif [1]. À ces mots, il se retira. Les autres voleurs s'en retournèrent aussi dans leurs

---

1. Barthélemy, un des douze apôtres, fut écorché vif d'après la mythologie chrétienne.

chambres. Le vieux nègre fort satisfait de son expédition, rentra dans son écurie, et je regagnai mon cimetière où je passai le reste de la nuit à soupirer et à pleurer.

CHAPITRE 7

De ce que fit Gil Blas, ne pouvant faire mieux.

Je pensai succomber les premiers jours au chagrin qui me dévorait. Je ne faisais que traîner une vie mourante ; mais enfin mon bon génie m'inspira la pensée de dissimuler. J'affectai de paraître moins triste. Je commençai à rire et à chanter, quoique je n'en eusse aucune envie. En un mot, je me contraignis si bien, que Léonarde et Domingo y furent trompés. Ils crurent que l'oiseau s'accoutumait à la cage. Les voleurs s'imaginèrent la même chose. Je prenais un air gai en leur versant à boire, et je me mêlais à leur entretien, quand je trouvais occasion d'y placer quelque plaisanterie. Ma liberté loin de leur déplaire, les divertissait : Gil Blas, me dit le capitaine, un soir que je faisais le plaisant, tu as bien fait, mon ami, de bannir la mélancolie. Je suis charmé de ton humeur et de ton esprit. On ne connaît pas d'abord les gens. Je ne te croyais pas si spirituel ni si enjoué.

Les autres me donnèrent aussi mille louanges. Ils me parurent si contents de moi, que profitant d'une si bonne disposition : Messieurs, leur dis-je, permettez que je vous découvre mes sentiments. Depuis que je demeure ici, je me sens tout autre que je n'étais auparavant. Vous m'avez défait des préjugés de mon éducation. J'ai pris insensiblement votre esprit. J'ai du goût pour votre profession. Je meurs d'envie d'avoir l'honneur d'être un de vos confrères et de partager avec vous les périls de vos expéditions. Toute la compagnie applaudit à ce discours. On loua ma bonne volonté. Puis il fut résolu tout d'une voix qu'on me laisserait servir encore quelque temps pour éprouver

ma vocation ; qu'ensuite on me ferait faire mes caravanes.
Après quoi, on m'accorderait la place honorable que je
demandais.

Il fallut donc continuer de me contraindre et d'exercer
mon emploi d'échanson. J'en fus très mortifié, car je
n'aspirais à devenir voleur, que pour avoir la liberté de
sortir comme les autres, et j'espérais qu'en faisant des
courses avec eux, je leur échapperais quelque jour. Cette
seule espérance soutenait ma vie. L'attente néanmoins me
paraissait longue, et je ne laissai pas d'essayer plus d'une
fois de surprendre la vigilance de Domingo ; mais il n'y
eut pas moyen. Il était trop sur ses gardes. J'aurais défié
cent Orphées de charmer ce Cerbère [1]. Il est vrai aussi
que de peur de me rendre suspect, je ne faisais pas tout
ce que j'aurais pu faire pour le tromper. Il m'observait et
j'étais obligé d'agir avec beaucoup de circonspection pour
ne me pas trahir. Je m'en remettais donc au temps que
les voleurs m'avaient prescrit pour me recevoir dans leur
troupe et je l'attendais avec autant d'impatience que si
j'eusse dû entrer dans une compagnie de traitants [2].

Grâce au Ciel, six mois après, ce temps arriva. Le seigneur Rolando dit à ses cavaliers : Messieurs, il faut tenir
la parole que nous avons donnée à Gil Blas. Je n'ai pas
mauvaise opinion de ce garçon-là. Je crois que nous en
ferons quelque chose. Je suis d'avis que nous le menions
demain avec nous cueillir des lauriers sur les grands chemins. Prenons soin nous-mêmes de le dresser à la gloire.
Les voleurs furent tous du sentiment de leur capitaine, et
pour me faire voir qu'ils me regardaient déjà comme un
de leurs compagnons, dès ce moment ils me dispensèrent
de les servir. Ils rétablirent la dame Léonarde dans
l'emploi qu'on lui avait ôté pour m'en charger. Ils me
firent quitter mon habillement, qui consistait en une

----

1. Dans la mythologie grecque, Cerbère est un chien à trois têtes qui
garde les Enfers. Pour pénétrer dans le royaume des morts et retrouver
Eurydice, Orphée doit le charmer en jouant de la lyre.
2. Les compagnies de financiers (ou traitants) ont toujours été un
milieu très fermé (voir *Turcaret*, I, 5).

simple soutanelle[1] fort usée, et ils me parèrent de toute la dépouille d'un gentilhomme nouvellement volé. Après cela, je me disposai à faire ma première campagne.

CHAPITRE 8

Gil Blas accompagne les voleurs.
Quel exploit il fait sur les grands chemins.

Ce fut sur la fin d'une nuit du mois de septembre, que je sortis du souterrain avec les voleurs. J'étais armé comme eux d'une carabine, de deux pistolets, d'une épée et d'une baïonnette, et je montais un assez bon cheval qu'on avait pris au même gentilhomme dont je portais les habits. Il y avait si longtemps que je vivais dans les ténèbres, que le jour naissant ne manqua pas de m'éblouir ; mais peu à peu mes yeux s'accoutumèrent à le souffrir.

Nous passâmes auprès de Pontferrada, et nous allâmes nous mettre en embuscade dans un petit bois qui bordait le grand chemin de Léon. Là, nous attendions que la fortune nous offrît quelque bon coup à faire, quand nous aperçûmes un religieux de l'Ordre de Saint-Dominique, monté, contre l'ordinaire de ces bons pères, sur une mauvaise mule. Dieu soit loué, s'écria le capitaine en riant, voici le chef-d'œuvre[2] de Gil Blas. Il faut qu'il aille détrousser ce moine. Voyons comme il s'y prendra. Tous les voleurs jugèrent qu'effectivement cette commission me convenait et ils m'exhortèrent à m'en bien acquitter. Messieurs, leur dis-je, vous serez contents. Je vais mettre ce père nu comme la main et vous amener ici sa mule. Non,

---

1. « Petite soutane de campagne qui ne descend que jusqu'aux genoux » (Furetière).

2. Ouvrage que doit réaliser un artisan avant d'être accepté comme maître dans sa compagnie.

non, dit Rolando, elle n'en vaut pas la peine. Apporte-
nous seulement la bourse de Sa Révérence. C'est tout ce
que nous exigeons de toi. Là-dessus, je sortis du bois et
poussai vers le religieux, en priant le Ciel de me pardonner l'action que j'allais faire. J'aurais bien voulu m'échapper dès ce moment-là. Mais la plupart des voleurs étaient
encore mieux montés que moi ; s'ils m'eussent vu fuir, ils
se seraient mis à mes trousses et m'auraient bientôt rat-
trapé, ou peut-être auraient-ils fait sur moi une décharge
de leurs carabines dont je me serais fort mal trouvé. Je
n'osai donc hasarder une démarche si délicate. Je joignis
le père et lui demandai la bourse en lui présentant le bout
d'un pistolet. Il s'arrêta tout court pour me considérer, et
sans paraître fort effrayé : Mon enfant, me dit-il, vous
êtes bien jeune. Vous faites de bonne heure un vilain
métier. Mon père, lui répondis-je, tout vilain qu'il est, je
voudrais l'avoir commencé plus tôt. Ah mon fils, répliqua
le bon religieux, qui n'avait garde de comprendre le vrai
sens de mes paroles [1], que dites-vous ? quel aveuglement !
souffrez que je vous représente l'état malheureux... Oh,
mon père, interrompis-je avec précipitation, trêve de
morale, s'il vous plaît. Je ne viens pas sur les grands chemins pour entendre des sermons. Je veux de l'argent. De
l'argent, me dit-il d'un air étonné ? vous jugez bien mal
de la charité des Espagnols, si vous croyez que les personnes de mon caractère aient besoin d'argent pour voyager en Espagne. Détrompez-vous. On nous reçoit
agréablement partout. On nous loge. On nous nourrit, et
l'on ne nous demande que des prières. Enfin nous ne por-
tons point d'argent sur la route. Nous nous abandonnons
à la providence. Hé non, non, lui repartis-je, vous ne vous
y abandonnez pas. Vous avez toujours de bonnes pistoles
pour être plus sûrs de la providence. Mais, mon père,
ajoutais-je, finissons. Mes camarades, qui sont dans ce

---

1. Gil Blas veut dire qu'il aimerait avoir commencé ce métier de
voleur plus tôt, afin de trouver au plus vite l'occasion de s'échapper de
la caverne.

bois, s'impatientent. Jetez tout à l'heure [1] votre bourse à
terre, ou bien je vous tue.

À ces mots, que je prononçai d'un air menaçant, le religieux sembla craindre pour sa vie. Attendez, me dit-il, je
vais donc vous satisfaire, puisqu'il le faut absolument. Je
vois bien qu'avec vous autres les figures de rhétorique
sont inutiles. En disant cela, il tira de dessous sa robe une
grosse bourse de peau de chamois qu'il laissa tomber à
terre. Alors je lui dis qu'il pouvait continuer son chemin,
ce qu'il ne me donna pas la peine de répéter. Il pressa les
flancs de sa mule, qui démentant l'opinion que j'avais
d'elle, car je ne la croyais pas meilleure que celle de mon
oncle, prit tout à coup un assez bon train. Tandis qu'il
s'éloignait, je mis pied à terre. Je ramassai la bourse qui
me parut pesante. Je remontai sur ma bête et regagnai
promptement le bois, où les voleurs m'attendaient avec
impatience, pour me féliciter de ma victoire. À peine me
donnèrent-ils le temps de descendre de cheval, tant ils
s'empressaient de m'embrasser. Courage, Gil Blas, me dit
Rolando, tu viens de faire des merveilles. J'ai eu les yeux
sur toi pendant ton expédition. J'ai observé ta contenance. Je te prédis que tu deviendras un excellent voleur
de grand chemin. Le lieutenant et les autres applaudirent
à la prédiction et m'assurèrent que je ne pouvais manquer
de l'accomplir quelque jour. Je les remerciai de la haute
idée qu'ils avaient de moi et leur promis de faire tous mes
efforts pour la soutenir.

Après qu'ils m'eurent d'autant plus loué, que je méritais moins de l'être, il leur prit envie d'examiner le butin
dont je revenais chargé. Voyons, dirent-ils, voyons ce qu'il
y a dans la bourse du religieux. Elle doit être bien garnie,
continua l'un d'entre eux, car ces bons pères ne voyagent
pas en pèlerins. Le capitaine délia la bourse, l'ouvrit et en
tira deux ou trois poignées de petites médailles de cuivre,
entremêlées d'*Agnus Dei* avec quelques scapulaires [2]. À la

---

1. Tout de suite.
2. *Agnus* : morceaux de cire bénite représentant l'agneau christique.
Scapulaires : morceaux d'étoffe bénite.

vue d'un larcin si nouveau, tous les voleurs éclatèrent en ris immodérés. Vive Dieu, s'écria le lieutenant, nous avons bien de l'obligation à Gil Blas. Il vient pour son coup d'essai de faire un vol fort salutaire à la compagnie. Cette plaisanterie en attira d'autres. Ces scélérats, et particulièrement celui qui avait apostasié, commencèrent à s'égayer sur la matière. Il leur échappa mille traits qui marquaient bien le dérèglement de leurs mœurs. Moi seul, je ne riais point. Il est vrai que les railleurs m'en ôtaient l'envie en se réjouissant aussi à mes dépens. Chacun me lança son trait et le capitaine me dit : Ma foi, Gil Blas, je te conseille en ami de ne te plus jouer aux moines. Ce sont des gens trop fins et trop rusés pour toi.

CHAPITRE 9

De l'événement sérieux qui suivit cette aventure.

Nous demeurâmes dans le bois la plus grande partie de la journée, sans apercevoir aucun voyageur qui pût payer pour le religieux. Enfin nous en sortîmes pour retourner au souterrain, bornant nos exploits à ce risible événement, qui faisait encore le sujet de notre entretien, lorsque nous découvrîmes de loin un carrosse à quatre mules. Il venait à nous au grand trot et il était accompagné de trois hommes à cheval qui nous parurent bien armés. Rolando fit faire halte à la troupe pour tenir conseil là-dessus, et le résultat fut qu'on attaquerait. Aussitôt, il nous rangea de la manière qu'il voulut et nous marchâmes en bataille au-devant du carrosse. Malgré les applaudissements que j'avais reçus dans le bois, je me sentis saisi d'un grand tremblement et bientôt il sortit de tout mon corps une sueur froide, qui ne me présageait rien de bon. Pour surcroît de bonheur, j'étais au front de la bataille, entre le capitaine et le lieutenant, qui m'avaient placé là pour m'accoutumer au feu tout d'un coup. Rolando remarquant jusqu'à quel point nature pâtissait chez moi, me regarda de travers et me dit d'un air brusque : Écoute, Gil Blas, songe à faire ton devoir. Je t'avertis que si tu recules, je te casserai la tête d'un coup de pistolet. J'étais trop persuadé qu'il le ferait comme il le disait, pour négliger l'avertissement. C'est pourquoi je ne pensai plus qu'à recommander mon âme à Dieu.

Pendant ce temps-là, le carrosse et les cavaliers s'approchaient. Ils connurent [1] quelle sorte de gens nous étions et devinant notre dessein à notre contenance, ils s'arrêtèrent à la portée d'une escopette. Ils avaient aussi bien que nous des carabines et des pistolets. Tandis qu'ils se préparaient à nous recevoir, il sortit du carrosse un homme bien fait et richement vêtu. Il monta sur un cheval de main dont un des cavaliers tenait la bride et il se mit à la tête des autres. Il n'avait pour armes que son épée et deux pistolets. Encore qu'ils ne fussent que quatre contre neuf, car le cocher demeura sur son siège, ils s'avancèrent vers nous avec une audace qui redoubla mon effroi. Je ne laissai pas pourtant, bien que tremblant de tous mes membres, de me tenir prêt à tirer mon coup ; mais pour dire les choses comme elles sont, je fermai les yeux et tournai la tête en déchargeant ma carabine, et de la manière que je tirai, je ne dois point avoir ce coup-là sur la conscience.

Je ne ferai point un détail de l'action. Quoique présent, je ne voyais rien, et ma peur en me troublant l'imagination me cachait l'horreur du spectacle même qui m'effrayait. Tout ce que je sais, c'est qu'après un grand bruit de mousquetades, j'entendis mes compagnons crier à pleine tête : *Victoire, victoire !* À cette acclamation, la terreur qui s'était emparée de mes sens se dissipa et j'aperçus sur le champ de bataille les quatre cavaliers étendus sans vie. De notre côté, nous n'eûmes qu'un homme de tué. Ce fut l'apostat, qui n'eut, en cette occasion, que ce qu'il méritait pour son apostasie et pour ses mauvaises plaisanteries sur les scapulaires. Le lieutenant reçut au

---

1. Ils reconnurent.

bras une blessure, mais elle se trouva très légère, le coup
n'ayant fait qu'effleurer la peau.

Le seigneur Rolande courut d'abord à la portière du
carrosse. Il y avait dedans une dame de vingt-quatre à
vingt-cinq ans, qui lui parut très belle, malgré le triste état
où il la voyait. Elle s'était évanouie pendant le combat et
son évanouissement durait encore. Tandis qu'il s'occupait
à la regarder, nous songeâmes nous autres au butin. Nous
commençâmes par nous assurer des chevaux des cavaliers
tués, car ces animaux épouvantés du bruit des coups,
s'étaient un peu écartés, après avoir perdu leurs guides.
Pour les mules, elles n'avaient pas branlé, quoique durant
l'action, le cocher eût quitté son siège pour se sauver.
Nous mîmes pied à terre pour les dételer, et nous les chargeâmes de plusieurs malles que nous trouvâmes attachées
devant et derrière le carrosse. Cela fait, on prit par ordre
du capitaine la dame qui n'avait point encore rappelé ses
esprits, et on la mit à cheval entre les mains d'un voleur
des mieux montés. Puis laissant sur le grand chemin le
carrosse et les morts dépouillés, nous emmenâmes avec
nous la dame, les mules et les chevaux.

CHAPITRE 10

De quelle manière les voleurs en usèrent avec la dame.
Du grand dessein que forma Gil Blas
et quel en fut l'événement.

Il y avait déjà plus d'une heure qu'il était nuit, quand
nous arrivâmes au souterrain. Nous menâmes d'abord les
bêtes à l'écurie, où nous fûmes obligés nous-mêmes de les
attacher au râtelier et d'en avoir soin, parce que le vieux
nègre était au lit depuis trois jours. Outre que la goutte
l'avait pris violemment, un rhumatisme le tenait entrepris
de tous ses membres. Il ne lui restait rien de libre que la
langue, qu'il employait à témoigner son impatience par

d'horribles blasphèmes. Nous laissâmes ce misérable jurer et blasphémer et nous allâmes à la cuisine, où nous donnâmes toute notre attention à la dame. Nous fîmes si bien que nous vînmes à bout de la tirer de son évanouissement. Mais quand elle eut repris l'usage de ses sens et qu'elle se vit entre les bras de plusieurs hommes qui lui étaient inconnus, elle sentit son malheur. Elle en frémit. Tout ce que la douleur et le désespoir ensemble peuvent avoir de plus affreux, parut peint dans ses yeux, qu'elle leva au Ciel, comme pour lui reprocher les indignités [1] dont elle était menacée. Puis cédant tout à coup à ces images épouvantables, elle retombe en défaillance, sa paupière se referme et les voleurs s'imaginent que la mort va leur enlever leur proie. Alors le capitaine, jugeant plus à propos de l'abandonner à elle-même, que de la tourmenter par de nouveaux secours, la fit porter sur le lit de Léonarde, où on la laissa toute seule au hasard de ce qu'il en pouvait arriver.

Nous passâmes dans le salon, où un des voleurs, qui avait été chirurgien, visita le bras du lieutenant et le frotta de baume. L'opération faite, on voulut voir ce qu'il y avait dans les malles. Les unes se trouvèrent remplies de dentelles et de linge, les autres d'habits, mais la dernière qu'on ouvrit renfermait quelques sacs pleins de pistoles. Ce qui réjouit infiniment messieurs les intéressés. Après cet examen, la cuisinière dressa le buffet, mit le couvert et servit. Nous nous entretînmes d'abord de la grande victoire que nous avions remportée. Sur quoi Rolando m'adressant la parole : Avoue, Gil Blas, me dit-il, avoue que tu as eu grand-peur. Je répondis que j'en demeurais d'accord de bonne foi ; mais que je me battrais comme un paladin [2], quand j'aurais fait seulement deux ou trois campagnes. Là-dessus toute la compagnie prit mon parti, en disant qu'on devait me le pardonner : que l'action avait

---

1. « comme pour se plaindre à lui des indignités » (var. de 1715b).
2. Comme un preux chevalier. Les paladins (palatinus) sont à l'origine les princes de la cour de Charlemagne : on a donné ce titre à Roland, Renaud, Ogier et Olivier.

été vive et que pour un jeune homme qui n'avait jamais vu le feu, je ne m'étais point mal tiré d'affaire.

La conversation tomba ensuite sur les mules et les chevaux que nous venions d'amener au souterrain. Il fut arrêté que le lendemain avant le jour nous partirions tous pour les aller vendre à Mansilla, où probablement on n'aurait point encore entendu parler de notre expédition. Cette résolution prise, nous achevâmes de souper. Puis nous retournâmes à la cuisine pour voir la dame. Nous la trouvâmes dans la même situation. Néanmoins, quoiqu'elle parût à peine jouir d'un reste de vie, quelques voleurs ne laissèrent pas de jeter sur elle un œil profane et de témoigner une brutale envie qu'ils auraient satisfaite, si Rolando ne les en eût empêchés, en leur représentant qu'ils devaient du moins attendre que la dame fût sortie de cet accablement de tristesse qui lui ôtait tout sentiment. Le respect qu'ils avaient pour leur capitaine retint leur incontinence. Sans cela rien ne pouvait sauver la dame. Sa mort même n'aurait peut-être pas mis son honneur en sûreté.

Nous laissâmes encore cette malheureuse femme dans l'état où elle était. Rolando se contenta de charger Léonarde d'en avoir soin et chacun se retira dans sa chambre. Pour moi, lorsque je fus couché, au lieu de me livrer au sommeil, je ne fis que m'occuper du malheur de la dame. Je ne doutais point que ce ne fût une personne de qualité, et j'en trouvais son sort plus déplorable. Je ne pouvais sans frémir, me peindre les horreurs qui l'attendaient, et je m'en sentais aussi vivement touché, que si le sang ou l'amitié m'eussent attaché à elle. Enfin, après avoir bien plaint sa destinée, je rêvai aux moyens de préserver son honneur du péril où il était et de me tirer en même temps du souterrain. Je songeai que le vieux nègre ne pouvait se remuer, et que depuis son indisposition, la cuisinière avait la clef de la grille. Cette pensée m'échauffa l'imagination et me fit concevoir un projet que je digérai bien ; puis j'en commençai sur-le-champ l'exécution de la manière suivante.

Je feignis d'avoir la colique. Je poussai d'abord des plaintes et des gémissements. Ensuite élevant la voix, je jetai de grands cris. Les voleurs se réveillent et sont bientôt auprès de moi. Ils me demandent ce qui m'oblige à crier ainsi. Je répondis que j'avais une colique horrible et pour mieux le leur persuader, je me mis à grincer des dents, à faire des grimaces et des contorsions effroyables et à m'agiter d'une étrange façon. Après cela, je devins tout à coup tranquille, comme si mes douleurs m'eussent donné quelque relâche. Un instant après, je me remis à faire des bonds sur mon grabat et à me tordre les bras. En un mot, je jouai si bien mon rôle, que les voleurs, tout fins qu'ils étaient, s'y laissèrent tromper et crurent qu'en effet je sentais des tranchées violentes[1]. Aussitôt, ils s'empressent tous à me soulager. L'un m'apporte une bouteille d'eau-de-vie et m'en fait avaler la moitié, l'autre me donne malgré moi un lavement d'huile d'amandes douces, un autre va chauffer une serviette et vient me l'appliquer toute brûlante sur le ventre. J'avais beau crier miséricorde, ils imputaient mes cris à ma colique et continuaient à me faire souffrir des maux véritables en voulant m'en ôter un que je n'avais point. Enfin, ne pouvant plus y résister, je fus obligé de leur dire que je ne sentais plus de tranchées et que je les conjurais de me donner quartier[2]. Ils cessèrent de me fatiguer de leurs remèdes et je me gardai bien de me plaindre davantage, de peur d'éprouver encore leur secours.

Cette scène dura près de trois heures. Après quoi, les voleurs jugeant que le jour ne devait pas être fort éloigné, se préparèrent à partir pour Mansilla. Je voulus me lever pour leur faire croire que j'avais grande envie de les accompagner. Mais ils m'en empêchèrent. Non, non, Gil Blas, me dit le seigneur Rolando, demeure ici, mon fils. Ta colique pourrait te reprendre. Tu viendras une autre fois avec nous. Pour aujourd'hui, tu n'es pas en état de nous suivre. Je ne crus pas devoir insister fort sur cela, de

1. Des coliques, des douleurs de ventre.
2. De m'accorder un répit.

crainte qu'on ne se rendît à mes instances. Je parus seulement très mortifié de ne pouvoir être de la partie. Ce que
je fis d'un air si naturel, qu'ils sortirent tous du souterrain
sans avoir le moindre soupçon de mon projet. Après leur
départ, que j'avais tâché de hâter par mes vœux, je me dis
à moi-même[1] : Oh çà, Gil Blas, c'est à présent qu'il faut
avoir de la résolution. Arme-toi de courage, pour achever
ce que tu as si heureusement commencé. Domingo n'est
point en état de s'opposer à ton entreprise, et Léonarde
ne peut t'empêcher de l'exécuter. Saisis cette occasion de
t'échapper. Tu n'en trouveras jamais peut-être une plus
favorable. Ces réflexions me remplirent de confiance. Je
me levai. Je pris mon épée et mes pistolets et j'allai
d'abord à la cuisine ; mais avant que d'y entrer, comme
j'entendis parler Léonarde, je m'arrêtai pour l'écouter.
Elle parlait à la dame inconnue, qui avait repris ses esprits
et qui considérant toute son infortune, pleurait alors et se
désespérait : Pleurez, ma fille, lui disait-elle, fondez en
larmes. N'épargnez point les soupirs. Cela vous soulagera.
Votre saisissement était dangereux ; mais il n'y a plus rien
à craindre, puisque vous versez des pleurs. Votre douleur
s'apaisera peu à peu et vous vous accoutumerez à vivre
ici avec nos messieurs qui sont d'honnêtes gens. Vous
serez mieux traitée qu'une princesse. Ils auront pour vous
mille complaisances et vous témoigneront tous les jours
de l'affection. Il y a bien des femmes qui voudraient être
à votre place.

   Je ne donnai pas le temps à Léonarde d'en dire davantage. J'entrai et lui mettant un pistolet sur la gorge, je la
pressai d'un air menaçant de me remettre la clef de la
grille. Elle fut troublée de mon action, et quoique très
avancée dans sa carrière, elle se sentit encore assez attachée à la vie pour n'oser me refuser ce que je lui demandais. Lorsque j'eus la clef entre les mains, j'adressai la
parole à la dame affligée : Madame, lui dis-je, le Ciel vous
envoie[2] un libérateur. Levez-vous pour me suivre. Je vais

---

1. « je m'adressai ce discours » (var. de 1715*b*).
2. « le Ciel vous a envoyé » (var. de 1715*b*).

vous mener où il vous plaira que je vous conduise. La
dame ne fut pas sourde à ma voix, et mes paroles firent
tant d'impression sur son esprit, que rappelant tout ce
qui lui restait de forces, elle se leva, vint se jeter à mes
pieds, et me conjura de conserver son honneur. Je la rele-
vai et l'assurai qu'elle pouvait compter sur moi. Ensuite
je pris des cordes que j'aperçus dans la cuisine, et à l'aide
de la dame, je liai Léonarde aux pieds d'une grosse table,
en lui protestant que je la tuerais si elle poussait le
moindre cri. Après cela, j'allumai de la bougie et j'allai
avec l'inconnue à la chambre où étaient les espèces d'or
et d'argent. Je mis dans mes poches autant de pistoles et
de doubles pistoles [1] qu'il y en put tenir ; et pour obliger
la dame à s'en charger aussi, je lui représentai qu'elle ne
faisait que reprendre son bien. Quand nous en eûmes une
bonne provision, nous marchâmes vers l'écurie, où
j'entrai seul avec mes pistolets en état. Je comptais bien
que le vieux nègre, malgré sa goutte et son rhumatisme,
ne me laisserait pas tranquillement seller et brider mon
cheval, et j'étais dans la résolution de le guérir pour
jamais de ses maux s'il s'avisait de vouloir faire le
méchant ; mais par bonheur, il était alors si accablé des
douleurs qu'il avait souffertes et de celles qu'il souffrait
encore, que je tirai mon cheval de l'écurie, sans même
qu'il parût s'en apercevoir. La dame m'attendait à la
porte. Nous enfilâmes promptement l'allée par où l'on
sortait du souterrain. Nous arrivons à la grille. Nous
l'ouvrons et nous parvenons enfin à la trappe. Nous
eûmes beaucoup de peine à la lever, ou plutôt pour en
venir à bout, nous eûmes besoin de la force nouvelle que
nous prêta l'envie de nous sauver [2].

Le jour commençait à paraître, lorsque nous nous
vîmes hors de cet abîme. Nous songeâmes aussitôt à nous
en éloigner. Je me jetai en selle ; la dame monta derrière

---

1. La double pistole vaut environ 20 livres (entre 200 et 300 euros).
2. Cet épisode rappelle la tentative d'évasion de Lucius (transformé
en âne) et de la jeune fille enlevée par les brigands, dans le roman d'Apulée,
L'Âne d'or (livre VI).

moi, et suivant au galop le premier sentier qui se présenta, nous sortîmes bientôt de la forêt. Nous entrâmes dans une plaine coupée de plusieurs routes. Nous en prîmes une au hasard. Je mourais de peur qu'elle ne nous conduisît à Mansilla et que nous ne rencontrassions Rolando et ses camarades. Heureusement ma crainte fut vaine. Nous arrivâmes à la ville d'Astorga sur les deux heures après midi. J'aperçus des gens qui nous regardaient avec une extrême attention, comme si c'eût été pour eux un spectacle nouveau de voir une femme à cheval derrière un homme. Nous descendîmes à la première hôtellerie. J'ordonnai d'abord qu'on mît à la broche une perdrix et un lapereau. Pendant qu'on exécutait mon ordre, je conduisis la dame à une chambre, où nous commençâmes à nous entretenir. Ce que nous n'avions pu faire en chemin, parce que nous étions venus trop vite. Elle me témoigna combien elle était sensible au service que je venais de lui rendre et me dit qu'après une action si généreuse elle ne pouvait se persuader que je fusse un compagnon des brigands à qui je l'avais arrachée. Je lui contai mon histoire, pour confirmer la bonne opinion qu'elle avait conçue de moi. Par là, je l'engageai à me donner sa confiance et à m'apprendre ses malheurs, qu'elle me raconta comme je vais le dire dans le chapitre suivant.

CHAPITRE 11

Histoire de doña Mencia de Mosquera.

Je suis née à Valladolid et je m'appelle doña Mencia de Mosquera. Don Martin mon père, après avoir consumé presque tout son patrimoine dans le service, fut tué en Portugal à la tête d'un régiment qu'il commandait. Il me laissa si peu de bien, que j'étais un assez mauvais parti, quoique je fusse fille unique. Je ne manquai pas toutefois d'amants, malgré la médiocrité de ma fortune. Plusieurs

cavaliers des plus considérables d'Espagne me recher-
chèrent en mariage. Celui qui s'attira mon attention fut
don Alvar de Mello. Véritablement il était mieux fait que
ses rivaux, mais des qualités plus solides me déterminèrent en sa faveur. Il avait de l'esprit, de la discrétion, de
la valeur et de la probité. D'ailleurs, il pouvait passer
pour l'homme du monde le plus galant. Fallait-il donner
une fête ? rien n'était mieux entendu, et s'il paraissait
dans des joutes, il y faisait toujours admirer sa force et
son adresse. Je le préférai donc à tous les autres et je
l'épousai.

Peu de jours après notre mariage, il rencontra dans un
endroit écarté don André de Baësa, qui avait été un de
ses rivaux. Ils se piquèrent l'un l'autre et mirent l'épée à
la main. Il en coûta la vie à don André. Comme il était
neveu du corregidor de Valladolid, homme violent et
mortel ennemi de la maison de Mello, don Alvar crut ne
pouvoir assez tôt sortir de la ville. Il revint promptement
au logis, où pendant qu'on lui préparait un cheval, il me
conta ce qui venait de lui arriver. Ma chère Mencia, me
dit-il ensuite, il faut nous séparer. Vous connaissez le corregidor. Ne nous flattons point [1]. Il va me poursuivre
vivement. Vous n'ignorez pas quel est son crédit. Je ne
serai pas en sûreté dans le royaume. Il était si pénétré de
sa douleur et de celle dont il me voyait saisie, qu'il n'en
put dire davantage. Je lui fis prendre de l'or et quelques
pierreries. Puis il me tendit les bras et nous ne fîmes pendant un quart d'heure que confondre nos soupirs et nos
larmes. Enfin, on vint l'avertir que le cheval était prêt. Il
s'arrache d'auprès de moi. Il part et me laisse dans un
état qu'on ne saurait représenter. Heureuse, si l'excès de
mon affliction m'eût fait alors mourir [2] ! que ma mort
m'aurait épargné de peines et d'ennuis ! Quelques heures
après que don Alvar fut parti, le corregidor apprit sa
fuite. Il le fit poursuivre et n'épargna rien pour l'avoir en
sa puissance. Mon époux toutefois trompa sa poursuite

---

1. Ne nous faisons pas d'illusion.
2. J'aurais été trop heureuse de mourir de chagrin à cet instant.

et sut se mettre en sûreté. De manière que le juge se voyant réduit à borner sa vengeance à la seule satisfaction d'ôter les biens à un homme dont il aurait voulu verser le sang, il n'y travailla pas en vain. Tout ce que don Alvar pouvait avoir de fortune fut confisqué.

Je demeurai dans une situation très affligeante. J'avais à peine de quoi subsister. Je commençai à mener une vie retirée, n'ayant qu'une femme pour tout domestique. Je passais les jours à pleurer, non une indigence que je supportais patiemment, mais l'absence d'un époux chéri, dont je ne recevais aucune nouvelle. Il m'avait pourtant promis dans nos tristes adieux qu'il aurait soin de m'informer de son sort dans quelque endroit du monde où sa mauvaise étoile pût le conduire. Cependant sept années s'écoulèrent sans que j'entendisse parler de lui. L'incertitude où j'étais de sa destinée me causait une profonde tristesse. Enfin, j'appris qu'en combattant pour le roi de Portugal dans le royaume de Fez [1], il avait perdu la vie dans une bataille. Un homme revenu depuis peu d'Afrique, me fit ce rapport, en m'assurant qu'il avait parfaitement connu don Alvar de Mello, qu'il avait servi dans l'armée portugaise avec lui et qu'il l'avait vu périr dans l'action. Il ajoutait à cela d'autres circonstances encore qui achevèrent de me persuader que mon époux n'était plus.

Dans ce temps-là don Ambrosio Mesia Carrillo, marquis de la Guardia, vint à Valladolid. C'était un de ces vieux seigneurs qui par leurs manières galantes et polies font oublier leur âge et savent encore plaire aux femmes. Un jour, on lui conta par hasard l'histoire de don Alvar et sur le portrait qu'on lui fit de moi, il eut envie de me voir. Pour satisfaire sa curiosité, il gagna une de mes parentes qui m'attira chez elle. Il s'y trouva. Il me vit et je lui plus malgré l'impression de douleur qu'on remarquait sur mon visage ; mais que dis-je, malgré ? peut-être

---

1. Fez (Fès-el-Djedid, « la nouvelle ville ») était la capitale des Marinides, dynastie berbère qui combattit les rois de Castille et du Portugal jusqu'à la fin du XVe siècle.

ne fut-il touché que de mon air triste et languissant qui le prévenait en faveur de ma fidélité. Ma mélancolie peut-être fit naître son amour. Aussi bien, il me dit plus d'une fois qu'il me regardait comme un prodige de constance et même qu'il enviait le sort de mon mari, quelque déplorable qu'il fût d'ailleurs. En un mot, il fut frappé de ma vue et il n'eut pas besoin de me voir une seconde fois, pour prendre la résolution de m'épouser.

Il choisit l'entremise de ma parente, pour me faire agréer son dessein. Elle me vint trouver et me représenta que mon époux ayant achevé son destin dans le royaume de Fez, comme on nous l'avait rapporté, il n'était pas raisonnable d'ensevelir plus longtemps mes charmes ; que j'avais assez pleuré un homme avec qui je n'avais été unie que quelques moments, et que je devais profiter de l'occasion qui se présentait ; que je serais la plus heureuse femme du monde. Là-dessus, elle me vanta la noblesse du vieux marquis, ses grands biens et son bon caractère ; mais elle eut beau s'étendre avec éloquence sur tous les avantages qu'il possédait, elle ne put me persuader. Ce n'est pas que je doutasse de la mort de don Alvar, ni que la crainte de le revoir tout à coup, lorsque j'y penserais le moins, m'arrêtât. Le peu de penchant, ou plutôt la répugnance que je me sentais pour un second mariage, après tous les malheurs du premier, faisait le seul obstacle que ma parente eût à lever. Aussi ne se rebuta-t-elle point. Au contraire, son zèle pour don Ambrosio en redoubla. Elle engagea toute ma famille dans les intérêts de ce vieux seigneur. Mes parents commencèrent à me presser d'accepter un parti si avantageux. J'en étais à tout moment obsédée, importunée, tourmentée. Il est vrai que ma misère, qui devenait de jour en jour plus grande, ne contribua pas peu à laisser vaincre ma résistance.

Je ne pus donc m'en défendre ; je cédai à leurs pressantes instances, et j'épousai le marquis de la Guardia, qui dès le lendemain de mes noces m'emmena dans un très beau château qu'il a auprès de Burgos entre Grajal et Rodillas. Il conçut pour moi un amour violent. Je remarquais dans toutes ses actions une envie de me plaire.

Il s'étudiait à prévenir mes moindres désirs. Jamais époux n'a eu tant d'égards pour une femme, et jamais amant n'a fait voir tant de complaisance pour une maîtresse. J'aurais passionnément aimé don Ambrosio malgré la disproportion de nos âges, si j'eusse été capable d'aimer quelqu'un après don Alvar. Mais les cœurs constants ne sauraient avoir qu'une passion. Le souvenir de mon premier époux rendait inutiles tous les soins que le second prenait pour me plaire. Je ne pouvais donc payer sa tendresse que de purs sentiments de reconnaissance.

J'étais dans cette disposition, quand prenant l'air un jour à une fenêtre de mon appartement, j'aperçus dans le jardin une manière de paysan qui me regardait avec attention. Je crus que c'était un garçon jardinier. Je pris peu garde à lui ; mais le lendemain, m'étant remise à la fenêtre, je le vis au même endroit et il me parut encore fort attaché à me considérer. Cela me frappa. Je l'envisageai[1] à mon tour et après l'avoir observé quelque temps, il me sembla reconnaître les traits du malheureux don Alvar. Cette apparition excita dans tous mes sens un trouble inconcevable. Je poussai un grand cri. J'étais alors par bonheur seule avec Inès, celle de toutes mes femmes qui avait le plus de part à ma confiance. Je lui dis le soupçon qui agitait mes esprits. Elle ne fit qu'en rire et elle s'imagina qu'une légère ressemblance avait trompé mes yeux. Rassurez-vous, madame, me dit-elle, et ne pensez pas que vous ayez vu votre premier époux. Quelle apparence y a-t-il qu'il soit ici sous une forme de paysan ? Est-il même croyable qu'il vive encore ? Je vais, ajouta-t-elle, descendre au jardin et parler à ce villageois. Je saurai quel homme c'est et je reviendrai dans un moment vous en instruire. Inès alla donc au jardin et peu de temps après je la vis rentrer dans mon appartement fort émue : Madame, dit-elle, votre soupçon n'est que trop bien éclairci. C'est don Alvar lui-même que vous venez de voir.

---

1. Je le dévisageai.

Il s'est découvert d'abord [1] et il vous demande un entretien secret.

Comme je pouvais à l'heure même recevoir don Alvar, parce que le marquis était à Burgos, je chargeai ma suivante de me l'amener dans mon cabinet par un escalier dérobé. Vous jugez bien que j'étais dans une terrible agitation. Je ne pus soutenir la vue d'un homme qui était en droit de m'accabler de reproches. Je m'évanouis dès qu'il se présenta devant moi. Ils me secoururent promptement, Inès et lui, et quand ils m'eurent fait revenir de mon évanouissement, don Alvar me dit : Madame, remettez-vous de grâce. Que ma présence ne soit pas un supplice pour vous. Je n'ai pas dessein de vous faire la moindre peine. Je ne viens point en époux furieux vous demander compte de la foi jurée et vous faire un crime du second engagement que vous avez contracté. Je n'ignore pas que c'est l'ouvrage de votre famille. Toutes les persécutions que vous avez souffertes à ce sujet me sont connues. D'ailleurs, on a répandu dans Valladolid le bruit de ma mort et vous l'avez cru avec d'autant plus de fondement, qu'aucune lettre de ma part ne vous assurait du contraire. Enfin, je sais de quelle manière vous avez vécu depuis notre cruelle séparation et que la nécessité plutôt que l'amour vous a jetée dans les bras... Ah seigneur, interrompis-je en pleurant, pourquoi voulez-vous excuser votre épouse ? elle est coupable puisque vous vivez. Que ne suis-je encore dans la misérable situation où j'étais avant que d'épouser don Ambrosio ! Funeste hyménée ! hélas, j'aurais du moins dans ma misère la consolation de vous revoir sans rougir.

Ma chère Mencia, reprit don Alvar d'un air qui marquait jusqu'à quel point il était pénétré de mes larmes, je ne me plains pas de vous ; et bien loin de vous reprocher l'état brillant où je vous retrouve, je jure que j'en rends grâce au Ciel. Depuis le triste jour de mon départ de Valladolid, j'ai toujours eu la fortune contraire : ma vie n'a été qu'un enchaînement d'infortunes et pour comble

---

1. Il s'est fait reconnaître tout de suite à moi.

de malheurs, je n'ai pu vous donner de mes nouvelles.
Trop sûr de votre amour, je me représentais sans cesse la
situation où ma fatale tendresse vous avait réduite. Je me
peignais doña Mencia dans les pleurs. Vous faisiez le plus
grand de mes maux. Quelquefois, je l'avouerai, je me suis
reproché comme un crime le bonheur de vous avoir plu.
J'ai souhaité que vous eussiez penché vers quelqu'un de
mes rivaux, puisque la préférence que vous m'aviez donnée sur eux vous coûtait si cher. Cependant après sept
années de souffrances, plus épris de vous que jamais, j'ai
voulu vous revoir. Je n'ai pu résister à cette envie, et la fin
d'un long esclavage m'ayant permis de la satisfaire, j'ai
été sous ce déguisement à Valladolid, au hasard d'être
découvert. Là j'ai tout appris. Je suis venu ensuite à ce
château et j'ai trouvé moyen de m'introduire chez le jardinier, qui m'a retenu pour travailler dans les jardins. Voilà
de quelle manière je me suis conduit pour parvenir à vous
parler secrètement. Mais ne vous imaginez pas que j'aie
dessein de troubler par mon séjour ici la félicité dont vous
jouissez. Je vous aime plus que moi-même. Je respecte
votre repos et je vais après cet entretien achever loin de
vous de tristes jours que je vous sacrifie.

Non, don Alvar, non, m'écriai-je à ces paroles ! Je ne
souffrirai pas que vous me quittiez une seconde fois. Je
veux partir avec vous. Il n'y a que la mort qui puisse
désormais nous séparer. Croyez-moi, reprit-il, vivez avec
don Ambrosio. Ne vous associez point à mes malheurs.
Laissez-m'en soutenir tout le poids. Il me dit encore
d'autres choses semblables ; mais plus il paraissait vouloir
s'immoler à mon bonheur, moins je me sentais disposée
à y consentir. Lorsqu'il me vit ferme dans la résolution
de le suivre, il changea tout à coup de ton et prenant un
air plus content : Madame, me dit-il, puisque vous aimez
encore assez don Alvar pour préférer sa misère à la prospérité où vous êtes, allons donc demeurer à Betancos dans
le fond du royaume de Galice. J'ai là une retraite assurée.
Si mes disgrâces m'ont ôté tous mes biens, elles ne m'ont
point fait perdre tous mes amis. Il m'en reste encore de
fidèles, qui m'ont mis en état de vous enlever. J'ai fait

faire un carrosse à Zamora par leur secours. J'ai acheté des mules et des chevaux, et suis accompagné de trois Galiciens des plus résolus. Ils sont armés de carabines et de pistolets, et ils attendent mes ordres dans le village de Rodillas. Profitons, ajouta-t-il, de l'absence de don Ambrosio. Je vais faire venir le carrosse jusqu'à la porte de ce château et nous partirons dans le moment. J'y consentis. Don Alvar vola vers Rodillas et revint en peu de temps avec ses trois cavaliers m'enlever au milieu de mes femmes, qui ne sachant que penser de cet enlèvement, se sauvèrent fort effrayées. Inès seule était au fait, mais elle refusa de lier son sort au mien, parce qu'elle aimait un valet de chambre de don Ambrosio.

Je montai donc en carrosse avec don Alvar, n'emportant que mes hardes et quelques pierreries que j'avais avant mon second mariage, car je ne voulus rien prendre de tout ce que le marquis m'avait donné en m'épousant. Nous prîmes la route du royaume de Galice, sans savoir si nous serions assez heureux pour y arriver. Nous avions sujet de craindre que don Ambrosio à son retour ne se mît sur nos traces avec un grand nombre de personnes et ne nous joignît. Cependant nous marchâmes pendant deux jours sans voir paraître à nos trousses aucun cavalier. Nous espérions que la troisième journée se passerait de même et déjà nous nous entretenions fort tranquillement. Don Alvar me contait la triste aventure qui avait donné lieu au bruit de sa mort et comment après cinq années d'esclavage il avait recouvré la liberté, quand nous rencontrâmes hier sur le chemin de Léon les voleurs avec qui vous étiez. C'est lui qu'ils ont tué avec tous ses gens, et c'est lui qui fait couler les pleurs que vous me voyez répandre en ce moment.

CHAPITRE 12

De quelle manière désagréable
Gil Blas et la dame furent interrompus.

Doña Mencia fondit en larmes après avoir achevé ce récit. Je la laissai donner un libre cours à ses soupirs. Je pleurai même aussi, tant il est naturel de s'intéresser pour les malheureux et particulièrement pour une belle personne affligée. J'allais lui demander quel parti elle voulait prendre dans la conjoncture où elle se trouvait, et peut-être allait-elle me consulter là-dessus, si notre conversation n'eût pas été interrompue ; mais nous entendîmes dans l'hôtellerie un grand bruit qui malgré nous attira notre attention. Ce bruit était causé par l'arrivée du corregidor suivi de deux alguazils* et de plusieurs archers. Ils vinrent dans la chambre où nous étions. Un jeune cavalier, qui les accompagnait, s'approcha de moi le premier et se mit à regarder de près mon habit. Il n'eut pas besoin de l'examiner longtemps. Par saint Jacques, s'écria-t-il, voilà mon pourpoint. C'est lui-même. Il n'est pas plus difficile à reconnaître que mon cheval. Vous pouvez arrêter ce galant sur ma parole. C'est un de ces voleurs qui ont une retraite inconnue en ce pays-ci.

À ce discours, qui m'apprenait que ce cavalier était le gentilhomme volé dont j'avais par malheur toute la dépouille, je demeurai surpris, confus, déconcerté. Le corregidor, que sa charge obligeait plutôt à tirer une mauvaise conséquence de mon embarras qu'à l'expliquer favorablement, jugea que l'accusation n'était pas mal fondée, et présumant que la dame pouvait être complice, il nous fit emprisonner tous deux séparément. Ce juge n'était pas de ceux qui ont le regard terrible, il avait l'air doux et riant. Dieu sait s'il en valait mieux pour cela. Sitôt que je fus en prison, il y vint avec ses deux furets, c'est-à-dire ses deux alguazils. Ils n'oublièrent pas leur

---

* Alguazil : c'est un huissier exécuteur des ordres du corregidor, une manière d'exempt.

bonne coutume : ils commencèrent par me fouiller. Quelle aubaine pour ces messieurs ! Ils n'avaient jamais peut-être fait un si beau coup. À chaque poignée de pistoles qu'ils tiraient je voyais leurs yeux étinceler de joie. Le corregidor surtout paraissait hors de lui-même. Mon enfant, me disait-il, d'un ton de voix plein de douceur, nous faisons notre charge ; mais ne crains rien. Si tu n'es pas coupable, on ne te fera point de mal. Cependant ils vidèrent tout doucement mes poches et me prirent ce que les voleurs même avaient respecté, je veux dire les quarante ducats de mon oncle. Ils n'en demeurèrent pas là : leurs mains avides et infatigables me parcoururent depuis la tête jusqu'aux pieds. Ils me tournèrent de tous côtés et me dépouillèrent pour voir si je n'avais pas d'argent entre la peau et la chemise. Après qu'ils eurent si bien fait leur charge, le corregidor m'interrogea. Je lui contai ingénument tout ce qui m'était arrivé. Il fit écrire ma déposition, puis il sortit avec ses gens et mes espèces, et me laissa tout nu sur la paille.

Ô vie humaine, m'écriai-je quand je me vis seul et dans cet état ! que tu es remplie d'aventures bizarres et de contretemps ! Depuis que je suis sorti d'Oviedo, je n'éprouve que des disgrâces. À peine suis-je hors d'un péril, que je retombe dans un autre. En arrivant dans cette ville, j'étais bien éloigné de penser que j'y ferais bientôt connaissance avec le corregidor. En faisant ces réflexions inutiles, je remis le maudit pourpoint et le reste de l'habillement qui m'avait porté malheur ; puis m'exhortant moi-même à prendre courage : Allons, dis-je, Gil Blas, aie de la fermeté. Te sied-il bien de te désespérer dans une prison ordinaire, après avoir fait un si pénible essai de patience dans le souterrain ? Mais, hélas, ajoutai-je tristement, je m'abuse. Comment pourrai-je sortir d'ici ? on vient de m'en ôter les moyens. En effet, j'avais raison de parler ainsi ; un prisonnier sans argent est un oiseau à qui l'on a coupé les ailes.

Au lieu de la perdrix et du lapereau que j'avais fait mettre à la broche, on m'apporta un petit pain bis avec une cruche d'eau et on me laissa ronger mon frein dans mon cachot. J'y demeurai quinze jours entiers sans voir personne que le concierge, qui avait soin de venir tous les matins renouveler ma provision. Dès que je le voyais, j'affectais de lui parler, je tâchais de lier conversation avec lui pour me désennuyer un peu ; mais ce personnage ne répondait rien à tout ce que je lui disais. Il ne me fut pas possible d'en tirer une parole. Il entrait même et sortait le plus souvent sans me regarder. Le seizième jour, le corregidor parut et me dit : Tu peux t'abandonner à la joie. Je viens t'annoncer une agréable nouvelle. J'ai fait conduire à Burgos la dame qui était avec toi. Je l'ai interrogée avant son départ et ses réponses vont à ta décharge. Tu seras élargi dès aujourd'hui, pourvu que le muletier avec qui tu es venu de Peñaflor à Cacabelos, comme tu me l'as dit, confirme ta déposition. Il est dans Astorga. Je l'ai envoyé chercher. Je l'attends. S'il convient de l'aventure de la question [1], je te mettrai sur-le-champ en liberté.

Ces paroles me réjouirent. Dès ce moment je me crus hors d'affaire. Je remerciai le juge de la bonne et briève justice [2] qu'il voulait me rendre, et je n'avais pas encore achevé mon compliment, que le muletier conduit par deux archers arriva. Je le reconnus aussitôt : mais le muletier qui sans doute avait vendu ma valise avec tout ce qui était dedans, craignant d'être obligé de restituer l'argent qu'il en avait touché [3], s'il avouait qu'il me reconnaissait, dit effrontément qu'il ne savait qui j'étais et qu'il ne m'avait jamais vu. Ah traître, m'écriai-je, confesse plutôt que tu as vendu mes hardes et rends témoignage à la vérité. Regarde-moi bien. Je suis un de ces jeunes gens que tu menaças de la question dans le bourg de Cacabelos et à qui tu fis si grand-peur. Le muletier répondit d'un air froid que je lui parlais d'une chose dont il n'avait aucune connaissance ; et comme il soutint jusqu'au bout que je

---

1. Voir la menace du muletier, I, 3, p. 54.
2. *Briève justice* : justice rapide, voire expéditive. *Brief* est un archaïsme de palais.
3. « craignant d'être obligé de restituer l'argent qu'il avait touché » (var. de 1715*b*).

lui étais inconnu, mon élargissement fut remis à une autre fois. Il fallut m'armer d'une nouvelle patience, me résoudre à jeûner encore au pain et à l'eau et à voir le silencieux concierge. Quand je songeais que je ne pouvais me tirer des griffes de la justice, bien que je n'eusse pas commis le moindre crime, cette pensée me mettait au désespoir. Je regrettais le souterrain. Dans le fond, disais-je, j'y avais moins de désagrément que dans ce cachot. Je faisais bonne chère avec les voleurs. Je m'entretenais avec eux et je vivais dans la douce espérance de m'échapper ; au lieu que malgré mon innocence, je serai peut-être trop heureux de sortir d'ici pour aller aux galères.

CHAPITRE 13

Par quel hasard Gil Blas sortit enfin de prison
et où il alla.

Tandis que je passais les jours à m'égayer [1] dans mes réflexions, mes aventures, telles que je les avais dictées dans ma déposition, se répandirent dans la ville. Plusieurs personnes me voulurent voir par curiosité. Ils venaient l'un après l'autre se présenter à une petite fenêtre par où le jour entrait dans ma prison, et lorsqu'ils m'avaient considéré quelque temps, ils s'en allaient. Je fus surpris de cette nouveauté. Depuis que j'étais prisonnier, je n'avais pas vu un seul homme se montrer à cette fenêtre, qui donnait sur une cour où régnaient le silence et l'horreur. Je compris par là que je faisais du bruit dans la ville et je ne savais si j'en devais concevoir un bon ou un mauvais présage.

Un de ceux qui s'offrirent des premiers à ma vue, fut le petit chantre de Mondoñedo, qui avait aussi bien que moi craint la question et pris la fuite. Je le reconnus et il

---

1. À me distraire.

ne feignit point de me méconnaître. Nous nous saluâmes
de part et d'autre ; puis nous nous engageâmes dans un
long entretien. Je fus obligé de faire un nouveau détail de
mes aventures. De son côté, le chantre me conta ce qui
s'était passé dans l'hôtellerie de Cacabelos entre le muletier et la jeune femme, après qu'une terreur panique nous
en eut écartés. En un mot, il m'apprit tout ce que j'en ai
dit ci-devant [1]. Ensuite prenant congé de moi, il me promit que sans perdre de temps, il allait travailler à ma délivrance. Alors, toutes les personnes, qui étaient venues là
comme lui par curiosité, me témoignèrent que mon malheur excitait leur compassion. Ils m'assurèrent même
qu'ils se joindraient au petit chantre et feraient tout leur
possible pour me procurer la liberté.

Ils tinrent effectivement leur promesse. Ils parlèrent en
ma faveur au corregidor, qui ne doutant plus de mon
innocence, surtout lorsque le chantre lui eut conté ce qu'il
savait, vint trois semaines après dans ma prison : Gil Blas,
me dit-il, je ne veux pas traîner les choses en longueur.
Va, tu es libre. Tu peux sortir quand il te plaira. Mais,
dis-moi, poursuivit-il, si l'on te menait dans la forêt où
est le souterrain, ne pourrais-tu pas le découvrir ?
Non, Seigneur, lui répondis-je, comme je n'y suis entré
que la nuit et que j'en suis sorti avant le jour, il me serait
impossible de reconnaître l'endroit où il est. Là-dessus, le
juge se retira en disant qu'il allait ordonner au concierge
de m'ouvrir les portes. En effet, un moment après le geô-
lier vint dans mon cachot avec un de ses guichetiers qui
portait un paquet de toile. Ils m'ôtèrent tous deux d'un
air grave et sans me dire un seul mot mon pourpoint et
mon haut-de-chausses qui étaient d'un drap fin et presque
neuf, puis m'ayant revêtu d'une vieille souquenille [2], ils
me mirent dehors par les épaules.

---

1. Voir I, 3, p. 55.
2. « Vêtement de grosse toile qu'on donne aux valets, pour conserver
leurs habits propres, et que les paysans portent aussi par nécessité »
(Furetière).

La confusion que j'avais de me voir si mal équipé, modérait la joie qu'ont ordinairement les prisonniers de recouvrer leur liberté. J'étais tenté de sortir de la ville à l'heure même pour me soustraire aux yeux du peuple, dont je ne soutenais les regards qu'avec peine. Ma reconnaissance pourtant l'emporta sur ma honte. J'allai remercier le petit chantre à qui j'avais tant d'obligation. Il ne put s'empêcher de rire, lorsqu'il m'aperçut. Comme vous voilà, me dit-il ! la justice, à ce que je vois, vous en a donné de toutes les façons. Je ne me plains pas de la justice, lui répondis-je. Elle est très équitable. Je voudrais seulement que tous ses officiers fussent d'honnêtes gens. Ils devaient du moins me laisser mon habit. Il me semble que je ne l'avais pas mal payé. J'en conviens, reprit-il ; mais on vous dira que ce sont des formalités qui s'observent. Eh, vous imaginez-vous, par exemple, que votre cheval ait été rendu à son premier maître ? non pas, s'il vous plaît. Il est actuellement dans les écuries du greffier où il a été déposé comme une preuve de vol. Je ne crois pas que le pauvre gentilhomme en retire seulement la croupière [1]. Mais changeons de discours, continua-t-il. Quel est votre dessein ? que prétendez-vous faire présentement ? J'ai envie, lui dis-je, de prendre le chemin de Burgos. J'irai trouver la dame dont je suis le libérateur. Elle me donnera quelques pistoles. J'achèterai une soutanelle neuve et me rendrai à Salamanque où je tâcherai de mettre mon latin à profit. Tout ce qui m'embarrasse, c'est que je ne suis point encore à Burgos. Il faut vivre sur la route. Je vous entends, répliqua-t-il, et je vous offre ma bourse. Elle est un peu plate, à la vérité ; mais vous savez qu'un chantre n'est pas un évêque [2]. En même temps, il la tira et me la mit entre les mains de si bonne grâce, que je ne pus me défendre de la retenir telle qu'elle était. Je le

_____

1. « Longe de cuir qui passe au-dessous de la queue du cheval et qui s'attache à la selle pour la tenir en état » (Furetière).

2. Le titre de chantre désigne le maître du chœur : c'est la « première dignité d'un chapitre » (Furetière), l'évêque étant au sommet de cette hiérarchie ecclésiastique.

remerciai comme s'il m'eût donné tout l'or du monde, et lui fis mille protestations de service qui n'ont jamais eu d'effet. Après cela, je le quittai et sortis de la ville, sans aller voir les autres personnes qui avaient contribué à mon élargissement. Je me contentai de leur donner en moi-même mille bénédictions.

Le petit chantre avait eu raison de ne me pas vanter sa bourse ; j'y trouvai fort peu d'argent. Par bonheur, j'étais accoutumé depuis deux mois à une vie très frugale et il me restait encore quelques réaux, lorsque j'arrivai au bourg de Ponte de Mula qui n'est pas éloigné de Burgos. Je m'y arrêtai pour demander des nouvelles de doña Mencia. J'entrai dans une hôtellerie dont l'hôtesse était une petite femme fort sèche, vive et hagarde. Je m'aperçus d'abord, à la mauvaise mine qu'elle me fit, que ma souquenille n'était guère de son goût. Ce que je lui pardonnai volontiers. Je m'assis à une table. Je mangeai du pain et du fromage, et bus quelques coups d'un vin détestable qu'on m'apporta. Pendant ce repas qui s'accordait assez avec mon habillement, je voulus entrer en conversation avec l'hôtesse. Je la priai de me dire si elle connaissait le marquis de la Guardia, si son château était éloigné du bourg, et surtout si elle savait ce que la marquise sa femme pouvait être devenue. Vous demandez bien des choses, me répondit-elle d'un air dédaigneux. Elle m'apprit pourtant, quoique de fort mauvaise grâce, que le château de don Ambrosio n'était qu'à une petite lieue de Ponte de Mula.

Après que j'eus achevé de boire et de manger, comme il était nuit, je témoignai que je souhaitais de me reposer, et je demandai une chambre. À vous une chambre, me dit l'hôtesse en me lançant un regard plein de mépris et de fierté ! Je n'ai point de chambre pour les gens qui font leur souper d'un morceau de fromage. Tous mes lits sont retenus. J'attends des cavaliers d'importance qui doivent venir loger ici ce soir. Tout ce que je puis faire pour votre service, c'est de vous mettre dans ma grange. Ce ne sera pas, je pense, la première fois que vous aurez couché sur la paille. Elle ne croyait pas si bien dire qu'elle disait. Je

ne répliquai point à son discours et je pris sagement le
parti de gagner le pailler, où je m'endormis bientôt,
comme un homme qui depuis longtemps était fait à la
fatigue.

CHAPITRE 14

De la réception que doña Mencia lui fit à Burgos.

Je ne fus pas paresseux à me lever le lendemain matin.
J'allai compter avec l'hôtesse qui était déjà sur pied et qui
me parut un peu moins fière et de meilleure humeur que
le soir précédent. Ce que j'attribuai à la présence de trois
honnêtes archers de la sainte Hermandad qui s'entretenaient avec elle d'une façon très familière. Ils avaient
couché dans l'hôtellerie et c'était sans doute pour ces
cavaliers d'importance que tous les lits avaient été retenus.

Je demandai dans le bourg le chemin du château où je
voulais me rendre. Je m'adressai par hasard à un homme
du caractère de mon hôte de Peñaflor. Il ne se contenta
pas de répondre à la question que je lui faisais ; il
m'apprit que don Ambrosio était mort depuis trois
semaines et que la marquise sa femme avait pris le parti
de se retirer dans un couvent de Burgos qu'il me nomma.
Je marchai aussitôt vers cette ville, au lieu de suivre la
route du château, comme j'en avais dessein auparavant,
et je volai d'abord au monastère où demeurait doña Mencia. Je priai la tourière [1] de dire à cette dame qu'un jeune
homme nouvellement sorti des prisons d'Astorga souhaitait de lui parler. La tourière alla sur-le-champ faire ce
que je désirais. Elle revint et me fit entrer dans un parloir

---

1. « Religieuse ou servante qui a charge de parler au tour [ouverture
percée dans le mur d'un couvent], d'y négocier les affaires de la maison,
de recevoir ce qu'on y apporte de dehors » (Furetière).

où je ne fus pas longtemps sans voir paraître en grand deuil à la grille la veuve de don Ambrosio.

Soyez le bienvenu, me dit cette dame. Il y a quatre jours que j'ai écrit à une personne d'Astorga. Je lui mandais de vous aller trouver de ma part et de vous dire que je vous priais instamment de me venir chercher au sortir de votre prison. Je ne doutais pas qu'on ne vous élargît bientôt. Les choses que j'avais dites au corregidor à votre décharge, suffisaient pour cela. Aussi m'a-t-on fait réponse que vous aviez recouvré la liberté, mais qu'on ne savait ce que vous étiez devenu. Je craignais de ne plus vous revoir et d'être privée du plaisir de vous témoigner ma reconnaissance. Consolez-vous, ajouta-t-elle en remarquant la honte que j'avais de me présenter à ses yeux sous un misérable habillement. Que l'état où je vous vois ne vous fasse pas de peine. Après le service important que vous m'avez rendu, je serais la plus ingrate de toutes les femmes, si je ne faisais rien pour vous. Je prétends vous tirer de la mauvaise situation où vous êtes. Je le dois et je le puis. J'ai des biens assez considérables pour pouvoir m'acquitter envers vous sans m'incommoder.

Vous savez, continua-t-elle, mes aventures, jusqu'au jour où nous fûmes emprisonnés tous deux. Je vais vous conter ce qui m'est arrivé depuis. Lorsque le corregidor d'Astorga m'eut fait conduire à Burgos, après avoir entendu de ma bouche un fidèle récit de mon histoire, je me rendis au château d'Ambrosio. Mon retour y causa une extrême surprise ; mais on me dit que je revenais trop tard ; que le marquis frappé de ma fuite, comme d'un coup de foudre, était tombé malade, et que les médecins désespéraient de sa vie. Ce fut pour moi un nouveau sujet de me plaindre de la rigueur de ma destinée. Cependant je le fis avertir que je venais d'arriver. Puis j'entrai dans sa chambre et courus me jeter à genoux au chevet de son lit, le visage couvert de larmes et le cœur pressé de la plus vive douleur. Qui vous ramène ici, me dit-il dès qu'il m'aperçut ? venez-vous contempler votre ouvrage ? ne vous suffit-il pas de m'ôter la vie ? faut-il, pour vous contenter que vos yeux soient témoins de ma mort ?

Seigneur, lui répondis-je, Inès a dû vous dire que je fuyais avec mon premier époux ; et sans le triste accident qui me l'a fait perdre, vous ne m'auriez jamais revue. En même temps, je lui appris que don Alvar avait été tué par des voleurs ; qu'ensuite on m'avait menée dans un souterrain. Je racontai tout le reste, et lorsque j'eus achevé de parler, don Ambrosio me tendit la main. C'est assez, me dit-il tendrement ; je cesse de me plaindre de vous. Hé, dois-je en effet vous faire des reproches ? vous retrouvez un époux chéri ; vous m'abandonnez pour le suivre : puis-je blâmer cette conduite ? non, madame, j'aurais tort d'en murmurer. Aussi je n'ai point voulu qu'on vous poursuivît [1]. Je respectais dans votre ravisseur ses droits sacrés et le penchant même que vous aviez pour lui. Enfin, je vous fais justice et par votre retour ici vous regagnez toute ma tendresse. Oui, ma chère Mencia, votre présence me comble de joie ; mais, hélas, je n'en jouirai pas longtemps. Je sens approcher ma dernière heure. À peine m'êtes-vous rendue, qu'il faut vous dire un éternel adieu. À ces paroles touchantes, mes pleurs redoublèrent. Je ressentis et fis éclater une affliction immodérée. Je doute que la mort de don Alvar que j'adorais m'ait fait verser plus de larmes. Don Ambrosio n'avait pas un faux pressentiment de sa mort ; il mourut dès le lendemain et je demeurai maîtresse du bien considérable dont il m'avait avantagée en m'épousant. Je n'en prétends pas faire un mauvais usage. On ne me verra point, quoique je sois jeune encore, passer dans les bras d'un troisième époux. Outre que cela ne convient, ce me semble, qu'à des femmes sans pudeur et sans délicatesse, je vous dirai que je n'ai plus de goût pour le monde. Je veux finir mes jours dans ce couvent et en devenir une bienfaitrice.

Tel fut le discours que me tint doña Mencia. Puis elle tira de dessous sa robe une bourse qu'elle me mit entre les mains, en me disant : Voilà cent ducats que je vous donne seulement pour vous faire habiller. Revenez me

---

1. « Aussi je n'ai point voulu qu'on vous poursuivît, quoique ma mort fût attachée au malheur de vous perdre » (var. de 1715*b*).

voir après cela. Je n'ai pas dessein de borner ma reconnaissance à si peu de chose. Je rendis mille grâces à la
dame et lui jurai que je ne sortirais point de Burgos sans
prendre congé d'elle. Ensuite de ce serment, que je n'avais
pas envie de violer, j'allai chercher une hôtellerie. J'entrai
dans la première que je rencontrai. Je demandai une
chambre, et pour prévenir la mauvaise opinion que ma
souquenille pouvait encore donner de moi, je dis à l'hôte
que tel qu'il me voyait, j'étais en état de bien payer mon
gîte. À ces mots, l'hôte appelé Majuelo, grand railleur de
son naturel, me parcourant des yeux depuis le haut
jusqu'en bas, me répondit d'un air froid et malin, qu'il
n'avait pas besoin de cette assurance pour être persuadé
que je ferais beaucoup de dépense chez lui ; qu'au travers
de mon habillement il démêlait en moi quelque chose de
noble et qu'enfin il ne doutait pas que je ne fusse un gentilhomme fort aisé. Je vis bien que le traître me raillait, et
pour mettre fin tout à coup à ses plaisanteries, je lui montrai ma bourse. Je comptai même devant lui mes ducats
sur une table, et je m'aperçus que mes espèces le disposaient à juger de moi plus favorablement. Je le priai de
me faire venir un tailleur. Il vaut mieux, me dit-il, envoyer
chercher un fripier. Il vous apportera toutes sortes
d'habits et vous serez habillé sur-le-champ. J'approuvai ce
conseil et résolus de le suivre ; mais comme le jour était
prêt à se fermer, je remis l'emplette au lendemain et je
ne songeai qu'à bien souper, pour me dédommager des
mauvais repas que j'avais faits depuis ma sortie du souterrain.

CHAPITRE 15

De quelle façon s'habilla Gil Blas,
du nouveau présent qu'il reçut de la dame
et dans quel équipage il partit de Burgos.

On me servit une copieuse fricassée de pieds de mouton que je mangeai presque tout entière. Je bus à proportion. Puis je me couchai. J'avais un assez bon lit et j'espérais qu'un profond sommeil ne tarderait guère à s'emparer de mes sens. Je ne pus toutefois fermer l'œil. Je ne fis que rêver à l'habit que je devais prendre. Que faut-il que je fasse, disais-je ? suivrai-je mon premier dessein ? achèterai-je une soutanelle pour aller à Salamanque chercher une place de précepteur ? pourquoi m'habiller en licencié ? ai-je envie de me consacrer à l'état ecclésiastique ? y suis-je entraîné par mon penchant ? non. Je me sens même des inclinations très opposées à ce parti-là. Je veux porter l'épée et tâcher de faire fortune dans le monde.

Je me résolus à prendre un habit de cavalier. J'attendis le jour avec la dernière impatience, et ses premiers rayons ne frappèrent pas plus tôt mes yeux, que je me levai. Je fis tant de bruit dans l'hôtellerie, que je réveillai tous ceux qui dormaient. J'appelai les valets qui étaient encore au lit et qui ne répondirent à ma voix qu'en me chargeant de malédictions. Ils furent pourtant obligés de se lever et je ne leur donnai point de repos qu'ils ne m'eussent fait venir un fripier. J'en vis bientôt paraître un qu'on m'amena. Il était suivi de deux garçons qui portaient chacun un gros paquet de toile verte. Il me salua fort civilement et me dit : Seigneur cavalier, vous êtes bien heureux qu'on se soit adressé à moi plutôt qu'à un autre. Je ne veux point ici décrire mes confrères. À Dieu ne plaise que je fasse le moindre tort à leur réputation ! mais, entre nous, il n'y en a pas un qui ait de la conscience. Ils sont tous plus durs que des Juifs. Je suis le seul fripier qui ait de la morale. Je me borne à un profit raisonnable. Je me

contente de la livre pour sol ; je veux dire du sol pour
livre [1]. Grâce au Ciel, j'exerce rondement ma profession.

Le fripier, après ce préambule, que je pris sottement au
pied de la lettre, dit à ses garçons de défaire leurs paquets.
On me montra des habits de toutes sortes de couleurs. On
m'en fit voir plusieurs de drap tout uni. Je les rejetai avec
mépris, parce que je les trouvai trop modestes ; mais ils
m'en firent essayer un qui semblait avoir été fait exprès
pour ma taille, et qui m'éblouit, quoiqu'il fût un peu
passé. C'était un pourpoint à manches tailladées, avec un
haut-de-chausses et un manteau. Le tout de velours bleu
brodé d'or. Je m'attachai à celui-là et je le marchandai. Le
fripier, qui s'aperçut qu'il me plaisait, me dit que j'avais le
goût délicat. Vive Dieu, s'écria-t-il, on voit bien que vous
vous y connaissez. Apprenez que cet habit a été fait pour
un des plus grands seigneurs du royaume, qui ne l'a pas
porté trois fois. Examinez-en le velours. Il n'y en a point
de plus beau ; et pour la broderie, avouez que rien n'est
mieux travaillé. Combien, lui dis-je, voulez-vous le
vendre ? Soixante ducats, répondit-il. Je les ai refusés, ou
je ne suis pas honnête homme. L'alternative était convaincante. J'en offris quarante-cinq. Il en valait peut-être la
moitié. Seigneur gentilhomme, reprit froidement le fripier,
je ne surfais point [2]. Je n'ai qu'un mot. Tenez, continua-
t-il en me présentant les habits que j'avais rebutés, prenez
ceux-ci. Je vous en ferai meilleur marché. Il ne faisait
qu'irriter par là l'envie que j'avais d'acheter celui que je
marchandais ; et comme je m'imaginai qu'il ne voulait
rien rabattre, je lui comptai soixante ducats. Quand il vit
que je les donnais si facilement, je crois que, malgré sa
morale, il fut bien fâché de n'en avoir pas demandé davantage. Assez satisfait pourtant d'avoir gagné la livre pour
sol, il sortit avec ses garçons que je n'avais pas oubliés.

J'avais donc un manteau, un pourpoint et un haut-de-
chausses fort propres. Il fallut songer au reste de

---

1. Une livre vaut vingt sols : le lapsus du marchand (la livre pour le
sol) est révélateur du profit escompté (2 000 %).

2. *Surfaire* : « mettre une marchandise à un prix excessif » (Furetière).

l'habillement. Ce qui m'occupa toute la matinée. J'achetai du linge, un chapeau, des bas de soie, des souliers et une épée. Après quoi je m'habillai. Quel plaisir j'avais de me voir si bien équipé ! Mes yeux ne pouvaient, pour ainsi dire, se rassasier de mon ajustement. Jamais paon n'a regardé son plumage avec plus de complaisance. Dès ce jour-là, je fis une seconde visite à doña Mencia, qui me reçut encore d'un air très gracieux. Elle me remercia de nouveau du service que je lui avais rendu. Là-dessus, grands compliments de part et d'autre. Puis, me souhaitant toutes sortes de prospérités, elle me dit adieu et se retira sans me donner rien autre chose qu'une bague de trente pistoles, qu'elle me pria de garder pour me souvenir d'elle.

Je demeurai bien sot avec ma bague. J'avais compté sur un présent plus considérable. Ainsi, peu content de la générosité de la dame, je regagnai mon hôtellerie en rêvant ; mais, comme j'y entrais, il arriva un homme qui marchait sur mes pas, et qui tout à coup, se débarrassant de son manteau qu'il avait sur le nez, laissa voir un gros sac qu'il portait sous l'aisselle. À l'apparition du sac qui avait tout l'air d'être plein d'espèces, j'ouvris de grands yeux, aussi bien que quelques personnes qui étaient présentes, et je crus entendre la voix d'un séraphin [1], lorsque cet homme me dit en posant le sac sur une table : Seigneur Gil Blas, voilà ce que madame la marquise vous envoie. Je fis de profondes révérences au porteur. Je l'accablai de civilités et dès qu'il fut hors de l'hôtellerie, je me jetai sur le sac comme un faucon sur sa proie et l'emportai dans ma chambre. Je le déliai sans perdre de temps et j'y trouvai mille ducats. J'achevais de les compter, quand l'hôte, qui avait entendu les paroles du porteur, entra pour savoir ce qu'il y avait dans le sac. La vue de mes espèces étalées sur une table le frappa vivement. Comment diable, s'écriat-il, voilà bien de l'argent ! Il faut, poursuivit-il en souriant d'un air malicieux, que vous sachiez tirer bon parti des femmes. Il n'y a pas vingt-quatre heures que vous êtes

---

1. La voix d'un ange.

à Burgos et vous avez déjà des marquises sous contribution !

Ce discours ne me déplut point. Je fus tenté de laisser Majuelo dans son erreur. Je sentais qu'elle me faisait plaisir. Je ne m'étonne pas si les jeunes gens aiment à passer pour hommes à bonnes fortunes. Cependant l'innocence de mes mœurs l'emporta sur ma vanité. Je désabusai mon hôte. Je lui contai l'histoire de doña Mencia, qu'il écouta fort attentivement. Je lui dis ensuite l'état de mes affaires ; et comme il paraissait entrer dans mes intérêts, je le priai de m'aider de ses conseils. Il rêva quelque temps ; puis il me dit d'un air sérieux : Seigneur Gil Blas, j'ai de l'inclination pour vous ; et puisque vous avez assez de confiance en moi pour me parler à cœur ouvert, je vais vous dire sans flatterie à quoi je vous crois propre. Vous me semblez né pour la cour. Je vous conseille d'y aller et de vous attacher à quelque grand seigneur. Mais tâchez de vous mêler de ses affaires ou d'entrer dans ses plaisirs. Autrement, vous perdrez votre temps chez lui. Je connais les grands. Ils comptent pour rien le zèle et l'attachement d'un honnête homme. Ils ne se soucient que des personnes qui leur sont nécessaires. Vous avez encore une ressource, continua-t-il ; vous êtes jeune, bien fait, et quand vous n'auriez pas d'esprit, c'est plus qu'il n'en faut pour entêter une riche veuve ou quelque jolie femme mal mariée. Si l'amour ruine des hommes qui ont du bien, il en fait souvent subsister d'autres qui n'en ont pas. Je suis donc d'avis que vous alliez à Madrid ; mais il ne faut pas que vous y paraissiez sans suite. On juge là comme ailleurs sur les apparences et vous n'y serez considéré qu'à proportion de la figure qu'on vous verra faire. Je veux vous donner un valet ; un domestique fidèle ; un garçon sage ; en un mot, un homme de ma main. Achetez deux mules, l'une pour vous, l'autre pour lui, et partez le plus tôt qu'il vous sera possible.

Ce conseil était trop de mon goût pour ne le pas suivre. Dès le lendemain, j'achetai deux belles mules et j'arrêtai le valet dont on m'avait parlé. C'était un garçon de trente ans qui avait l'air simple et dévot. Il me dit qu'il était du

royaume de Galice et qu'il se nommait Ambroise de
Lamela. Au lieu que les autres domestiques sont fort intéressés, celui-ci ne se souciait point de gagner de bons
gages. Il me témoigna même qu'il était homme à se
contenter de ce que je voudrais bien avoir la bonté de lui
donner. J'achetai aussi des bottines, avec une valise pour
serrer mon linge et mes ducats. Ensuite je satisfis mon
hôte, et le jour suivant je partis de Burgos avant l'aurore
pour aller à Madrid.

CHAPITRE 16

Qui fait voir qu'on ne doit pas trop compter
sur la prospérité.

Nous couchâmes à Dueñas la première journée, et nous
arrivâmes la seconde à Valladolid, sur les quatre heures
après midi. Nous descendîmes à une hôtellerie qui me
parut devoir être une des meilleures de la ville. Je laissai
le soin des mules à mon valet et montai dans une chambre
où je fis porter ma valise par un garçon du logis. Comme
je me sentais un peu fatigué, je me jetai sur mon lit sans
ôter mes bottines et je m'endormis insensiblement. Il était
presque nuit, lorsque je me réveillai. J'appelai Ambroise.
Il ne se trouva point dans l'hôtellerie, mais il arriva bientôt. Je lui demandai d'où il venait : il me répondit, d'un
air pieux, qu'il sortait d'une église où il était allé remercier
le Ciel de nous avoir préservés de tout mauvais accident
depuis Burgos jusqu'à Valladolid. J'approuvai son action.
Ensuite, je lui ordonnai de faire mettre à la broche un
poulet pour mon souper.

Dans le temps que je lui donnais cet ordre, mon hôte
entra dans ma chambre un flambeau à la main. Il éclairait
une dame qui me parut plus belle que jeune et très richement vêtue. Elle s'appuyait sur un vieil écuyer et un petit
Maure lui portait la queue. Je ne fus pas peu surpris,

quand cette dame, après m'avoir fait une profonde révérence, me demanda si par hasard je n'étais point le seigneur Gil Blas de Santillane. Je n'eus pas sitôt répondu
qu'oui, qu'elle quitta la main de son écuyer pour venir
m'embrasser avec un transport de joie qui redoubla mon
étonnement. Le Ciel, s'écria-t-elle, soit à jamais béni de
cette aventure ! C'est vous, seigneur cavalier, c'est vous
que je cherche. À ce début, je me ressouvins du parasite
de Peñaflor, et j'allais soupçonner la dame d'être une
franche aventurière ; mais ce qu'elle ajouta m'en fit juger
plus avantageusement. Je suis, poursuivit-elle, cousine
germaine de doña Mencia de Mosquera, qui vous a tant
d'obligation. J'ai reçu ce matin une lettre de sa part. Elle
me mande qu'ayant appris que vous alliez à Madrid, elle
me prie de vous bien régaler, si vous passez par ici. Il y a
deux heures que je parcours toute la ville. Je vais d'hôtellerie en hôtellerie m'informer des étrangers qui y sont, et
j'ai jugé sur le portrait que votre hôte m'a fait de vous
que vous pouviez être le libérateur de ma cousine. Ah,
puisque je vous ai rencontré, continua-t-elle, je veux vous
faire voir combien je suis sensible aux services qu'on rend
à ma famille et particulièrement à ma chère cousine. Vous
viendrez, s'il vous plaît, dès ce moment loger chez moi.
Vous y serez plus commodément qu'ici. Je voulus m'en
défendre et représenter à la dame que je pourrais l'incommoder chez elle ; mais il n'y eut pas moyen de résister à
ses instances. Il y avait à la porte de l'hôtellerie un carrosse qui nous attendait. Elle prit soin elle-même de faire
mettre ma valise dedans, parce qu'il y avait, disait-elle,
bien des fripons à Valladolid. Ce qui n'était que trop véritable. Enfin je montai en carrosse avec elle et son vieil
écuyer et je me laissai de cette manière enlever de l'hôtellerie, au grand déplaisir de l'hôte qui se voyait par là
sevré [1] de la dépense qu'il avait compté que je ferais chez
lui.

Notre carrosse après avoir quelque temps roulé,
s'arrêta. Nous en descendîmes pour entrer dans une assez

---

1. Privé.

grande maison, et nous montâmes dans un appartement qui n'était pas mal propre et que vingt ou trente bougies éclairaient. Il y avait là plusieurs domestiques à qui la dame demanda d'abord si don Raphaël était arrivé. Ils répondirent que non. Alors m'adressant la parole : Seigneur Gil Blas, me dit-elle, j'attends mon frère qui doit revenir ce soir d'un château que nous avons à deux lieues d'ici. Quelle agréable surprise pour lui de trouver dans sa maison un homme à qui toute notre famille est si redevable ! Dans le moment qu'elle achevait de parler ainsi, nous entendîmes du bruit et nous apprîmes en même temps qu'il était causé par l'arrivée de don Raphaël. Ce cavalier parut bientôt. Je vis un jeune homme de belle taille et de fort bon air. Je suis ravie de votre retour, mon frère, lui dit la dame. Vous m'aiderez à bien recevoir le seigneur Gil Blas de Santillane. Nous ne saurions assez reconnaître ce qu'il a fait pour doña Mencia notre parente. Tenez, ajouta-t-elle en lui présentant une lettre, lisez ce qu'elle m'écrit. Don Raphaël ouvrit le billet et lut tout haut ces mots : *Ma chère Camille, le seigneur Gil Blas de Santillane qui m'a sauvé l'honneur et la vie, vient de partir pour la cour. Il passera sans doute par Valladolid. Je vous conjure par le sang et plus encore par l'amitié qui nous unit, de le régaler et de le retenir quelque temps chez vous. Je me flatte que vous me donnerez cette satisfaction, et que mon libérateur recevra de vous et de don Raphaël, mon cousin, toutes sortes de bons traitements. À Burgos, votre affectionnée cousine doña Mencia.*

Comment, s'écria don Raphaël, après avoir lu la lettre, c'est à ce cavalier que ma parente doit l'honneur et la vie ? Ah, je rends grâce au Ciel de cette heureuse rencontre. En parlant de cette sorte, il s'approcha de moi et me serrant étroitement entre ses bras : Quelle joie, poursuivit-il, j'ai de voir ici le seigneur Gil Blas de Santillane ! Il n'était pas besoin que ma cousine la marquise nous recommandât de vous régaler. Elle n'avait seulement qu'à nous mander que vous deviez passer par Valladolid. Cela suffisait. Nous savons bien, ma sœur Camille et moi, comme il en faut user avec un homme qui a rendu le plus grand service du

monde à la personne de notre famille que nous aimons le
plus tendrement. Je répondis le mieux qu'il me fut possible à ces discours, qui furent suivis de beaucoup d'autres
semblables et entremêlés de mille caresses. Après quoi,
s'apercevant que j'avais encore mes bottines, il me les fit
ôter par ses valets.

Nous passâmes ensuite dans une chambre où l'on avait
servi. Nous nous mîmes à table, le cavalier, la dame et
moi. Ils me dirent cent choses obligeantes pendant le souper. Il ne m'échappait pas un mot qu'ils ne relevassent
comme un trait admirable et il fallait voir l'attention
qu'ils avaient tous deux à me présenter de tous les mets.
Don Raphaël buvait souvent à la santé de doña Mencia.
Je suivais son exemple, et il me semblait quelquefois que
Camille, qui trinquait avec nous, me lançait des regards
qui signifiaient quelque chose. Je crus même remarquer
qu'elle prenait son temps pour cela, comme si elle eût
craint que son frère ne s'en aperçût. Il n'en fallut pas
davantage pour me persuader que la dame en tenait [1], et
je me flattai de profiter de cette découverte, pour peu que
je demeurasse à Valladolid. Cette espérance fut cause que
je me rendis sans peine à la prière qu'ils me firent de
vouloir bien passer quelques jours chez eux. Ils me remer-
cièrent de ma complaisance, et la joie qu'en témoigna
Camille confirma l'opinion que j'avais qu'elle me trouvait
fort à son gré.

Don Raphaël me voyant déterminé à faire quelque
séjour chez lui, me proposa de me mener à son château.
Il m'en fit une description magnifique et me parla des
plaisirs qu'il prétendait m'y donner. Tantôt, disait-il, nous
prendrons le divertissement de la chasse, tantôt celui de
la pêche ; et si vous aimez la promenade, nous avons des
bois et des jardins délicieux. D'ailleurs, nous aurons
bonne compagnie. J'espère que vous ne vous ennuierez
point. J'acceptai la proposition et il fut résolu que nous
irions à ce beau château dès le jour suivant. Nous nous
levâmes de table en formant un si agréable dessein. Don

---

1. Que la dame avait du goût pour moi.

Raphaël en parut transporté de joie. Seigneur Gil Blas,
dit-il en m'embrassant, je vous laisse avec ma sœur. Je
vais de ce pas donner les ordres nécessaires et faire avertir
toutes les personnes que je veux mettre de la partie. À ces
paroles, il sortit de la chambre où nous étions, et je continuai de m'entretenir avec la dame, qui ne démentit point
par ses discours les douces œillades qu'elle m'avait jetées.
Elle me prit par la main, et regardant ma bague : Vous
avez là, dit-elle, un diamant assez joli. Mais il est bien
petit. Vous connaissez-vous en pierreries ? Je répondis que
non. J'en suis fâchée, reprit-elle ; car vous me diriez ce
que vaut celle-ci. En achevant ces mots, elle me montra
un gros rubis qu'elle avait au doigt ; et, pendant que je
le considérais, elle me dit : Un de mes oncles, qui a été
gouverneur dans les habitations que les Espagnols ont
aux îles Philippines, m'a donné ce rubis. Les joailliers de
Valladolid l'estiment trois cents pistoles. Je le croirais
bien, lui dis-je ; je le trouve parfaitement beau. Puisqu'il
vous plaît, répliqua-t-elle, je veux faire un troc avec vous.
Aussitôt elle prit ma bague et me mit la sienne au petit
doigt. Après ce troc, qui me parut une manière galante
de faire un présent, Camille me serra la main et me
regarda d'un air tendre ; puis tout à coup rompant
l'entretien, elle me donna le bonsoir et se retira toute
confuse, comme si elle eût eu honte de me faire trop
connaître ses sentiments [1].

Quoique galant des plus novices, je sentis tout ce que
cette retraite précipitée avait d'obligeant pour moi ; et je
jugeai que je ne passerais point mal le temps à la campagne. Plein de cette idée flatteuse et de l'état brillant de
mes affaires, je m'enfermai dans la chambre où je devais
coucher, après avoir dit à mon valet de me venir réveiller
de bonne heure le lendemain. Au lieu de songer à me
reposer, je m'abandonnai aux réflexions agréables que ma
valise qui était sur une table et mon rubis m'inspirèrent.
Grâce au Ciel, disais-je, si j'ai été malheureux, je ne le

---

1. « comme si elle eût honte de me faire trop connaître ses sentiments » (var. de 1715*b*).

suis plus. Mille ducats d'un côté, une bague de trois cents
pistoles de l'autre : me voilà pour longtemps en fonds.
Majuelo ne m'a point flatté. Je le vois bien. J'enflammerai
mille femmes à Madrid, puisque j'ai plu si facilement à
Camille. Les bontés de cette généreuse dame se présentaient à mon esprit avec tous leurs charmes, et je goûtais
aussi par avance les divertissements que don Raphaël me
préparait dans son château. Cependant parmi tant
d'images de plaisir, le sommeil ne laissa pas de venir
répandre sur moi ses pavots. Dès que je me sentis assou-
pir, je me déshabillai et me couchai.

Le lendemain matin, lorsque je me réveillai, je m'aperçus qu'il était déjà tard. Je fus assez surpris de ne pas voir
paraître mon valet, après l'ordre qu'il avait reçu de moi.
Ambroise, dis-je en moi-même, mon fidèle Ambroise est
à l'église, ou bien il est aujourd'hui fort paresseux. Mais
je perdis bientôt cette opinion de lui pour en prendre une
plus mauvaise ; car m'étant levé et ne voyant plus ma
valise, je le soupçonnai de l'avoir volée pendant la nuit.
Pour éclairer mes soupçons, j'ouvris la porte de ma
chambre et j'appelai l'hypocrite à plusieurs reprises. Il
vint à ma voix un vieillard, qui me dit : Que souhaitez-
vous, seigneur ? tous vos gens sont sortis de ma maison
avant le jour. Comment de votre maison, m'écriai-je ?
Est-ce que je ne suis pas ici chez don Raphaël ? Je ne sais
ce que c'est que ce cavalier, dit-il. Vous êtes dans un hôtel
garni et j'en suis l'hôte. Hier au soir, une heure avant votre
arrivée, la dame qui a soupé avec vous vint ici et arrêta
cet appartement pour un grand seigneur, disait-elle, qui
voyage *incognito*. Elle m'a même payé d'avance.

Je fus alors au fait. Je sus ce que je devais penser de
Camille et de don Raphaël ; et je compris que mon valet
ayant une entière connaissance de mes affaires, m'avait
vendu à ces fourbes[1]. Au lieu de n'imputer qu'à moi ce
triste incident et de songer qu'il ne me serait point arrivé
si je n'eusse pas eu l'indiscrétion de m'ouvrir à Majuelo
sans nécessité, je m'en pris à la fortune innocente et

---

1. Cette fourberie s'inspire du *Marcos de Obregón* (III, 8-9).

maudis cent fois mon étoile. Le maître de l'hôtel garni, à qui je contai l'aventure qu'il savait peut-être aussi bien que moi, se montra sensible à ma douleur. Il me plaignit et me témoigna qu'il était très mortifié de ce que cette scène se fût passée chez lui ; mais je crois, malgré ses démonstrations, qu'il n'avait pas moins de part à cette fourberie que mon hôte de Burgos, à qui j'ai toujours attribué l'honneur de l'invention.

CHAPITRE 17

Quel parti prit Gil Blas
après l'aventure de l'hôtel garni.

Lorsque j'eus bien déploré mon malheur, je fis réflexion qu'au lieu de céder à mon chagrin, je devais plutôt me roidir contre mon mauvais sort. Je rappelai mon courage, et pour me consoler, je disais en m'habillant : Je suis encore trop heureux que les fripons n'aient pas emporté mes habits et quelques ducats que j'ai dans mes poches. Je leur tenais compte de cette discrétion. Ils avaient même été assez généreux pour me laisser mes bottines, que je donnai à l'hôte pour un tiers de ce qu'elles m'avaient coûté[1]. Enfin, je sortis de l'hôtel garni, sans avoir, Dieu merci, besoin de personne pour porter mes hardes. La première chose que je fis, fut d'aller voir si mes mules ne seraient pas dans l'hôtellerie où j'étais descendu le jour précédent. Je jugeais bien qu'Ambroise ne les y avait pas laissées, et plût au Ciel que j'eusse toujours jugé aussi sainement de lui. J'appris que dès le soir même, il avait eu soin de les en retirer. Ainsi, comptant de ne les plus revoir, non plus que ma valise, je marchais tristement dans les rues en rêvant au parti que je devais prendre. Je

---

1. Inadvertance de Lesage : l'hôte vient de dire à Gil Blas qu'il a été payé d'avance.

fus tenté de retourner à Burgos pour avoir encore une fois recours à doña Mencia ; mais considérant que ce serait abuser des bontés de cette dame et que d'ailleurs je passerais pour une bête, j'abandonnai cette pensée. Je jurai bien aussi que dans la suite je serais en garde contre les femmes. Je me serais alors défié de la chaste Suzanne [1]. Je jetais de temps en temps les yeux sur ma bague, et quand je venais à songer que c'était un présent de Camille, j'en soupirais de douleur. Hélas, disais-je en moi-même, je ne me connais point en rubis ; mais je connais les gens qui les troquent. Je ne crois pas qu'il soit nécessaire que j'aille chez un joaillier pour être persuadé que je suis un sot.

Je ne laissai pas toutefois de vouloir m'éclaircir de ce que valait ma bague et je l'allai montrer à un lapidaire qui l'estima trois ducats. À cette estimation, quoiqu'elle ne m'étonnât point, je donnai au diable la nièce du gouverneur des îles Philippines, ou plutôt je ne fis que lui en renouveler le don. Comme je sortais de chez le lapidaire, il passa près de moi un jeune homme qui s'arrêta pour me considérer. Je ne me le remis pas d'abord, bien que je le connusse parfaitement. Comment donc, Gil Blas, me dit-il, feignez-vous d'ignorer qui je suis ? ou deux années ont-elles si fort changé le fils du barbier Nuñez, que vous le méconnaissiez ? Ressouvenez-vous de Fabrice, votre compatriote et votre compagnon d'école. Nous avons si souvent disputé chez le docteur Godinez sur les universaux et les degrés métaphysiques [2].

---

1. Épisode biblique (Daniel, 13) : Suzanne, épouse de Ioakim, est surprise au bain par deux vieillards. Comme elle refuse de coucher avec eux, ils l'accusent d'adultère, mais la chaste Suzanne est innocentée par l'enfant Daniel qui a l'idée d'interroger séparément les deux vieillards.

2. La *métaphysique* est la « dernière partie de la philosophie, dans laquelle l'esprit s'élève au-dessus des êtres créés et corporels, s'attache à la contemplation de Dieu, des anges, et des choses spirituelles, et juge des principes de toutes connaissances par abstraction et détachement des choses matérielles » (Furetière). *Universaux* est un terme de logique : « on en compte cinq : le genre, l'espèce, la différence, le propre et l'accident. Les Hibernois se feraient crucifier pour soutenir qu'il y a des natures universelles » (Furetière).

Je le reconnus avant qu'il eût achevé ces paroles et nous nous embrassâmes tous deux avec transport. Hé mon ami, reprit-il ensuite, que je suis ravi de te rencontrer ! je ne puis t'exprimer la joie que j'en ressens... Mais, poursuivit-il d'un air surpris, dans quel état t'offres-tu à ma vue ? Vive Dieu, te voilà vêtu comme un prince ! Une belle épée, des bas de soie, un pourpoint et un manteau de velours relevés d'une broderie d'argent ! Malpeste ! Cela sent diablement les bonnes fortunes. Je vais parier que quelque vieille femme libérale te fait part de ses largesses. Tu te trompes, lui dis-je, mes affaires ne sont pas si florissantes que tu te l'imagines. À d'autres, répliqua-t-il, à d'autres ! Tu veux faire le discret. Et ce beau rubis que je vous vois au doigt, monsieur Gil Blas, d'où vous vient-il, s'il vous plaît ? Il me vient, lui repartis-je, d'une franche friponne. Fabrice, mon cher Fabrice, bien loin d'être la coqueluche des femmes de Valladolid, apprends, mon ami, que j'en suis la dupe.

Je prononçai ces dernières paroles si tristement, que Fabrice vit bien qu'on m'avait joué quelque tour. Il me pressa de lui dire pourquoi je me plaignais ainsi du beau sexe. Je me résolus sans peine à contenter sa curiosité ; mais comme j'avais un assez long récit à faire, et que d'ailleurs nous ne voulions pas nous séparer sitôt, nous entrâmes dans un cabaret pour nous entretenir plus commodément. Là, je lui contai en déjeunant tout ce qui m'était arrivé depuis ma sortie d'Oviedo. Il trouva mes aventures assez bizarres, et après m'avoir témoigné qu'il prenait beaucoup de part à la fâcheuse situation où j'étais, il me dit : Il faut se consoler, mon enfant, de tous les malheurs de la vie. Un homme d'esprit est-il dans la misère ? il attend avec patience un temps plus heureux. Jamais, comme dit Cicéron, il ne doit se laisser abattre jusqu'à ne se plus souvenir qu'il est homme. Pour moi, je suis de ce caractère-là. Mes disgrâces ne m'accablent point. Je suis toujours au-dessus de la mauvaise fortune. Par exemple, j'aimais une fille de famille d'Oviedo. J'en étais aimé. Je la demandai en mariage à son père. Il me la refusa. Un autre en serait mort de douleur ; moi,

admire la force de mon esprit, j'enlevai la petite personne.
Elle était vive, étourdie, coquette ; le plaisir par conséquent la déterminait toujours au préjudice du devoir. Je
la promenai pendant six mois dans le royaume de Galice ;
de là, comme je l'avais mise dans le goût de voyager, elle
eut envie d'aller en Portugal ; mais elle prit un autre compagnon de voyage. Autre sujet de désespoir. Je ne succombai point encore sous le poids de ce nouveau malheur ;
et, plus sage que Ménélas, au lieu de m'armer contre le
Pâris qui m'avait soufflé mon Hélène [1], je lui sus bon gré
de m'en avoir défait. Après cela, ne voulant plus retourner
dans les Asturies, pour éviter toute discussion avec la justice, je m'avançai dans le royaume de Léon, dépensant de
ville en ville l'argent qui me restait de l'enlèvement de
mon infante ; car nous avions tous deux fait notre main [2]
en partant d'Oviedo. J'arrivai à Palencia avec un seul
ducat, sur quoi je fus obligé d'acheter une paire de souliers. Le reste ne me mena pas bien loin. Ma situation
devint embarrassante. Je commençais déjà même à faire
diète. Il fallut promptement prendre un parti. Je résolus
de me mettre dans le service [3]. Je me plaçai d'abord chez
un gros marchand de drap qui avait un fils libertin. J'y
trouvai un asile contre l'abstinence, et en même temps un
grand embarras. Le père m'ordonna d'épier son fils ; le
fils me pria de l'aider à tromper son père. Il fallait opter.
Je préférai la prière au commandement et cette préférence
me fit donner mon congé [4]. Je passai ensuite au service
d'un vieux peintre, qui voulut par amitié m'enseigner les
principes de son art ; mais en me les montrant il me laissait mourir de faim. Cela me dégoûta de la peinture et du
séjour de Palencia. Je vins à Valladolid, où par le plus
grand bonheur du monde, j'entrai dans la maison d'un

---

1. Voir *supra*, p. 66, note 2.
2. *Faire sa main* : faire un profit illicite.
3. *Se mettre dans le service* : servir en tant que domestique.
4. L'aventure ici résumée trouvera un dénouement bêtifiant (ou édi-
fiant, comme on voudra) dans l'histoire de Scipion, au tome IV du *Gil
Blas* de 1735 (X, 11 ; éd. R. Laufer, GF-Flammarion, 1977, p. 517-523).

administrateur de l'hôpital. J'y demeure encore et je suis charmé de ma condition. Le seigneur Manuel Ordoñez mon maître est un homme d'une piété profonde. Il marche toujours les yeux baissés, avec un gros rosaire à la main. On dit que dès sa jeunesse, n'ayant en vue que le bien des pauvres, il s'y est attaché avec un zèle infatigable. Aussi ses soins ne sont-ils pas demeurés sans récompense. Tout lui a prospéré. Quelle bénédiction ! en faisant les affaires des pauvres, il s'est enrichi.

Quand Fabrice m'eut tenu ce discours, je lui dis : Je suis bien aise que tu sois satisfait de ton sort ; mais, entre nous, tu pourrais, ce me semble, faire un plus beau rôle dans le monde. Tu n'y penses pas, Gil Blas, me répondit-il. Sache que pour un homme de mon humeur, il n'y a point de situation plus agréable que la mienne. Le métier de laquais est pénible, je l'avoue, pour un imbécile ; mais il n'a que des charmes pour un garçon d'esprit. Un génie supérieur qui se met en condition, ne fait pas son service matériellement, comme un nigaud. Il entre dans une maison, pour commander plutôt que pour servir. Il commence par étudier son maître. Il se prête à ses défauts, gagne sa confiance et le mène ensuite par le nez [1]. C'est ainsi que je me suis conduit chez mon administrateur. Je connus d'abord le pèlerin. Je m'aperçus qu'il voulait passer pour un saint personnage. Je feignis d'en être la dupe. Cela ne coûte rien. Je fis plus. Je le copiai, et jouant devant lui le même rôle qu'il fait devant les autres, je trompai le trompeur et je suis devenu peu à peu son *factoton* [2]. J'espère que quelque jour je pourrai sous ses auspices me mêler des affaires des pauvres. Je ferai peut-être fortune aussi, car je me sens autant d'amour que lui pour leur bien.

---

1. Argument de *picaro* repris par des Grieux pour justifier son activité de tricheur professionnel : « C'est un fond excellent de revenu pour les petits, que la sottise des riches et des grands » (Prévost, *Manon Lescaut*, GF-Flammarion, éd. J. Sgard, 1995, rééd. 2006, p. 89).

2. Altération de *factotum* (« fais tout ») : celui qui s'occupe de tout dans une maison.

Voilà de belles espérances, repris-je, mon cher Fabrice ; et je t'en félicite. Pour moi, je reviens à mon premier dessein. Je vais convertir mon habit brodé en soutanelle, me rendre à Salamanque, et là me rangeant sous les drapeaux de l'Université, remplir l'emploi de précepteur. Beau projet, s'écria Fabrice ! l'agréable imagination ! Quelle folie de vouloir à ton âge te faire pédant ? Sais-tu bien, malheureux, à quoi tu t'engages en prenant ce parti ? Sitôt que tu seras placé, toute la maison t'observera. Tes moindres actions seront scrupuleusement examinées. Il faudra que tu te contraignes sans cesse. Que tu te pares d'un extérieur hypocrite et paraisses posséder toutes les vertus. Tu n'auras presque pas un moment à donner à tes plaisirs. Censeur éternel de ton écolier, tu passeras les journées à lui enseigner le latin et à le reprendre quand il dira ou fera des choses contre la bienséance. Après tant de peine et de contrainte, quel sera le fruit de tes soins ? Si le petit gentilhomme est un mauvais sujet, on dira que tu l'auras mal élevé ; et ses parents te renverront sans récompense. Peut-être même sans te payer tes appointements. Ne me parle donc point d'un poste de précepteur. C'est un bénéfice à charge d'âmes. Mais parle-moi de l'emploi d'un laquais. C'est un bénéfice simple qui n'engage à rien. Un maître a-t-il des vices ? le génie supérieur qui le sert, les flatte et souvent même les fait tourner à son profit. Un valet vit sans inquiétude dans une bonne maison. Après avoir bu et mangé tout son soûl, il s'endort tranquillement comme un enfant de famille[1], sans s'embarrasser du boucher ni du boulanger.

Je ne finirais point, mon enfant, poursuivit-il, si je voulais dire tous les avantages des valets. Crois-moi, Gil Blas, perds pour jamais l'envie d'être précepteur, et suis mon exemple. Oui, mais Fabrice, lui repartis-je, on ne trouve pas tous les jours des administrateurs ; et si je me résolvais à servir, je voudrais du moins n'être pas mal placé. Oh, tu as raison, me dit-il, et j'en fais mon affaire. Je te

---

1. Un enfant profitant de la situation privilégiée de sa famille.

réponds d'une bonne condition, quand ce ne serait que pour arracher un galant homme à l'Université.

La prochaine misère dont j'étais menacé, et l'air satisfait qu'avait Fabrice, me persuadant plus que ses raisons, je me déterminai à me mettre dans le service. Là-dessus, nous sortîmes du cabaret, et mon compatriote me dit : Je vais de ce pas te conduire chez un homme à qui s'adressent la plupart des laquais qui sont sur le pavé. Il a des grisons [1] qui l'informent de tout ce qui se passe dans les familles. Il sait où l'on a besoin de valets et il tient un registre exact non seulement des places vacantes, mais même des bonnes et des mauvaises qualités des maîtres. C'est un homme qui a été frère dans je ne sais quel couvent de religieux. Enfin, c'est lui qui m'a placé.

En nous entretenant d'un bureau d'adresse [2] si singulier, le fils du barbier Nuñez me mena dans un cul-de-sac. Nous entrâmes dans une petite maison, où nous trouvâmes un homme de cinquante ans, qui écrivait sur une table. Nous le saluâmes, assez respectueusement même ; mais soit qu'il fût fier de son naturel, soit que, n'ayant coutume de voir que des laquais et des cochers, il eût pris l'habitude de recevoir son monde cavalièrement, il ne se leva point. Il se contenta de nous faire une légère inclination de tête. Il me regarda pourtant avec attention. Je vis bien qu'il était surpris qu'un jeune homme en habit de velours brodé voulût devenir laquais. Il avait plutôt lieu de penser que je venais lui en demander un. Il ne put toutefois douter longtemps de mon intention, puisque Fabrice lui dit d'abord : Seigneur Arias de Londoña, vous voulez bien que je vous présente le meilleur de mes amis ? C'est un garçon de famille que ses malheurs réduisent à la nécessité de servir. Enseignez-lui, de grâce, une bonne condition et comptez sur sa reconnaissance. Messieurs, répondit froidement Arias, voilà comme vous êtes tous.

---

1. « *Grison* se dit par raillerie des laquais de gens de qualité qui ne portent point de couleurs, et qui leur servent d'espion ou de messagers secrets » (Furetière).

2. Un bureau de placement.

Avant qu'on vous place, vous faites les plus belles promesses du monde. Êtes-vous bien placés ? vous ne vous
en souvenez plus. Comment donc, reprit Fabrice ? vous
plaignez-vous de moi ? n'ai-je pas bien fait les choses ?
Vous auriez pu les faire encore mieux, repartit Arias.
Votre condition vaut un emploi de commis et vous m'avez
payé comme si je vous eusse mis chez un auteur. Je pris
alors la parole et dis au seigneur Arias que pour lui faire
connaître que je n'étais pas un ingrat, je voulais que la
reconnaissance précédât le service. En même temps, je
tirai de mes poches deux ducats que je lui donnai, avec
promesse de n'en pas demeurer là, si je me voyais dans
une bonne maison.

Il parut content de mes manières. J'aime, dit-il, qu'on
en use de la sorte avec moi. Il y a, continua-t-il,
d'excellents postes vacants. Je vais vous les nommer et
vous choisirez celui qui vous plaira. En achevant ces
paroles, il mit ses lunettes, ouvrit un registre qui était sur
la table, tourna quelques feuillets et commença de lire
dans ces termes : Il faut un laquais au capitaine Torbellino [1], homme emporté, brutal et fantasque. Il gronde sans
cesse, jure, frappe, et le plus souvent estropie ses domestiques. Passons à un autre, m'écriai-je à ce portrait. Ce
capitaine-là n'est pas de mon goût. Ma vivacité fit sourire
Arias, qui poursuivit ainsi sa lecture : Doña Manuela de
Sandoval, douairière surannée, hargneuse et bizarre, est
actuellement sans laquais. Elle n'en a qu'un d'ordinaire ;
encore ne le peut-elle garder un jour entier. Il y a dans la
maison depuis dix ans un habit qui sert à tous les valets
qui entrent de quelque taille qu'ils soient. On peut dire
qu'ils ne font que l'essayer ; car il est encore tout neuf,
quoique deux mille laquais l'aient porté. Il manque un
valet au docteur Alvar Fañez. C'est un médecin chimiste.
Il nourrit bien ses domestiques, les entretient proprement,
leur donne même de gros gages ; mais il fait sur eux
l'épreuve de ses remèdes. Il y a souvent des places de
laquais à remplir chez cet homme-là.

---

1. *Torbellino* : « tourbillon », en espagnol.

Oh ! je le crois bien, interrompit Fabrice en riant. Vive Dieu, vous nous enseignez là de bonnes conditions. Patience, dit Arias de Londoña. Nous ne sommes pas au bout. Il y a de quoi vous contenter. Là-dessus il continua de lire de cette sorte : Doña Alfonsa de Solis, vieille dévote qui passe les deux tiers de la journée dans l'église et veut que son valet y soit toujours auprès d'elle, n'a point de laquais depuis trois semaines. Le licencié Sedillo, vieux chanoine du chapitre de cette ville, chassa hier au soir son valet... Halte-là, seigneur Arias de Londoña, s'écria Fabrice en cet endroit. Nous nous en tenons à ce dernier poste. Le licencié Sedillo est des amis de mon maître et je le connais parfaitement. Je sais qu'il a pour gouvernante une vieille béate, qu'on nomme la dame Jacinte et qui dispose de tout chez lui. C'est une des meilleures maisons de Valladolid. On y vit doucement et l'on y fait très bonne chère. D'ailleurs, le chanoine est un homme infirme, un vieux goutteux qui fera bientôt son testament. Il y a un legs à espérer. La charmante perspective pour un valet ! Gil Blas, ajouta-t-il, en se tournant de mon côté, ne perdons point de temps, mon ami. Allons tout à l'heure chez le licencié. Je veux te présenter moi-même et te servir de répondant. À ces mots, de crainte de manquer une si belle occasion, nous prîmes brusquement congé du seigneur Arias, qui m'assura pour mon argent, que si cette condition m'échappait, je pouvais compter qu'il m'en ferait trouver une aussi bonne.

FIN DU PREMIER LIVRE.

LIVRE SECOND

CHAPITRE PREMIER

Fabrice mène et fait recevoir Gil Blas
chez le licencié Sedillo.
Dans quel état était ce chanoine.
Portrait de sa gouvernante.

Nous avions si grand-peur d'arriver trop tard chez le vieux licencié, que nous ne fîmes qu'un saut du cul-de-sac à sa maison. Nous en trouvâmes la porte fermée. Nous frappâmes. Une fille de dix ans, que la gouvernante faisait passer pour sa nièce en dépit de la médisance, vint ouvrir, et comme nous lui demandions si l'on pouvait parler au chanoine, la dame Jacinte parut. C'était une personne déjà parvenue à l'âge de discrétion, mais belle encore, et j'admirai particulièrement la fraîcheur de son teint. Elle portait une longue robe d'une étoffe de laine la plus commune, avec une large ceinture de cuir, d'où pendaient d'un côté un trousseau de clefs, et de l'autre un chapelet à gros grains. D'abord que nous l'aperçûmes, nous la saluâmes avec beaucoup de respect. Elle nous rendit le salut fort civilement, mais d'un air modeste et les yeux baissés.

J'ai appris, lui dit mon camarade, qu'il faut un honnête garçon au seigneur licencié Sedillo et je viens lui en présenter un dont j'espère qu'il sera content. La gouvernante leva les yeux à ces paroles, me regarda fixement, et ne

pouvant accorder ma broderie avec le discours de Fabrice,
elle demanda si c'était moi qui recherchais la place
vacante. Oui, lui dit le fils de Nuñez, c'est ce jeune
homme. Tel que vous le voyez, il lui est arrivé des disgrâces qui l'obligent à se mettre en condition. Il se conso-
lera de ses malheurs, ajouta-t-il d'un ton doucereux, s'il
a le bonheur d'entrer dans cette maison et de vivre avec
la vertueuse Jacinte, qui mériterait d'être la gouvernante
du patriarche des Indes. À ces mots, la vieille béate [1] cessa
de me regarder, pour considérer le gracieux personnage
qui lui parlait ; et frappée de ses traits, qu'elle crut ne lui
être pas inconnus : J'ai une idée confuse de vous avoir vu,
lui dit-elle ; aidez-moi à la débrouiller. Chaste Jacinte, lui
répondit Fabrice, il m'est bien glorieux de m'être attiré
vos regards. Je suis venu deux fois dans cette maison avec
mon maître le seigneur Manuel Ordoñez, administrateur
de l'hôpital. Hé justement, répliqua la gouvernante, je
m'en souviens et je vous remets. Ah, puisque vous appar-
tenez au seigneur Ordoñez, il faut que vous soyez un garçon de bien et d'honneur. Votre condition fait votre éloge
et ce jeune homme ne saurait avoir un meilleur répondant
que vous. Venez, poursuivit-elle, je vais vous faire parler
au seigneur Sedillo. Je crois qu'il sera bien aise d'avoir un
garçon de votre main [2].

Nous suivîmes la dame Jacinte. Le chanoine était logé
par bas et son appartement consistait en quatre pièces
de plain-pied bien boisées. Elle nous pria d'attendre un
moment dans la première et nous y laissa pour passer
dans la seconde où était le licencié. Après y avoir demeuré
quelque temps en particulier avec lui pour le mettre au
fait, elle vint nous dire que nous pouvions entrer. Nous
aperçûmes le vieux podagre [3] enfoncé dans un fauteuil,
un oreiller sous la tête, des coussins sous les bras et les

1. *Béat* (de *beatus*, « saint ») se dit ironiquement de quelqu'un « qui affecte de paraître dévot et modeste » (Furetière).

2. Un garçon recommandé par vous.

3. *Podagre* : qui a la goutte aux pieds, et qui par conséquent a du mal à marcher.

jambes appuyées sur un gros carreau[1] plein de duvet.
Nous nous approchâmes de lui sans ménager les révérences, et Fabrice portant encore la parole, ne se contenta
pas de redire ce qu'il avait dit à la gouvernante, il se mit
à vanter mon mérite et s'étendit principalement sur l'honneur que je m'étais acquis chez le docteur Godinez dans
les disputes de philosophie ; comme s'il eût fallu que je
fusse un grand philosophe pour être valet d'un chanoine !
Cependant par le bel éloge qu'il fit de moi, il ne laissa pas
de jeter de la poudre aux yeux du licencié, qui remarquant
d'ailleurs que je ne déplaisais pas à la dame Jacinte, dit à
mon répondant : L'ami, je reçois à mon service le garçon
que tu m'amènes. Il me revient assez et je juge favorablement de ses mœurs, puisqu'il m'est présenté par un
domestique du seigneur Ordoñez.

D'abord que Fabrice vit que j'étais arrêté, il fit une
grande révérence au chanoine, une autre encore plus profonde à la gouvernante, et se retira fort satisfait, après
m'avoir dit tout bas que nous nous reverrions et que je
n'avais qu'à rester là. Dès qu'il fut sorti, le licencié me
demanda comment je m'appelais, pourquoi j'avais quitté
ma patrie, et par ses questions il m'engagea devant la
dame Jacinte à raconter mon histoire. Je les divertis tous
deux, surtout par le récit de ma dernière aventure. Camille
et don Raphaël leur donnèrent une si forte envie de rire,
qu'il en pensa coûter la vie au vieux goutteux ; car comme
il riait de toute sa force, il lui prit une toux si violente,
que je crus qu'il allait passer. Il n'avait pas encore fait son
testament, jugez si la gouvernante fut alarmée. Je la vis
tremblante, éperdue, courir au secours du bonhomme, et
faisant ce qu'on fait pour soulager les enfants qui
toussent, lui frotter le front et lui taper le dos. Ce ne fut
pourtant qu'une fausse alarme. Le vieillard cessa de tous-
ser, et sa gouvernante de le tourmenter. Alors je voulus
achever mon récit ; mais la dame Jacinte craignant une
seconde toux, s'y opposa. Elle m'emmena même de la
chambre du chanoine dans une garde-robe, où parmi

---

1. *Carreau* : « grand oreiller ou coussin carré de velours » (Furetière).

plusieurs habits était celui de mon prédécesseur. Elle me
le fit prendre et mit à sa place le mien, que je n'étais
pas fâché de conserver, dans l'espérance qu'il me servirait
encore. Nous allâmes ensuite tous deux préparer le dîner.

Je ne parus pas neuf dans l'art de faire la cuisine. Il est
vrai que j'en avais fait l'heureux apprentissage sous la
dame Léonarde, qui pouvait passer pour une bonne cuisinière. Elle n'était pas toutefois comparable à la dame
Jacinte. Celle-ci l'emportait peut-être sur le cuisinier
même de l'archevêque de Tolède. Elle excellait en tout.
On trouvait ses bisques exquises, tant elle savait bien choisir et mêler les sucs des viandes qu'elle y faisait entrer, et
ses hachis étaient assaisonnés d'une manière qui les rendait très agréables au goût. Quand le dîner fut prêt, nous
retournâmes à la chambre du chanoine, où pendant que
je dressais une table auprès de son fauteuil, la gouvernante passa sous le menton du vieillard une serviette et
la lui attacha aux épaules. Un moment après, je servis un
potage qu'on aurait pu présenter au plus fameux directeur [1] de Madrid et deux entrées qui auraient de quoi
piquer la sensualité d'un vice-roi, si la dame Jacinte n'y
eût pas épargné les épices, de peur d'irriter la goutte
du licencié. À la vue de ces bons plats, mon vieux maître
que je croyais perclus de tous ses membres me montra
qu'il n'avait pas entièrement encore perdu l'usage de ses
bras. Il s'en aida pour se débarrasser de son oreiller et de
ses coussins, et se disposa gaiement à manger. Quoique la
main lui tremblât, elle ne refusa pas le service. Il la faisait
aller et venir assez librement, de façon pourtant qu'il
répandait sur la nappe et sur sa serviette la moitié de ce
qu'il portait à sa bouche. J'ôtai la bisque, lorsqu'il n'en
voulut plus, et j'apportai une perdrix flanquée de deux
cailles rôties que la dame Jacinte lui dépeça. Elle avait
aussi soin de lui faire boire de temps en temps de grands
coups de vin un peu trempé, dans une coupe d'argent
large et profonde qu'elle lui tenait comme à un enfant de
quinze mois. Il s'acharna sur les entrées et ne fit pas

---

1. Directeur de conscience.

moins d'honneur aux petits pieds[1]. Quand il se fut bien
empiffré, la béate lui détacha sa serviette, lui remit son
oreiller et ses coussins, puis le laissant dans son fauteuil
goûter tranquillement le repos qu'on prend d'ordinaire
après le dîner, nous desservîmes et nous allâmes manger
à notre tour.

Voilà de quelle manière dînait tous les jours notre
chanoine, qui était peut-être le plus grand mangeur du
chapitre. Mais il soupait plus légèrement. Il se contentait
d'un poulet et de quelques compotes de fruits. Je faisais
bonne chère dans cette maison. J'y menais une vie très
douce. Je n'y avais qu'un désagrément : c'est qu'il me fallait veiller mon maître et passer la nuit comme un garde-
malade. Outre une rétention d'urine qui l'obligeait à
demander dix fois par heure son pot de chambre, il était
sujet à suer, et quand cela arrivait, je lui changeais de
chemise. Gil Blas, me dit-il dès la seconde nuit, tu as de
l'adresse et de l'activité. Je prévois que je m'accommoderai bien de ton service. Je te recommande seulement
d'avoir de la complaisance pour la dame Jacinte. C'est
une fille qui me sert depuis quinze années avec un zèle
tout particulier. Elle a un soin de ma personne, que je ne
puis assez reconnaître. Aussi, je te l'avoue, elle m'est plus
chère que toute ma famille. J'ai chassé de chez moi, pour
l'amour d'elle, mon neveu, le fils de ma propre sœur. Il
n'avait aucune considération pour cette pauvre fille ; et
bien loin de rendre justice à l'attachement sincère qu'elle
a pour moi, l'insolent la traitait de fausse dévote ; car
aujourd'hui la vertu ne paraît qu'hypocrisie aux jeunes
gens. Grâce au Ciel, je me suis défait de ce maraud-là. Je
préfère aux droits du sang l'affection qu'on me témoigne,
et je ne me laisse prendre seulement que par le bien qu'on
me fait. Vous avez raison, monsieur, dis-je alors au licencié. La reconnaissance doit avoir plus de force sur nous
que les lois de la nature. Sans doute, reprit-il ; et mon
testament fera bien voir que je ne me soucie guère de mes
parents. Ma gouvernante y aura bonne part, et tu n'y

---

1. « On appelle *petits pieds* la volaille, le menu gibier » (Furetière).

seras point oublié, si tu continues comme tu commences
à me servir. Le valet que j'ai mis dehors hier a perdu par
sa faute un bon legs. Si ce misérable ne m'eût pas obligé
par ses manières à lui donner son congé, je l'aurais enrichi ; mais c'était un orgueilleux qui manquait de respect
à la dame Jacinte : un paresseux qui craignait la peine. Il
n'aimait point à me veiller et c'était pour lui une chose
bien fatigante que de passer les nuits à me soulager. Ah
le malheureux, m'écriai-je, comme si le génie de Fabrice
m'eût inspiré ! il ne méritait pas d'être auprès d'un aussi
honnête homme que vous. Un garçon qui a le bonheur
de vous appartenir doit avoir un zèle infatigable. Il doit
se faire un plaisir de son devoir et ne se pas croire occupé,
lors même qu'il sue sang et eau pour vous.

Je m'aperçus que ces paroles plurent fort au licencié. Il
ne fut pas moins content de l'assurance que je lui donnai
d'être toujours parfaitement soumis aux volontés de
la dame Jacinte. Voulant donc passer pour un valet que
la fatigue ne pouvait rebuter, je faisais mon service de la
meilleure grâce qu'il m'était possible. Je ne me plaignais
point d'être toutes les nuits sur pied. Je ne laissais pas
pourtant de trouver cela très désagréable, et, sans le legs
dont je repaissais mon espérance, je me serais bientôt
dégoûté de ma condition. Je me reposais, à la vérité,
quelques heures pendant le jour. La gouvernante, je lui
dois cette justice, avait beaucoup d'égard pour moi. Ce
qu'il fallait attribuer au soin que je prenais de gagner ses
bonnes grâces par des manières complaisantes et respec-
tueuses. Étais-je à table avec elle et sa nièce, qu'on appelait Inesille ? je leur changeais d'assiettes ; je leur versais
à boire ; j'avais une attention toute particulière à les servir. Je m'insinuai par là dans leur amitié. Un jour que la
dame Jacinte était sortie pour aller à la provision, me
voyant seul avec Inesille, je commençai à l'entretenir. Je
lui demandai si son père et sa mère vivaient encore. Oh
que non, me répondit-elle. Il y a bien longtemps, bien
longtemps qu'ils sont morts ; car ma bonne tante me l'a
dit, et je ne les ai jamais vus. Je crus pieusement la petite
fille, quoique sa réponse ne fût pas catégorique, et je la

mis si bien en train de parler, qu'elle m'en dit plus que je n'en voulais savoir. Elle m'apprit ou plutôt je compris, par les naïvetés qui lui échappèrent, que sa bonne tante avait un bon ami qui demeurait aussi auprès d'un vieux chanoine dont il administrait le temporel, et que ces heureux domestiques comptaient d'assembler les dépouilles de leurs maîtres par un hyménée dont ils goûtaient les douceurs par avance. J'ai déjà dit que la dame Jacinte, bien qu'un peu surannée, avait encore de la fraîcheur. Il est vrai qu'elle n'épargnait rien pour se conserver. Outre qu'elle prenait tous les matins un clystère, elle avalait pendant le jour et en se couchant d'excellents coulis[1]. De plus, elle dormait tranquillement la nuit, tandis que je veillais mon maître. Mais ce qui peut-être contribuait encore plus que toutes ces choses à lui rendre le teint frais, c'était, à ce que me dit Inesille, une fontaine[2] qu'elle avait à chaque jambe.

CHAPITRE 2

De quelle manière le chanoine, étant tombé malade,
fut traité ; ce qu'il en arriva ;
et ce qu'il laissa par testament à Gil Blas.

Je servis pendant trois mois le licencié Sedillo, sans me plaindre des mauvaises nuits qu'il me faisait passer. Au bout de ce temps-là, il tomba malade. La fièvre le prit,

---

1. *Clystère* : « remède ou injection liquide qu'on introduit dans les intestins par le fondement pour les rafraîchir, pour lâcher le ventre » (Furetière). *Coulis* : autre terme d'apothicaire, désignant un remède filtré (« coulé »).

2. Souvenir de Cervantès : une duchesse doit son teint frais « à deux fontaines [sorte d'exutoire ou de drain] qu'elle a aux deux jambes, et par où s'écoulent toutes les mauvaises humeurs dont les médecins disent qu'elle est remplie » (*Don Quichotte*, II, chap. 48, trad. L. Viardot, GF-Flammarion, 1981, vol. 2, p. 331).

et, avec le mal qu'elle lui causait, il sentit irriter sa goutte. Pour la première fois de sa vie, qui avait été longue, il eut recours aux médecins. Il demanda le docteur Sangrado [1], que tout Valladolid regardait comme un Hippocrate [2]. La dame Jacinte aurait mieux aimé que le chanoine eût commencé par faire son testament. Elle lui en toucha même quelques mots ; mais outre qu'il ne se croyait pas encore proche de la fin, il avait de l'opiniâtreté dans certaines choses. J'allai donc chercher le docteur Sangrado. Je l'amenai au logis. C'était un grand homme sec et pâle, et qui depuis quarante ans pour le moins occupait le ciseau des Parques [3]. Ce savant médecin avait l'extérieur grave. Il pesait ses discours et donnait de la noblesse à ses expressions. Ses raisonnements paraissaient géométriques, et ses opinions fort singulières.

Après avoir observé mon maître, il lui dit d'un air doctoral : Il s'agit ici de suppléer au défaut de la transpiration arrêtée. D'autres, à ma place, ordonneraient sans doute des remèdes salins, urineux, volatils, et qui pour la plupart participent du soufre et du mercure. Mais les purgatifs et les sudorifiques sont des drogues pernicieuses. Toutes les préparations chimiques ne semblent faites que pour nuire. J'emploie des moyens plus simples et plus sûrs. À quelle nourriture, continua-t-il, êtes-vous accoutumé ? Je mange ordinairement, répondit le chanoine, des bisques et des viandes succulentes. Des bisques et des viandes succulentes, s'écria le docteur avec surprise ! Ah vraiment, je ne m'étonne point si vous êtes malade ! Les mets délicieux sont des plaisirs empoisonnés : ce sont des pièges que la volupté tend aux hommes pour les faire périr plus sûrement. Il faut que vous renonciez aux aliments de bon goût. Les plus fades sont les meilleurs pour la santé.

---

1. Dans *Marcos de Obregón*, le médecin s'appelle Sagredo (« Sacré »). Lesage change le nom en Sangrado (« Saigné »).

2. Hippocrate était un célèbre médecin grec du Ve et IVe siècles avant J.-C., théoricien de la physiologie humorale.

3. Divinités du destin, les Parques tranchaient le fil de la vie de chaque être humain.

Comme le sang est insipide, il veut des mets qui tiennent de sa nature. Et buvez-vous du vin, ajouta-t-il ? Oui, dit le licencié, du vin trempé. Oh, trempé tant qu'il vous plaira, reprit le médecin. Quel dérèglement ! voilà un régime épouvantable ! Il y a longtemps que vous devriez être mort. Quel âge avez-vous ? J'entre dans ma soixante-neuvième année, répondit le chanoine. Justement, répliqua le médecin ; une vieillesse anticipée est toujours le fruit de l'intempérance. Si vous n'eussiez bu que de l'eau claire toute votre vie, et que vous vous fussiez contenté d'une nourriture simple, de pommes cuites par exemple, vous ne seriez pas présentement tourmenté de la goutte, et tous vos membres feraient encore facilement leurs fonctions. Je ne désespère pas toutefois de vous remettre sur pied, pourvu que vous vous abandonniez à mes ordonnances. Le licencié promit de lui obéir en toutes choses.

Alors Sangrado m'envoya chercher un chirurgien qu'il me nomma, et fit tirer à mon maître six bonnes palettes [1] de sang pour commencer à suppléer au défaut de la transpiration. Puis il dit au chirurgien : Maître Martin Oñez, revenez dans trois heures en faire autant et demain vous recommencerez. C'est une erreur de penser que le sang soit nécessaire à la conservation de la vie. On ne peut trop saigner un malade. Comme il n'est obligé à aucun mouvement ou exercice considérable, et qu'il n'a rien à faire que de ne point mourir, il ne lui faut pas plus de sang pour vivre qu'à un homme endormi. La vie dans tous les deux ne consiste que dans le pouls et dans la respiration. Lorsque le docteur eut ordonné de fréquentes et copieuses saignées, il dit qu'il fallait aussi donner au chanoine de l'eau chaude à tout moment ; assurant que l'eau bue en abondance pouvait passer pour le véritable spécifique [2] contre toutes sortes de maladies. Il sortit ensuite, en disant d'un air de confiance à la dame Jacinte et à moi qu'il répondait de la vie du malade, si on le traitait de la manière qu'il venait de prescrire. La

---

1. *Palette* : écuelle d'étain destinée à recueillir et à mesurer le sang.
2. Le véritable remède.

gouvernante, qui jugeait peut-être autrement que lui de
sa méthode, protesta qu'on la suivrait avec exactitude. En
effet, nous mîmes promptement de l'eau à chauffer ; et,
comme le médecin nous avait recommandé sur toutes
choses de ne la point épargner, nous en fîmes d'abord
boire à mon maître deux ou trois pintes à longs traits.
Une heure après, nous réitérâmes ; puis retournant encore
de temps en temps à la charge, nous versâmes dans son
estomac un déluge d'eau. D'un autre côté, le chirurgien
nous secondant par la quantité de sang qu'il tirait, nous
réduisîmes en moins de deux jours le vieux chanoine à
l'extrémité.

Ce bon ecclésiastique n'en pouvant plus, comme je voulais lui faire avaler encore un grand verre du spécifique,
me dit d'une voix faible : Arrête, Gil Blas ; ne m'en donne
pas davantage, mon ami. Je vois bien qu'il faut mourir,
malgré la vertu de l'eau ; et quoiqu'il me reste à peine une
goutte de sang, je ne m'en porte pas mieux pour cela. Ce
qui prouve bien que le plus habile médecin du monde ne
saurait prolonger nos jours, quand leur terme fatal est
arrivé. Va me chercher un notaire. Je veux faire mon testament. À ces derniers mots, que je n'étais pas fâché
d'entendre, j'affectai de paraître fort triste, et cachant
l'envie que j'avais de m'acquitter de la commission qu'il
me donnait : Hé mais, monsieur, lui dis-je, vous n'êtes pas
si bas, Dieu merci, que vous ne puissiez vous relever. Non,
non, repartit-il, mon enfant, c'en est fait. Je sens que la
goutte remonte et que la mort s'approche. Hâte-toi d'aller
où je t'ai dit. Je m'aperçus, effectivement, qu'il changeait
à vue d'œil, et la chose me parut si pressante, que je sortis
vite pour faire ce qu'il m'ordonnait, laissant auprès de lui
la dame Jacinte, qui craignait encore plus que moi qu'il
ne mourût sans tester. J'entrai dans la maison du premier
notaire dont on m'enseigna la demeure, et le trouvant
chez lui : Monsieur, lui dis-je, le licencié Sedillo, mon
maître, tire à sa fin. Il veut faire écrire ses dernières volontés. Il n'y a pas un moment à perdre. Le notaire était un
petit vieillard gai qui se plaisait à railler. Il me demanda
quel médecin voyait le chanoine. Je lui répondis que

c'était le docteur Sangrado. À ce nom, prenant brusquement son manteau et son chapeau : Vive Dieu, s'écria-t-il,
partons donc en diligence ; car ce docteur est si expéditif,
qu'il ne donne pas le temps à ses malades d'appeler des
notaires. Cet homme-là m'a bien soufflé des testaments.

En parlant de cette sorte, il s'empressa de sortir avec
moi, et, pendant que nous marchions tous deux à grands
pas pour prévenir l'agonie, je lui dis : Monsieur, vous
savez qu'un testateur mourant manque souvent de
mémoire. Si par hasard mon maître vient à m'oublier, je
vous prie de le faire souvenir de mon zèle. Je le veux bien,
mon enfant, me répondit le petit notaire. Tu peux compter là-dessus. Je l'exhorterai même à te donner quelque
chose de considérable, pour peu qu'il soit disposé à reconnaître tes services. Le licencié, quand nous arrivâmes dans
sa chambre, avait encore tout son bon sens. La dame
Jacinte, le visage baigné de pleurs de commande, était
auprès de lui. Elle venait de jouer son rôle et de préparer
le bonhomme à lui faire beaucoup de bien. Nous laissâmes le notaire seul avec mon maître et passâmes, elle et
moi, dans l'antichambre, où nous rencontrâmes le chirurgien, que le médecin envoyait pour faire une nouvelle et
dernière saignée. Nous l'arrêtâmes. Attendez, maître
Martin, lui dit la gouvernante ; vous ne sauriez entrer présentement dans la chambre du seigneur Sedillo. Il va dicter ses dernières volontés à un notaire qui est avec lui.
Vous le saignerez quand il aura fait son testament.

Nous avions grand-peur, la béate et moi, que le licencié
ne mourût en testant ; mais par bonheur, l'acte qui causait notre inquiétude se fit. Nous vîmes sortir le notaire,
qui me trouvant sur son passage, me frappa sur l'épaule
et me dit en souriant : On n'a point oublié Gil Blas. À
ces mots, je ressentis une joie toute des plus vives, et je
sus si bon gré à mon maître de s'être souvenu de moi, que
je me promis de bien prier Dieu pour lui après sa mort,
qui ne manqua pas d'arriver bientôt ; car le chirurgien
l'ayant encore saigné, le pauvre vieillard, qui n'était déjà
que trop affaibli, expira presque dans le moment. Comme
il rendait les derniers soupirs, le médecin parut et demeura

un peu sot, malgré l'habitude qu'il avait de dépêcher ses malades [1]. Cependant, loin d'imputer la mort du chanoine à la boisson et aux saignées, il sortit en disant d'un air froid qu'on ne lui avait pas tiré assez de sang ni fait boire assez d'eau chaude. L'exécuteur de la haute médecine, je veux dire le chirurgien, voyant aussi qu'on n'avait plus besoin de son ministère, suivit le docteur Sangrado.

Sitôt que nous vîmes le patron sans vie, nous fîmes, la dame Jacinte, Inesille et moi, un concert de cris funèbres, qui fut entendu de tout le voisinage. La béate, surtout, qui avait le plus grand sujet de se réjouir, poussait des accents si plaintifs, qu'elle semblait être la personne du monde la plus touchée. La chambre en un instant se remplit de gens, moins attirés par la compassion que par la curiosité. Les parents du défunt n'eurent pas plus tôt vent de sa mort, qu'ils vinrent fondre au logis et faire mettre le scellé partout. Ils trouvèrent la gouvernante si affligée, qu'ils crurent d'abord que le chanoine n'avait point fait de testament. Mais ils apprirent bientôt qu'il y en avait un, revêtu de toutes les formalités nécessaires, et lorsqu'on vint à l'ouvrir, et qu'ils virent que le testateur avait disposé de ses meilleurs effets en faveur de la dame Jacinte et de la petite fille, ils firent son oraison funèbre dans des termes peu honorables à sa mémoire. Ils apostrophèrent en même temps la béate et me donnèrent aussi quelques louanges. Il faut avouer que je les méritais bien : le licencié, devant Dieu soit son âme, pour m'engager à me souvenir de lui toute ma vie, s'expliquait ainsi pour mon compte par un article de son testament : *Item* [2], *puisque Gil Blas est un garçon qui a déjà de la littérature, pour achever de le rendre savant, je lui laisse ma bibliothèque, tous mes livres et mes manuscrits sans aucune exception.*

J'ignorais où pouvait être cette prétendue bibliothèque. Je ne m'étais point aperçu qu'il y en eût dans la maison. Je savais seulement qu'il y avait quelques papiers avec

---

1. De se débarrasser de ses malades (en les tuant).
2. De même, en outre.

cinq ou six volumes sur deux petits ais de sapin dans le cabinet de mon maître. C'était là mon legs. Encore les livres ne me pouvaient-ils être d'une grande utilité. L'un avait pour titre : *Le Cuisinier parfait* ; l'autre traitait de l'indigestion et de la manière de la guérir ; et les autres étaient les quatre parties du bréviaire, que les vers avaient à demi rongées. À l'égard des manuscrits, le plus curieux contenait toutes les pièces d'un procès que le chanoine avait eu autrefois pour sa prébende. Après avoir examiné mon legs avec plus d'attention qu'il n'en méritait, je l'abandonnai aux parents qui me l'avaient tant envié. Je leur remis même l'habit dont j'étais revêtu et je repris le mien, bornant à mes gages le fruit de mes services. J'allai chercher ensuite une autre maison. Pour la dame Jacinte, outre les sommes qui lui avaient été léguées, elle eut encore de bonnes nippes[1], qu'à l'aide de son bon ami, elle avait détournées pendant la maladie du licencié.

CHAPITRE 3

Gil Blas s'engage au service du docteur Sangrado,
et devient un célèbre médecin.

Je résolus d'aller trouver le seigneur Arias de Londoña et de choisir dans son registre une nouvelle condition ; mais, comme j'étais près d'entrer dans le cul-de-sac où il demeurait, je rencontrai le docteur Sangrado, que je n'avais point vu depuis le jour de la mort de mon maître, et je pris la liberté de le saluer. Il me remit dans le moment, quoique j'eusse changé d'habit, et témoignant quelque joie de me voir : Hé te voilà, mon enfant, me dit-il, je pensais à toi tout à l'heure. J'ai besoin d'un bon garçon pour me servir, et je songeais que tu serais bien mon fait, si tu savais lire et écrire. Monsieur, lui répondis-

---

1. Le terme désigne des petits meubles, sans nuance péjorative.

je, sur ce pied-là je suis donc votre affaire. Cela étant, reprit-il, tu es l'homme qu'il me faut. Viens chez moi. Tu n'y auras que de l'agrément. Je te traiterai avec distinction. Je ne te donnerai point de gages ; mais rien ne te manquera. J'aurai soin de t'entretenir proprement, et je t'enseignerai le grand art de guérir toutes les maladies. En un mot, tu seras plutôt mon élève que mon valet.

J'acceptai donc la proposition du docteur, dans l'espérance que je pourrais sous un si savant maître me rendre illustre dans la médecine. Il me mena chez lui sur-le-champ, pour m'installer dans l'emploi qu'il me destinait, et cet emploi consistait à écrire le nom et la demeure des malades qui l'envoyaient chercher pendant qu'il était en ville. Il y avait pour cet effet au logis un registre, dans lequel une vieille servante, qu'il avait pour tout domestique, marquait les adresses ; mais outre qu'elle ne savait point l'orthographe, elle écrivait si mal qu'on ne pouvait le plus souvent déchiffrer son écriture. Il me chargea du soin de tenir ce livre, qu'on pouvait justement appeler un registre mortuaire, puisque les gens dont je prenais les noms mouraient presque tous. J'inscrivais, pour ainsi parler, les personnes qui voulaient partir pour l'autre monde, comme un commis dans un bureau de voiture publique écrit le nom de ceux qui retiennent des places. J'avais souvent la plume à la main, parce qu'il n'y avait point en ce temps-là de médecin à Valladolid plus accrédité que le docteur Sangrado. Il s'était mis en réputation dans le public par un verbiage spécieux soutenu d'un air imposant, et par quelques cures heureuses qui lui avaient fait plus d'honneur qu'il n'en méritait.

Il ne manquait pas de pratique, ni par conséquent de bien. Il n'en faisait pas toutefois meilleure chère. On vivait chez lui très frugalement. Nous ne mangions d'ordinaire que des pois, des fèves, des pommes cuites ou du fromage. Il disait que ces aliments étaient les plus convenables à l'estomac, comme étant les plus propres à la trituration, c'est-à-dire à être broyés plus aisément. Néanmoins, bien qu'il les crût de facile digestion, il ne voulait point qu'on s'en rassasiât. En quoi, certes, il se montrait fort raisonnable. Mais s'il nous défendait, à la servante et à moi, de manger beaucoup, en récompense, il nous permettait de boire de l'eau à discrétion [1]. Bien loin de nous prescrire des bornes là-dessus, il nous disait quelquefois : Buvez, mes enfants. La santé consiste dans la souplesse et l'humectation des parties. Buvez de l'eau abondamment. C'est un dissolvant universel. L'eau fond tous les sels. Le cours du sang est-il ralenti ? elle le précipite. Est-il trop rapide ? elle en arrête l'impétuosité. Notre docteur était de si bonne foi sur cela, qu'il ne buvait jamais luimême que de l'eau, bien qu'il fût dans un âge avancé. Il définissait la vieillesse une phtisie naturelle qui nous dessèche et nous consume ; et sur cette définition, il déplorait l'ignorance de ceux qui nomment le vin le lait des vieillards. Il soutenait que le vin les use et les détruit, et disait fort éloquemment que cette liqueur funeste est pour eux comme pour tout le monde un ami qui trahit et un plaisir qui trompe.

Malgré ces beaux raisonnements, après avoir été huit jours dans cette maison, il me prit un cours de ventre [2] et je commençai à sentir de grands maux d'estomac, que j'eus la témérité d'attribuer au dissolvant universel et à la mauvaise nourriture que je prenais. Je m'en plaignis à mon maître dans la pensée qu'il pourrait se relâcher et me donner un peu de vin à mes repas ; mais il était trop ennemi de cette liqueur pour me l'accorder. Si tu te sens, me dit-il, quelque dégoût pour l'eau pure, il y a des

---

1. Le médecin Philippe Hecquet, qui apparaît plus loin sous le nom « Oquetos » (IV, 3 ; voir *infra*, p. 279, note 1), était l'auteur d'un traité intitulé *Explication physique et mécanique des effets de la saignée et de la boisson dans la cure des maladies* (1706), qui avait été brocardé par un journaliste parisien. La cure de Sangrado est similaire à celle que suivait l'abbé de Lionne, ex-aumônier du roi et protecteur de Lesage. Ce « riche abbé débauché », rapporte Saint-Simon, « buvait tous les matins, les vingt dernières années de sa vie, depuis cinq heures du matin jusqu'à midi, vingt et quelquefois vingt-deux pintes d'eau de la Seine, sans se pouvoir passer à moins, outre ce qu'il en avalait encore à son dîner » (*Mémoires*, année 1715, éd. Y. Coirault, « Bibliothèque de la Pléiade », 1985, t. V, p. 155).

2. Une diarrhée.

secours innocents pour soutenir l'estomac contre la fadeur des boissons aqueuses. La sauge, par exemple, et la véronique leur donnent un goût délectable ; et si tu veux les rendre encore plus délicieuses, tu n'as qu'à y mêler de la fleur d'œillet, de romarin ou de coquelicot.

Il avait beau vanter l'eau et m'enseigner le secret d'en composer des breuvages exquis, j'en buvais avec tant de modération, que, s'en étant aperçu, il me dit : Hé vraiment, Gil Blas, je ne m'étonne point si tu ne jouis pas d'une parfaite santé. Tu ne bois pas assez, mon ami. L'eau prise en petite quantité ne sert qu'à développer les parties de la bile et qu'à leur donner plus d'activité ; au lieu qu'il les faut noyer par un délayant copieux. Ne crains pas, mon enfant, que l'abondance de l'eau affaiblisse ou refroidisse ton estomac. Loin de toi cette terreur panique que tu te fais peut-être de la boisson fréquente. Je te garantis de l'événement [1] ; et si tu ne me trouves pas bon pour t'en répondre, Celse [2] même t'en sera garant. Cet oracle latin fait un éloge admirable de l'eau. Ensuite il dit en termes exprès que ceux qui pour boire du vin s'excusent sur la faiblesse de leur estomac, font une injustice manifeste à ce viscère et cherchent à couvrir leur sensualité.

Comme j'aurais eu mauvaise grâce de me montrer indocile en entrant dans la carrière de la médecine, je parus persuadé qu'il avait raison. J'avouerai même que je le crus effectivement. Je continuai donc à boire de l'eau sur la garantie de Celse. Ou plutôt je commençai à noyer la bile en buvant copieusement de cette liqueur, et quoique de jour en jour je m'en sentisse plus incommodé, le préjugé l'emportait sur l'expérience. J'avais, comme on voit, une heureuse disposition à devenir médecin. Je ne pus pourtant résister toujours à la violence de mes maux, qui s'accrurent à un point que je pris enfin la résolution

---

1. Je t'assure que cela n'arrivera pas (ton estomac ne sera pas affaibli).

2. Médecin romain contemporain d'Auguste, sectateur d'Hippocrate et auteur du traité *De arte medica*.

de sortir de chez le docteur Sangrado. Mais il me chargea d'un nouvel emploi, qui me fit changer de sentiment. Écoute, mon enfant, me dit-il un jour, je ne suis point de ces maîtres durs et ingrats qui laissent vieillir leurs domestiques dans la servitude, avant que de les récompenser. Je suis content de toi. Je t'aime, et, sans attendre que tu m'aies servi plus longtemps, je vais faire ton bonheur. Je veux tout à l'heure te découvrir le fin de l'art salutaire que je professe depuis tant d'années. Les autres médecins en font consister la connaissance dans mille sciences pénibles, et moi, je prétends t'abréger un chemin si long, et t'épargner la peine d'étudier la physique, la pharmacie, la botanique et l'anatomie. Sache, mon ami, qu'il ne faut que saigner et faire boire de l'eau chaude. Voilà le secret de guérir toutes les maladies du monde. Oui, ce merveilleux secret que je te révèle, et que la nature, impénétrable à mes confrères, n'a pu dérober à mes observations, est renfermé dans ces deux points : dans la saignée et dans la boisson fréquente. Je n'ai plus rien à t'apprendre. Tu sais la médecine à fond, et profitant du fruit de ma longue expérience, tu deviens tout d'un coup aussi habile que moi. Tu peux, continua-t-il, me soulager présentement. Tu tiendras le matin notre registre et l'après-midi tu sortiras pour aller voir une partie de mes malades. Tandis que j'aurai soin de la noblesse et du clergé, tu iras pour moi dans les maisons du tiers-état où l'on m'appellera, et lorsque tu auras travaillé quelque temps, je te ferai agréger à notre corps. Tu es savant, Gil Blas, avant que d'être médecin ; au lieu que les autres sont longtemps médecins et la plupart toute leur vie, avant que d'être savants.

Je remerciai le docteur de m'avoir si promptement rendu capable de lui servir de substitut ; et pour reconnaître les bontés qu'il avait pour moi, je l'assurai que je suivrais toute ma vie ses opinions, quand même elles seraient contraires à celles d'Hippocrate. Cette assurance pourtant n'était pas tout à fait sincère. Je désapprouvais son sentiment sur l'eau, et je me proposais de boire du vin tous les jours en allant voir mes malades. Je pendis au croc une seconde fois mon habit, pour en prendre un de mon maître et me donner l'air d'un médecin. Après quoi, je me disposai à exercer la médecine aux dépens de qui il appartiendrait [1]. Je débutai par un alguazil qui avait une pleurésie. J'ordonnai qu'on le saignât sans miséricorde, et qu'on ne lui plaignît [2] point l'eau. J'entrai ensuite chez un pâtissier à qui la goutte faisait pousser de grands cris. Je ne ménageai pas plus son sang que celui de l'alguazil, et je ne lui défendis point la boisson. Je reçus douze réaux pour mes ordonnances : ce qui me fit prendre tant de goût à la profession, que je ne demandai plus que plaie et bosse. En sortant de la maison du pâtissier, je rencontrai Fabrice, que je n'avais point vu depuis la mort du licencié Sedillo. Il me regarda pendant quelques moments avec surprise ; puis il se mit à rire de toute sa force, en se tenant les côtes. Ce n'était pas sans raison. J'avais un manteau qui traînait à terre avec un pourpoint et un haut-de-chausses quatre fois plus longs et plus larges qu'il ne fallait. Je pouvais passer pour une figure originale. Je le laissai s'épanouir la rate, non sans être tenté de suivre son exemple ; mais je me contraignis pour garder le *decorum* dans la rue, et mieux contrefaire le médecin qui n'est pas un animal risible. Si mon air ridicule avait excité les ris de Fabrice, mon sérieux les redoubla ; et lorsqu'il s'en fut bien donné : Vive Dieu, Gil Blas, me dit-il, te voilà plaisamment équipé. Qui diable t'a déguisé de la sorte ? Tout beau, mon ami, lui répondis-je, tout beau ; respecte un nouvel Hippocrate. Apprends que je suis le substitut du docteur Sangrado, qui est le plus fameux médecin de Valladolid. Je demeure chez lui depuis trois semaines. Il m'a montré la médecine à fond ; et comme il ne peut fournir à tous les malades qui le demandent, j'en vois une partie pour le soulager. Il va

---

1. Sens impersonnel du verbe *appartenir* (*il appartient* signifie « il convient »). Le lecteur familier de la comédie aura reconnu une citation de Molière : « Mais quand j'ai vu qu'à toute force ils voulaient que je fusse médecin, je me suis résolu de l'être aux dépens de qui il appartiendra », dit Sganarelle à Léandre (*Le Médecin malgré lui*, III, 1).

2. Qu'on ne lui épargnât.

dans les grandes maisons, et moi dans les petites. Fort bien, reprit Fabrice ; c'est-à-dire qu'il t'abandonne le sang du peuple et se réserve celui des personnes de qualité. Je te félicite de ton partage. Il vaut mieux avoir affaire à la populace qu'au grand monde. Vive un médecin de faubourg ! ses fautes sont moins en vue, et ses assassinats ne font point de bruit. Oui, mon enfant, ajouta-t-il, ton sort me paraît digne d'envie ; et pour parler comme Alexandre, si je n'étais pas Fabrice, je voudrais être Gil Blas[1].

Pour faire voir au fils du barbier Nuñez qu'il n'avait pas tort de vanter le bonheur de ma condition présente, je lui montrai les réaux de l'alguazil et du pâtissier. Puis nous entrâmes dans un cabaret pour en boire une partie. On nous apporta d'assez bon vin, que l'envie d'en goûter me fit trouver encore meilleur qu'il n'était. J'en bus à longs traits, et n'en déplaise à l'oracle latin, à mesure que j'en versais dans mon estomac, je sentais que ce viscère ne me savait pas mauvais gré des injustices que je lui faisais. Nous demeurâmes longtemps dans ce cabaret, Fabrice et moi. Nous y rîmes bien aux dépens de nos maîtres, comme cela se pratique entre valets. Ensuite voyant que la nuit approchait, nous nous séparâmes, après nous être mutuellement promis que le jour suivant, l'après-dînée, nous nous retrouverions au même lieu.

---

1. Parodie du mot d'Alexandre après sa rencontre avec Diogène (« Ôte-toi de mon soleil », lui dit le philosophe) : « Eh bien moi, si je n'étais pas Alexandre, je voudrais être Diogène » (Plutarque, *Vies parallèles*, GF-Flammarion, trad. J.-A. Pierron revue par F. Frazier, 1995, p. 52).

CHAPITRE 4

Gil Blas continue d'exercer la médecine
avec autant de succès que de capacité.
Aventure de la bague retrouvée.

Je ne fus pas sitôt au logis, que le docteur Sangrado y
arriva. Je lui parlais des malades que j'avais vus et lui
remis entre les mains huit réaux qui me restaient des
douze que j'avais reçus pour mes ordonnances. Huit
réaux, me dit-il après les avoir comptés, c'est peu de chose
pour deux visites ; mais il faut tout prendre. Aussi les
prit-il presque tous. Il en garda six et me donnant les deux
autres : Tiens, Gil Blas, poursuivit-il, voilà pour commencer à te faire un fonds ; je t'abandonne le quart de ce que
tu m'apporteras. Tu seras bientôt riche, mon ami ; car il
y aura, s'il plaît à Dieu, bien des maladies cette année.

J'avais bien lieu d'être content de mon partage
puisqu'ayant dessein de retenir toujours le quart de ce
que je recevrais en ville, et touchant encore le quart du
reste, c'était, si l'arithmétique est une science certaine,
près de la moitié du tout qui me revenait [1]. Cela m'inspira
une nouvelle ardeur pour la médecine. Le lendemain, dès
que j'eus dîné, je repris mon habit de substitut et me remis
en campagne. Je visitai plusieurs malades que j'avais
inscrits, et je les traitai tous de la même manière, bien
qu'ils eussent des maux différents. Jusque-là les choses
s'étaient passées sans bruit, et personne, grâce au Ciel,
ne s'était encore révolté contre mes ordonnances ; mais
quelque excellente que soit la pratique d'un médecin,
elle ne saurait manquer de censeurs. J'entrai chez un
marchand épicier qui avait un fils hydropique [2]. J'y trouvai un petit médecin brun, qu'on nommait le docteur

---

1. L'arithmétique eût été encore plus exacte si Lesage avait écrit « le
tiers de ce que je recevrais en ville », conformément à la retenue opérée
par Gil Blas (4 réaux sur 12).

2. *Hydropique* : « qui a les membres enflés par une abondance d'eaux
ou de vents » (Furetière).

Cuchillo [1], et qu'un parent du maître de la maison venait d'amener. Je fis de profondes révérences à tout le monde, et particulièrement au personnage que je jugeai qu'on avait appelé pour le consulter sur la maladie dont il s'agissait. Il me salua d'un air grave ; puis m'ayant envisagé quelques moments avec beaucoup d'attention : Seigneur docteur, me dit-il, je vous prie d'excuser ma curiosité : je croyais connaître tous les médecins de Valladolid, mes confrères, et je vous avoue que vos traits me sont inconnus. Il faut que depuis très peu de temps vous soyez venu vous établir dans cette ville. Je répondis que j'étais un jeune praticien et que je ne travaillais encore que sous les auspices du docteur Sangrado. Je vous félicite, reprit-il poliment, d'avoir embrassé la méthode d'un si grand homme. Je ne doute point que vous ne soyez déjà très habile, quoique vous paraissiez fort jeune. Il dit cela d'un air si naturel, que je ne savais s'il avait parlé sérieusement ou s'il s'était moqué de moi ; et je rêvais à ce que je devais lui répliquer, lorsque l'épicier prenant ce moment pour parler, nous dit : Messieurs, je suis persuadé que vous savez parfaitement l'un et l'autre l'art de la médecine. Examinez, s'il vous plaît, mon fils et ordonnez ce que vous jugerez à propos qu'on fasse pour le guérir.

Là-dessus le petit médecin se mit à observer le malade, et après m'avoir fait remarquer tous les symptômes qui découvraient la nature de la maladie, il me demanda de quelle manière je pensais qu'on dût le traiter. Je suis d'avis, répondis-je, qu'on le saigne tous les jours et qu'on lui fasse boire de l'eau chaude abondamment. À ces paroles, le petit médecin me dit en souriant d'un air plein de malice : Et vous croyez que ces remèdes lui sauveront la vie ? N'en doutez pas, m'écriai-je d'un ton ferme. Ils doivent produire cet effet, puisque ce sont des spécifiques contre toutes sortes de maladies. Demandez au seigneur Sangrado. Sur ce pied-là, reprit-il, Celse a grand tort

---

1. Le nom de ce docteur (« Couteau ») comme sa description correspondent à ceux du médecin parisien Prosper Couteaux, d'après Neufchâteau.

d'assurer que, pour guérir plus facilement un hydropique, il est à propos de lui faire souffrir la soif et la faim. Oh Celse, lui repartis-je, n'est pas mon oracle. Il se trompait comme un autre, et quelquefois je me sais bon gré d'aller contre ses opinions. Je reconnais à vos discours, me dit Cuchillo, la pratique sûre et satisfaisante dont le docteur Sangrado veut insinuer la méthode aux jeunes praticiens. La saignée et la boisson sont sa médecine universelle. Je ne suis pas surpris si tant d'honnêtes gens périssent entre ses mains... N'en venons point aux invectives, interrompis-je assez brusquement. Un homme de votre profession a bonne grâce de faire de pareils reproches. Allez, allez, monsieur le docteur, sans saigner et sans faire boire de l'eau chaude, on envoie bien des malades en l'autre monde ; et vous en avez peut-être vous-même expédié plus qu'un autre. Si vous en voulez au seigneur Sangrado, écrivez contre lui. Il vous répondra, et nous verrons de quel côté seront les rieurs. Par saint Jacques, et par saint Denis, interrompit-il à son tour avec emportement, vous ne connaissez guère le docteur Cuchillo. Sachez, mon ami, que j'ai bec et ongles et que je ne crains nullement Sangrado, qui, malgré sa présomption et sa vanité, n'est qu'un original. La figure du petit médecin me fit mépriser sa colère. Je lui répliquai avec aigreur. Il me repartit de la même sorte et bientôt nous en vînmes aux gourmades. Nous eûmes le temps de nous donner quelques coups de poing et de nous arracher l'un à l'autre une poignée de cheveux, avant que l'épicier et son parent pussent nous séparer. Lorsqu'ils en furent venus à bout, ils me payèrent ma visite et retinrent mon antagoniste qui leur parut apparemment plus habile que moi.

Après cette aventure, peu s'en fallut qu'il ne m'en arrivât une autre. J'allai voir un gros chantre qui avait la fièvre. Sitôt qu'il m'entendit parler d'eau chaude, il se montra si récalcitrant contre ce spécifique, qu'il se mit à jurer. Il me dit un million d'injures et me menaça même de me jeter par les fenêtres. Je sortis de chez lui plus vite que je n'y étais entré. Je ne voulus plus voir de malades ce jour-là et je gagnai l'hôtellerie où j'avais donné rendez-

vous à Fabrice. Il y était déjà. Comme nous nous retrouvâmes en humeur de boire, nous fîmes la débauche et
nous en retournâmes chez nos maîtres en bon état, c'est-
à-dire entre deux vins. Le seigneur Sangrado ne s'aperçut
point de mon ivresse, parce que je lui racontai avec tant
d'action le démêlé que j'avais eu avec le petit docteur, qu'il
prit ma vivacité pour un effet de l'émotion qui me restait
encore de mon combat. D'ailleurs, il entrait pour son
compte dans le rapport que je lui faisais, et se sentant piqué
contre Cuchillo : Tu as bien fait, Gil Blas, me dit-il, de
défendre l'honneur de nos remèdes contre ce petit avorton
de la faculté. Il prétend donc qu'on ne doit pas permettre
les boissons aqueuses aux hydropiques : l'ignorant ! Je soutiens, moi, qu'il faut leur en accorder l'usage. Oui, l'eau,
poursuivit-il, peut guérir toutes sortes d'hydropisies,
comme elle est bonne pour les rhumatismes et pour les
pâles couleurs. Elle est encore excellente dans ces fièvres où
l'on brûle et glace tout à la fois, et merveilleuse même dans
ces maladies qu'on impute à des humeurs froides, séreuses,
flegmatiques et pituiteuses. Cette opinion paraît étrange
aux jeunes médecins tels que Cuchillo, mais elle est très
soutenable en bonne médecine, et si ces gens-là étaient
capables de raisonner en philosophes [1], au lieu qu'ils me
décrient, ils deviendraient mes plus zélés partisans.

Il ne me soupçonna donc point d'avoir bu, tant il était
en colère ; car pour l'aigrir encore davantage contre le
petit docteur, j'avais mis dans mon rapport quelques circonstances de mon cru. Cependant tout occupé qu'il était
de ce que je venais de lui dire, il ne laissa pas de s'apercevoir que je buvais ce soir-là plus d'eau qu'à l'ordinaire.
Effectivement, le vin m'avait fort altéré. Tout autre que
Sangrado se serait défié de la soif qui me pressait et des
grands coups que j'avalais. Mais lui, il s'imagina bonnement que je commençais à prendre goût aux boissons
aqueuses : À ce que je vois, Gil Blas, me dit-il en souriant,
tu n'as plus tant d'aversion pour l'eau. Vive Dieu, tu la
bois comme du nectar. Cela ne m'étonne point, mon ami.

---

1. « de raisonner en logiciens » (var. de 1715b).

Je savais bien que tu t'accoutumerais à cette liqueur.
Monsieur, lui répondis-je, chaque chose a son temps. Je
donnerais à l'heure qu'il est un muid de vin pour une
pinte d'eau [1]. Cette réponse charma le docteur, qui ne perdit pas une si belle occasion de relever l'excellence de
l'eau. Il entreprit d'en faire un nouvel éloge, non en ora-
teur froid, mais en enthousiaste : Mille fois, s'écria-t-il,
mille et mille fois plus estimables et plus innocents que les
cabarets de nos jours, ces thermopoles [2] des siècles passés,
où l'on n'allait pas honteusement prostituer son bien et
sa vie en se gorgeant de vin ; mais où l'on s'assemblait
pour s'amuser, honnêtement et sans risque à boire de
l'eau chaude. On ne peut trop admirer la sage prévoyance
de ces anciens maîtres de la vie civile, qui avaient établi
des lieux publics où l'on donnait de l'eau à boire à tout
venant, et qui renfermaient le vin dans les boutiques des
apothicaires, pour n'en permettre l'usage que par ordon-
nance des médecins. Quel trait de sagesse ! C'est sans
doute, ajouta-t-il, par un heureux reste de cette ancienne
frugalité digne du Siècle d'or, qu'il se trouve encore
aujourd'hui des personnes qui, comme toi et moi, ne
boivent que de l'eau, et qui croient se préserver ou se
guérir de tous maux, en buvant de l'eau chaude, qui n'a
pas bouilli ; car j'ai observé que l'eau, quand elle a bouilli,
est plus pesante et moins commode à l'estomac.

Tandis qu'il tenait ce discours éloquent, je pensai plus
d'une fois éclater de rire. Je gardai pourtant mon sérieux.
Je fis plus. J'entrai dans les sentiments du docteur. Je blâ-
mai l'usage du vin et plaignis les hommes d'avoir malheureusement pris goût à une boisson si pernicieuse. Ensuite,
comme je ne me sentais pas encore bien désaltéré, je remplis d'eau un grand gobelet et après avoir bu à longs
traits : Allons, monsieur, dis-je à mon maître, abreuvons-
nous de cette liqueur bienfaisante. Faisons revivre dans

---

1. Un muid (unité de mesure) de vin contient entre 280 et 300 pintes.
Une pinte vaut environ un litre.
2. *Thermopoles* (*thermopolia*, en latin) : cabarets où l'on vendait des
boissons chaudes.

votre maison ces anciens thermopoles que vous regrettez
si fort. Il applaudit à ces paroles et m'exhorta pendant
une heure entière à ne boire jamais que de l'eau. Pour
m'accoutumer à cette boisson, je lui promis d'en boire
une grande quantité tous les soirs, et pour tenir plus facilement ma promesse, je me couchai dans la résolution
d'aller tous les jours au cabaret.

Le désagrément que j'avais eu chez l'épicier ne m'empêcha pas d'ordonner dès le lendemain des saignées et de
l'eau chaude. Au sortir d'une maison où je venais de voir
un poète qui avait la frénésie [1], je rencontrai dans la rue
une vieille femme qui m'aborda pour me demander si
j'étais médecin. Je lui répondis qu'oui. Cela étant, reprit-
elle, je vous supplie très humblement de venir avec moi.
Ma nièce est malade depuis hier, et j'ignore quelle est sa
maladie. Je suivis la vieille, qui me conduisit à sa maison,
et me fit entrer dans une chambre assez propre, où je vis
une personne alitée. Je m'approchai d'elle pour l'observer.
D'abord ses traits me frappèrent, et après l'avoir envisagée quelques moments, je reconnus, à n'en pouvoir douter, que c'était l'aventurière qui avait si bien fait le rôle de
Camille. Pour elle, il ne me parut point qu'elle me remît,
soit qu'elle fût accablée de son mal, soit que mon habit
de médecin me rendît méconnaissable à ses yeux. Je lui
pris le bras pour lui tâter le pouls, et j'aperçus ma bague
à son doigt. Je fus terriblement ému à la vue d'un bien
dont j'étais en droit de me saisir, et j'eus grande envie de
faire un effort pour le reprendre ; mais considérant que
ces femmes se mettraient à crier, et que don Raphaël ou
quelque autre défenseur du beau sexe pourrait accourir à
leurs cris, je me gardai de céder à la tentation. Je songeai
qu'il valait mieux dissimuler, et consulter là-dessus
Fabrice. Je m'arrêtai à ce dernier parti. Cependant la
vieille me pressait de lui apprendre de quel mal sa nièce
était, atteinte. Je ne fus pas assez sot pour avouer que je
n'en savais rien. Au contraire, je fis le capable, et copiant

1. *Frénésie* : « maladie qui cause une perpétuelle rêverie avec fièvre »
(Furetière).

mon maître, je dis gravement que le mal provenait de ce
que la malade ne transpirait point : qu'il fallait par conséquent se hâter de la saigner, parce que la saignée était le
substitut naturel de la transpiration : et j'ordonnai aussi
de l'eau chaude pour faire les choses suivant nos règles.

J'abrégeai ma visite le plus qu'il me fut possible, et je
courus chez le fils de Nuñez, que je rencontrai comme il
sortait pour aller faire une commission dont son maître
venait de le charger. Je lui contai ma nouvelle aventure,
et lui demandai s'il jugeait à propos que je fisse arrêter
Camille par des gens de justice. Hé non, me répondit-il ;
ce ne serait pas le moyen de ravoir ta bague. Ces gens-là
n'aiment pas à faire des restitutions. Souviens-toi de la
prison d'Astorga ; ton cheval, ton argent, jusqu'à ton
habit, tout n'est-il pas demeuré entre leurs mains ? Il faut
plutôt nous servir de notre industrie pour rattraper ton
diamant. Je me charge du soin de trouver quelque ruse
pour cet effet. Je vais y rêver en allant à l'hôpital où j'ai
deux mots à dire au pourvoyeur de la part de mon maître.
Toi, va m'attendre à notre cabaret, et ne t'impatiente
point. Je t'y joindrai dans peu de temps.

Il y avait pourtant déjà plus de trois heures que j'étais
au rendez-vous, quand il y arriva. Je ne le reconnus pas
d'abord. Outre qu'il avait changé d'habit et natté ses cheveux, une moustache postiche lui couvrait la moitié du
visage. Il portait une grande épée dont la garde avait pour
le moins trois pieds de circonférence, et il marchait à la
tête de cinq hommes qui avaient comme lui l'air déterminé, des moustaches épaisses, avec de longues rapières.
Serviteur au seigneur Gil Blas, dit-il en m'abordant. Il
voit en moi un alguazil de nouvelle fabrique et dans ces
braves gens qui m'accompagnent des archers de la même
trempe. Il n'a qu'à nous mener chez la femme qui lui a
volé un diamant et nous le lui ferons rendre, sur ma
parole. J'embrassai Fabrice, à ce discours, qui me faisait
connaître le stratagème qu'il prétendait employer pour
moi, et je lui témoignai que j'approuvais fort l'expédient
qu'il avait imaginé. Je saluai aussi les faux archers.
C'étaient trois domestiques et deux garçons barbiers de

ses amis qu'il avait engagés à faire ce personnage.
J'ordonnai qu'on apportât du vin pour abreuver la bri-
gade, et nous allâmes tous ensemble chez Camille à
l'entrée de la nuit. Nous frappâmes à la porte que nous
trouvâmes fermée. La vieille vint ouvrir, et prenant les
personnes qui étaient avec moi pour des lévriers de justice,
qui n'entraient pas dans cette maison sans sujet, elle
demeura fort effrayée. Rassurez-vous, ma bonne mère, lui
dit Fabrice ; nous ne venons ici que pour une petite affaire
qui sera bientôt terminée. À ces mots, nous nous avan-
çâmes et gagnâmes la chambre de la malade, conduits par
la vieille, qui marchait devant nous, et à la faveur d'une
bougie qu'elle tenait dans un flambeau d'argent. Je pris
ce flambeau. Je m'approchai du lit, et faisant remarquer
mes traits à Camille : Perfide, lui dis-je, reconnaissez ce
trop crédule Gil Blas que vous avez trompé. Ah scélérate,
je vous rencontre enfin. Le corregidor a reçu ma plainte,
et il a chargé cet alguazil de vous arrêter. Allons, Monsieur l'officier, dis-je à Fabrice, faites votre charge. Il n'est
pas besoin, répondit-il en grossissant sa voix, de m'exhorter à remplir mon devoir. Je me remets cette créature-là [1].
Il y a longtemps qu'elle est marquée en lettres rouges sur
mes tablettes. Levez-vous, ma princesse, ajouta-t-il.
Habillez-vous promptement. Je vais vous servir d'écuyer
et vous conduire aux prisons de cette ville, si vous l'avez
pour agréable.

À ces paroles, Camille, toute malade qu'elle était,
s'apercevant que deux archers à grandes moustaches se
préparaient à la tirer de son lit par force, se mit d'elle-
même sur son séant, joignit les mains d'une manière suppliante et me regardant avec des yeux où la frayeur était
peinte : Seigneur Gil Blas, me dit-elle, ayez pitié de moi.
Je vous en conjure par la chaste mère à qui vous devez le
jour. Quoique je sois très coupable, je suis encore plus
malheureuse. Je vais vous rendre votre diamant et ne me
perdez point. En parlant de cette sorte, elle tira de son
doigt ma bague et me la donna. Mais je lui répondis que

---

1. « Je me remets cette bonne vivante » (var. de 1715*b*).

mon diamant ne suffisait point, et que je voulais qu'on me restituât encore les mille ducats qui m'avaient été volés dans l'hôtel garni. Oh pour vos ducats, seigneur, répliqua-t-elle, ne me les demandez point. Le traître don Raphaël, que je n'ai pas vu depuis ce temps-là, les emporta dès la nuit même. Hé petite mignonne, dit alors Fabrice, n'y a-t-il qu'à dire, pour vous tirer d'intrigue, que vous n'avez pas eu de part au gâteau ? Vous n'en serez pas quitte à si bon marché. C'est assez que vous soyez des complices de don Raphaël, pour mériter qu'on vous demande compte de votre vie passée. Vous devez bien avoir des choses sur la conscience. Vous viendrez, s'il vous plaît, en prison faire une confession générale. J'y veux mener aussi, conti-nua-t-il, cette bonne vieille ; je juge qu'elle sait une infinité d'histoires curieuses que monsieur le corregidor ne sera pas fâché d'entendre.

Les deux femmes, à ces mots, mirent tout en usage pour nous attendrir. Elles remplirent la chambre de cris, de plaintes et de lamentations. Tandis que la vieille à genoux, tantôt devant l'alguazil et tantôt devant les archers, tâchait d'exciter leur compassion, Camille me priait de la manière du monde la plus touchante de la sauver des mains de la justice. Je feignis de me laisser fléchir. Monsieur l'officier, dis-je au fils de Nuñez, puisque j'ai mon diamant, je me console du reste. Je ne souhaite pas qu'on fasse de la peine à cette pauvre femme. Je ne veux point la mort du pécheur. Fi donc, répondit-il, vous avez de l'humanité ! Vous ne seriez pas bon à être exempt. Il faut, poursuivit-il, que je m'acquitte de ma commission. Il m'est expressément ordonné d'arrêter ces infantes. Monsieur le corregidor en veut faire un exemple. Hé, de grâce, repris-je, ayez quelque égard à ma prière, et relâchez-vous un peu de votre devoir en faveur du présent que ces dames vont vous offrir. Oh c'est une autre affaire, repartit-il ; voilà ce qui s'appelle une figure de rhétorique bien placée. Çà, voyons. Qu'ont-elles à me donner ? J'ai un collier de perles, lui dit Camille, et des pendants d'oreilles d'un prix considérable. Oui mais, interrompit-il brusquement, si

cela vient des îles Philippines, je n'en veux point[1]. Vous
pouvez les prendre en assurance, reprit-elle, je vous les
garantis fins. En même temps, elle se fit apporter par la
vieille une petite boîte d'où elle tira le collier et les pendants, qu'elle mit entre les mains de Monsieur l'alguazil.
Bien qu'il ne se connût guère mieux que moi en pierreries,
il ne douta pas que celles qui composaient les pendants
ne fussent fines, aussi bien que les perles. Ces bijoux, dit-
il, après les avoir considérés attentivement, me paraissent
de bon aloi, et si l'on ajoute à cela le flambeau d'argent
que tient le seigneur Gil Blas, je ne réponds plus de ma
fidélité. Je ne crois pas, dis-je alors à Camille, que vous
vouliez pour une bagatelle, rompre un accommodement
si avantageux pour vous. En prononçant ces dernières
paroles, j'ôtai la bougie que je remis à la vieille, et livrai
le flambeau à Fabrice, qui s'en tenant là, peut-être parce
qu'il n'apercevait plus rien dans la chambre qui se pût
aisément emporter, dit aux deux femmes : Adieu, mes
princesses, demeurez tranquilles. Je vais parler à Monsieur le corregidor et vous rendre plus blanches que la
neige. Nous savons lui tourner les choses comme il nous
plaît, et nous ne lui faisons des rapports fidèles que quand
rien ne nous oblige à lui en faire de faux.

CHAPITRE 5

Suite de l'aventure de la bague retrouvée.
Gil Blas abandonne la médecine
et le séjour de Valladolid.

Après avoir exécuté de cette manière le projet de
Fabrice, nous sortîmes de chez Camille, en nous applaudissant d'un succès qui surpassait notre attente, car nous
n'avions compté que sur la bague. Nous emportions sans

---

1. Fabrice fait allusion à la ruse de Camille (I, 16, p. 111).

façon tout le reste. Bien loin de nous faire un scrupule d'avoir volé des courtisanes, nous nous imaginions avoir fait une action méritoire. Messieurs, nous dit Fabrice, lorsque nous fûmes dans la rue, je suis d'avis que nous regagnions notre cabaret, où nous passerons la nuit à nous réjouir. Demain nous vendrons le flambeau, le collier, les pendants d'oreilles, et nous en partagerons l'argent en frères. Après quoi, chacun reprendra le chemin de sa maison, et s'excusera du mieux qu'il lui sera possible auprès de son maître. La pensée de Monsieur l'alguazil nous parut très judicieuse. Nous retournâmes tous au cabaret, les uns jugeant qu'ils trouveraient facilement une excuse pour avoir découché, et les autres ne se souciant guère d'être chassés de chez eux.

Nous fîmes apprêter un bon souper et nous nous mîmes à table avec autant d'appétit que de gaieté. Le repas fut assaisonné de mille discours agréables. Fabrice surtout qui savait donner de l'enjouement à la conversation, divertit fort la compagnie. Il lui échappa je ne sais combien de traits pleins de sel castillan, qui vaut bien le sel attique [1]. Dans le temps que nous étions le plus en train de rire, notre joie fut tout à coup troublée par un événement imprévu. Il entra dans la chambre où nous soupions un homme assez bien fait, suivi de deux autres de très mauvaise mine. Après ceux-là trois autres parurent, et nous en comptâmes jusqu'à douze qui survinrent ainsi trois à trois. Ils portaient des carabines avec des épées et des baïonnettes. Nous vîmes bien que c'étaient des archers de la patrouille, et il ne nous fut pas difficile de juger de leur intention. Nous eûmes d'abord quelque envie de résister, mais ils nous enveloppèrent en un instant et nous tinrent en respect, tant par leur nombre que par leurs armes à feu. Messieurs, nous dit le commandant d'un air railleur, je sais par quel ingénieux artifice vous venez de retirer une bague des mains de certaine aventurière. Certes, le trait est excellent, et mérite bien une

---

1. « On appelle *sel attique* une certaine éloquence ou grâce qui se trouvait dans le langage des auteurs athéniens » (Furetière).

récompense publique. Aussi ne peut-elle vous échapper ; la justice, qui vous destine chez elle un logement, ne manquera pas de reconnaître un si bel effort de génie. Toutes les personnes à qui ce discours s'adressait en furent déconcertées. Nous changeâmes de contenance et sentîmes à notre tour la même frayeur que nous avions inspirée chez Camille. Fabrice pourtant, quoique pâle et défait, voulut nous justifier. Seigneur, dit-il, nous n'avons pas eu une mauvaise intention, et par conséquent on doit nous pardonner cette petite supercherie. Comment diable, répliqua le commandant avec colère, vous appelez cela une petite supercherie ? Savez-vous bien qu'il y va de la corde ? Outre qu'il n'est pas permis de se rendre justice soi-même, vous avez emporté un flambeau, un collier et des pendants d'oreilles ; et qui pis est, pour faire ce vol, vous vous êtes travestis en archers. Des misérables se déguiser en honnêtes gens pour mal faire ! Je vous trouverai trop heureux si l'on ne vous condamne qu'à faucher le grand pré. Lorsqu'il nous eut fait comprendre que la chose était encore plus sérieuse que nous ne l'avions pensé d'abord, nous nous jetâmes tous à ses pieds et le priâmes d'avoir pitié de notre jeunesse ; mais nos prières furent inutiles. Il rejeta de plus la proposition que nous fîmes de lui abandonner le collier, les pendants et le flambeau. Il refusa même ma bague, parce que je la lui offrais, peut-être, en trop bonne compagnie. Enfin, il se montra inexorable. Il fit désarmer mes compagnons et nous emmena tous ensemble aux prisons de la ville. Comme on nous y conduisait, un des archers m'apprit que la vieille, qui demeurait avec Camille, nous ayant soupçonnés de n'être pas de véritables valets de pied de la justice, elle nous avait suivis jusqu'au cabaret : et que là ses soupçons s'étant tournés en certitude, elle en avait averti la patrouille pour se venger de nous.

On nous fouilla d'abord partout. On nous ôta le collier, les pendants et le flambeau. On m'arracha pareillement ma bague avec le rubis des îles Philippines, que j'avais par malheur dans mes poches. On ne me laissa pas seulement les réaux que j'avais reçus ce jour-là pour mes ordonnances. Ce qui me prouva que les gens de justice de Valladolid savaient aussi bien faire leur charge que ceux d'Astorga, et que tous ces messieurs avaient des manières uniformes. Tandis qu'on me spoliait de mes bijoux et de mes espèces, l'officier de la patrouille qui était présent, contait notre aventure aux ministres de la spoliation. Le fait leur parut si grave que la plupart d'entre eux nous trouvaient dignes du dernier supplice. Les autres, moins sévères, disaient que nous pourrions en être quittes pour chacun deux cents coups de fouet avec quelques années de service sur mer. En attendant la décision de Monsieur le corregidor, on nous enferma dans un cachot où nous nous couchâmes sur la paille dont il était presque aussi jonché qu'une écurie où l'on a fait la litière aux chevaux. Nous aurions pu y demeurer longtemps et n'en sortir que pour aller aux galères, si, dès le lendemain, le seigneur Manuel Ordoñez n'eût entendu parler de notre affaire, et résolu de tirer Fabrice de prison. Ce qu'il ne pouvait faire sans nous délivrer tous avec lui. C'était un homme fort estimé dans la ville. Il n'épargna point les sollicitations ; et tant par son crédit que par celui de ses amis, il obtint au bout de trois jours notre élargissement. Mais nous ne sortîmes point de ce lieu-là comme nous y étions entrés : le flambeau, le collier, les pendants, ma bague et le rubis, tout y resta. Cela me fit souvenir de ces vers de Virgile qui commencent par *Sic vos non vobis* [1].

D'abord que nous fûmes en liberté, nous retournâmes chez nos maîtres. Le docteur Sangrado me reçut bien : Mon pauvre Gil Blas, me dit-il, je n'ai su que ce matin ta disgrâce. Je me préparais à solliciter fortement pour toi. Il faut te consoler de cet accident, mon ami, et t'attacher plus que jamais à la médecine. Je répondis que j'étais dans ce dessein ; et véritablement je m'y donnai tout entier. Bien loin de manquer d'occupation, il arriva, comme mon maître l'avait si heureusement prédit, qu'il y eut bien des

---

1. Littéralement : « Ainsi vous, non à vous ». Début de vers que Virgile aurait soumis à un particulier qui se serait attribué la paternité d'un poème de sa main (anecdote apocryphe). Le sens de la citation est que les méchants dépouillent les bons du fruit légitime de leurs efforts.

maladies. La petite vérole et des fièvres malignes commencèrent à régner dans la ville et dans les faubourgs.
Tous les médecins de Valladolid eurent de la pratique et
nous particulièrement. Il ne se passait point de jour que
nous ne vissions chacun huit ou dix malades. Ce qui
suppose bien de l'eau bue et du sang répandu. Mais je ne
sais comment cela se faisait : ils mouraient tous, soit que
nous les traitassions fort mal, soit que leurs maladies
fussent incurables. Nous faisions rarement trois visites à
un même malade. Dès la seconde, ou nous apprenions
qu'il venait d'être enterré, ou nous le trouvions à l'agonie.
Comme je n'étais qu'un jeune médecin qui n'avait pas
encore eu le temps de s'endurcir au meurtre, je m'affligeais des événements funestes qu'on pouvait m'imputer.
Monsieur, dis-je un soir au docteur Sangrado, j'atteste ici
le Ciel que je suis exactement votre méthode. Cependant
tous mes malades vont en l'autre monde. On dirait qu'ils
prennent plaisir à mourir pour décréditer notre médecine.
J'en ai rencontré aujourd'hui deux qu'on portait en terre.
Mon enfant, me répondit-il, je pourrais te dire à peu près
la même chose. Je n'ai pas souvent la satisfaction de guérir les personnes qui tombent entre mes mains ; et si je
n'étais pas aussi sûr de mes principes que je le suis, je
croirais mes remèdes contraires à presque toutes les maladies que je traite. Si vous m'en voulez croire, monsieur,
repris-je, nous changerons de pratique. Donnons par
curiosité des préparations chimiques à nos malades. Le
pis qu'il en puisse arriver, c'est qu'elles produisent le
même effet que notre eau chaude et nos saignées. Je ferais
volontiers cet essai, répliqua-t-il, si cela ne tirait pas à
conséquence ; mais j'ai publié un livre où je vante la fréquente saignée et l'usage de la boisson : veux-tu que j'aille
décrier mon ouvrage ? Oh vous avez raison, lui repartis-je,
il ne faut point accorder ce triomphe à vos ennemis. Ils
diraient que vous vous laissez désabuser. Ils vous per-
draient de réputation. Périssent plutôt le peuple, la
noblesse et le clergé. Allons donc toujours notre train.
Après tout, nos confrères, malgré l'aversion qu'ils ont
pour la saignée, ne savent pas faire de plus grands

miracles que nous ; et je crois que leurs drogues valent bien nos spécifiques.

Nous continuâmes à travailler sur nouveaux frais, et nous y procédâmes de manière qu'en moins de six semaines nous fîmes autant de veuves et d'orphelins que le siège de Troie. Il semblait que la peste fût dans Valladolid, tant on y faisait de funérailles ! Il venait tous les jours au logis quelque père nous demander compte d'un fils que nous lui avions enlevé, ou bien quelque oncle qui nous reprochait la mort de son neveu. Pour les neveux et les fils dont les oncles et les pères s'étaient mal trouvés de nos remèdes, ils ne paraissaient point chez nous. Les maris étaient aussi fort discrets, ils ne nous chicanaient point sur la perte de leurs femmes. Les personnes affligées dont il nous fallait essuyer les reproches, avaient quelquefois une douleur brutale. Ils nous appelaient ignorants, assassins. Ils ne ménageaient point les termes. J'étais ému de leurs épithètes ; mais mon maître, qui était fait à cela, les écoutait de sang-froid. J'aurais pu comme lui m'accoutumer aux injures, si le Ciel, pour ôter sans doute aux malades de Valladolid un de leurs fléaux, n'eût fait naître une occasion de me dégoûter de la médecine, que je pratiquais avec si peu de succès.

Il y avait dans notre voisinage un jeu de paume [1] où les fainéants de la ville s'assemblaient chaque jour. On y voyait un de ces braves de profession qui s'érigent en maîtres et décident les différends dans les tripots. Il était de Biscaye, et se faisait appeler don Rodrigue de Mondragon. Il paraissait avoir trente ans. C'était un homme de taille ordinaire, mais sec et nerveux. Outre deux petits yeux étincelants qui lui roulaient dans la tête et semblaient menacer tous ceux qu'il regardait, un nez fort épaté lui tombait sur une moustache rousse, qui s'élevait

---

1. Le jeu de paume est l'ancêtre du tennis : les deux joueurs lancent la balle par-dessus le filet avec des raquettes et ont le droit de la faire rebondir sur les murs. Sur la vogue du jeu de paume au XVIIe siècle, voir les *Mémoires de Montbrun* de Courtilz de Sandras (1701, rééd. Desjonquères, 2004).

en croc jusqu'à la tempe. Il avait la parole si rude et si
brusque, qu'il n'avait qu'à parler pour inspirer de l'effroi.
Ce casseur de raquettes s'était rendu le tyran du jeu de
paume. Il jugeait impérieusement les contestations qui
survenaient entre les joueurs, et il ne fallait pas qu'on
appelât de ses jugements, à moins que l'appelant ne voulût se résoudre à recevoir de lui le lendemain un cartel
de défi[1]. Tel que je viens de représenter le seigneur don
Rodrigue, que le *don* qu'il mettait à la tête de son nom
n'empêchait pas d'être roturier, il fit une tendre impression sur la maîtresse du tripot. C'était une femme de quarante ans, riche, assez agréable, et veuve depuis quinze
mois. J'ignore comment il put lui plaire. Ce ne fut pas
sans doute par sa beauté : ce fut apparemment par ce je
ne sais quoi qu'on ne saurait dire. Quoi qu'il en soit, elle
eut du goût pour lui, et forma le dessein de l'épouser ;
mais dans le temps qu'elle se préparait à consommer cette
affaire, elle tomba malade et malheureusement pour elle,
je devins son médecin. Quand sa maladie n'aurait pas été
une fièvre maligne, mes remèdes suffisaient pour la rendre
dangereuse. Au bout de quatre jours, je remplis de deuil
le tripot. La paumière alla où j'envoyais tous mes
malades, et ses parents s'emparèrent de son bien. Don
Rodrigue, au désespoir d'avoir perdu sa maîtresse, ou plutôt l'espérance d'un mariage très avantageux pour lui, ne
se contenta pas de jeter feu et flamme contre moi ; il jura
qu'il me passerait son épée au travers du corps et m'exter-
minerait à la première vue. Un voisin charitable m'avertit
de ce serment et me conseilla de ne point sortir du logis,
de peur de rencontrer ce diable d'homme. Cet avis,
quoique je n'eusse pas envie de le négliger, me remplit de
trouble et de frayeur. Je m'imaginais sans cesse que je
voyais entrer dans notre maison le Biscayen furieux. Je ne
pouvais goûter un moment de repos. Cela me détacha de
la médecine, et je ne songeai plus qu'à m'affranchir de
mon inquiétude. Je repris mon habit brodé, et après avoir

---

1. *Cartel de défi* : « écrit qu'on envoie à quelqu'un pour le défier à
un combat singulier » (Furetière).

dit adieu à mon maître qui ne put me retenir, je sortis de la ville à la pointe du jour, non sans craindre de trouver don Rodrigue en mon chemin.

CHAPITRE 6

Quelle route il prit en sortant de Valladolid,
et quel homme le joignit en chemin.

Je marchais fort vite et regardais de temps en temps derrière moi pour voir si ce redoutable Biscayen ne suivait point mes pas. J'avais l'imagination si remplie de cet homme-là, que je prenais pour lui tous les arbres et les buissons. Je sentais à tout moment mon cœur tressaillir d'effroi. Je me rassurai pourtant après avoir fait une bonne lieue et je continuai plus doucement mon chemin vers Madrid, où je me proposais d'aller. Je quittais sans peine le séjour de Valladolid ; tout mon regret était de me séparer de Fabrice, mon cher Pylade [1], à qui je n'avais pu même faire mes adieux. Je n'étais nullement fâché d'avoir renoncé à la médecine ; au contraire, je demandais pardon à Dieu de l'avoir exercée. Je ne laissai pas de compter avec plaisir l'argent que j'avais dans mes poches, bien que ce fût le salaire de mes assassinats. Je ressemblais aux femmes qui cessent d'être libertines, mais qui gardent toujours à bon compte le profit de leur libertinage. J'avais en réaux, à peu près, la valeur de cinq ducats. C'était là tout mon bien. Je me promettais avec cela de me rendre à Madrid, où je ne doutais point que je ne trouvasse quelque bonne condition. D'ailleurs, je souhaitais passionnément d'être dans cette superbe ville, qu'on m'avait vantée comme l'abrégé de toutes les merveilles du monde.

---

1. Depuis l'*Orestie* d'Eschyle, l'amitié de Pylade et d'Oreste est passée en proverbe.

Tandis que je rappelais tout ce que j'en avais ouï dire, et que je jouissais par avance des plaisirs qu'on y prend, j'entendis la voix d'un homme qui marchait sur mes pas, et qui chantait à plein gosier. Il avait sur le dos un sac de cuir, une guitare pendue au cou, et il portait une assez longue épée. Il allait si bon train, qu'il me joignit en peu de temps. C'était un des deux garçons barbiers avec qui j'avais été en prison pour l'aventure de la bague. Nous nous reconnûmes d'abord l'un l'autre, quoique nous eussions changé d'habit, et nous demeurâmes fort étonnés de nous rencontrer inopinément sur un grand chemin. Si je lui témoignai que j'étais ravi de l'avoir pour compagnon de voyage, il me parut de son côté sentir une extrême joie de me revoir. Je lui contai pourquoi j'abandonnais Valladolid, et lui, pour me faire la même confidence, m'apprit qu'il avait eu du bruit avec son maître, et qu'ils s'étaient dit tous deux réciproquement un éternel adieu. Si j'eusse voulu, ajouta-t-il, demeurer plus longtemps à Valladolid, j'y aurais trouvé dix boutiques pour une ; car, sans vanité, j'ose dire qu'il n'est point de barbier en Espagne qui sache mieux que moi raser à poil et à contrepoil, et mettre une moustache en papillotes. Mais je n'ai pu résister davantage au violent désir que j'ai de retourner dans ma patrie, d'où il y a dix années entières que je suis sorti. Je veux respirer un peu l'air du pays, et savoir dans quelle situation sont mes parents. Je serai chez eux aprèsdemain, puisque l'endroit qu'ils habitent et qu'on appelle Olmedo, est un gros village en deçà de Ségovie.

Je résolus d'accompagner ce barbier jusque chez lui, et d'aller à Ségovie chercher quelque commodité pour Madrid. Nous commençâmes à nous entretenir de choses indifférentes en poursuivant notre route. Ce jeune homme était de bonne humeur et avait l'esprit agréable. Au bout d'une heure de conversation, il me demanda si je me sentais de l'appétit. Je lui répondis qu'il le verrait à la première hôtellerie. En attendant que nous y arrivions, me dit-il, nous pouvons faire une pause. J'ai dans mon sac de quoi déjeuner. Quand je voyage, j'ai toujours soin de porter des provisions. Je ne me charge point d'habit, de linge ni d'autres hardes inutiles. Je ne veux rien de superflu. Je ne mets dans mon sac que des munitions de bouche avec mes rasoirs et une savonnette. Je louai sa prudence et consentis de bon cœur à la pause qu'il proposait. J'avais faim, et je me préparais à faire un bon repas. Après ce qu'il venait de dire, je m'y attendais. Nous nous détournâmes un peu du grand chemin pour nous asseoir sur l'herbe. Là, mon garçon barbier étala ses vivres, qui consistaient dans cinq ou six oignons avec quelques morceaux de pain et de fromage ; mais ce qu'il produisit comme la meilleure pièce du sac fut une petite outre remplie, disait-il, d'un vin délicat et friand. Quoique les mets ne fussent pas bien savoureux, la faim qui nous pressait l'un et l'autre ne nous permit pas de les trouver mauvais ; et nous vidâmes aussi l'outre, où il y avait environ deux pintes d'un vin qu'il se serait fort bien passé de me vanter. Nous nous levâmes après cela, et nous nous remîmes en marche avec beaucoup de gaieté. Le barbier, à qui Fabrice avait dit qu'il m'était arrivé des aventures très particulières, me pria de les lui apprendre moi-même. Je crus ne pouvoir rien refuser à un homme qui m'avait si bien régalé. Je lui donnai la satisfaction qu'il demandait. Ensuite, je lui dis que pour reconnaître ma complaisance, il fallait qu'il me contât aussi l'histoire de sa vie. Oh pour mon histoire, s'écria-t-il, elle ne mérite guère d'être entendue. Elle ne contient que des faits fort simples. Néanmoins, ajouta-t-il, puisque nous n'avons rien de meilleur à faire, je vais vous la raconter telle qu'elle est. En même temps, il en fit le récit à peu près de cette sorte.

CHAPITRE 7

Histoire du garçon barbier.

Fernand Perés de la Fuente, mon grand-père, je prends la chose de loin, après avoir été pendant cinquante ans barbier du village d'Olmedo, mourut et laissa quatre fils. L'aîné, nommé Nicolas, s'empara de sa boutique et lui succéda dans sa profession. Bertrand, le puîné, se mettant le commerce en tête, devint marchand mercier ; et Thomas, qui était le troisième, se fit maître d'école. Pour le quatrième, qu'on appelait Pedro, comme il se sentait né pour les belles-lettres, il vendit une petite pièce de terre qu'il avait eue pour son partage, et alla demeurer à Madrid, où il espérait qu'un jour il se ferait distinguer par son savoir et par son esprit. Ses trois autres frères ne se séparèrent point. Ils s'établirent à Olmedo, en se mariant avec des filles de laboureurs, qui leur apportèrent en mariage peu de bien, mais en récompense une grande fécondité. Elles firent des enfants comme à l'envi l'une de l'autre. Ma mère, femme du barbier, en mit au monde six pour sa part dans les cinq premières années de son mariage. Je fus du nombre de ceux-là. Mon père m'apprit de très bonne heure à raser ; et lorsqu'il me vit parvenu à l'âge de quinze ans, il me chargea les épaules de ce sac que vous voyez, me ceignit d'une longue épée, et me dit : Va, Diego, tu es en état présentement de gagner ta vie ; va courir le pays. Tu as besoin de voyager pour te dégourdir et te perfectionner dans ton art. Pars, et ne reviens à Olmedo qu'après avoir fait le tour de l'Espagne. Que je n'entende point parler de toi avant ce temps-là. En achevant ces paroles, il m'embrassa de bonne amitié, et me poussa hors du logis.

Tels furent les adieux de mon père. Pour ma mère, qui avait moins de rudesse dans ses mœurs, elle parut plus sensible à mon départ. Elle laissa couler quelques larmes et me glissa même dans la main un ducat à la dérobée. Je sortis donc ainsi d'Olmedo et pris le chemin de Ségovie.

Je n'eus pas fait deux cents pas, que je m'arrêtai pour visiter mon sac. J'eus envie de voir ce qu'il y avait dedans, et de connaître précisément ce que je possédais. J'y trouvai une trousse où étaient deux rasoirs qui semblaient avoir rasé dix générations, tant ils étaient usés, avec une bandelette de cuir pour les repasser et un morceau de savon. Outre cela, une chemise de chanvre toute neuve, une vieille paire de souliers de mon père, et ce qui me réjouit plus que tout le reste, une vingtaine de réaux enveloppés dans un chiffon de linge. Voilà quelles étaient mes facultés. Vous jugez bien par là que maître Nicolas le barbier comptait beaucoup sur mon savoir-faire, puisqu'il me laissait partir avec si peu de chose. Cependant la possession d'un ducat et de vingt réaux ne manqua pas d'éblouir un jeune homme qui n'avait jamais eu d'argent. Je crus mes finances inépuisables, et transporté de joie, je continuai mon chemin, en regardant de moment en moment la garde de ma rapière, dont la lame me battait, à chaque pas, le mollet ou s'embarrassait dans mes jambes.

J'arrivai sur le soir au village d'Ataquinés avec un très rude appétit. J'allai loger à l'hôtellerie, et comme si j'eusse été en état de faire de la dépense, je demandai d'un ton haut à souper. L'hôte me considéra quelque temps et voyant à qui il avait affaire, il me dit d'un air doux : Çà, mon gentilhomme, vous serez satisfait. On va vous traiter comme un prince. En parlant de cette sorte, il me mena dans une petite chambre, où il m'apporta, un quart d'heure après, un civet de matou, que je mangeai avec la même avidité que s'il eût été de lièvre ou de lapin. Il accompagna cet excellent ragoût d'un vin qui était si bon, disait-il, que le roi n'en buvait pas de meilleur. Je m'aperçus pourtant que c'était du vin gâté. Mais cela ne m'empêcha pas de lui faire autant d'honneur qu'au matou. Il fallut ensuite, pour achever d'être traité comme un prince, que je me couchasse dans un lit plus propre à causer l'insomnie qu'à l'ôter. Peignez-vous un grabat fort étroit et si court que je ne pouvais étendre les jambes, tout petit que j'étais. D'ailleurs, il n'avait, pour matelas et lit de plume, qu'une simple paillasse piquée et couverte d'un drap mis en double, qui, depuis le dernier blanchissage, avait servi peut-être à cent voyageurs. Néanmoins dans ce lit, que je viens de représenter, l'estomac plein du civet et de ce vin délicieux que l'hôte m'avait donné, grâce à ma jeunesse et à mon tempérament, je dormis d'un profond sommeil et passai la nuit sans indigestion.

Le jour suivant, lorsque j'eus déjeuné et bien payé la bonne chère qu'on m'avait faite, je me rendis tout d'une traite à Ségovie. Je n'y fus pas sitôt que j'eus le bonheur de trouver une boutique, où l'on me reçut pour ma nourriture et mon entretien ; mais je n'y demeurai que six mois : un garçon barbier avec qui j'avais fait connaissance, et qui voulait aller à Madrid, me débaucha, et je partis pour cette ville avec lui. Je me plaçai là sans peine sur le même pied qu'à Ségovie. J'entrai dans une boutique des plus achalandées. Il est vrai qu'elle était auprès de l'église de Sainte-Croix, et que la proximité du *Théâtre du Prince* y attirait bien de la pratique. Mon maître, deux grands garçons et moi, nous ne pouvions presque suffire à servir les hommes qui venaient s'y faire raser. J'en voyais de toutes sortes de conditions ; mais entre autres des comédiens et des auteurs. Un jour deux personnages de cette dernière espèce s'y trouvèrent ensemble. Ils commencèrent à s'entretenir des poètes et des poésies du temps, et je leur entendis prononcer le nom de mon oncle. Cela me rendit plus attentif à leur discours que je ne l'avais été : Don Juan de Zavaleta, disait l'un, est un auteur sur lequel il me paraît que le public ne doit pas compter. C'est un esprit froid, un homme sans imagination. Sa dernière pièce l'a furieusement décrié. Et Luis Vélez de Guevara [1], disait l'autre, ne vient-il pas de donner un bel ouvrage au public ? a-t-on jamais rien vu de plus misérable ? Ils nommèrent encore je ne sais combien d'autres poètes dont j'ai oublié les noms ; je me souviens seulement qu'ils en dirent beaucoup de mal. Pour mon

---

1. Noms historiques de deux dramaturges : Zabaleta (1610-1670) et Vélez de Guevara (1579-1644), auteur de quatre cents *comedias* et du roman *El Diablo cojuelo* (1641).

oncle, ils en firent une mention plus honorable. Ils convinrent tous deux que c'était un garçon de mérite. Oui, dit l'un, don Pedro de la Fuente[1] est un auteur excellent. Il y a dans ses livres une fine plaisanterie mêlée d'érudition, qui les rend piquants et pleins de sel. Je ne suis pas surpris s'il est estimé de la cour et de la ville, et si plusieurs grands lui font des pensions. Il y a déjà bien des années, dit l'autre, qu'il jouit d'un assez gros revenu. Il a sa nourriture et son logement chez le duc de Medina Celi. Il ne fait point de dépense. Il doit être fort bien dans ses affaires.

Je ne perdis pas un mot de tout ce que ces poètes dirent de mon oncle. Nous avions appris dans la famille qu'il faisait du bruit à Madrid par ses ouvrages. Quelques personnes en passant par Olmedo, nous l'avaient dit ; mais comme il négligeait de nous donner de ses nouvelles et qu'il paraissait fort détaché de nous, de notre côté, nous vivions dans une très grande indifférence pour lui. Bon sang toutefois ne peut mentir. Dès que j'entendis dire qu'il était dans une belle passe et que je sus où il demeurait, je fus tenté de l'aller trouver. Une chose m'embarrassait : les auteurs l'avaient appelé don Pedro. Ce *don* me fit quelque peine et je craignis que ce ne fût un autre poète que mon oncle. Cette crainte pourtant ne m'arrêta point. Je crus qu'il pouvait être devenu noble ainsi que bel esprit, et je résolus de le voir. Pour cet effet, avec la permission de mon maître, je m'ajustai un matin le mieux que je pus, et je sortis de notre boutique, un peu fier d'être neveu d'un homme qui s'était acquis tant de réputation par son génie. Les barbiers ne sont pas les gens du monde les moins susceptibles de vanité. Je commençai à concevoir une grande opinion de moi, et marchant d'un air présomptueux, je me fis enseigner l'hôtel du duc de Medina Celi. Je me présentai à la porte et dis que je souhaitais de parler au seigneur don Pedro de la Fuente. Le portier me montra du doigt au fond d'une cour un petit escalier et me répondit : Montez par là, puis frappez à la

1. Ce nom fictif serait une allusion à Fontenelle (*Fuente* signifie « fontaine » en espagnol), d'après Neufchâteau.

première porte que vous rencontrerez à main droite. Je fis
ce qu'il me disait : je frappai à une porte. Un jeune
homme vint ouvrir, et je lui demandai si c'était là que
logeait le seigneur don Pedro de la Fuente. Oui, me
répondit-il ; mais vous ne sauriez lui parler présentement.
Je serais bien aise, lui dis-je, de l'entretenir. Je viens lui
apprendre des nouvelles de sa famille. Quand vous auriez,
repartit-il, des nouvelles du pape à lui dire, je ne vous
introduirais pas dans sa chambre en ce moment. Il com-
pose, et lorsqu'il travaille, il faut bien se garder de le distraire de son ouvrage. Il ne sera visible que sur le midi.
Allez faire un tour et revenez dans ce temps-là.

Je sortis et me promenai toute la matinée dans la ville,
en songeant sans cesse à la réception que mon oncle me
ferait. Je crois, disais-je, qu'il sera ravi de me voir. Je
jugeais de ses sentiments par les miens et je me préparais
à une reconnaissance fort touchante. Je retournai chez lui
en diligence à l'heure qu'on m'avait marquée. Vous arrivez à propos, me dit son valet. Mon maître va bientôt
sortir. Attendez ici un instant. Je vais vous annoncer. À
ces mots, il me laissa dans l'antichambre. Il y revint un
moment après, et me fit entrer dans la chambre de son
maître, dont le visage me frappa d'abord par un air de
famille. Il me sembla que c'était mon oncle Thomas, tant
ils se ressemblaient tous deux. Je le saluai avec un profond
respect et lui dis que j'étais fils de maître Nicolas de la
Fuente, barbier d'Olmedo : je lui appris aussi que
j'exerçais à Madrid depuis trois semaines le métier de
mon père en qualité de garçon, et que j'avais dessein de
faire le tour de l'Espagne pour me perfectionner. Tandis
que je parlais, je m'aperçus que mon oncle rêvait. Il doutait apparemment s'il me désavouerait pour son neveu, ou
s'il se déferait adroitement de moi. Il choisit ce dernier
parti. Il affecta de prendre un air riant et me dit : Hé
bien, mon ami, comment se portent ton père et tes
oncles ? Dans quel état sont leurs affaires ? Je commençai
là-dessus à lui représenter la propagation copieuse de
notre famille. Je lui en nommai tous les enfants, mâles et
femelles, et je compris dans cette liste jusqu'à leurs

parrains et leurs marraines. Il ne parut pas s'intéresser
infiniment à ce détail, et venant à ses fins : Diego, reprit-
il, j'approuve fort que tu coures le pays pour te rendre
parfait dans ton art ; et je te conseille de ne point l'arrêter
plus longtemps à Madrid. C'est un séjour pernicieux pour
la jeunesse. Tu t'y perdrais, mon enfant. Tu feras mieux
d'aller dans les autres villes du royaume. Les mœurs n'y
sont pas si corrompues. Va-t'en, poursuivit-il ; et quand
tu seras prêt à partir, viens me revoir. Je te donnerai une
pistole pour t'aider à faire le tour de l'Espagne. En disant
ces paroles, il me mit doucement hors de sa chambre, et
me renvoya.

Je n'eus pas l'esprit de m'apercevoir qu'il ne cherchait
qu'à m'éloigner de lui. Je regagnai notre boutique et rendis compte à mon maître de la visite que je venais de faire.
Il ne pénétra pas mieux que moi l'intention du seigneur
don Pedro et il me dit : Je ne suis pas du sentiment de
votre oncle. Au lieu de vous exhorter à courir le pays, il
devait plutôt, ce me semble, vous engager à demeurer
dans cette ville. Il voit tant de personnes de qualité ! Il
peut aisément vous placer dans une grande maison, et
vous mettre en état de faire peu à peu une grosse fortune.
Frappé de ce discours qui me présentait de flatteuses
images, j'allai, deux jours après, retrouver mon oncle, et
je lui proposai d'employer son crédit pour me faire entrer
chez quelque seigneur de la cour. Mais la proposition ne
fut pas de son goût. Un homme vain qui entrait librement
chez les grands et mangeait tous les jours avec eux, n'était
pas bien aise, pendant qu'il serait à la table des maîtres,
qu'on vît son neveu à la table des valets. Le petit Diego
aurait fait rougir le seigneur don Pedro. Il ne manqua
donc pas de m'éconduire, et même très rudement. Comment, petit libertin, me dit-il d'un air furieux, tu veux
quitter ta profession ! Va, je t'abandonne aux gens qui te
donnent de si pernicieux conseils. Sors de mon appartement et n'y remets jamais le pied. Autrement, je te ferai
châtier comme tu le mérites. Je fus bien étourdi de ces
paroles et plus encore du ton sur lequel mon oncle le prenait. Je me retirai les larmes aux yeux et fort touché de la

dureté qu'il avait pour moi. Cependant comme j'ai toujours été vif et fier de mon naturel, j'essuyai bientôt mes
pleurs. Je passai même de la douleur à l'indignation et je
résolus de laisser là ce mauvais parent, dont je m'étais
bien passé jusqu'à ce jour.

Je ne pensai plus qu'à cultiver mon talent. Je m'attachai
au travail. Je rasais toute la journée, et le soir, pour donner quelque récréation à mon esprit, j'apprenais à jouer
de la guitare. J'avais pour maître de cet instrument un
vieux *Señor escudero* * à qui je faisais la barbe. Il me montrait aussi la musique, qu'il savait parfaitement. Il est vrai
qu'il avait été chantre autrefois dans une cathédrale. Il se
nommait Marcos de Obregon [1]. C'était un homme sage,
qui avait autant d'esprit que d'expérience, et qui m'aimait
comme si j'eusse été son fils. Il servait d'écuyer à la femme
d'un médecin qui demeurait à trente pas de notre maison.
Je l'allais voir sur la fin du jour, aussitôt que j'avais quitté
l'ouvrage, et nous faisions tous deux, assis sur le seuil de
la porte, un petit concert qui ne déplaisait pas au voisinage. Ce n'est pas que nous eussions des voix fort agréables ; mais en raclant le boyau nous chantions l'un et
l'autre méthodiquement notre partie, et cela suffisait pour
donner du plaisir aux personnes qui nous écoutaient.
Nous divertissions particulièrement doña Mergelina,
femme du médecin. Elle venait dans l'allée nous entendre
et nous obligeait quelquefois à recommencer les airs qui
se trouvaient le plus de son goût. Son mari ne l'empêchait
pas de prendre ce divertissement. C'était un homme qui,
bien qu'Espagnol et déjà vieux, n'était nullement jaloux.
D'ailleurs sa profession l'occupait tout entier ; et comme
il revenait le soir fatigué d'avoir été chez ses malades, il

---

* « Seigneur écuyer ». [Lesage transcrit littéralement le mot *señor*, qui
signifie simplement « monsieur ».]

1. Lesage rend explicitement hommage au roman d'Espinel dont est
tirée l'histoire du barbier Diego. Mergeline, femme du médecin Segrado,
tombe amoureuse d'un barbier qui joue de la guitare tous les soirs en
compagnie de Marcos ; elle cache son amant dans la maison, mais le
médecin revient plut tôt que prévu : Mergeline est battue et le barbier
s'enfuit, mordu par un chien (*Marcos de Obregón*, I, 2 et 3).

se couchait de très bonne heure, sans s'inquiéter de
l'attention que sa femme donnait à nos concerts. Peut-être
aussi qu'il ne les croyait pas fort capables de faire de dan-
gereuses impressions. Il faut ajouter à cela qu'il ne pensait
pas avoir le moindre sujet de crainte, Mergeline étant une
dame jeune et belle, à la vérité, mais d'une vertu si sauvage qu'elle ne pouvait souffrir les regards des hommes.
Il ne lui faisait donc point un crime d'un passe-temps qui
lui paraissait innocent et honnête, et il nous laissait chanter tant qu'il nous plaisait.

Un soir comme j'arrivais à la porte du médecin, dans
l'intention de me réjouir à mon ordinaire, j'y trouvai le
vieil écuyer qui m'attendait. Il me prit par la main et me
dit qu'il voulait faire un tour de promenade avec moi,
avant que de commencer notre concert. En même temps
il m'entraîna dans une rue détournée, où voyant qu'il
pouvait m'entretenir en liberté : Diego, mon fils, me dit-il
d'un air triste, j'ai quelque chose de particulier à vous
apprendre. Je crains fort, mon enfant, que nous ne nous
repentions l'un et l'autre de nous amuser tous les soirs à
faire des concerts à la porte de mon maître. J'ai sans
doute beaucoup d'amitié pour vous. Je suis bien aise de
vous avoir montré à jouer de la guitare et à chanter ; mais
si j'avais prévu le malheur qui nous menace, vive Dieu,
j'aurais choisi un autre endroit pour vous donner des
leçons. Ce discours m'effraya. Je priai l'écuyer de s'expliquer plus clairement et de me dire ce que nous avions à
craindre ; car je n'étais pas homme à braver le péril et je
n'avais pas encore fait mon tour d'Espagne. Je vais, reprit-
il, vous conter ce qu'il est nécessaire que vous sachiez
pour bien comprendre tout le danger où nous sommes.

Lorsque j'entrai, poursuivit-il, au service du médecin,
et il y a de cela une année, il me dit un matin, après
m'avoir conduit devant sa femme : Voyez, Marcos, voyez
votre maîtresse. C'est cette dame que vous devez accompagner partout. J'admirai doña Mergelina. Je la trouvai
merveilleusement belle, faite à peindre, et je fus particulièrement charmé de l'air agréable qu'elle a dans son port.
Seigneur, répondis-je au médecin, je suis trop heureux

d'avoir à servir une dame si charmante. Ma réponse
déplut à Mergeline, qui me dit d'un ton brusque : *Voyez
donc celui-là. Il s'émancipe vraiment. Oh, je n'aime point
qu'on me dise des douceurs, moi.* Ces paroles sorties d'une
si belle bouche me surprirent étrangement. Je ne pouvais
concilier ces façons de parler rustiques et grossières avec
l'agrément que je voyais répandu dans toute la personne
de ma maîtresse. Pour son mari, il y était accoutumé, et
s'applaudissant même d'avoir une épouse d'un si rare
caractère : Marcos, me dit-il, ma femme est un prodige
de vertu. Ensuite, comme il s'aperçut qu'elle se couvrait
de sa mante et se disposait à sortir pour aller entendre la
messe, il me dit de la mener à l'église. Nous ne fûmes pas
plus tôt dans la rue que nous rencontrâmes, ce qui n'est
pas extraordinaire, des hommes qui frappés du bon air de
doña Mergelina, lui dirent en passant des choses flatteuses. Elle leur répondait ; mais vous ne sauriez vous
imaginer jusqu'à quel point ses réponses étaient sottes et
ridicules. Ils en demeuraient tout étonnés et ne pouvaient
concevoir qu'il y eût au monde une femme qui trouvât
mauvais qu'on la louât. Hé, madame, lui dis-je d'abord,
ne faites point d'attention aux discours qui vous sont
adressés. Il vaut mieux garder le silence que de parler avec
aigreur. Non, non, me repartit-elle, je veux apprendre à
ces insolents, que je ne suis point femme à souffrir qu'on
me manque de respect. Enfin, il lui échappa tant d'impertinences, que je ne pus m'empêcher de lui dire tout ce que
je pensais, au hasard de lui déplaire. Je lui représentai,
avec le plus de ménagement toutefois qu'il me fut possible, qu'elle faisait tort à la nature et gâtait mille bonnes
qualités par son humeur sauvage ; qu'une femme douce
et polie pouvait se faire aimer sans le secours de la beauté ; au lieu qu'une belle personne sans la douceur et la
politesse devenait un objet de mépris. J'ajoutai à ces raisonnements je ne sais combien d'autres semblables, qui
avaient tous pour but la correction de ses mœurs. Après
avoir bien moralisé, je craignais que ma franchise n'exci-
tât la colère de ma maîtresse et ne m'attirât quelque
désagréable repartie ; néanmoins elle ne se révolta point

contre ma remontrance, elle se contenta de la rendre inutile, de même que celles qu'il me prit sottement envie de lui faire les jours suivants.

Je me lassai de l'avertir en vain de ses défauts et je l'abandonnai à la férocité de son naturel. Cependant, le croirez-vous ? cet esprit farouche, cette orgueilleuse femme est depuis deux mois entièrement changée d'humeur. Elle a de l'honnêteté pour tout le monde et des manières très agréables. Ce n'est plus cette même Mergeline qui ne répondait que des sottises aux hommes qui lui tenaient des discours obligeants. Elle est devenue sensible aux louanges qu'on lui donne. Elle aime qu'on lui dise qu'elle est belle, qu'un homme ne peut la voir impunément. Les flatteries lui plaisent. Elle est présentement comme une autre femme. Ce changement est à peine concevable ; et ce qui doit encore vous étonner davantage, c'est d'apprendre que vous êtes l'auteur d'un si grand miracle. Oui, mon cher Diego, continua l'écuyer, c'est vous qui avez ainsi métamorphosé doña Mergelina. Vous avez fait une brebis de cette tigresse. En un mot, vous vous êtes attiré son attention. Je m'en suis aperçu plus d'une fois, et je me connais mal en femmes, ou bien elle a conçu pour vous un amour très violent. Voilà, mon fils, la triste nouvelle que j'avais à vous annoncer et la fâcheuse conjoncture où nous nous trouvons.

Je ne vois pas, dis-je alors au vieillard, qu'il y ait là-dedans un si grand sujet d'affliction pour nous ; ni que ce soit un malheur pour moi d'être aimé d'une jolie dame. Ah Diego, répliqua-t-il, vous raisonnez en jeune homme. Vous ne voyez que l'appât : vous ne prenez point garde à l'hameçon. Vous ne regardez que le plaisir, et moi j'envisage tous les désagréments qui le suivent. Tout éclate à la fin. Si vous continuez de venir chanter à notre porte, vous irriterez la passion de Mergeline, qui perdant peut-être toute retenue, laissera voir sa faiblesse au docteur Oloroso, son mari ; et ce mari, qui se montre aujourd'hui si complaisant, parce qu'il ne croit pas avoir sujet d'être jaloux, deviendra furieux, se vengera d'elle et pourra nous faire à vous et à moi un fort mauvais parti. Hé bien,

repris-je, seigneur Marcos, je me rends à vos raisons et
m'abandonne à vos conseils. Prescrivez-moi la conduite
que je dois tenir, pour prévenir tout sinistre accident.
Nous n'avons qu'à ne plus faire de concerts, repartit-il.
Cessez de paraître devant ma maîtresse. Quand elle ne
vous verra plus, elle reprendra sa tranquillité. Demeurez
chez votre maître ; j'irai vous y trouver, et nous jouerons
là de la guitare sans péril. J'y consens, lui dis-je, et je vous
promets de ne plus remettre le pied chez vous. Effectivement, je résolus de ne plus aller chanter à la porte du
médecin et de me tenir désormais renfermé dans ma boutique, puisque j'étais un homme si dangereux à voir.

Cependant le bon écuyer Marcos, avec toute sa prudence, éprouva peu de jours après, que le moyen qu'il
avait imaginé pour éteindre les feux de doña Mergelina
produisait un effet tout contraire. La dame, dès la seconde
nuit, ne m'entendant point chanter, lui demanda pourquoi nous avions discontinué nos concerts, et pour quelle
raison elle ne me voyait plus. Il répondit que j'étais si
occupé, que je n'avais pas un moment à donner à mes
plaisirs. Elle parut se contenter de cette excuse, et pendant
trois autres jours encore elle soutint mon absence avec
assez de fermeté ; mais au bout de ce temps-là, ma princesse perdit patience et dit à son écuyer : Vous me trompez, Marcos. Diego n'a pas cessé sans sujet de venir ici.
Il y a là-dessous un mystère que je veux éclaircir. Parlez,
je vous l'ordonne. Ne me cachez rien. Madame, lui répondit-il en la payant d'une autre défaite [1], puisque vous souhaitez de savoir les choses, je vous dirai qu'il lui est
souvent arrivé, après nos concerts, de trouver chez lui la
table desservie. Il n'ose plus s'exposer à se coucher sans
souper. Comment, sans souper, s'écria-t-elle avec chagrin ! que ne m'avez-vous dit cela plus tôt ? se coucher
sans souper ! ah le pauvre enfant ! allez le voir tout à
l'heure, et qu'il revienne dès ce soir. Il ne s'en retournera
plus sans manger. Il y aura toujours ici un plat pour lui.

---

1. Mauvaise excuse, échappatoire.

Qu'entends-je, lui dit l'écuyer en feignant d'être surpris de ce discours ? quel changement, ô Ciel ! Est-ce vous, madame, qui me tenez ce langage ? Hé, depuis quand êtes-vous si pitoyable et si sensible ? Depuis, répondit-elle brusquement, depuis que vous demeurez dans cette maison, ou plutôt depuis que vous avez condamné mes manières dédaigneuses, et que vous vous êtes efforcé d'adoucir la rudesse de mes mœurs. Mais, hélas, ajouta-t-elle en s'attendrissant, j'ai passé de l'une à l'autre extrémité. D'altière et d'insensible que j'étais, je suis devenue trop douce et trop tendre. J'aime votre jeune ami Diego, sans que je puisse m'en empêcher ; et son absence, bien loin d'affaiblir mon amour, semble lui donner de nouvelles forces. Est-il possible, reprit le vieillard, qu'un jeune homme qui n'est ni beau ni bien fait, soit l'objet d'une passion si forte ? Je vous pardonnerais vos sentiments, s'ils vous avaient été inspirés par quelque cavalier d'un mérite brillant... Ah, Marcos, interrompit Mergeline, je ne ressemble donc point aux autres personnes de mon sexe, ou bien, malgré votre longue expérience, vous ne les connaissez guère, si vous croyez que le mérite les détermine à faire un choix. Si j'en juge par moi-même, elles s'engagent sans délibération. L'amour est un dérèglement d'esprit qui nous entraîne vers un objet et nous y attache malgré nous. C'est une maladie qui nous vient comme la rage aux animaux. Cessez donc de me représenter que Diego n'est pas digne de ma tendresse. Il suffit que je l'aime, pour trouver en lui mille belles qualités qui ne frappent point votre vue et qu'il ne possède peut-être pas. Vous avez beau me dire que ses traits et sa taille ne méritent pas la moindre attention, il me paraît fait à ravir et plus beau que le jour. De plus, il a dans la voix une douceur qui me touche et il joue, ce me semble, de la guitare avec une grâce toute particulière. Mais madame, répliqua Marcos, songez-vous à ce qu'est Diego ? La bassesse de sa condition... Je ne suis guère plus que lui, interrompit-elle encore, et quand même je serais une femme de qualité, je ne prendrais pas garde à cela.

Le résultat de cet entretien fut que l'écuyer, jugeant qu'il ne gagnerait rien alors sur l'esprit de sa maîtresse, cessa de combattre son entêtement, comme un adroit pilote cède à la tempête qui l'écarte du port où il s'est proposé d'aller. Il fit plus, pour satisfaire la patronne, il vint me chercher, me prit à part, et après m'avoir conté ce qui s'était passé entre elle et lui : Vous voyez, Diego, me dit-il, que nous ne saurions nous dispenser de continuer nos concerts à la porte de Mergeline. Il faut absolument, mon ami, que cette dame vous revoie, autrement elle pourrait faire quelque folie qui nuirait plus que toute autre chose à sa réputation. Je ne fis point le cruel. Je répondis à Marcos que je me rendrais chez lui sur la fin du jour avec ma guitare : qu'il pouvait aller porter cette agréable nouvelle à sa maîtresse. Il n'y manqua pas et ce fut pour cette amante passionnée un grand sujet de ravissement, d'apprendre qu'elle aurait ce soir-là le plaisir de me voir et de m'entendre.

Peu s'en fallut pourtant qu'un incident assez désagréable ne la frustrât de cette espérance. Je ne pus sortir de chez mon maître avant la nuit, qui pour mes péchés se trouva très obscure. Je marchais à tâtons dans la rue, et j'avais fait peut-être la moitié de mon chemin, lorsque d'une fenêtre on me coiffa d'une cassolette qui ne chatouillait point l'odorat[1]. Je puis dire même que je n'en perdis rien, tant je fus bien ajusté. Dans cette situation, je ne savais à quoi me résoudre : de retourner sur mes pas, quelle scène pour mes camarades ! C'était me livrer à toutes les mauvaises plaisanteries du monde. D'aller aussi chez Mergeline dans le bel état où j'étais, cela me faisait de la peine. Je pris pourtant le parti de gagner la maison du médecin. Je rencontrai à la porte le vieil écuyer qui m'attendait. Il me dit que le docteur Oloroso venait de se coucher, et que nous pouvions librement nous divertir. Je répondis qu'il fallait auparavant nettoyer mes

---

1. Le pot de chambre jeté par les fenêtres, épisode obligé de tout roman comique, est aussi fort apprécié à la Foire : Arlequin vide le sien sur les archers dans la scène 6 d'*Arlequin Mahomet* de Lesage (1714).

habits. En même temps je lui contai ma disgrâce. Il y parut sensible, et me fit entrer dans une salle où était sa maîtresse. D'abord que cette dame sut mon aventure, et me vit tel que j'étais, elle me plaignit autant que si les plus grands malheurs me fussent arrivés ; puis apostrophant la personne qui m'avait accommodé de cette manière, elle lui donna mille malédictions. Hé, madame, lui dit Marcos, modérez vos transports. Considérez que cet événement est un pur effet du hasard. Il n'en faut point avoir un ressentiment si vif. Pourquoi, s'écria-t-elle avec emportement, pourquoi ne voulez-vous pas que je ressente vivement l'offense qu'on a faite à ce petit agneau, à cette colombe sans fiel, qui ne se plaint seulement pas de l'outrage qu'il a reçu ? Ah que ne suis-je homme en ce moment pour le venger !

Elle dit une infinité d'autres choses encore qui marquaient bien l'excès de son amour, qu'elle ne fit pas moins éclater par ses actions ; car tandis que Marcos s'occupait à m'essuyer avec une serviette, elle courut dans sa chambre, et en apporta une boîte remplie de toutes sortes de parfums. Elle brûla des drogues odoriférantes et en parfuma mes habits. Après quoi, elle répandit dessus des essences abondamment. La fumigation et l'aspersion finie, cette charitable femme alla chercher elle-même dans la cuisine du pain, du vin et quelques morceaux de mouton rôti, qu'elle avait mis à part pour moi. Elle m'obligea de manger, et prenant plaisir à me servir, tantôt elle me coupait ma viande et tantôt elle me versait à boire, malgré tout ce que nous pouvions faire, Marcos et moi, pour l'en empêcher. Quand j'eus soupé, messieurs de la symphonie se préparèrent à bien accorder leurs voix avec leurs guitares. Nous fîmes un concert qui charma Mergeline. Il est vrai que nous affections de chanter des airs dont les paroles flattaient son amour, et il faut remarquer qu'en chantant je la regardais quelquefois du coin de l'œil, d'une manière qui mettait le feu aux étoupes ; car le jeu commençait à me plaire. Le concert, quoiqu'il durât depuis longtemps, ne m'ennuyait point. Pour la dame, à qui les heures paraissaient des moments, elle aurait volontiers passé la nuit à nous entendre, si le vieil écuyer, à qui les moments paraissaient des heures, ne l'eût fait souvenir qu'il était déjà tard. Elle lui donna bien dix fois la peine de répéter cela. Mais elle avait affaire à un homme infatigable là-dessus. Il ne la laissa point en repos, que je ne fusse sorti. Comme il était sage et prudent, et qu'il voyait sa maîtresse abandonnée à une folle passion, il craignit qu'il ne nous arrivât quelque traverse. Sa crainte fut bientôt justifiée. Le médecin, soit qu'il se doutât de quelque intrigue secrète, soit que le démon de la jalousie, qui l'avait respecté jusqu'alors, voulût l'agiter, s'avisa de blâmer nos concerts. Il fit plus : il les défendit en maître, et sans dire les raisons qu'il avait d'en user de cette sorte, il déclara qu'il ne souffrirait pas davantage qu'on reçût chez lui des étrangers.

Marcos me signifia cette déclaration, qui me regardait particulièrement, et dont je fus très mortifié. J'avais conçu des espérances que j'étais fâché de perdre. Néanmoins pour rapporter les choses en fidèle historien, je vous avouerai que je pris mon mal en patience. Il n'en fut pas de même de Mergeline. Ses sentiments en devinrent plus vifs : Mon cher Marcos, dit-elle à son écuyer, c'est de vous seul que j'attends du secours. Faites en sorte, je vous prie, que je puisse voir secrètement Diego. Que me demandez-vous, répondit le vieillard avec colère ? Je n'ai eu que trop de complaisance pour vous. Je ne prétends point, pour satisfaire votre ardeur insensée, contribuer à déshonorer mon maître, à vous perdre de réputation et à me couvrir d'infamie, moi qui ai toujours passé pour un domestique d'une conduite irréprochable. J'aime mieux sortir de votre maison que d'y servir d'une manière si honteuse. Ah, Marcos, interrompit la dame tout effrayée de ces dernières paroles, vous me percez le cœur, quand vous me parlez de vous retirer. Cruel, vous songez à m'abandonner après m'avoir réduite dans l'état où je suis ! Rendez-moi donc auparavant mon orgueil et cet esprit sauvage que vous m'avez ôté. Que n'ai-je encore ces heureux défauts ! Je serais aujourd'hui tranquille, au lieu que vos remontrances indiscrètes m'ont ravi le repos dont je jouissais. Vous avez corrompu mes mœurs en voulant les corriger... Mais, poursuivit-elle en pleurant, que dis-je, malheureuse ? pourquoi vous faire d'injustes reproches ? non, mon père, vous n'êtes point l'auteur de mon infortune. C'est mon mauvais sort qui me préparait tant d'ennui. Ne prenez point garde, je vous en conjure, aux discours extravagants qui m'échappent. Hélas, ma passion me trouble l'esprit. Ayez pitié de ma faiblesse. Vous êtes toute ma consolation, et si ma vie vous est chère, ne me refusez point votre assistance.

À ces mots, ses pleurs redoublèrent de sorte qu'elle ne put continuer. Elle tira son mouchoir et s'en couvrant le visage, elle se laissa tomber sur une chaise, comme une personne qui succombe à son affliction. Le vieux Marcos, qui était peut-être la meilleure pâte d'écuyer qu'on vît jamais, ne résista point à un spectacle si touchant. Il en fut vivement pénétré. Il confondit même ses larmes avec celles de sa maîtresse et lui dit d'un air attendri : Ah, madame, que vous êtes séduisante ! je ne puis tenir contre votre douleur. Elle vient de vaincre ma vertu. Je vous promets mon secours. Je ne m'étonne plus si l'amour a la force de vous faire oublier votre devoir ; puisque la compassion seule est capable de m'écarter du mien. Ainsi donc l'écuyer, malgré sa conduite irréprochable, se dévoua fort obligeamment à la passion de Mergeline. Il vint un matin m'instruire de tout cela, et il me dit en me quittant qu'il concertait déjà dans son esprit ce qu'il avait à faire pour me procurer une secrète entrevue avec la dame. Il ranima par là mon espérance ; mais j'appris, deux heures après, une très mauvaise nouvelle. Un garçon apothicaire du quartier, une de nos pratiques, entra pour se faire faire la barbe. Tandis que je me disposais à le raser, il me dit : Seigneur Diego, comment gouvernez-vous le vieil écuyer Marcos de Obregon votre ami ? Savez-vous qu'il va sortir de chez le docteur Oloroso ? Je répondis que non. C'est une chose certaine, reprit-il. On doit aujourd'hui lui donner son congé. Son maître et le mien viennent devant moi tout à l'heure de s'entretenir à ce sujet, et voici, poursuivit-il, quelle a été leur conversation. Seigneur Apuntador,

a dit le médecin, j'ai une prière à vous faire. Je ne suis pas
content d'un vieil écuyer que j'ai dans ma maison et je
voudrais bien mettre ma femme sous la conduite d'une
duègne[1] fidèle, sévère et vigilante. Je vous entends, a
interrompu mon maître. Vous auriez besoin de la dame
Melancia, qui a servi de gouvernante à mon épouse, et
qui depuis six semaines que je suis veuf, demeure encore
chez moi. Quoiqu'elle me soit utile dans mon ménage, je
vous la cède à cause de l'intérêt particulier que je prends
à votre honneur. Vous pourrez vous reposer sur elle de la
sûreté de votre front. C'est la perle des duègnes : un vrai
dragon pour garder la pudicité du sexe. Pendant douze
années entières qu'elle a été auprès de ma femme, qui
comme vous savez avait de la jeunesse et de la beauté, je
n'ai pas vu l'ombre d'un galant dans ma maison. Oh, vive
Dieu, il ne fallait pas s'y jouer ! Je vous dirai même que
la défunte, dans les commencements, avait une grande
propension à la coquetterie ; mais la dame Melancia la
refondit bientôt, et lui inspira du goût pour la vertu.
Enfin c'est un trésor que cette gouvernante, et vous me
remercierez plus d'une fois de vous avoir fait ce présent.
Là-dessus le docteur a témoigné que ce discours lui donnait bien de la joie, et ils sont convenu, le seigneur Apuntador et lui, que la duègne irait dès ce jour remplir la
place du vieil écuyer.

Cette nouvelle, que je crus véritable, et qui l'était en
effet, troubla les idées de plaisir dont je recommençais à
me repaître, et Marcos l'après-dînée acheva de les
confondre, en me confirmant le rapport du garçon apothicaire. Mon cher Diego, me dit le bon écuyer, je suis
ravi que le docteur Oloroso m'ait chassé de sa maison. Il
m'épargne par là bien des peines. Outre que je me voyais
à regret chargé d'un vilain emploi, il m'aurait fallu imaginer des ruses et des détours pour vous faire parler en
secret à Mergeline. Quel embarras ! grâce au Ciel, je
suis délivré de ces soins fâcheux, et du danger qui les

---

1. *Duègne* (de l'espagnol *dueña*) : gouvernante chargée de veiller sur
la conduite d'une jeune fille ou d'une jeune femme.

accompagnait. De votre côté, mon fils, vous devez vous consoler de la perte de quelques doux moments qui auraient pu être suivis de mille chagrins. Je goûtai la morale de Marcos, parce que je n'espérais plus rien, et je quittai la partie. Je n'étais pas, je l'avoue, de ces amants opiniâtres qui se raidissent contre les obstacles, mais quand je l'aurais été, la dame Melancia m'eût fait lâcher prise. Le caractère qu'on donnait à cette duègne me paraissait capable de désespérer tous les galants. Cependant avec quelques couleurs qu'on me l'eût peinte, je ne laissai pas, deux ou trois jours après, d'apprendre que la femme du médecin avait endormi cet Argus[1] ou corrompu sa fidélité. Comme je sortais pour aller raser un de nos voisins, une bonne vieille m'arrêta dans la rue, et me demanda si je m'appelais Diego de la Fuente. Je répondis qu'oui. Cela étant, reprit-elle, c'est à vous que j'ai affaire. Trouvez-vous cette nuit à la porte de doña Mergelina, et quand vous y serez, faites-le connaître par quelque signal, et l'on vous introduira dans la maison. Hé bien, lui dis-je, il faut convenir du signe que je donnerai. Je sais contrefaire le chat à ravir. Je miaulerai à diverses reprises. C'est assez, répliqua la messagère de galanterie ; je vais porter votre réponse. Votre servante, seigneur Diego, que le Ciel vous conserve ! Ah que vous êtes gentil ! Par sainte Agnès[2] je voudrais n'avoir que quinze ans ! je ne vous chercherais pas pour les autres. À ces paroles l'officieuse vieille s'éloigna de moi.

Vous vous imaginez bien que ce message m'agita furieusement. Adieu la morale de Marcos. J'attendis la nuit avec impatience, et quand je jugeai que le docteur Oloroso reposait, je me rendis à sa porte. Là je me mis à faire des miaulements qu'on devait entendre de loin, et

---

1. *Argus* : « nom emprunté de la fable, et qui signifie un espion domestique très clairvoyant » (*Dictionnaire de l'Académie*, 1762). Dans la mythologie antique, Argus possédait cent yeux. Junon l'attacha aux pas d'Io, aimée de Jupiter.

2. Martyre romaine, mise à mort sous l'empereur Dioclétien (IVe siècle).

qui sans doute faisaient honneur au maître qui m'avait
enseigné un si bel art. Un moment après, Mergeline vint
elle-même ouvrir doucement la porte, et la referma dès
que je fus dans la maison. Nous gagnâmes la salle où
notre dernier concert avait été fait, et qu'une petite lampe
qui brûlait dans la cheminée éclairait faiblement. Nous
nous assîmes à côté l'un de l'autre pour nous entretenir,
tous deux fort émus, avec cette différence, que le plaisir
seul causait toute son émotion, et qu'il entrait un peu de
frayeur dans la mienne. Ma dame m'assurait vainement
que nous n'avions rien à craindre de la part de son mari,
je sentais un frisson qui troublait ma joie. Madame, lui
dis-je, comment avez-vous pu tromper la vigilance de
votre gouvernante ? Après ce que j'ai ouï dire de la dame
Melancia, je ne croyais pas qu'il vous fût possible de trouver les moyens de me donner de vos nouvelles, encore
moins de me voir en particulier. Doña Mergelina sourit à
ce discours et me répondit : Vous cesserez d'être surpris
de la secrète entrevue que nous avons cette nuit ensemble,
lorsque je vous aurai conté ce qui s'est passé entre ma
duègne et moi. Lorsqu'elle entra dans cette maison, mon
mari lui fit mille caresses, et me dit : Mergeline, je vous
abandonne à la conduite de cette discrète dame, qui est
un précis de toutes les vertus. C'est un miroir que vous
aurez incessamment devant vous pour vous former à la
sagesse. Cette admirable personne a gouverné pendant
douze années la femme d'un apothicaire de mes amis ;
mais gouverné !... comme on ne gouverne point. Elle en
a fait une espèce de sainte.

Cet éloge, que la mine sévère de la dame Melancia ne
démentait point, me coûta bien des pleurs et me mit au
désespoir. Je me représentai les leçons qu'il me faudrait
écouter depuis le matin jusqu'au soir, et les réprimandes
que j'aurais à essuyer tous les jours. Enfin, je m'attendais
à devenir la femme du monde la plus malheureuse. Ne
ménageant rien dans une si cruelle attente, je dis d'un air
brusque à la duègne, d'abord que je me vis seule avec elle :
Vous vous préparez sans doute à me faire bien souffrir ;
mais je ne suis pas fort patiente, je vous en avertis. Je vous

donnerai de mon côté toutes les mortifications possibles. Je vous déclare que j'ai dans le cœur une passion que vos remontrances n'en arracheront pas. Vous pouvez prendre vos mesures là-dessus. Redoublez vos soins vigilants. Je vous avoue que je n'épargnerai rien pour les tromper. À ces mots la duègne renfrognée, je crus qu'elle m'allait bien haranguer pour son coup d'essai, se dérida le front et me dit d'un air riant : Vous êtes d'une humeur qui me charme, et votre franchise excite la mienne. Je vois que nous sommes faites l'une pour l'autre. Ah, belle Mergeline, que vous me connaissez mal, si vous jugez de moi par le bien que le docteur votre époux vous en a dit, ou sur ma vue rébarbative ! Je ne suis rien moins qu'une ennemie des plaisirs, et je ne me rends ministre de la jalousie des maris, que pour servir les jolies femmes. Il y a longtemps que je possède le grand art de me masquer ; et je puis dire que je suis doublement heureuse, puisque je jouis tout ensemble de la commodité du vice et de la réputation que donne la vertu. Entre nous, le monde n'est guère vertueux que de cette façon. Il en coûte trop pour acquérir le fond des vertus ; on se contente aujourd'hui d'en avoir les apparences.

Laissez-moi vous conduire, poursuivit la gouvernante. Nous allons bien en faire accroire au vieux docteur Oloroso. Il aura, par ma foi, le même destin que le seigneur Apuntador. Le front d'un médecin ne me paraît pas plus respectable que celui d'un apothicaire. Le pauvre Apuntador ! que nous lui avons joué de tours, sa femme et moi ! Que cette dame était aimable ! Le bon petit naturel ! Le Ciel lui fasse paix ! Je vous réponds qu'elle a bien passé sa jeunesse. Elle a eu je ne sais combien d'amants que j'ai introduits dans sa maison, sans que son mari s'en soit jamais aperçu. Regardez-moi donc, madame, d'un œil plus favorable, et soyez persuadée, quelque talent qu'eût le vieil écuyer qui vous servait, que vous ne perdez rien au change. Je vous serai peut-être encore plus utile que lui.

Je vous laisse à penser, Diego, continua Mergeline, si je sus bon gré à la duègne de se découvrir à moi si

franchement. Je la croyais d'une vertu austère. Voilà
comme on juge mal des femmes. Elle me gagna d'abord
par ce caractère de sincérité. Je l'embrassai avec un transport de joie qui lui marqua d'avance que j'étais charmée
de l'avoir pour gouvernante. Je lui fis ensuite une confidence entière de mes sentiments, et je la priai de me ménager au plus tôt un entretien secret avec vous. Elle n'y a
pas manqué. Dès ce matin, elle a mis en campagne cette
vieille qui vous a parlé et qui est une intrigante qu'elle a
souvent employée pour la femme de l'apothicaire. Mais
ce qu'il y a de plus plaisant dans cette aventure, ajouta-t-
elle en riant, c'est que Melancia, sur le rapport que je lui
ai fait de l'habitude que mon époux a de passer la nuit
fort tranquillement, s'est couchée auprès de lui et tient
ma place en ce moment. Tant pis, madame, dis-je alors à
Mergeline ; je n'applaudis point à l'invention. Votre mari
peut fort bien se réveiller et s'apercevoir de la supercherie.
Il ne s'en apercevra point, répondit-elle avec précipitation.
Soyez sur cela sans inquiétude, et qu'une vaine crainte
n'empoisonne pas le plaisir que vous devez avoir d'être
avec une jeune dame qui vous veut du bien.

La femme du vieux docteur, remarquant que ce discours ne m'empêchait pas de craindre, n'oublia rien de
tout ce qu'elle crut capable de me rassurer ; et elle s'y prit
de tant de façons, qu'elle en vint à bout. Je ne pensai plus
qu'à profiter de l'occasion ; mais dans le temps que le
dieu Cupidon suivi des Ris et des Jeux [1] se disposait à
faire mon bonheur, nous entendîmes frapper rudement à
la porte de la rue. Aussitôt l'Amour et sa suite s'envo-
lèrent, ainsi que des oiseaux timides qu'un grand bruit
effarouche tout à coup. Mergeline me cacha promptement
sous une table qui était dans la salle ; elle souffla la lampe,
et comme elle en était convenue avec sa gouvernante, en

---

1. Attributs traditionnels du dieu de l'amour, en poésie et en peinture.
« *Ris*, en terme de poétiques, se dit des agréments, des gaietés des personnes belles et de bonne humeur. [...] En poésie, on dit que Vénus a à
sa suite les jeux, les ris, les grâces, les amours, pour dire toutes les choses
agréables » (Furetière).

cas que ce contretemps arrivât, elle se rendit à la porte de
la chambre où reposait son mari. Cependant on continuait de frapper à grands coups redoublés, qui faisaient
retentir toute la maison. Le médecin s'éveille en sursaut
et appelle Melancia. La duègne s'élance hors du lit, bien
que le docteur, qui la prenait pour sa femme, lui criât de
ne se point lever ; elle joignit sa maîtresse, qui, la sentant
à ses côtés, appelle aussi Melancia et lui dit d'aller voir
qui frappe à la porte : Madame, lui répond la gouvernante, me voici. Recouchez-vous, s'il vous plaît. Je vais
savoir ce que c'est. Pendant ce temps-là, Mergeline s'étant
déshabillée, se mit au lit auprès du docteur, qui n'eut pas
le moindre soupçon qu'on le trompât. Il est vrai que cette
scène venait d'être jouée dans l'obscurité par deux
actrices dont l'une était incomparable et l'autre avait
beaucoup de disposition à le devenir.

La duègne, couverte d'une robe de chambre, parut
bientôt après, tenant un flambeau à la main : Seigneur
docteur, dit-elle à son maître, prenez la peine de vous
lever. Le libraire Fernandez de Buendia, notre voisin, est
tombé en apoplexie. On vous demande de sa part. Courez
à son secours. Le médecin s'habilla le plus tôt qu'il lui fut
possible et sortit. Sa femme en robe de chambre vint avec
la duègne dans la salle où j'étais. Elles me retirèrent de
dessous la table plus mort que vif : Vous n'avez rien à
craindre, Diego, me dit Mergeline. Remettez-vous. En
même temps, elle m'apprit en deux mots comment les
choses s'étaient passées. Elle voulut ensuite renouer avec
moi l'entretien qui avait été interrompu ; mais la gouvernante s'y opposa. Madame, lui dit-elle, votre époux trouvera peut-être le libraire mort et reviendra sur ses pas.
D'ailleurs, ajouta-t-elle en me voyant transi de peur, que
feriez-vous de ce pauvre garçon-là ? Il n'est pas en état
de soutenir la conversation. Il vaut mieux le renvoyer et
remettre la partie à demain. Doña Mergelina n'y consentit qu'à regret, tant elle aimait le présent ; et je crois
qu'elle fut bien mortifiée de n'avoir pu faire prendre à son
docteur le nouveau bonnet qu'elle lui destinait.

Pour moi, moins affligé d'avoir manqué les plus précieuses faveurs de l'amour, que bien aise d'être hors de
péril, je retournai chez mon maître, où je passai le reste de
la nuit à faire des réflexions sur mon aventure. Je doutai
quelque temps si j'irais au rendez-vous la nuit suivante. Je
n'avais pas meilleure opinion de cette seconde équipée que
de l'autre ; mais le diable qui nous obsède toujours ou plutôt nous possède dans de pareilles conjonctures, me représenta que je serais un grand sot d'en demeurer en si beau
chemin. Il offrit même à mon esprit Mergeline avec de nouveaux charmes, et releva le prix des plaisirs qui m'attendaient. Je résolus de poursuivre ma pointe, et me
promettant bien d'avoir plus de fermeté, je me rendis le lendemain dans cette belle disposition à la porte du docteur
entre onze heures et minuit. Le ciel était très obscur. Je n'y
voyais pas briller une étoile. Je miaulai deux ou trois fois
pour avertir que j'étais dans la rue, et, comme personne ne
venait ouvrir, je ne me contentai pas de recommencer, je me
mis à contrefaire tous les différents cris de chat qu'un berger d'Olmedo m'avait appris, et je m'en acquittai si bien
qu'un voisin qui rentrait chez lui, me prenant pour un de
ces animaux dont j'imitais les miaulements, ramassa un
caillou qui se trouva sous ses pieds et me le jeta de toute sa
force, en disant : Maudit soit le matou ! Je reçus le coup à
la tête et j'en fus si étourdi dans le moment, que je pensai
tomber à la renverse. Je sentis que j'étais bien blessé. Il ne
m'en fallut pas davantage pour me dégoûter de la galanterie, et perdant mon amour avec mon sang, je regagnai notre
maison où je réveillai et fis lever tout le monde. Mon maître
visita et pansa ma blessure, qu'il jugea dangereuse. Elle
n'eut pas pourtant de mauvaises suites et il n'y paraissait
plus trois semaines après. Pendant tout ce temps-là, je
n'entendis point parler de Mergeline. Il est à croire que la
dame Melancia, pour la détacher de moi, lui fit faire
quelque bonne connaissance. Mais c'est de quoi je ne
m'embarrassais guère, puisque je sortis de Madrid pour
continuer mon tour d'Espagne, d'abord que je me vis [1] parfaitement guéri.

---

1. Dès que je me vis.

CHAPITRE 8

De la rencontre que Gil Blas
et son compagnon firent d'un homme
qui trempait des croûtes de pain dans une fontaine,
et de l'entretien qu'ils eurent avec lui.

Le seigneur Diego de la Fuente me raconta d'autres aventures encore qui lui étaient arrivées depuis ; mais elles me semblent si peu dignes d'être rapportées, que je les passerai sous silence. Je fus pourtant obligé d'en entendre le récit, qui ne laissa pas d'être fort long. Il nous mena jusqu'à Ponte de Duero. Nous nous arrêtâmes dans ce bourg le reste de la journée. Nous fîmes faire dans l'hôtellerie une soupe aux choux et mettre à la broche un lièvre, que nous eûmes grand soin de vérifier. Nous poursuivîmes notre chemin dès la pointe du jour suivant, après avoir rempli notre outre d'un vin assez bon et notre sac de quelques morceaux de pain, avec la moitié du lièvre qui nous restait de notre souper.

Lorsque nous eûmes fait environ deux lieues, nous nous sentîmes de l'appétit ; et comme nous aperçûmes à deux cents pas du grand chemin plusieurs gros arbres qui formaient dans la campagne un ombrage très agréable, nous allâmes faire halte en cet endroit. Nous y rencontrâmes un homme de vingt-sept à vingt-huit ans, qui trempait des croûtes de pain dans une fontaine. Il avait auprès de lui une longue rapière étendue sur l'herbe avec un havre-sac[1] dont il s'était déchargé les épaules. Il nous parut mal vêtu, mais bien fait et de bonne mine. Nous l'abordâmes civilement. Il nous salua de même. Ensuite il nous présenta de ses croûtes, et nous demanda, d'un air riant, si nous voulions être de la partie. Nous lui répondîmes qu'oui, pourvu qu'il trouvât bon que pour rendre le repas plus solide, nous joignissions notre déjeuner au sien. Il y

---

1. « C'est un petit sac que les soldats portent sur leur dos quand ils vont à l'armée, où ils mettent leurs petites nécessités » (Furetière).

consentit fort volontiers, et nous exhibâmes aussitôt nos
denrées. Ce qui ne déplut point à l'inconnu : Comment
donc, messieurs, s'écria-t-il tout transporté de joie, voilà
bien des munitions ! Vous êtes, à ce que je vois, des gens
de prévoyance. Je ne voyage pas avec tant de précaution,
moi. Je donne beaucoup au hasard. Cependant, malgré
l'état où vous me trouvez, je puis dire, sans vanité, que je
fais quelquefois une figure assez brillante. Savez-vous bien
qu'on me traite ordinairement de prince et que j'ai des
gardes à ma suite ? Je vous entends, dit Diego. Vous voulez nous faire comprendre par là que vous êtes comédien.
Vous l'avez deviné, répondit l'autre. Je fais la comédie
depuis quinze années pour le moins. Je n'étais encore
qu'un enfant, que je jouais déjà de petits rôles. Franchement, répliqua le barbier en branlant la tête, j'ai de la
peine à vous croire. Je connais les comédiens. Ces messieurs-là ne font pas comme vous, des voyages à pied,
ni des repas de saint Antoine. Je doute même que vous
mouchiez les chandelles [1]. Vous pouvez, repartit l'histrion, penser de moi tout ce qu'il vous plaira ; mais je ne
laisse pas de jouer les premiers rôles. Je fais les amoureux.
Cela étant, dit mon camarade, je vous en félicite, et suis
ravi que le seigneur Gil Blas et moi nous ayons l'honneur
de déjeuner avec un personnage d'une si grande importance.

Nous commençâmes alors à ronger nos grignons [2] et
les restes précieux du lièvre, en donnant à l'outre de si
rudes accolades, que nous l'eûmes bientôt vidée. Nous
étions si occupés tous trois de ce que nous faisions, que
nous ne parlâmes presque point pendant ce temps-là ;
mais après avoir mangé, nous reprîmes ainsi la conversation : Je suis surpris, dit le barbier au comédien, que vous
paraissiez si mal dans vos affaires. Pour un héros de
théâtre, vous avez l'air bien indigent ! Pardonnez si je vous

1. Emploi subalterne : les comédiens employaient un valet moucheur
de chandelle.
2. *Grignon* : « croûte de pain prise du côté qu'il est le mieux cuit et
le plus appétissant » (Furetière).

dis si librement ma pensée. Si librement, s'écria l'acteur ! Ah, vraiment vous ne connaissez guère Melchior Zapata [1]. Grâce à Dieu, je n'ai point un esprit à contre-poil [2]. Vous me faites plaisir de me parler avec tant de franchise ; car j'aime à dire aussi tout ce que j'ai sur le cœur. J'avoue de bonne foi que je ne suis pas riche. Tenez, poursuivit-il, en nous faisant remarquer que son pourpoint était doublé d'affiches de comédie, voilà l'étoffe ordinaire qui me sert de doublure ; et si vous êtes curieux de voir ma garde-robe, je vais satisfaire votre curiosité. En même temps, il tira de son havresac un habit couvert de vieux passements d'argent faux, une mauvaise capeline avec quelques vieilles plumes, des bas de soie tout pleins de trous et des souliers de maroquin rouge fort usés. Vous voyez, nous dit-il ensuite, que je suis passablement gueux. Cela m'étonne, répliqua Diego, vous n'avez donc ni femme ni fille ? J'ai une femme belle et jeune, repartit Zapata, et je n'en suis pas plus avancé. Admirez la fatalité de mon étoile. J'épouse une aimable actrice, dans l'espérance qu'elle ne me laissera pas mourir de faim : et, pour mon malheur, elle a une sagesse incorruptible. Qui diable n'y aurait pas été trompé comme moi ? Il faut que parmi les comédiennes de campagne il s'en trouve une vertueuse et qu'elle me tombe entre les mains. C'est assurément jouer de malheur, dit le barbier. Aussi, que ne preniez-vous une actrice de la grande troupe de Madrid [3] ? vous auriez été sûr de votre fait. J'en demeure d'accord, reprit l'histrion, mais, malepeste, il n'est pas permis à un petit comédien de campagne d'élever sa pensée jusqu'à ces fameuses héroïnes. C'est tout ce que pourrait faire un acteur même de la troupe du prince. Encore y en a-t-il qui sont obligés de se pourvoir en ville ; heureusement pour eux la ville est bonne et l'on y rencontre souvent des sujets qui valent bien des princesses de coulisses.

---

1. *Zapata* : « pantoufle », en espagnol.
2. Je ne suis pas contrariant, je ne me vexe pas facilement.
3. Allusion transparente aux comédiennes du Théâtre-Français (voir la Déclaration de l'auteur, *supra*, p. 39).

Hé n'avez-vous jamais songé, lui dit mon compagnon, à vous introduire dans cette troupe ? Est-il besoin d'un mérite infini pour y entrer ? Bon, répondit Melchior, vous moquez-vous avec votre mérite infini ? Il y a vingt acteurs. Demandez de leurs nouvelles au public. Vous en entendrez parler dans de jolis termes. Il y en a plus de la moitié qui mériteraient de porter encore le havresac. Malgré tout cela néanmoins, il n'est pas aisé d'être reçu parmi eux. Il faut des espèces ou de puissants amis pour suppléer à la médiocrité du talent. Je dois le savoir, puisque je viens de débuter à Madrid, où j'ai été hué et sifflé comme tous les diables, quoique je dusse être [1] fort applaudi ; car j'ai crié : j'ai pris des tons extravagants et suis sorti cent fois de la nature : de plus, j'ai mis en déclamant le poing sous le menton de ma princesse : en un mot, j'ai joué dans le goût des grands acteurs de ce pays-là [2] ; et cependant le même public qui trouve en eux ces manières fort agréables, n'a pu les souffrir en moi. Voyez ce que c'est que la prévention [3]. Ainsi donc, ne pouvant plaire par mon jeu, et n'ayant pas de quoi me faire recevoir en dépit de ceux qui m'ont sifflé, je m'en retourne à Zamora. J'y vais rejoindre ma femme et mes camarades, qui n'y font pas trop bien leurs affaires. Puissions-nous n'être pas obligés d'y quêter pour nous mettre en état de nous rendre dans une autre ville, comme cela nous est arrivé plus d'une fois.

À ces mots, le prince dramatique se leva, reprit son havresac et son épée, et nous dit d'un air grave en nous quittant : Adieu, messieurs ; puissent les dieux sur vous épuiser leurs faveurs ! Et vous, lui répondit Diego du même ton, puissiez-vous retrouver à Zamora votre femme changée et bien établie. Dès que le seigneur Zapata nous eut tourné les talons, il se mit à gesticuler et à déclamer en marchant. Aussitôt le barbier et moi, nous commençâmes à le siffler pour lui rappeler son début. Nos siffle-

---

1. J'aurais dû être.
2. Lesage vise la gestuelle outrée des acteurs du Théâtre-Français, que parodiaient les acteurs de la Foire.
3. Les préjugés du public.

ments frappèrent ses oreilles. Il crut entendre encore les sifflets de Madrid. Il regarda derrière lui, et voyant que nous prenions plaisir à nous égayer à ses dépens, loin de s'offenser de ce trait bouffon, il entra de bonne grâce dans la plaisanterie, et continua son chemin en faisant de grands éclats de rire. De notre côté, nous nous en donnâmes à cœur joie. Puis nous regagnâmes le grand chemin et poursuivîmes notre route.

CHAPITRE 9

Dans quel état Diego retrouva sa famille,
et après quelles réjouissances
Gil Blas et lui se séparent.

Nous allâmes ce jour-là coucher entre Moyados et Valpuesta, dans un petit village dont j'ai oublié le nom ; et le lendemain nous arrivâmes, sur les onze heures du matin, dans la plaine d'Olmedo. Seigneur Gil Blas, me dit mon camarade, voici le lieu de ma naissance. Je ne puis le revoir sans transport, tant il est naturel d'aimer sa patrie. Seigneur Diego, lui répondis-je, un homme qui témoigne tant d'amour pour son pays, en devait parler, ce me semble, un peu plus avantageusement que vous n'avez fait. Olmedo me paraît une ville, et vous m'avez dit que c'était un village. Il fallait du moins le traiter de gros bourg. Je lui fais réparation d'honneur, reprit le barbier ; mais je vous dirai qu'après avoir vu Madrid, Tolède, Saragosse, et toutes les autres grandes villes où j'ai demeuré en faisant le tour de l'Espagne, je regarde les petites comme des villages. À mesure que nous avancions dans la plaine, il nous paraissait que nous apercevions beaucoup de monde auprès d'Olmedo ; et lorsque nous fûmes plus à portée de discerner les objets, nous trouvâmes de quoi occuper nos regards.

Il y avait trois pavillons tendus à quelque distance l'un de l'autre ; et tout auprès, un grand nombre de cuisiniers et de marmitons qui préparaient un festin. Ceux-ci mettaient des couverts sur de longues tables dressées sous les tentes ; ceux-là remplissaient de vin des cruches de terre. Les autres faisaient bouillir des marmites, et les autres, enfin, tournaient des broches où il y avait toutes sortes de viandes. Mais je considérai, plus attentivement que tout le reste, un grand théâtre qu'on avait élevé. Il était orné d'une décoration de carton peint de diverses couleurs et chargé de devises grecques et latines. Le barbier n'eut pas plus tôt vu ces inscriptions, qu'il me dit : Tous ces mots grecs sentent furieusement mon oncle Thomas : je vais parier qu'il y aura mis la main ; car entre nous, c'est un habile homme. Il sait par cœur une infinité de livres de collège. Tout ce qui me fâche, c'est qu'il en rapporte sans cesse des passages dans la conversation. Ce qui ne plaît pas à tout le monde. Outre cela, continua-t-il, mon oncle a traduit des poètes latins et des auteurs grecs. Il possède l'Antiquité comme on le peut voir par les belles remarques qu'il a faites. Sans lui nous ne saurions pas que dans la ville d'Athènes les enfants pleuraient quand on leur donnait le fouet. Nous devons cette découverte à sa profonde érudition.

Après que mon camarade et moi nous eûmes regardé toutes les choses dont je viens de parler, il nous prit envie d'apprendre pourquoi l'on faisait de pareils préparatifs. Nous allions nous en informer, lorsque dans un homme qui avait l'air de l'ordonnateur de la fête, Diego reconnut le seigneur Thomas de la Fuente, que nous joignîmes avec empressement. Le maître d'école ne remit pas d'abord le jeune barbier, tant il le trouva changé depuis dix années. Ne pouvant toutefois le méconnaître, il l'embrassa cordialement et lui dit d'un air affectueux : Hé te voilà, Diego mon cher neveu, te voilà donc de retour dans la ville qui t'a vu naître ? Tu viens revoir tes dieux Pénates[1], et le Ciel te rend sain et sauf à ta famille. Ô jour trois et quatre

---

1. Les dieux protecteurs du foyer, dans la religion romaine.

fois heureux ! jour digne d'être marqué d'une pierre blanche[1] ! Il y a bien des nouvelles, mon ami, poursuivit-il ; ton oncle Pedro le bel esprit est devenu la victime de Pluton. Il y a trois mois qu'il est mort. Cet avare, pendant sa vie, craignait de manquer des choses les plus nécessaires. *Argenti pallebat amore*[2]. Outre les grosses pensions que quelques grands lui faisaient, il ne dépensait pas dix pistoles chaque année pour son entretien. Il était même servi par un valet qu'il ne nourrissait point. Ce fou, plus insensé que le Grec Aristippe qui fit jeter au milieu de la Libye toutes les richesses que portaient ses esclaves, comme un fardeau qui les incommodait dans leur marche, entassait tout l'or et l'argent qu'il pouvait amasser. Hé pour qui ? pour des héritiers qu'il ne voulait point voir. Il était riche de trente mille ducats, que ton père, ton oncle Bertrand et moi, nous avons partagés. Nous sommes en état de bien établir nos enfants. Mon frère Nicolas a déjà disposé de ta sœur Thérèse. Il vient de la marier avec le fils d'un de nos alcades[3]. *Connubio junxit stabili propriamque dicavit*[4]. C'est cet hymen, formé sous les plus heureux auspices, que nous célébrons depuis deux jours avec tant d'appareil. Nous avons fait dresser dans la plaine ces pavillons. Les trois héritiers de Pedro ont chacun le sien, et font tour à tour la dépense d'une journée. Je voudrais que tu fusses arrivé plus tôt. Tu aurais vu le commencement de nos réjouissances. Avant-hier, jour du mariage, ton père faisait les frais. Il donna un festin superbe qui fut suivi d'une course de bague[5]. Ton oncle

---

1. Ô jour exceptionnel.

2. « L'amour de l'argent le rendait pâle » (Horace, *Satires*, II, 3, in *Œuvres*, éd. citée, p. 183).

3. *Alcade* (de l'arabe *al-qâdi*) : juge de paix.

4. Le pédant adapte le vers de Virgile, *Connubio jungam stabili propriamque dicabo* (« je les unirai par les lois du mariage et la lui donnerai pour femme »), *Énéide*, I, v. 73 et IV, v. 126.

5. *Course de bague* : « Exercice de manège que font les gentilshommes pour montrer leur adresse, lorsqu'avec une lance en courant à toute bride ils emportent une bague suspendue au milieu de la carrière à une potence » (Furetière).

le mercier mit hier la nappe, et nous régala d'une fête
pastorale. Il habilla en bergers dix garçons des mieux faits
et dix jeunes filles. Il employa tous les rubans et toutes
les aiguillettes de sa boutique à les parer. Cette brillante
jeunesse forma diverses danses et chanta mille chanson-
nettes tendres et légères. Néanmoins, quoique rien n'ait
jamais été plus galant, cela ne fit pas un grand effet. Il
faut qu'on n'aime plus la pastorale.

Pour aujourd'hui, continua-t-il, tout roule sur mon
compte, et je dois fournir aux bourgeois d'Olmedo un
spectacle de mon invention. *Finis coronabit opus*[1] ! J'ai
fait élever un théâtre, sur lequel, Dieu aidant, je ferai
représenter par mes disciples une pièce que j'ai composée.
Elle a pour titre : *Les Amusements de Muley Bugentuf,
Roi de Maroc*[2]. Elle sera parfaitement bien jouée, parce
que j'ai des écoliers qui déclament comme les comédiens
de Madrid. Ce sont des enfants de famille de Peñafiel et
de Ségovie que j'ai en pension chez moi. Les excellents
acteurs ! Il est vrai que je les ai exercés. Leur déclamation
paraîtra frappée au coin du maître, *ut ita dicam*[3]. À
l'égard de la pièce, je ne t'en parlerai point. Je veux te
laisser le plaisir de la surprise. Je dirai simplement qu'elle
doit enlever[4] tous les spectateurs. C'est un de ces sujets
tragiques qui remuent l'âme par les images de mort qu'ils
offrent à l'esprit. Je suis du sentiment d'Aristote : il faut
exciter la terreur[5]. Ah si je m'étais attaché au théâtre, je
n'aurais jamais mis sur la scène que des princes sanguinaires, que des héros assassins ! Je me serais baigné dans

---

1. « La fin couronnera l'œuvre. » Détournement profane d'un proverbe latin dont le sens chrétien est : « La vertu parfaite doit se révéler
jusqu'à la fin. »
2. « Un titre qui semble tout droit sorti du *Théâtre de la Foire* », écrit
N. Rizzoni (« De l'origine théâtrale de *Gil Blas* », *RHLF*, 2003/4,
p. 831). À l'époque de Lesage régnait sur le Maroc le terrible Mulay
Ismaïl (1672-1727).
3. Pour ainsi dire.
4. Ravir, emporter (au sens figuré).
5. La crainte et la pitié sont les deux ressorts de la tragédie d'après
Aristote (*Poétique*, VI).

le sang. On aurait toujours vu périr dans mes tragédies non seulement les principaux personnages, mais les gardes mêmes. J'aurais égorgé jusqu'au souffleur. Enfin je n'aime que l'effroyable[1]. C'est mon goût. Aussi ces sortes de poèmes entraînent la multitude, entretiennent le luxe des comédiens et font rouler[2] tout doucement les auteurs.

Dans le temps qu'il achevait ces paroles, nous vîmes sortir du village et entrer dans la plaine un grand concours de personnes de l'un et de l'autre sexe. C'étaient les deux époux accompagnés de leurs parents et de leurs amis, et précédés de dix à douze joueurs d'instruments, qui jouant tous ensemble, formaient un concert très bruyant. Nous allâmes au-devant d'eux, et Diego se fit connaître. Des cris de joie s'élevèrent aussitôt dans l'assemblée, et chacun s'empressa de courir à lui. Il n'eut pas peu d'affaires à recevoir tous les témoignages d'amitié qu'on lui donna. Toute sa famille, et tous ceux mêmes qui étaient présents l'accablèrent d'embrassades. Après quoi son père lui dit : Tu sois le bien venu[3], Diego. Tu retrouves tes parents un peu engraissés, mon ami. Je ne t'en dis pas davantage présentement. Je t'expliquerai cela tantôt par le menu. Cependant tout le monde s'avança dans la plaine, se rendit sous les tentes, et s'assit autour des tables qu'on y avait dressées. Je ne quittai pas mon compagnon, et nous dînâmes tous deux avec les nouveaux mariés, qui me parurent bien assortis. Le repas fut assez long, parce que le maître d'école eut la vanité de le vouloir donner à trois services pour l'emporter sur ses frères, qui n'avaient pas fait les choses si magnifiquement.

Après le festin, tous les convives témoignèrent une grande impatience de voir représenter la pièce du seigneur Thomas ; ne doutant pas, disaient-ils, que la production d'un aussi beau génie que le sien ne méritât d'être

---

1. Allusion aux tragédies sanglantes de Crébillon père (*Atrée et Thyeste*, 1707 ; *Rhadamiste et Zénobie*, 1711 ; *Xerxès*, 1714).

2. Font subsister.

3. On dirait aujourd'hui : « Sois le bienvenu. »

entendue. Nous nous approchâmes du théâtre, au-devant
duquel tous les joueurs d'instruments s'étaient déjà placés
pour jouer dans les entractes. Comme chacun dans un
grand silence attendait qu'on commençât, les acteurs
parurent sur la scène, et l'auteur, le poème à la main,
s'assit dans les coulisses à portée de souffler. Il avait eu
raison de nous dire que la pièce était tragique, car dans
le premier acte, le roi de Maroc, par manière de récréation, tua cent esclaves maures à coups de flèches ; dans le
second, il coupa la tête à trente officiers portugais qu'un
de ses capitaines avait fait prisonniers de guerre ; et dans
le troisième, enfin, ce monarque, saoul de ses femmes [1],
mit le feu lui-même à un palais isolé où elles étaient enfer-
mées et le réduisit en cendres avec elles. Les esclaves
maures, de même que les officiers portugais, étaient des
figures d'osier faites avec beaucoup d'art ; et le palais
composé de carton parut tout embrasé par un feu d'artifice. Cet embrasement, accompagné de mille cris plaintifs
qui semblaient sortir du milieu des flammes, dénoua la
pièce et ferma le théâtre d'une façon très divertissante.
Toute la plaine retentit du bruit des applaudissements que
reçut une si belle tragédie. Ce qui justifia le bon goût du
poète et fit connaître qu'il savait bien choisir ses sujets [2].

Je m'imaginais qu'il n'y avait plus rien à voir après *Les
Amusements de Muley Bugentuf,* mais je me trompais. Des
timbales et des trompettes nous annoncèrent un nouveau
spectacle. C'était la distribution des prix [3] ; car Thomas
de la Fuente pour rendre la fête plus solennelle, avait fait
composer tous ses écoliers, tant externes que pensionnaires, et il devait ce jour-là donner à ceux qui avaient le
mieux réussi, des livres achetés de ses propres deniers à
Ségovie. On apporta donc tout à coup sur le théâtre deux

---

1. Rassasié de ses femmes.
2. Cette noce bouffonne rappelle celle de Camache le Riche
(Cervantès, *Don Quichotte,* II, 20-21).
3. Parodie d'une tradition des collèges jésuites (que Lesage enfant a
bien connue à Vannes) : les élèves jouaient des pièces de théâtre lors de
la distribution solennelle des prix.

longs bancs d'école avec une armoire à livres remplie de
bouquins [1] proprement reliés. Alors tous les acteurs revinrent sur la scène, et se rangèrent tout autour du seigneur
Thomas, qui tenait aussi bien sa morgue qu'un préfet de
collège. Il avait à la main une feuille de papier où étaient
écrits les noms de ceux qui devaient remporter des prix.
Il la donna au roi de Maroc, qui commença de la lire à
haute voix. Chaque écolier qu'on nommait allait respectueusement recevoir un livre des mains du pédant ; puis il
était couronné de lauriers, et on le faisait asseoir sur un
des deux bancs pour l'exposer aux regards de l'assistance
admirative. Quelque envie toutefois qu'eût le maître
d'école de renvoyer les spectateurs contents, il ne put en
venir à bout ; parce qu'ayant distribué presque tous les
prix aux pensionnaires, ainsi que cela se pratique, les
mères de quelques externes prirent feu là-dessus, et accu-
sèrent le pédant de partialité. De sorte que cette fête, qui
jusqu'à ce moment avait été si glorieuse pour lui, pensa
finir aussi mal que le festin des Lapithes [2].

FIN DU SECOND LIVRE.

---

1. Le mot *bouquin* (de l'allemand *Buch*) désigne des « livres fripés et
peu connus » (Furetière).
2. Les Centaures invités au mariage de Pirithoos, roi des Lapithes,
n'étaient pas habitués à boire du vin et se retrouvèrent tous ivres. L'un
d'eux, Eurytos, voulut violer Hippodamie, l'épouse du roi. Il en résulta
une mêlée générale et un massacre des Centaures.

LIVRE TROISIÈME

◆◆◆

CHAPITRE PREMIER

De l'arrivée de Gil Blas à Madrid,
et du premier maître qu'il servit dans cette ville.

Je fis quelque séjour chez le jeune barbier. Je me joignis ensuite à un marchand de Ségovie qui passa par Olmedo. Il revenait avec quatre mules de transporter des marchandises à Valladolid, et s'en retournait à vide. Nous fîmes connaissance sur la route, et il prit tant d'amitié pour moi qu'il voulut absolument me loger, lorsque nous fûmes arrivés à Ségovie. Il me retint deux jours dans sa maison, et quand il me vit prêt à partir pour Madrid par la voie du muletier, il me chargea d'une lettre en me priant de la rendre en main propre à son adresse sans me dire que ce fût une lettre de recommandation. Je ne manquai pas de la porter au seigneur Mateo Melendez. C'était un marchand de drap qui demeurait à la porte du Soleil [1], au coin de la rue des Bahutiers. Il n'eut pas sitôt ouvert le paquet et lu ce qui était contenu dedans, qu'il me dit d'un air gracieux : Seigneur Gil Blas, Pedro Palacio, mon correspondant, m'écrit en votre faveur d'une manière si pressante, que je ne puis me dispenser de vous offrir un

---

1. La Puerta del Sol est le nom d'une place célèbre du centre de Madrid.

logement chez moi. De plus, il me prie de vous trouver une bonne condition. C'est une chose dont je me charge avec plaisir. Je suis persuadé qu'il ne me sera pas bien difficile de vous placer avantageusement.

J'acceptai l'offre de Melendez avec d'autant plus de joie que mes finances diminuaient à vue d'œil. Mais je ne lui fus pas longtemps à charge. Au bout de huit jours, il me dit qu'il venait de me proposer à un cavalier de sa connaissance qui avait besoin d'un valet de chambre, et que selon toutes les apparences ce poste ne m'échapperait pas. En effet, ce cavalier étant survenu dans le moment : Seigneur, lui dit Melendez en me montrant, vous voyez le jeune homme dont je vous ai parlé. C'est un garçon qui a de l'honneur et de la morale. Je vous en réponds comme de moi-même. Le cavalier me regarda fixement, dit que ma physionomie lui plaisait, et qu'il me prenait à son service. Il n'a qu'à me suivre, ajouta-t-il ; je vais l'instruire de ses devoirs. À ces mots, il donna le bonjour au marchand, et m'emmena dans la grande rue, tout devant l'église de Saint-Philippe. Nous entrâmes dans une assez belle maison dont il occupait une aile : nous montâmes un escalier de cinq ou six marches, puis il m'introduisit dans une chambre fermée de deux bonnes portes, qu'il ouvrit, et dont la première avait au milieu une petite fenêtre grillée. De cette chambre nous passâmes dans une autre où il y avait un lit et d'autres meubles qui étaient plus propres que riches.

Si mon nouveau maître m'avait bien considéré chez Melendez, je l'examinai à mon tour avec beaucoup d'attention. C'était un homme de cinquante et quelques années qui avait l'air froid et sérieux. Il me parut d'un naturel doux, et je ne jugeai point mal de lui. Il me fit plusieurs questions sur ma famille et satisfait de mes réponses : Gil Blas, me dit-il, je te crois un garçon fort raisonnable. Je suis bien aise de t'avoir à mon service. De ton côté, tu seras content de ta condition. Je te donnerai par jour six réaux, tant pour ta nourriture et pour ton entretien que pour tes gages, sans préjudice des petits profits que tu pourras faire chez moi. D'ailleurs, je ne suis pas difficile à servir. Je ne fais point d'ordinaire[1]. Je mange en ville. Tu n'auras le matin qu'à nettoyer mes habits, et tu seras libre tout le reste de la journée. Aie soin seulement de te retirer le soir de bonne heure, et de m'attendre à ma porte. Voilà tout ce que j'exige de toi. Après m'avoir prescrit mon devoir, il tira de sa poche six réaux, qu'il me donna pour commencer à garder les conventions. Nous sortîmes ensuite ; il ferma les portes lui-même, et emportant les clefs : Mon ami, me dit-il, ne me suis point ; va-t'en où il te plaira, mais quand je reviendrai ce soir, que je te retrouve sur cet escalier. En achevant ces paroles, il me quitta et me laissa disposer de moi comme je le jugerais à propos.

En bonne foi, Gil Blas, me dis-je alors à moi-même, tu ne pouvais trouver un meilleur maître. Quoi, tu rencontres un homme qui, pour épousseter ses habits et faire sa chambre le matin, te donne six réaux par jour avec la liberté de te promener et de te divertir comme un écolier dans les vacances ! Vive Dieu, il n'est point de situation plus heureuse ! Je ne m'étonne plus si j'avais tant d'envie d'être à Madrid ; je pressentais sans doute le bonheur qui m'y attendait. Je passai le jour à courir les rues en m'amusant à regarder les choses qui étaient nouvelles pour moi. Ce qui ne me donna pas peu d'occupation. Le soir, quand j'eus soupé dans une auberge qui n'était pas éloignée de notre maison, je gagnai promptement le lieu où mon maître m'avait ordonné de me rendre. Il y arriva trois quarts d'heure après moi. Il parut content de mon exactitude : Fort bien, me dit-il, cela me plaît. J'aime les domestiques attentifs à leur devoir. À ces mots, il ouvrit les portes de son appartement et les referma sur nous d'abord que nous fûmes entrés. Comme nous étions sans lumière, il prit une pierre à fusil avec de la mèche, et alluma une bougie. Je l'aidai ensuite à se déshabiller. Lorsqu'il fut au lit, j'allumai par son ordre une lampe qui était dans sa cheminée, et j'emportai la bougie dans

---

1. « *Ordinaire* se dit substantivement et absolument de la dépense qu'on fait tous les jours à sa table dans son domestique » (Furetière).

l'antichambre où je me couchai dans un petit lit sans
rideaux. Il se leva le lendemain matin entre neuf et dix
heures. J'époussetai ses habits. Il me compta mes six
réaux et me renvoya jusqu'au soir. Il sortit aussi, non sans
avoir grand soin de fermer ses portes, et nous voilà partis
l'un et l'autre pour toute la journée.

Tel était notre train de vie, que je trouvais très agréable.
Ce qu'il y avait de plus plaisant c'est que j'ignorais le nom
de mon maître. Melendez ne le savait pas lui-même. Il ne
connaissait ce cavalier que pour un homme qui venait
quelquefois dans sa boutique, et à qui de temps en temps
il vendait du drap. Nos voisins ne purent pas mieux satisfaire ma curiosité. Ils m'assurèrent tous que mon maître
leur était inconnu, bien qu'il demeurât depuis deux ans
dans le quartier. Ils me dirent qu'il ne fréquentait personne dans le voisinage, et quelques-uns, accoutumés à
tirer témérairement des conséquences, concluaient de
là que c'était un personnage dont on ne pouvait porter
un jugement avantageux. On alla même plus loin dans
la suite : on le soupçonna d'être un espion du roi de
Portugal[1], et l'on m'avertit charitablement de prendre
mes mesures là-dessus. L'avis me troubla. Je me représentai que si la chose était véritable, je courais risque de voir
les prisons de Madrid. Mon innocence ne pouvait me rassurer. Mes disgrâces passées me faisaient craindre la justice. J'avais éprouvé deux fois que si elle ne fait pas
mourir les innocents, du moins elle observe si mal à leur
égard les lois de l'hospitalité, qu'il est toujours fort triste
de faire quelque séjour chez elle.

Je consultai Melendez dans une conjoncture si délicate.
Il ne savait quel conseil me donner. S'il ne pouvait croire
que mon maître fût un espion, il n'avait pas lieu non plus
d'être ferme sur la négative. Je résolus d'observer le
patron, et de le quitter si je m'apercevais que ce fût effectivement un ennemi de l'État ; mais il me sembla que la

---

1. Curieuse rumeur : le Portugal n'a plus de roi, le pays étant sous
domination espagnole depuis 1580. Même erreur de chronologie dans
l'histoire de Pompeyo (III, 7, p. 237).

prudence et l'agrément de ma condition demandaient que je fusse bien sûr de mon fait. Je commençai donc à examiner ses actions, et pour le sonder : Monsieur, lui dis-je un soir en le déshabillant, je ne sais comment il faut vivre pour se mettre à couvert des coups de langue. Le monde est bien méchant ! Nous avons entre autres des voisins qui ne valent pas le diable. Les mauvais esprits ! vous ne devineriez jamais de quelle manière ils parlent de nous. Bon, Gil Blas, me répondit-il. Hé, qu'en peuvent-ils dire, mon ami ? Ah vraiment, repris-je, la médisance ne manque point de matière. La vertu même lui fournit des traits. Nos voisins disent que nous sommes des gens dangereux, que nous méritons l'attention de la cour ; en un mot, vous passez ici pour un espion du roi de Portugal. En prononçant ces paroles, j'envisageai mon maître comme Alexandre regarda son médecin [1], et j'employai toute ma pénétration à démêler l'effet que mon rapport produisait en lui. Je crus remarquer dans mon patron un frémissement qui s'accordait fort avec les conjectures du voisinage, et je le vis tomber dans une rêverie que je n'expliquai point favorablement. Il se remit pourtant de son trouble, et me dit d'un air assez tranquille : Gil Blas, laissons raisonner nos voisins, sans faire dépendre notre repos de leurs raisonnements. Ne nous mettons point en peine de l'opinion qu'on a de nous, quand nous ne donnons pas sujet d'en avoir une mauvaise.

Il se coucha là-dessus, et je fis la même chose sans savoir à quoi je devais m'en tenir. Le jour suivant, comme nous nous disposions le matin à sortir, nous entendîmes frapper rudement à la première porte sur l'escalier. Mon maître ouvrit l'autre et regarda par la petite fenêtre grillée. Il vit un homme bien vêtu, qui lui dit : Seigneur cavalier, je suis alguazil, et je viens ici pour vous dire que

---

1. Alexandre, averti par lettre que son médecin et ami Philippe d'Acarnanie voulait l'empoisonner, but sa potion puis lui tendit la lettre en le regardant fixement pour lire dans ses yeux la preuve de son innocence ou de son crime (Plutarque, « Vie d'Alexandre », *Vies parallèles*, éd. citée, p. 58).

Monsieur le corregidor souhaite de vous parler. Que me veut-il, répondit mon patron ? C'est ce que j'ignore, seigneur, répliqua l'alguazil ; mais vous n'avez qu'à l'aller trouver, et vous en serez bientôt instruit. Je suis son serviteur, repartit mon maître, je n'ai rien à démêler avec lui. En achevant ces mots, il referma brusquement la seconde porte. Puis s'étant promené quelque temps, comme un homme à qui, ce me semblait, le discours de l'alguazil donnait beaucoup à penser, il me mit en main mes six réaux, et me dit : Gil Blas, tu peux sortir, mon ami. Pour moi, je ne sortirai pas sitôt, et je n'ai pas besoin de toi ce matin. Il me fit juger par ces paroles qu'il avait peur d'être arrêté, et que cette crainte l'obligeait à demeurer dans son appartement. Je l'y laissai, et pour voir si je me trompais dans mes soupçons, je me cachai dans un endroit d'où je pouvais le remarquer s'il sortait. J'aurais eu la patience de me tenir là toute la matinée, s'il ne m'en eût épargné la peine. Mais une heure après, je le vis marcher dans la rue avec un air d'assurance qui confondit d'abord ma pénétration. Loin de me rendre toutefois à ces apparences, je m'en défiai ; car il n'avait point en moi un juge favorable. Je songeai que son allure pouvait fort bien être composée, je m'imaginai même qu'il n'était resté chez lui que pour prendre tout ce qu'il avait d'or ou de pierreries, et que probablement il allait par une prompte fuite pourvoir à sa sûreté. Je n'espérai plus le revoir, et je doutai si j'irais le soir l'attendre à sa porte, tant j'étais persuadé que dès ce jour-là il sortirait de la ville pour se sauver du péril qui le menaçait. Je n'y manquai pas pourtant. Ce qui me surprit, mon maître revint à son ordinaire. Il se coucha sans faire paraître la moindre inquiétude, et il se leva le lendemain avec autant de tranquillité.

Comme il achevait de s'habiller, on frappa tout à coup à la porte. Mon maître regarda par la petite grille. Il reconnaît l'alguazil du jour précédent, et lui demande ce qu'il veut. Ouvrez, lui répond l'alguazil ; c'est monsieur le corregidor. À ce nom redoutable, mon sang se glaça dans mes veines. Je craignais diablement ces messieurs-là, depuis que j'avais passé par leurs mains, et j'aurais voulu

dans ce moment être à cent lieues de Madrid. Pour mon
patron, moins effrayé que moi, il ouvrit la porte et reçut
le juge avec respect. Vous voyez, lui dit le corregidor, que
je ne viens point chez vous avec une grosse suite. Je veux
faire les choses sans éclat. Malgré les bruits fâcheux qui
courent de vous dans la ville, je crois que vous méritez
quelque ménagement. Apprenez-moi comment vous vous
appelez et ce que vous faites à Madrid ? Seigneur, lui
répondit mon maître, je suis de la Castille-Nouvelle, et je
me nomme don Bernard de Castil Blazo. À l'égard de mes
occupations, je me promène, je fréquente les spectacles et
me réjouis tous les jours avec un petit nombre de personnes d'un commerce agréable. Vous avez, sans doute,
reprit le juge, un gros revenu ? Non, seigneur, interrompit
mon patron, je n'ai ni rentes, ni terres, ni maisons. Hé de
quoi vivez-vous donc, répliqua le corregidor ? De ce que
je vais vous faire voir, repartit don Bernard. En même
temps, il leva une tapisserie, ouvrit une porte que je
n'avais pas remarquée, puis encore une autre qui était derrière, et fit entrer le juge dans un cabinet où il y avait un
grand coffre tout rempli de pièces d'or qu'il lui montra.

Seigneur, lui dit-il ensuite, vous savez que les Espagnols
sont ennemis du travail ; cependant quelque aversion
qu'ils aient pour la peine, je puis dire que je renchéris sur
eux là-dessus. J'ai un fonds de paresse qui me rend incapable de tout emploi. Si je voulais ériger mes vices en
vertus, j'appellerais ma paresse une indolence philosophique : je dirais que c'est l'ouvrage d'un esprit revenu de
tout ce qu'on recherche dans le monde avec ardeur ; mais
j'avouerai de bonne foi que je suis paresseux par tempérament, et si paresseux, que s'il me fallait travailler pour
vivre, je crois que je me laisserais mourir de faim. Ainsi,
pour mener une vie convenable à mon humeur, pour
n'avoir pas la peine de ménager mon bien, et plus encore
pour me passer d'intendant, j'ai converti en argent comptant tout mon patrimoine, qui consistait en plusieurs héritages considérables. Il y a dans ce coffre cinquante mille

ducats [1]. C'est plus qu'il ne m'en faut pour le reste de mes jours, quand je vivrais au-delà d'un siècle, puisque je n'en dépense pas mille chaque année, et que j'ai déjà passé mon dixième lustre [2]. Je ne crains donc point l'avenir, parce que je ne suis adonné, grâce au Ciel, à aucune des trois choses qui ruinent ordinairement les hommes. J'aime peu la bonne chère ; je ne joue que pour m'amuser, et je suis revenu des femmes. Je n'appréhende point que dans ma vieillesse on me compte parmi ces barbons volup-tueux, à qui les coquettes vendent leurs bontés au poids de l'or.

Que je vous trouve heureux, lui dit alors le corregidor ! On vous soupçonne bien mal à propos d'être un espion. Ce personnage ne convient point à un homme de votre caractère. Allez, don Bernard, ajouta-t-il, continuez de vivre comme vous vivez. Loin de vouloir troubler vos jours tranquilles, je m'en déclare le défenseur. Je vous demande votre amitié, et vous offre la mienne. Ah sei-gneur, s'écria mon maître pénétré de ces paroles obli-geantes, j'accepte avec autant de joie que de respect l'offre précieuse que vous me faites. En me donnant votre amitié, vous augmentez mes richesses et mettez le comble à mon bonheur. Après cette conversation, que l'alguazil et moi nous entendîmes de la porte du cabinet, le corregidor prit congé de don Bernard, qui ne pouvait assez à son gré lui marquer de reconnaissance. De mon côté, pour seconder mon maître, et l'aider à faire les honneurs de chez lui, j'accablai de civilités l'alguazil : je lui fis mille révérences profondes, quoique dans le fond de mon âme, je sentisse pour lui le mépris et l'aversion que tout honnête homme a naturellement pour un alguazil.

---

1. Somme énorme : 500 000 livres, soit *grosso modo* 5 ou 6 millions d'euros, à quelques réaux près.
2. J'ai plus de cinquante ans.

CHAPITRE 2

De l'étonnement où fut Gil Blas
de rencontrer à Madrid le capitaine Rolando ;
et des choses curieuses que ce voleur lui raconta.

Don Bernard de Castil Blazo après avoir conduit le corregidor jusque dans la rue, revint vite sur ses pas fermer
son coffre-fort et toutes les portes qui en faisaient la
sûreté. Puis, nous sortîmes l'un et l'autre très satisfaits,
lui, de s'être acquis un ami puissant, et moi, de me voir
assuré de mes six réaux par jour. L'envie de conter cette
aventure à Melendez, me fit prendre le chemin de sa maison ; mais comme j'étais près d'y arriver, j'aperçus le capitaine Rolando. Ma surprise fut extrême de le retrouver là,
et je ne pus m'empêcher de frémir à sa vue. Il me reconnut
aussi, m'aborda gravement, et conservant encore un air
de supériorité, il m'ordonna de le suivre. J'obéis en tremblant et dis en moi-même : Hélas, il veut sans doute me
faire payer tout ce que je lui dois ! Où va-t-il me mener ?
Il a peut-être dans cette ville quelque souterrain. Malepeste, si je le croyais, je lui ferais voir tout à l'heure que
je n'ai pas la goutte aux pieds. Je marchais donc derrière
lui en donnant toute mon attention au lieu où il s'arrête-
rait, résolu de m'en éloigner à toutes jambes, pour peu
qu'il me parût suspect.

Rolando dissipa bientôt ma crainte. Il entra dans un
fameux cabaret. Je l'y suivis. Il demanda du meilleur vin,
et dit à l'hôte de nous préparer à dîner. Pendant ce temps-
là, nous passâmes dans une chambre, où le capitaine, se
voyant seul avec moi, me tint ce discours : Tu dois être
étonné, Gil Blas, de revoir ici ton ancien commandant, et
tu le seras bien davantage encore, quand tu sauras ce que
j'ai à te raconter. Le jour que je te laissai dans le souterrain, et que je partis avec tous mes cavaliers pour aller
vendre à Mansilla les mules et les chevaux que nous
avions pris le soir précédent, nous rencontrâmes le fils
du corregidor de Léon, accompagné de quatre hommes à

cheval et bien armés qui suivaient son carrosse. Nous fîmes mordre la poussière à deux de ses gens, et les deux autres s'enfuirent. Alors le cocher, craignant pour son maître, nous cria d'une voix suppliante : Hé mes chers seigneurs, au nom de Dieu, ne tuez point le fils unique de Monsieur le corrégidor de Léon. Ces mots n'attendrirent pas mes cavaliers. Au contraire, ils leur inspirèrent une espèce de fureur. Messieurs, nous dit l'un d'entre eux, ne laissons point échapper le fils d'un mortel ennemi de nos pareils. Combien de gens de notre profession son père a-t-il fait mourir ? Vengeons-les. Immolons cette victime à leurs mânes. Mes autres cavaliers applaudirent à ce sentiment, et mon lieutenant même se préparait à servir de grand prêtre dans ce sacrifice, lorsque je lui retins le bras : Arrêtez, lui dis-je ; pourquoi sans nécessité vouloir répandre du sang ? Contentons-nous de la bourse de ce jeune homme. Puisqu'il ne résiste point, il y aurait de la barbarie à l'égorger. D'ailleurs, il n'est point responsable des actions de son père, et son père ne fait que son devoir, lorsqu'il nous condamne à la mort, comme nous faisons le nôtre en détroussant les voyageurs.

J'intercédai donc pour le fils du corregidor, et mon intercession ne lui fut pas inutile. Nous prîmes seulement tout l'argent qu'il avait et nous emmenâmes les chevaux des deux hommes que nous avions tués. Nous les vendîmes avec ceux que nous conduisions à Mansilla. Nous nous en retournâmes ensuite au souterrain, où nous arrivâmes le lendemain, quelques moments avant le jour. Nous ne fûmes pas peu surpris de trouver la trappe levée, et notre surprise devint encore plus grande, lorsque nous vîmes dans la cuisine Léonarde liée. Elle nous mit au fait en deux mots. Nous admirâmes comment tu avais pu nous tromper. Nous ne t'aurions jamais cru capable de nous jouer un si bon tour, et nous te le pardonnâmes à cause de l'invention. Dès que nous eûmes détaché la cuisinière, je lui donnai ordre de nous apprêter bien à manger. Cependant nous allâmes soigner nos chevaux à l'écurie, où le vieux nègre qui n'avait reçu aucun secours depuis vingt-quatre heures, était à l'extrémité. Nous souhaitions de le soulager, mais il avait perdu connaissance et il nous parut si bas, que malgré notre bonne volonté, nous laissâmes ce pauvre diable entre la vie et la mort. Cela ne nous empêcha pas de nous mettre à table ; et après avoir amplement déjeuné, nous nous retirâmes dans nos chambres où nous reposâmes toute la journée. À notre réveil, Léonarde nous apprit que Domingo ne vivait plus. Nous le portâmes dans le caveau où tu dois te souvenir d'avoir couché, et là nous lui fîmes des funérailles, comme s'il eût eu l'honneur d'être un de nos compagnons.

Cinq ou six jours après, il arriva que voulant faire une course, nous rencontrâmes un matin à la sortie du bois trois brigades d'archers de la sainte Hermandad, qui semblaient nous attendre pour nous charger. Nous n'en aperçûmes d'abord qu'une. Nous la méprisâmes [1], bien que supérieure en nombre à notre troupe, et nous l'attaquâmes ; mais dans le temps que nous étions aux mains avec elle, les deux autres qui avaient trouvé moyen de se tenir cachées, vinrent tout à coup fondre sur nous, de sorte que notre valeur ne nous servit de rien. Il fallut céder à tant d'ennemis. Notre lieutenant et deux de nos cavaliers périrent dans cette occasion. Les deux autres et moi nous fûmes enveloppés et serrés de si près que les archers nous prirent ; et tandis que deux brigades nous conduisaient à Léon, la troisième alla détruire notre retraite, qui avait été découverte de la manière que je vais te le dire. Un paysan de Luceno en traversant la forêt pour s'en retourner chez lui, aperçut par hasard la trappe de notre souterrain levée, c'était justement [2] le jour que tu en sortis avec la dame. Il se douta bien que c'était notre demeure. Il n'eut pas le courage d'y entrer. Il se contenta d'observer les environs, et pour mieux remarquer l'endroit, il écorça légèrement avec son couteau quelques arbres voisins et d'autres encore de distance en distance,

---

1. Nous en fîmes peu de cas.
2. « la trappe de notre souterrain, que tu n'avais pas abattue ; car c'était justement » (var. de 1715*b*).

jusqu'à ce qu'il fût hors du bois. Il se rendit ensuite à Léon, pour faire part de cette découverte au corregidor, qui en eut d'autant plus de joie, que son fils venait d'être volé par notre compagnie. Ce juge fit assembler trois brigades pour nous arrêter et le paysan leur servit de guide.

Mon arrivée dans la ville de Léon y fut un spectacle pour tous les habitants. Quand j'aurais été un général portugais fait prisonnier de guerre, le peuple ne se serait pas plus empressé de me voir. Le voilà, disait-on, le voilà ce fameux capitaine, la terreur de cette contrée. Il mériterait d'être démembré avec des tenailles, de même que ses deux camarades. On nous mena devant le corregidor qui commença de m'insulter. Hé bien, me dit-il, scélérat, le Ciel las des désordres de ta vie, t'abandonne à ma justice. Seigneur, lui répondis-je, si j'ai commis bien des crimes, du moins je n'ai pas la mort de votre fils unique à me reprocher. J'ai conservé ses jours. Vous m'en devez quelque reconnaissance. Ah, misérable, s'écria-t-il, c'est bien avec des gens de ton caractère qu'il faut garder un procédé généreux. Et quand même je voudrais te sauver, le devoir de ma charge ne me le permettrait pas. Lorsqu'il eut parlé de cette sorte, il nous fit enfermer dans un cachot, où il ne laissa pas languir mes compagnons. Ils en sortirent au bout de trois jours pour aller jouer un rôle tragique dans la grande place. Pour moi, je demeurai dans les prisons trois semaines entières. Je crus qu'on ne différait mon supplice que pour le rendre plus terrible, et je m'attendais enfin à un genre de mort tout nouveau, quand le corregidor, m'ayant fait ramener en sa présence, me dit : Écoute ton arrêt. Tu es libre. Sans toi mon fis unique aurait été assassiné sur les grands chemins. Comme père, j'ai voulu reconnaître ce service, et comme juge, ne pouvant t'absoudre, j'ai écrit à la Cour en ta faveur. J'ai demandé ta grâce et je l'ai obtenue. Va donc où il te plaira. Mais, ajouta-t-il, crois-moi ; profite de cet heureux événement. Rentre en toi-même et quitte pour jamais le brigandage.

Je fus pénétré de ces paroles, et je pris la route de Madrid, dans la résolution de faire une fin et de vivre

doucement dans cette ville. J'y ai trouvé mon père et ma
mère morts, et leur succession entre les mains d'un vieux
parent qui m'en a rendu un compte fidèle, comme font
tous les tuteurs [1]. Je n'en ai pu tirer que trois mille ducats,
ce qui peut-être ne fait pas la quatrième partie de mon
bien. Mais que faire à cela ? Je ne gagnerais rien à le chi-
caner [2]. Pour éviter l'oisiveté, j'ai acheté une charge
d'alguazil. Mes confrères se seraient, par bienséance,
opposés à ma réception, s'ils eussent su mon histoire.
Heureusement, ils l'ignorent ou feignent de l'ignorer. Ce
qui est la même chose. Car dans cet honorable corps, chacun a intérêt de cacher ses faits et gestes. On n'a, Dieu
merci, rien à se reprocher les uns aux autres. Au diable
soit le meilleur. Cependant, mon ami, continua Rolando,
je veux te découvrir ici le fond de mon âme. La profession
que j'ai embrassée n'est guère de mon goût. Elle demande
une conduite trop délicate et trop mystérieuse. On n'y saurait faire que des tromperies secrètes et subtiles. Oh je
regrette mon premier métier. J'avoue qu'il y a plus de
sûreté dans le nouveau ; mais il y a plus d'agrément dans
l'autre, et j'aime la liberté. J'ai bien la mine de [3] me
défaire de ma charge et de partir un beau matin pour aller
gagner les montagnes qui sont aux sources du Tage. Je
sais qu'il y a dans cet endroit une retraite habitée par une
troupe nombreuse et remplie de sujets catalans. C'est faire
son éloge en un mot. Si tu veux m'accompagner, nous
irons grossir le nombre de ces grands hommes. Je serai
dans leur compagnie capitaine en second, et pour t'y faire
recevoir avec agrément, j'assurerai que je t'ai vu dix fois
combattre à mes côtés. J'élèverai ta valeur jusqu'aux nues.
Je dirai plus de bien de toi qu'un général n'en dit d'un
officier qu'il veut avancer. Je me garderai bien de dire la
supercherie que tu as faite. Cela te rendrait suspect. Je

---

1. Allusion personnelle de Lesage aux tuteurs qui l'ont grugé dans
son enfance.
2. Je ne gagnerais rien à engager des procès contre lui.
3. J'ai bien envie de.

tairai l'aventure. Hé bien, ajouta-t-il, es-tu prêt à me suivre ? J'attends ta réponse.

Chacun a ses inclinations, dis-je alors à Rolando ; vous êtes né pour les entreprises hardies, et moi, pour une vie douce et tranquille. Je vous entends, interrompit-il, la dame que l'amour vous a fait enlever, vous tient encore au cœur, et sans doute vous menez avec elle à Madrid cette vie douce que vous aimez. Avouez, monsieur Gil Blas, que vous l'avez mise dans ses meubles, et que vous mangez ensemble les pistoles que vous avez emportées du souterrain ? Je lui dis qu'il était dans l'erreur, et que pour le désabuser, je voulais en dînant lui conter l'histoire de la dame. Ce que je fis effectivement, et je lui appris aussi tout ce qui m'était arrivé depuis que j'avais quitté la troupe. Sur la fin du repas, il me remit encore sur les sujets catalans. Il m'avoua même qu'il avait résolu de les aller joindre, et fit une nouvelle tentative pour m'engager à prendre le même parti. Mais voyant qu'il ne pouvait me persuader, il me regarda d'un air fier et me dit fort sérieusement : Puisque tu as le cœur assez bas pour préférer ta condition servile à l'honneur d'entrer dans une compagnie de braves gens je t'abandonne à la bassesse de tes inclinations. Mais écoute bien les paroles que je vais te dire : qu'elles demeurent gravées dans ta mémoire : oublie que tu m'as rencontré aujourd'hui, et ne t'entretiens jamais de moi avec personne ; car si j'apprends que tu me mêles dans tes discours... tu me connais. Je ne t'en dis pas davantage. À ces mots, il appela l'hôte, paya l'écot, et nous nous levâmes de table pour nous en aller.

CHAPITRE 3

Il sort de chez don Bernard de Castil Blazo,
et va servir un petit-maître.

Comme nous sortions du cabaret, et que nous prenions congé l'un de l'autre, mon maître passa dans la rue. Il me vit, et je m'aperçus qu'il regarda plus d'une fois le capitaine. Je jugeai qu'il était surpris de me rencontrer avec un semblable personnage. Il est certain que la vue de Rolando ne prévenait point en faveur de ses mœurs. C'était un homme fort grand. Il avait le visage long avec un nez de perroquet, et quoiqu'il n'eût pas mauvaise mine, il ne laissait pas d'avoir l'air d'un franc fripon.

Je ne m'étais point trompé dans mes conjectures. Le soir je trouvai don Bernard occupé de la figure du capitaine et très disposé à croire toutes les belles choses que je lui en aurais pu dire, si j'eusse osé parler. Gil Blas, me dit-il, qui est ce grand escogriffe que j'ai vu tantôt avec toi ? Je répondis que c'était un alguazil, et je m'imaginai que satisfait de cette réponse, il en demeurerait là, mais il me fit bien d'autres questions ; et comme je lui parus embarrassé, parce que je me souvenais des menaces de Rolando, il rompit tout à coup la conversation et se coucha. Le lendemain matin, lorsque je lui eus rendu mes services ordinaires, il me compta six ducats au lieu de six réaux, et me dit : Tiens, mon ami, voilà ce que je te donne pour m'avoir servi jusqu'à ce jour. Va chercher une autre maison. Je ne puis m'accommoder d'un valet qui a de si belles connaissances. Je m'avisai de lui représenter pour ma justification, que je connaissais cet alguazil, pour lui avoir fourni certains remèdes à Valladolid dans le temps que j'y exerçais la médecine. Fort bien, reprit mon maître, la défaite est ingénieuse. Tu devais [1] me répondre cela hier au soir, et non pas te troubler. Monsieur, lui repartis-je, en vérité, je n'osais vous le dire par discrétion. C'est ce

---

1. L'excuse est ingénieuse. Tu aurais dû.

qui a causé mon embarras. Certes, répliqua-t-il en me frappant doucement sur l'épaule, c'est être bien discret. Je ne te croyais pas si rusé. Va, mon enfant, je te donne ton congé.

J'allai sur-le-champ apprendre cette mauvaise nouvelle à Melendez, qui me dit pour me consoler qu'il prétendait me faire entrer dans une meilleure maison. En effet quelques jours après, il me dit : Gil Blas, mon ami, vous ne vous attendez pas au bonheur que j'ai à vous annoncer ! Vous aurez le poste du monde le plus agréable. Je vais vous mettre auprès de don Mathias de Silva. C'est un homme de la première qualité : un de ces jeunes seigneurs qu'on appelle petits-maîtres [1]. J'ai l'honneur d'être son marchand. Il prend chez moi des étoffes, à crédit à la vérité ; mais il n'y a rien à perdre avec ces seigneurs. Ils épousent souvent de riches héritières qui payent leurs dettes, et quand cela n'arrive pas, un marchand qui entend son métier leur vend toujours si cher, qu'il se sauve [2] en ne touchant même que le quart de ses parties. L'intendant de don Mathias, poursuivit-il, est mon intime ami. Allons le trouver. Il doit vous présenter lui-même à son maître, et vous pouvez compter qu'à ma considération, il aura beaucoup d'égards pour vous.

Comme nous étions en chemin pour nous rendre à l'hôtel de don Mathias, le marchand me dit : Il est à propos, ce me semble, que je vous apprenne de quel caractère est l'intendant ; il s'appelle Gregorio Rodriguez. Entre nous, c'est un homme de rien, qui se sentant né pour les affaires, a suivi son génie, et s'est enrichi dans deux maisons ruinées, dont il a été intendant. Je vous avertis qu'il est fort vain [3]. Il aime à voir ramper devant lui les autres domestiques. C'est à lui qu'ils doivent d'abord s'adresser, quand ils ont la moindre grâce à demander à leur maître ;

---

1. On appelle *petit-maître* « un jeune homme de cour, qui se distingue par un air avantageux, par un ton décisif, par des manières libres et étourdies » (*Dictionnaire de l'Académie*, 1762).
2. Qu'il fait un bénéfice.
3. Fort vaniteux.

car s'il arrive qu'ils l'aient obtenue sans sa participation,
il a toujours des détours tout prêts pour faire révoquer la
grâce, ou pour la rendre inutile. Réglez-vous sur cela, Gil
Blas. Faites votre cour au seigneur Rodriguez, préférable-
ment à votre maître même, et mettez tout en usage pour
lui plaire. Son amitié vous sera d'une grande utilité. Il
vous payera vos gages exactement ; et si vous êtes assez
adroit pour gagner sa confiance, il pourra vous donner
quelque petit os à ronger. Il en a tant ! Don Mathias est
un jeune seigneur qui ne songe qu'à ses plaisirs, et qui ne
veut prendre aucune connaissance de ses propres affaires.
Quelle maison pour un intendant !

Lorsque nous fûmes arrivés à l'hôtel, nous demandâmes à parler au seigneur Rodriguez. On nous dit que
nous le trouverions dans son appartement. Il y était, et
nous vîmes avec lui une manière de paysan qui tenait un
sac de toile bleue rempli d'espèces. L'intendant, qui me
parut plus pâle et plus jaune qu'une fille fatiguée du célibat, vint au-devant de Melendez, en lui tendant les bras ;
le marchand de son côté ouvrit les siens, et ils s'embrassèrent tous deux avec des démonstrations d'amitié, où il
y avait pour le moins autant d'art que de naturel. Après
cela il fut question de moi. Rodriguez m'examina depuis
les pieds jusqu'à la tête ; puis il me dit fort poliment que
j'étais tel qu'il fallait être pour convenir à don Mathias,
et qu'il se chargeait avec plaisir de me présenter à ce seigneur. Là-dessus Melendez fit connaître jusqu'à quel
point il s'intéressait pour moi. Il pria l'intendant de
m'accorder sa protection, et me laissant avec lui après
force compliments, il se retira. Dès qu'il fut sorti, Rodriguez me dit : Je vous conduirai à mon maître, d'abord
que j'aurai expédié ce bon laboureur. Aussitôt il s'approcha du paysan, et lui prenant son sac : Talego, lui dit-il,
voyons si les cinq cents pistoles sont là-dedans. Il compta
lui-même les pièces. Il trouva le compte juste, donna quit-
tance de la somme au laboureur, et le renvoya. Il remit
ensuite les espèces dans le sac. Alors, il s'adresse à moi :
Nous pouvons présentement, me dit-il, aller au lever de

mon maître. Il sort du lit ordinairement sur le midi. Il est près d'une heure. Il doit être jour dans son appartement.

Don Mathias venait en effet de se lever. Il était encore en robe de chambre, et renversé dans un fauteuil, sur un bras duquel il avait une jambe étendue, il se balançait en râpant du tabac [1]. Il s'entretenait avec un laquais, qui remplissant par *intérim* l'emploi de valet de chambre, se tenait là tout prêt à le servir. Seigneur, lui dit l'intendant, voici un jeune homme que je prends la liberté de vous présenter pour remplacer celui que vous chassâtes avant-hier. Melendez, votre marchand, en répond : il assure que c'est un garçon de mérite, et je crois que vous en serez fort satisfait. C'est assez, répondit le jeune seigneur, puisque c'est vous qui le produisez auprès de moi, je le reçois aveuglément à mon service. Je le fais mon valet de chambre. C'est une affaire finie. Rodriguez, ajouta-t-il, parlons d'autres choses, vous arrivez à propos. J'allais vous envoyer chercher. J'ai une mauvaise nouvelle à vous apprendre, mon cher Rodriguez. J'ai joué de malheur cette nuit. Avec cent pistoles que j'avais, j'en ai encore perdu deux cents sur ma parole. Vous savez de quelle conséquence il est, pour des personnes de condition, de s'acquitter de cette sorte de dette. C'est proprement la seule que le point d'honneur nous oblige à payer avec exactitude. Aussi ne payons-nous pas les autres religieusement. Il faut donc trouver deux cents pistoles tout à l'heure [2] et les envoyer à la comtesse de Pedrosa. Monsieur, dit l'intendant, cela n'est pas si difficile à dire qu'à exécuter. Où voulez-vous, s'il vous plaît, que je prenne cette somme ? Je ne touche pas un maravédi [3] de vos fermiers, quelque menace que je puisse leur faire. Cependant il faut que j'entretienne honnêtement votre domestique,

---

1. Le tabac était vendu à l'époque sous forme de carottes que les particuliers réduisaient en poudre avec leur râpe avant de le fumer dans une pipe.

2. Tout de suite.

3. Petite monnaie d'Espagne (une livre française vaut 170 maravédis, un ducat 325 maravédis). Rodriguez vient d'encaisser 162 500 maravédis sans en déclarer un seul à son maître.

et que je sue sang et eau pour fournir à votre dépense. Il
est vrai que jusqu'ici, grâce au Ciel, j'en suis venu à bout ;
mais je ne sais plus à quel saint me vouer, je suis réduit à
l'extrémité. Tous ces discours sont inutiles, interrompit
don Mathias, et ces détails ne font que m'ennuyer. Ne
prétendez-vous pas, Rodriguez, que je change de
conduite, et que je m'amuse à prendre soin de mon bien ?
l'agréable amusement pour un homme de plaisir comme
moi ! Patience, répliqua l'intendant, au train que vont les
choses, je prévois que vous serez bientôt débarrassé pour
toujours de ce soin-là. Vous me fatiguez, repartit brusquement le jeune seigneur. Vous m'assassinez. Laissez-moi
me ruiner sans que je m'en aperçoive. Il me faut, vous
dis-je, deux cents pistoles. Il me les faut. Je vais donc, dit
Rodriguez, avoir recours au petit vieillard qui vous a déjà
prêté de l'argent à grosse usure ? Ayez recours, si vous
voulez, au diable, répondit don Mathias ; pourvu que j'aie
deux cents pistoles, je ne me soucie pas du reste.

Dans le moment qu'il prononçait ces mots d'un air
brusque et chagrin, l'intendant sortit, et un jeune homme
de qualité, nommé don Antonio Centellés, entra : Qu'as-
tu, mon ami, dit ce dernier à mon maître ? Je te trouve
l'air nébuleux. Je vois sur ton visage une impression de
colère ! Qui peut t'avoir mis de mauvaise humeur ? Je vais
parier que c'est cet homme [1] qui sort. Oui, répondit don
Mathias, c'est mon intendant. Toutes les fois qu'il vient
me parler, il me fait passer quelque mauvais quart
d'heure. Il m'entretient de mes affaires. Il dit que je mange
le fonds de mes revenus... L'animal ! Ne dirait-on pas qu'il
y perd, lui ? Mon enfant, reprit don Antonio, je suis dans
le même cas. J'ai un homme d'affaires qui n'est pas plus
raisonnable que ton intendant. Quand le faquin, pour
obéir à mes ordres réitérés, m'apporte de l'argent, il
semble qu'il donne du sien [2]. Il me fait de grands raisonnements : Monsieur, me dit-il, vous vous abîmez. Vos
revenus sont saisis. Je suis obligé de lui couper la parole

---

1. « ce maroufle » (var. de 1715*b*).
2. Phrase à double sens, comme l'ensemble du passage.

pour abréger ses sots discours. Le malheur, dit don
Mathias, c'est que nous ne saurions nous passer de ces
gens-là. C'est un mal nécessaire. J'en conviens, répliqua
Centellés... mais attends, poursuivit-il, en riant de toute
sa force, il me vient une idée assez plaisante. Rien n'a
jamais été mieux imaginé. Nous pouvons rendre
comiques les scènes sérieuses que nous avons avec eux, et
nous divertir de ce qui nous chagrine. Écoute : il faut que
ce soit moi qui demande à ton intendant tout l'argent
dont tu auras besoin. Tu en useras de même avec mon
homme d'affaires. Qu'ils raisonnent alors tous deux tant
qu'il leur plaira ; nous les écouterons de sang-froid. Ton
intendant viendra me rendre ses comptes ; mon homme
d'affaires te rendra les siens. Je n'entendrai parler que de
tes dissipations : tu ne verras que les miennes. Cela nous
réjouira.

Mille traits brillants suivirent cette saillie [1], et mirent en
joie les jeunes seigneurs qui continuèrent de s'entretenir
avec beaucoup de vivacité. Leur conversation fut interrompue par Gregorio Rodriguez, qui rentra suivi d'un
petit vieillard qui n'avait presque point de cheveux, tant
il était chauve. Don Antonio voulut s'en aller : Adieu,
don Mathias, dit-il, nous nous reverrons tantôt. Je te
laisse avec ces messieurs. Vous avez sans doute quelque
affaire sérieuse à démêler ensemble. Hé non, non, lui
répondit mon maître, demeure. Tu n'es point de trop. Ce
discret vieillard que tu vois est un honnête homme qui
me prête de l'argent au denier cinq [2]. Comment, au denier
cinq, s'écria Centellés d'un air étonné ? Vive Dieu, je te
félicite d'être en si bonne main. Je ne suis pas traité si
doucement, moi. J'achète l'argent au poids de l'or.
J'emprunte d'ordinaire au denier trois [3]. Quelle usure, dit
alors le vieil usurier ! Les fripons ! songent-ils qu'il y a un

---

1. Boutade, trait d'esprit inattendu.
2. Au taux d'intérêt de 20 % (le débiteur paie un denier d'intérêt pour
cinq empruntés).
3. Taux plus exorbitant encore : 33 %.

autre monde [1] ? Je ne suis plus surpris si l'on déclame tant
contre les personnes qui prêtent à intérêts. C'est le profit
exorbitant que quelques-uns tirent de leurs espèces qui
nous perd d'honneur et de réputation. Si tous mes
confrères me ressemblaient, nous ne serions pas si décri-
és ; car pour moi, je ne prête uniquement que pour faire
plaisir au prochain. Ah si le temps était aussi bon que je
l'ai vu autrefois, je vous offrirais ma bourse sans intérêts ;
et peu s'en faut même, quelle que soit aujourd'hui la
misère, que je ne me fasse un scrupule de prêter au denier
cinq. Mais on dirait que l'argent est rentré dans le sein
de la terre. On n'en trouve plus, et sa rareté oblige enfin
ma morale à se relâcher.

De combien avez-vous besoin, poursuivit-il en s'adressant à mon maître ? Il me faut deux cents pistoles, répondit don Mathias. J'en ai quatre cents dans un sac, répliqua
l'usurier, il n'y a qu'à vous en donner la moitié. En même
temps il tira de dessous son manteau un sac de toile bleue,
qui me parut être le même que le paysan Talego venait de
laisser avec cinq cents pistoles à Rodriguez. Je sus bientôt
ce qu'il en fallait penser, et je vis bien que Melendez ne
m'avait pas vanté sans raison le savoir-faire de cet intendant. Le vieillard vida le sac, étala les espèces sur une
table et se mit à les compter. Cette vue alluma la cupidité
de mon maître. Il fut frappé de la totalité de la somme :
Seigneur Descomulgado [2], dit-il à l'usurier, je fais une
réflexion judicieuse, je suis un grand sot. Je n'emprunte
que ce qu'il faut pour dégager ma parole, sans songer que
je n'ai pas le sol [3]. Je serai obligé demain de recourir
encore à vous. Je suis d'avis de rafler les quatre cents pistoles, pour vous épargner la peine de revenir. Seigneur,
répondit le vieillard, je destinais une partie de cet argent
à un bon licencié qui a de gros héritages, qu'il emploie
charitablement à retirer du monde de petites filles, et à

---

1. Songent-ils à leur salut après la mort ? (allusion au Jugement
dernier).
2. *Descomulgado* : « excommunié », en espagnol.
3. Je n'ai pas un sou.

LIVRE III, CHAPITRE 3 215

meubler leurs retraites ; mais puisque vous avez besoin
de la somme entière, elle est à votre service, vous n'avez
seulement qu'à songer aux assurances... Oh pour des
assurances, interrompit Rodriguez en tirant de sa poche
un papier, vous en aurez de bonnes. Voilà un billet que le
seigneur don Mathias n'a qu'à signer. Il vous donne cinq
cents pistoles à prendre sur un de ses fermiers, sur Talego,
riche laboureur de Mondejar. Cela est bon, répliqua l'usurier. Je ne fais point le difficultueux, moi. Alors l'intendant présenta une plume à mon maître, qui sans lire le
billet, écrivit, en sifflant, son nom au bas.

Cette affaire consommée, le vieillard dit adieu à mon
patron, qui courut l'embrasser en lui disant : Jusqu'au
revoir, seigneur usurier, je suis tout à vous. Je ne sais pas
pourquoi vous passez, vous autres, pour des fripons. Je
vous trouve très nécessaires à l'État ; vous êtes la consolation de mille enfants de famille et la ressource de tous les
seigneurs dont la dépense excède les revenus. Tu as raison,
s'écria Centellés. Les usuriers sont d'honnêtes gens qu'on
ne peut assez honorer, et je veux à mon tour embrasser
celui-ci à cause du denier cinq. À ces mots, il s'approcha
du vieillard pour l'accoler, et ces deux petits-maîtres, pour
se divertir, commencèrent à se le renvoyer l'un à l'autre,
comme deux joueurs de paume qui pelotent une balle [1].
Après qu'ils l'eurent bien ballotté, ils le laissèrent sortir
avec l'intendant, qui méritait mieux que lui ces embrassades et même quelque chose de plus [2].

Lorsque Rodriguez et son âme damnée furent sortis,
don Mathias envoya par le laquais qui était avec moi dans
la chambre, la moitié de ses pistoles à la comtesse de
Pedrosa, et serra l'autre dans une longue bourse brochée
d'or et de soie qu'il portait ordinairement dans sa poche.
Fort satisfait de se revoir en fonds, il dit d'un air gai à don
Antonio : Que ferons-nous aujourd'hui ? tenons conseil

1. Qui se renvoient une balle (même sens que dans le titre de Balzac
La Maison du Chat-qui-pelote).
2. Des coups de bâtons, assurément. Tout ce chapitre est traversé de
souvenirs de Molière (Scapin, Harpagon, Monsieur Dimanche).

là-dessus. C'est parler en homme de bon sens, répondit Centellés. Je le veux bien. Délibérons. Dans le temps qu'ils allaient rêver à ce qu'ils deviendraient ce jour-là, deux autres seigneurs arrivèrent. C'était don Alexo Segiar et don Fernand de Gamboa ; l'un et l'autre à peu près de l'âge de mon maître, c'est-à-dire de vingt-huit à trente ans. Ces quatre cavaliers débutèrent par de vives accolades qu'ils se firent, on eût dit qu'ils ne s'étaient point vus depuis dix ans[1]. Après cela, don Fernand, qui était un gros réjoui, adressa la parole à don Mathias et à don Antonio : Messieurs, leur dit-il, où dînez-vous aujourd'hui ? Si vous n'êtes point engagés, je vais vous mener dans un cabaret, où vous boirez du vin des dieux. J'y ai soupé, et j'en suis sorti ce matin entre cinq et six heures. Plût au Ciel, s'écria mon maître, que j'eusse fait la même chose ! je n'aurais pas perdu mon argent.

Pour moi, dit Centellés, je me suis donné hier au soir un divertissement nouveau ; car j'aime à changer de plaisirs. Aussi n'y a-t-il que la variété des amusements qui rende la vie agréable. Un de mes amis m'entraîna chez un de ces seigneurs qui lèvent les impôts et font leurs affaires avec celles de l'État. J'y vis de la magnificence, du bon goût, et le repas me parut assez bien entendu ; mais je trouvai dans les maîtres du logis un ridicule qui me réjouit. Le partisan, quoique des plus roturiers de sa compagnie, tranchait du grand[2], et sa femme, bien qu'horriblement laide, faisait l'adorable, et disait mille sottises assaisonnées d'un accent biscayen qui leur donnait du relief. Ajoutez à cela qu'il y avait à table quatre ou cinq enfants avec un précepteur[3]. Jugez si ce souper de famille me divertit.

---

1. Anacoluthe par concaténation de deux phrases : « Ces quatre cavaliers débutèrent par de vives accolades. Par les vives accolades qu'ils se firent, on eût dit qu'ils ne s'étaient point vus depuis dix ans. »

2. Le financier (partisan) adoptait les manières d'un grand seigneur.

3. Satire typique des mœurs bourgeoises. R. Laufer, dans son édition (éd. citée, p. 623, note 39), cite cet extrait du *Roman bourgeois* de Furetière : « c'est la coutume de ces bons bourgeois d'avoir toujours leurs enfants devant leurs yeux, d'en faire le principal sujet de leur entretien,

Et moi, messieurs, dit don Alexo Segiar, j'ai soupé chez une comédienne. Chez Arsénie. Nous étions six à table. Arsénie, Florimonde avec une coquette de ses amies, le marquis de Zenete, don Juan de Moncade et votre serviteur. Nous avons passé la nuit à boire et à dire des gueulées [1]. Quelle volupté ! Il est vrai qu'Arsénie et Florimonde ne sont pas de grands génies ; mais elles ont un usage de débauche qui leur tient lieu d'esprit. Ce sont des créatures enjouées, vives, folles. J'aime mieux cela cent fois que des femmes raisonnables.

CHAPITRE 4

De quelle manière Gil Blas fit connaissance
avec les valets des petits-maîtres ;
du secret admirable qu'ils lui enseignèrent
pour avoir à peu de frais
la réputation d'homme d'esprit,
et du serment singulier qu'ils lui firent faire.

Ces seigneurs continuèrent à s'entretenir de cette sorte, jusqu'à ce que don Mathias, que j'aidais à s'habiller pendant ce temps-là, fût en état de sortir. Alors il me dit de le suivre ; et tous ces petits-maîtres prirent ensemble le chemin du cabaret où don Fernand de Gamboa se proposait de les conduire. Je commençai donc à marcher derrière eux avec trois autres valets, car chacun de ces cavaliers avait le sien. Je remarquai avec étonnement que ces trois domestiques copiaient leurs maîtres et se donnaient les mêmes airs. Je les saluai comme leur nouveau camarade. Ils me saluèrent aussi ; et l'un d'entre eux, après m'avoir regardé quelques moments, me dit : Frère,

---

d'en admirer les sottises et d'en boire toutes les ordures » (*Le Roman bourgeois*, éd. M. Roy-Garibal, GF-Flammarion, 2001, p. 153).
1. *Gueulées* : « paroles sales et obscènes » (Furetière).

je vois à votre allure que vous n'avez jamais encore servi
de jeune seigneur. Hélas, non, lui répondis-je et il n'y a
pas longtemps que je suis à Madrid. C'est ce qui me
semble, répliqua-t-il. Vous sentez la province. Vous paraissez timide et embarrassé. Il y a de la bourre [1] dans votre
action. Mais n'importe, nous vous aurons bientôt
dégourdi, sur ma parole. Vous me flattez peut-être, lui
dis-je ? Non, repartit-il, non. Il n'y a point de sot que
nous ne puissions façonner. Comptez là-dessus.

Il n'eut pas besoin de m'en dire davantage pour me
faire comprendre que j'avais pour confrères de bons
enfants, et que je ne pouvais être en meilleure main pour
devenir joli garçon. En arrivant au cabaret, nous y trouvâmes un repas tout préparé, que le seigneur don Fernand avait eu la précaution d'ordonner dès le matin. Nos
maîtres se mirent à table, et nous nous disposâmes à les
servir. Les voilà qui s'entretiennent avec beaucoup de
gaieté. J'avais un extrême plaisir à les entendre. Leur
caractère, leurs pensées, leurs expressions me divertis-
saient. Que de feu ! que de saillies d'imagination ! Ces
gens-là me parurent une espèce nouvelle. Lorsqu'on en
fut au fruit [2], nous leur apportâmes une copieuse quantité
de bouteilles des meilleurs vins d'Espagne, et nous les
quittâmes pour aller dîner dans une petite salle où l'on
nous avait dressé une table.

Je ne tardai guère à m'apercevoir que les chevaliers de
ma quadrille [3] avaient encore plus de mérite que je ne me
l'étais imaginé d'abord. Ils ne se contentaient pas de
prendre les manières de leurs maîtres, ils en affectaient
même le langage, et ces marauds les rendaient si bien,
qu'à un air de qualité près, c'était la même chose. J'admirais leur air libre et aisé. J'étais encore plus charmé de

1. « *Bourre* se dit figurément en morale de tout ce qui est grossier »
(Furetière).
2. Le terme *fruit* désigne les fromages et les desserts.
3. Une *quadrille* (par aphérèse d'*esquadrille*, devenu *escadrille* en français moderne) est une « petite compagnie de cavalerie superbement mon-
tée et habillée pour faire des carrousels [...], des courses de bagues et
autres fêtes galantes » (Furetière).

leur esprit, et je désespérais d'être jamais aussi agréable qu'eux. Le valet de don Fernand, attendu que c'était son maître qui régalait les nôtres, fit les honneurs du festin, et voulant que rien n'y manquât, il appela l'hôte et lui dit : Maître André Mantuano [1], donnez-nous dix bouteilles de votre plus excellent vin, et, comme vous avez coutume de faire, vous les ajouterez à celles que nos messieurs auront bues. Très volontiers, répondit l'hôte ; mais, monsieur Gaspard, vous savez que le seigneur don Fernand me doit déjà bien des repas. Si par votre moyen j'en pouvais tirer quelques espèces... Oh, interrompit le valet, ne vous mettez point en peine de ce qui vous est dû. Je vous en réponds, moi. C'est de l'or en barre que les dettes de mon maître. Il est vrai que quelques discourtois créanciers ont fait saisir nos revenus, mais nous obtiendrons mainlevée [2] au premier jour, et nous vous payerons sans examiner le mémoire que vous nous fournirez. Mantuano [3] nous apporta du vin, malgré les saisies ; et nous en bûmes en attendant la mainlevée. Il fallait voir comme nous nous portions des santés à tous moments, en nous donnant les uns aux autres les surnoms de nos maîtres. Le valet de don Antonio appelait Gamboa celui de don Fernand, et le valet de don Fernand appelait Centellés celui de don Antonio. Ils me nommaient de même Silva, et nous nous enivrions peu à peu sous ces noms empruntés, tout aussi bien que les seigneurs qui les portaient véritablement.

Quoique je fusse moins brillant que mes convives, ils ne laissèrent pas de me témoigner qu'ils étaient assez contents de moi : Silva, me dit un des plus dessalés [4], nous ferons quelque chose de toi, mon ami. Je m'aperçois que tu as un fonds de génie ; mais tu ne sais pas le faire valoir.

---

1. « Monsieur le maître » (var. de 1715b).
2. « On dit qu'un homme a eu *main levée* de sa personne et de ses biens, pour dire qu'on l'a mis hors des prisons, et rétabli en la jouissance de son bien » (Furetière).
3. « L'hôte » (var. de 1715b).
4. *Dessalé* : « fin, rusé, qui ne se laisse pas tromper, qui affine les autres » (Furetière).

La crainte de mal parler t'empêche de rien dire au hasard, et toutefois ce n'est qu'en hasardant des discours que mille gens s'érigent aujourd'hui en beaux esprits. Veux-tu briller ? tu n'as qu'à te livrer à ta vivacité et risquer indifféremment tout ce qui pourra te venir à la bouche. Ton étourderie passera pour une noble hardiesse. Quand tu débiterais cent impertinences, pourvu qu'avec cela il t'échappe seulement un bon mot, on oubliera les sottises, on retiendra le trait, et l'on concevra une haute opinion de ton mérite. C'est ce que pratiquent si heureusement nos maîtres, et c'est ainsi qu'en doit user tout homme qui vise à la réputation d'un esprit distingué.

Outre que je ne souhaitais que trop de passer pour un beau génie, le secret qu'on m'enseignait pour y réussir me paraissait si facile que je ne crus pas devoir le négliger. Je l'éprouvai sur-le-champ, et le vin que j'avais bu rendit l'épreuve heureuse. C'est-à-dire que je parlai à tort et à travers, et que j'eus le bonheur de mêler parmi beaucoup d'extravagances quelques pointes d'esprit qui m'attirèrent des applaudissements. Ce coup d'essai me remplit de confiance. Je redoublai de vivacité, pour produire quelque bonne saillie, et le hasard voulut encore que mes efforts ne fussent pas inutiles.

Hé bien, me dit alors celui de mes confrères qui m'avait adressé la parole dans la rue, ne commences-tu pas à te décrasser ? Il n'y a pas deux heures que tu es avec nous, et te voilà déjà tout autre que tu n'étais. Tu changeras tous les jours à vue d'œil. Vois ce que c'est que de servir des personnes de qualité. Cela élève l'esprit. Les conditions bourgeoises ne font pas cet effet. Sans doute, lui répondis-je ; aussi je veux désormais consacrer mes services à la noblesse. C'est fort bien dit, s'écria le valet de don Fernand entre deux vins. Il n'appartient pas aux bourgeois de posséder des génies supérieurs comme nous. Allons, messieurs, ajouta-t-il, faisons serment que nous ne servirons jamais ces gredins-là. Jurons-en par le Styx [1].

---

1. Lorsque les dieux juraient par le Styx (fleuve des Enfers), ce serment était inviolable.

Nous rîmes bien de la pensée de Gaspard. Nous lui applaudîmes, et, le verre à la main, nous fîmes tous ce burlesque serment.

Nous demeurâmes à table jusqu'à ce qu'il plût à nos maîtres de se retirer. Ce fut à minuit. Ce qui parut à mes camarades un excès de sobriété. Il est vrai que ces seigneurs ne sortaient de si bonne heure du cabaret, que pour aller chez une fameuse coquette qui logeait dans le quartier de la cour, et dont la maison était nuit et jour ouverte aux gens de plaisir. C'était une femme de trente-cinq à quarante ans, parfaitement belle encore, amusante et si consommée dans l'art de plaire, qu'elle vendait, disait-on, plus cher les restes de sa beauté, qu'elle n'en avait vendu les prémices. Il y avait toujours chez elle deux ou trois autres coquettes du premier ordre, qui ne contribuaient pas peu au grand concours de seigneurs qu'on y voyait. Ils y jouaient l'après-dînée. Ils soupaient ensuite et passaient la nuit à boire et à se réjouir. Nos maîtres demeurèrent là jusqu'au jour, et nous aussi sans nous ennuyer ; car tandis qu'ils étaient avec les maîtresses, nous nous amusions avec les servantes. Enfin, nous nous séparâmes tous au lever de l'aurore, et nous allâmes nous reposer chacun de son côté.

Mon maître s'étant levé à son ordinaire sur le midi, s'habilla. Il sortit. Je le suivis, et nous entrâmes chez don Antonio Centellés, où nous trouvâmes un certain don Alvaro de Acuña. C'était un vieux gentilhomme, un professeur de débauche. Tous les jeunes gens qui voulaient devenir des hommes agréables se mettaient entre ses mains. Il les formait au plaisir, leur enseignait à briller dans le monde et à dissiper leur patrimoine. Il n'appréhendait plus de manger le sien ; l'affaire en était faite. Après que ces trois cavaliers se furent embrassés, Centellés dit à mon maître : Parbleu, don Mathias, tu ne pouvais arriver ici plus à propos. Don Alvar vient me prendre pour me mener chez un bourgeois qui donne à dîner au marquis de Zenete et à don Juan de Moncade. Je veux que tu sois de la partie. Et comment, dit don Mathias, nomme-t-on ce bourgeois ? Il s'appelle Gregorio de

Noriega, dit alors don Alvar, et je vais vous apprendre en deux mots ce que c'est que ce jeune homme. Son père, qui est un riche joaillier, est allé négocier des pierreries dans les pays étrangers et lui a laissé en partant la jouissance d'un gros revenu. Gregorio est un sot qui a une disposition prochaine à manger tout son bien, qui tranche du petit-maître et veut passer pour homme d'esprit en dépit de la nature. Il m'a prié de le conduire. Je le gouverne, et je puis vous assurer, messieurs, que je le mène bon train. Le fonds de son revenu est déjà bien entamé. Je n'en doute pas, s'écria Centellés. Je vois le bourgeois à l'hôpital[1]. Allons don Mathias, continua-t-il, faisons connaissance avec cet homme-là, et contribuons à le ruiner. J'y consens, répondit mon maître. Aussi bien j'aime à voir renverser la fortune de ces petits seigneurs roturiers qui s'imaginent qu'on les confond avec nous. Rien, par exemple, ne me divertit tant que la disgrâce de ce fils de publicain[2] à qui le jeu et la vanité de figurer avec les grands ont fait vendre jusqu'à sa maison. Oh, pour celui-là, reprit don Antonio, il ne mérite pas qu'on le plaigne. Il n'est pas moins fat[3] dans sa misère qu'il l'était dans sa prospérité.

Centellés et mon maître se rendirent avec don Alvar chez Gregorio de Noriega. Nous y allâmes aussi, Mogicon et moi, tous deux ravis de trouver une franche lippée[4] et de contribuer de notre part à la ruine du bourgeois. En entrant nous aperçûmes plusieurs hommes occupés à préparer le dîner, et il sortait des ragoûts qu'ils faisaient une fumée qui prévenait l'odorat en faveur du goût. Le mar-

___

1. *Être à l'hôpital* : être réduit à la mendicité. L'hôpital désigne le lieu d'accueil des indigents.

2. *Publicain* : nom des collecteurs d'impôts chez les Romains, donné par extension aux financiers de Louis XIV, chargés de drainer l'indispensable métal pour ses guerres ruineuses et inutiles.

3. *Fat* : « sot, sans esprit, qui ne dit que des fadaises » (Furetière).

4. « Un chercheur de *franches lippées* » est « un écornifleur, qui cherche des repas qui ne lui coûtent rien » (Furetière). « Car quoi ? Rien d'assuré : point de franches lippées ;/Tout à la pointe de l'épée », dit le chien de la fable *Le Loup et le chien* (La Fontaine, *Fables*, I, 5).

quis de Zenete et don Juan de Moncade venaient d'arriver. Le maître du logis me parut un grand benêt. Il affectait en vain de prendre l'allure des petits-maîtres. C'était une très mauvaise copie de ces excellents originaux. Ou pour mieux dire, un imbécile qui voulait se donner un air délibéré. Représentez-vous un homme de ce caractère entre cinq railleurs qui avaient tous pour but de se moquer de lui et de l'engager dans de grandes dépenses. Messieurs, dit don Alvar après les premiers compliments, je vous donne le seigneur Gregorio de Noriega pour un cavalier des plus parfaits. Il possède mille belles qualités. Savez-vous qu'il a l'esprit très cultivé ? Vous n'avez qu'à choisir. Il est également fort sur toutes les matières ; depuis la logique la plus fine et la plus serrée, jusqu'à l'orthographe. Oh cela est trop flatteur, interrompit le bourgeois en riant de fort mauvaise grâce. Je pourrais, seigneur Alvaro, vous rétorquer l'argument. C'est vous qui êtes ce qu'on appelle un puits d'érudition. Je n'avais pas dessein, reprit don Alvar, de m'attirer une louange si spirituelle ; mais en vérité, messieurs, poursuivit-il, le seigneur Gregorio ne saurait manquer de s'acquérir du nom dans le monde. Pour moi, dit don Antonio, ce qui me charme en lui, et ce que je mets même au-dessus de l'orthographe, c'est le choix judicieux qu'il fait des personnes qu'il fréquente. Au lieu de se borner au commerce des bourgeois, il ne veut voir que de jeunes seigneurs, sans s'embarrasser de ce qu'il lui en coûtera. Il y a là-dedans une élévation de sentiments qui m'enlève, et voilà ce qu'on appelle dépenser avec goût et avec discernement.

Ces discours ironiques ne firent que précéder mille autres semblables. Le pauvre Gregorio fut accommodé de toutes pièces. Les petits-maîtres lui lançaient tour à tour des traits, dont le sot ne sentait point l'atteinte. Au contraire, il prenait au pied de la lettre tout ce qu'on lui disait, et il paraissait fort content de ses convives. Il lui semblait même qu'en le tournant en ridicule, ils lui faisaient encore grâce. Enfin, il leur servit de jouet pendant qu'ils furent à table, et ils y demeurèrent le reste du jour et la nuit tout entière. Nous bûmes à discrétion, de même que nos maîtres, et nous étions bien conditionnés [1] les uns et les autres, quand nous sortîmes de chez le bourgeois.

CHAPITRE 5

Gil Blas devient homme à bonnes fortunes.
Il fait connaissance avec une jolie personne.

Après quelques heures de sommeil, je me levai en bonne humeur, et me souvenant des avis que Melendez m'avait donnés, j'allai, en attendant le réveil de mon maître, faire ma cour à notre intendant, dont la vanité me parut un peu flattée de l'attention que j'avais à lui rendre mes respects. Il me reçut d'un air gracieux, et me demanda si je m'accommodais du genre de vie des jeunes seigneurs. Je répondis qu'il était nouveau pour moi, mais que je ne désespérais pas de m'y accoutumer dans la suite.

Je m'y accoutumai effectivement et bientôt [2] même. Je changeai d'humeur et d'esprit. De sage et posé que j'étais auparavant, je devins vif, étourdi, turlupin [3]. Le valet de don Antonio me fit compliment sur ma métamorphose, et me dit que pour être un illustre [4], il ne me manquait plus que d'avoir de bonnes fortunes. Il me représenta que c'était une chose absolument nécessaire pour achever un joli homme : que tous nos camarades étaient aimés de quelque belle personne, et que lui, pour sa part, possédait les bonnes grâces de deux femmes de qualité. Je jugeai que le maraud mentait. Monsieur Mogicon, lui dis-je,

---

1. *Conditionné* « se dit des choses qui ont toutes les qualités requises pour être bonnes » (Furetière). On parle d'un vin bien conditionné.
2. *Bientôt* : rapidement.
3. *Turlupin* : plaisant, bouffon.
4. Un *illustre* est quelqu'un « qui est élevé par-dessus les autres par son mérite, par sa vertu, par sa noblesse, par son excellence » (Furetière). C'est le sens du titre *Les Illustres Françaises*, roman de Robert Challe (1713).

vous êtes sans doute un garçon bien fait et fort spirituel ;
vous avez du mérite ; mais je ne comprends pas comment
des femmes de qualité, chez qui vous ne demeurez point,
ont pu se laisser charmer d'un homme de votre condition.
Oh vraiment, me répondit-il, elles ne savent pas qui je
suis. C'est sous les habits de mon maître et même sous
son nom que j'ai fait ces conquêtes. Voici comment : Je
m'habille en jeune seigneur. J'en prends les manières. Je
vais à la promenade. J'agace toutes les femmes que je vois,
jusqu'à ce que j'en rencontre une qui réponde à mes
mines. Je suis celle-là et fais si bien que je lui parle. Je me
dis don Antonio Centellés. Je demande un rendez-vous.
La dame fait des façons. Je la presse. Elle me l'accorde *et
cætera*. C'est ainsi, mon enfant, continua-t-il, que je me
conduis pour avoir de bonnes fortunes, et je te conseille
de suivre mon exemple.

J'avais trop envie d'être un illustre, pour n'écouter pas
ce conseil ; outre cela je ne me sentais point de répugnance pour une intrigue amoureuse. Je formai donc le
dessein de me travestir en jeune seigneur pour aller chercher des aventures galantes. Je n'osai me déguiser dans
notre hôtel, de peur que cela ne fût remarqué. Je pris un
bel habillement complet dans la garde-robe de mon
maître, et j'en fis un paquet, que j'emportai chez un petit
barbier de mes amis, où je jugeai que je pourrais
m'habiller et me déshabiller commodément. Là je me
parai le mieux qu'il me fut possible. Le barbier mit aussi
la main à mon ajustement, et quand nous crûmes qu'on
n'y pouvait plus rien ajouter, je marchai vers le pré de
Saint-Jérôme [1], d'où j'étais bien persuadé que je ne
reviendrais pas sans avoir trouvé quelque bonne fortune.
Mais je ne fus pas obligé de courir si loin pour en ébau-
cher une des plus brillantes.

Comme je traversais une rue détournée, je vis sortir
d'une petite maison et monter dans un carrosse de louage
qui était à la porte, une dame richement habillée et

_____

1. Actuellement dans le quartier de Madrid appelé Jeronimos, où se
trouve le musée du Prado.

parfaitement bien faite. Je m'arrêtai tout court pour la
considérer, et je la saluai d'un air à lui faire comprendre
qu'elle ne me déplaisait pas. De son côté, pour me faire voir
qu'elle méritait encore plus que je ne pensais mon attention, elle leva pour un moment son voile, et offrit à ma vue
un visage des plus agréables. Cependant le carrosse partit,
et je demeurai dans la rue, un peu étourdi de cette apparition. La jolie figure, disais-je en moi-même ! peste, il faudrait cela pour m'achever ! Si les deux dames qui aiment
Mogicon sont aussi belles que celle-ci, voilà un faquin bien
heureux. Je serais charmé de mon sort, si j'avais une
pareille maîtresse. En faisant cette réflexion, je jetai les
yeux par hasard sur la maison d'où j'avais vu sortir cette
aimable personne, et j'aperçus à la fenêtre d'une salle basse
une vieille femme qui me fit signe d'entrer.

Je volai aussitôt dans la maison, et je trouvai dans une
salle assez propre cette vénérable et discrète vieille, qui
me prenant pour un marquis, tout au moins, me salua
respectueusement et me dit : Je ne doute pas, seigneur,
que vous n'ayez mauvaise opinion d'une femme qui, sans
vous connaître, vous fait signe d'entrer chez elle ; mais
vous jugerez peut-être plus favorablement de moi, quand
vous saurez que je n'en use pas de cette sorte avec tout le
monde. Vous me paraissez un seigneur de la cour. Vous
ne vous trompez pas, ma mie, interrompis-je en étendant
la jambe droite et penchant le corps sur la hanche gauche.
Je suis, sans vanité, d'une des plus grandes maisons
d'Espagne. Vous en avez bien la mine, reprit-elle, et je
vous avouerai que j'aime à faire plaisir aux personnes de
qualité. C'est mon faible. Je vous ai observé par ma
fenêtre. Vous avez regardé très attentivement, ce me
semble, une dame qui vient de me quitter. Vous sentiriez-
vous du goût pour elle ? Dites-le-moi confidemment. Foi
d'homme de cour, lui répondis-je, elle m'a frappé. Je n'ai
jamais rien vu de plus piquant que cette créature-là. Fau-
filez-nous ensemble[1], ma bonne, et comptez sur ma

----

1. « On dit figurément que deux personnes sont *faufilées* ensemble
pour dire qu'elles sont toujours ensemble, et liées d'amitié ou d'intérêt »
(Furetière).

reconnaissance. Il fait bon rendre ces sortes de services à nous autres grands seigneurs ; ce ne sont pas ceux que nous payons le plus mal.

Je vous l'ai déjà dit, répliqua la vieille, je suis toute dévouée aux personnes de condition. Je me plais à leur être utile. Je reçois ici, par exemple, certaines femmes que des dehors de vertu empêchent de voir leurs galants chez elles. Je leur prête ma maison pour concilier leur tempérament avec la bienséance. Fort bien, lui dis-je, et vous venez apparemment de faire ce plaisir à la dame dont il s'agit. Non, répondit-elle, c'est une jeune veuve de qualité qui cherche un amant ; mais elle est si délicate là-dessus, que je ne sais si vous serez son fait, malgré tout le mérite que vous pouvez avoir. Je lui ai déjà présenté trois cavaliers bien bâtis, qu'elle a dédaignés. Oh parbleu, ma chère, m'écriai-je d'un air de confiance, tu n'as qu'à me mettre à ses trousses ; je t'en rendrai bon compte, sur ma parole. Je suis curieux d'avoir un tête-à-tête avec une beauté difficile. Je n'en ai point encore rencontré de ce caractère-là. Hé bien, me dit la vieille, vous n'avez qu'à venir ici demain à la même heure. Vous satisferez votre curiosité. Je n'y manquerai pas, lui repartis-je. Nous verrons si un jeune seigneur peut rater une conquête.

Je retournai chez le petit barbier, sans vouloir chercher d'autres aventures, et fort impatient de voir la suite de celle-là. Ainsi, le jour suivant, après m'être encore bien ajusté, je me rendis chez la vieille une heure plus tôt qu'il ne fallait. Seigneur, me dit-elle, vous êtes ponctuel et je vous en sais bon gré. Il est vrai que la chose en vaut bien la peine. J'ai vu notre jeune veuve, et nous nous sommes fort entretenues de vous. On m'a défendu de parler ; mais j'ai pris tant d'amitié pour vous, que je ne puis me taire. Vous avez plu, et vous allez devenir un heureux seigneur. Entre nous, la dame est un morceau tout appétissant. Son mari n'a pas vécu longtemps avec elle. Il n'a fait que passer comme une ombre. Elle a tout le mérite d'une fille. La bonne vieille sans doute voulait dire d'une de ces filles d'esprit qui savent vivre sans ennui dans le célibat.

L'héroïne du rendez-vous arriva bientôt, en carrosse de louage comme le jour précédent et vêtue de superbes habits. D'abord qu'elle parut dans la salle, je débutai par cinq ou six révérences de petits-maîtres accompagnées de leurs plus gracieuses contorsions. Après quoi, je m'approchai d'elle d'un air très familier, et lui dis : Ma princesse, vous voyez un seigneur qui en a dans l'aile. Votre image depuis hier s'offre incessamment à mon esprit, et vous avez expulsé de mon cœur une duchesse qui commençait à y prendre pied. Le triomphe est trop glorieux pour moi, répondit-elle en ôtant son voile, mais je n'en ressens pas une joie pure. Un jeune seigneur aime le changement, et son cœur est, dit-on, plus difficile à garder que la pistole volante. Hé, ma reine, repris-je, laissons là, s'il vous plaît, l'avenir. Ne songeons qu'au présent. Vous êtes belle. Je suis amoureux. Si mon amour vous est agréable, engageons-nous sans réflexion. Embarquons-nous comme les matelots ; n'envisageons point les périls de la navigation. N'en regardons que les plaisirs [1].

En achevant ces paroles, je me jetai avec transport aux genoux de ma nymphe, et pour mieux imiter les petits-maîtres, je la pressai d'une manière pétulante de faire mon bonheur. Elle me parut un peu émue de mes instances ; mais elle ne crut pas devoir s'y rendre encore, et me repoussant : Arrêtez-vous, me dit-elle, vous êtes trop vif ; vous avez l'air libertin. J'ai bien peur que vous ne soyez un petit débauché. Fi donc, madame, m'écriai-je, pouvez-vous haïr ce qu'aiment les femmes hors du commun ? Il n'y a plus que quelques bourgeoises qui se révoltent contre la débauche. C'en est trop, reprit-elle, je me rends à une raison si forte. Je vois bien qu'avec vous autres seigneurs les grimaces sont inutiles. Il faut qu'une femme fasse la moitié du chemin. Apprenez donc votre victoire, ajouta-t-elle avec une apparence de confusion, comme si sa pudeur eût souffert de cet aveu, vous m'avez inspiré des sentiments que je n'ai jamais eus pour personne, et

---

1. Cette métaphore du « voyage de Cythère » sera plus tard utilisée par don Mathias (III, 8, p. 246).

je n'ai plus besoin que de savoir qui vous êtes pour me déterminer à vous choisir pour mon amant. Je vous crois un jeune seigneur et même un honnête homme. Cependant je n'en suis point assurée, et quelque prévenue que je sois en votre faveur, je ne veux pas donner ma tendresse à un inconnu.

Je me souvins alors de quelle façon le valet de don Antonio m'avait dit qu'il sortait d'un pareil embarras, et voulant à son exemple passer pour mon maître : Madame, dis-je à ma veuve, je ne me défendrai point de vous apprendre mon nom. Il est assez beau pour mériter d'être avoué. Avez-vous entendu parler de don Mathias de Silva ? Oui, répondit-elle, je vous dirai même que je l'ai vu chez une personne de ma connaissance. Quoique déjà fort effronté, je fus un peu troublé de cette réponse. Je me rassurai toutefois dans le moment, et faisant force de génie pour me tirer de là : Hé bien, mon ange, repris-je, vous connaissez un seigneur... que... je connais aussi... Je suis de sa maison, puisqu'il faut vous le dire. Son aïeul épousa la belle-sœur d'un oncle de mon père. Nous sommes, comme vous voyez, assez proches parents. Je m'appelle don César. Je suis fils unique de l'illustre don Fernand de Ribera, qui fut tué il y a quinze ans dans une bataille qui se donna sur les frontières de Portugal[1]. Je vous ferais bien un détail de l'action, elle fut diablement vive ; mais ce serait perdre des moments précieux que l'amour veut que j'emploie plus agréablement.

Je devins pressant et passionné après ce discours. Ce qui ne me mena pourtant à rien. Les faveurs que ma déesse me laissa prendre ne servirent qu'à me faire soupirer après celles qu'elle me refusa. La cruelle regagna son carrosse, qui l'attendait à la porte. Je ne laissai pas néanmoins de me retirer très satisfait de ma bonne fortune, bien que je ne fusse pas encore parfaitement heureux. Si, disais-je en moi-même, je n'ai obtenu que des demi-bontés, c'est que ma princesse est une dame

---

1. Allusion historique à la conquête du Portugal sous Philippe II (1580), ce qui situe l'action vers 1595.

qualifiée [1], qui n'a pas cru devoir céder à mes transports dans une première entrevue. La fierté de sa naissance a retardé mon bonheur. Mais il n'est différé que de quelques jours. Il est bien vrai que je me représentai aussi que ce pouvait être une matoise [2] des plus raffinées. Cependant j'aimai mieux regarder la chose du bon côté que du mauvais, et je conservai l'avantageuse opinion que j'avais conçue de ma dame [3]. Nous étions convenus en nous quittant de nous revoir le surlendemain, et l'espérance de parvenir au comble de mes vœux me donnait un avant-goût des plaisirs dont je me flattais.

L'esprit plein des plus riantes images, je me rendis chez mon barbier. Je changeai d'habit et j'allai joindre mon maître dans un tripot où je savais qu'il était. Je le trouvai engagé au jeu, et je m'aperçus qu'il gagnait ; car il ne ressemblait pas à ces joueurs froids qui s'enrichissent ou se ruinent sans changer de visage. Il était railleur et insolent dans la prospérité et fort bourru dans la mauvaise fortune. Il sortit fort gai du tripot, et prit le chemin du *Théâtre du Prince*. Je le suivis jusqu'à la porte de la comédie. Là me mettant un ducat dans la main : Tiens, Gil Blas, me dit-il, puisque j'ai gagné aujourd'hui, je veux que tu t'en ressentes. Va te divertir avec tes camarades, et viens me prendre à minuit chez Arsénie, où je dois souper avec don Alexo Segiar. À ces mots, il rentra et je demeurai à rêver avec qui je pourrais dépenser mon ducat selon l'intention du fondateur [4]. Je ne rêvai pas longtemps. Clarin, valet de don Alexo, se présenta tout à coup devant moi. Je le menai au premier cabaret, et nous nous y amusâmes jusqu'à minuit. De là nous nous rendîmes à la maison d'Arsénie où Clarin avait ordre aussi de se trouver. Un petit laquais nous ouvrit la porte, et nous fit entrer

---

1. « c'est que ma dame est une personne qualifiée » (var. de 1715*b*).

2. « Rusée, difficile à être trompée, adroite à tromper les autres » (Furetière).

3. « de ma veuve » (var. de 1715*b*).

4. Détournement du sens religieux du mot : un *fondateur* est celui « qui a fondé ou doté une Église » (Furetière).

dans une salle basse, où la femme de chambre d'Arsénie et celle de Florimonde riaient à gorge déployée en s'entretenant ensemble, tandis que leurs maîtresses étaient en haut avec nos maîtres.

L'arrivée de deux vivants qui venaient de bien souper ne pouvait pas être désagréable à des soubrettes, et à des soubrettes de comédiennes encore ; mais quel fut mon étonnement lorsque dans une de ces suivantes je reconnus ma veuve, mon adorable veuve, que je croyais comtesse ou marquise. Elle ne parut pas moins étonnée de voir son cher don César de Ribera changé en valet de petit-maître. Nous nous regardâmes toutefois l'un l'autre sans nous déconcerter. Il nous prit même à tous deux une envie de rire que nous ne pûmes nous empêcher de satisfaire. Après quoi Laure, c'est ainsi qu'elle s'appelait, me tirant à part, tandis que Clarin parlait à sa compagne, me tendit gracieusement la main et me dit tout bas : Touchez là, seigneur don César ; au lieu de nous faire des reproches réciproques, faisons-nous des compliments, mon ami. Vous avez fait votre rôle à ravir, et je ne me suis point mal non plus acquittée du mien. Qu'en dites-vous ? Avouez que vous m'avez prise pour une de ces jolies femmes de qualité qui se plaisent à faire des équipées. Il est vrai, lui répondis-je ; mais qui que vous soyez, ma reine, je n'ai point changé de sentiment en changeant de forme. Agréez, de grâce, mes services, et permettez que le valet de chambre de don Mathias achève ce que don César a si heureusement commencé. Va, reprit-elle, je t'aime encore mieux dans ton naturel qu'autrement. Tu es en homme ce que je suis en femme. C'est la plus grande louange que je puisse te donner. Je te reçois au nombre de mes adorateurs. Nous n'avons plus besoin du ministère de la vieille. Tu peux venir ici me voir librement. Nous autres, dames de théâtre, nous vivons sans contrainte et pêle-mêle avec les hommes. Je conviens qu'il y paraît quelquefois ; mais le public en rit, et nous sommes faites, comme tu sais, pour le divertir.

Nous en demeurâmes là, parce que nous n'étions pas seuls. La conversation devint générale, vive, enjouée et pleine d'équivoques claires. Chacun y mit du sien. La suivante d'Arsénie surtout, mon aimable Laure, brilla fort et fit paraître beaucoup plus d'esprit que de vertu. D'un autre côté nos maîtres et les comédiennes poussaient souvent de longs éclats de rire que nous entendions. Ce qui suppose que leur entretien était aussi raisonnable que le nôtre. Si l'on eût écrit toutes les belles choses qui se dirent cette nuit chez Arsénie, on en aurait, je crois, composé un livre très instructif pour la jeunesse. Cependant l'heure de la retraite, c'est-à-dire le jour, arriva. Il fallut se séparer. Clarin suivit don Alexo, et je me retirai avec don Mathias.

CHAPITRE 6

De l'entretien de quelques seigneurs sur les comédiens de la troupe du prince.

Ce jour-là mon maître à son lever reçut un billet de don Alexo Segiar, qui lui mandait de se rendre chez lui. Nous y allâmes, et nous trouvâmes avec lui le marquis de Zenete et un autre jeune seigneur de bonne mine que je n'avais jamais vu : Don Mathias, dit Segiar à mon patron, en lui présentant ce cavalier que je ne connaissais point, vous voyez don Pompeyo de Castro mon parent. Il est presque dès son enfance à la Cour de Portugal. Il arriva hier au soir à Madrid, et il s'en retourne dès demain à Lisbonne. Il n'a que cette journée à me donner. Je veux profiter d'un temps si précieux, et j'ai cru que pour le lui faire trouver agréable, j'avais besoin de vous et du marquis de Zenete. Là-dessus mon maître et le parent de don Alexo s'embrassèrent et se firent l'un à l'autre force compliments. Je fus très satisfait de ce que dit don Pompeyo. Il me parut avoir l'esprit solide et délié.

On dîna chez Segiar, et ces seigneurs après le repas jouèrent pour s'amuser jusqu'à l'heure de la comédie. Alors ils allèrent tous ensemble au *Théâtre du Prince* voir représenter une tragédie nouvelle qui avait pour titre *La Reine de Carthage*. La pièce finie, ils revinrent souper au même endroit où ils avaient dîné, et leur conversation roula d'abord sur le poème qu'ils venaient d'entendre ; ensuite sur les acteurs. Pour l'ouvrage, s'écria don Mathias, je l'estime peu. J'y trouve Énée encore plus fade que dans l'*Énéide* ; mais il faut convenir que la pièce a été jouée divinement[1]. Qu'en pense le seigneur don Pompeyo ? Il n'est pas, ce me semble, de mon sentiment. Messieurs, dit ce cavalier en souriant, je vous ai vus tantôt si charmés de vos acteurs et particulièrement de vos actrices, que je n'oserais vous avouer que j'en ai jugé tout autrement que vous. C'est fort bien fait, interrompit don Alexo en plaisantant, vos censures seraient ici fort mal reçues. Respectez nos actrices devant les trompettes de leur réputation. Nous buvons tous les jours avec elles ; nous les garantissons parfaites. Nous en donnerons, si l'on veut, des certificats. Je n'en doute point, lui répondit son parent ; vous en donneriez même de leurs vies et mœurs, tant vous me paraissez amis.

Vos comédiennes de Lisbonne, dit en riant le marquis de Zenete, sont sans doute beaucoup meilleures ? Oui certainement, répliqua don Pompeyo, elles valent mieux. Il y en a du moins quelques-unes qui n'ont pas le moindre défaut. Celles-là, reprit le marquis, peuvent compter sur vos certificats. Je n'ai point de liaisons avec elles, repartit don Pompeyo. Je ne suis point de leurs débauches. Je puis juger de leur mérite sans prévention. En bonne foi, poursuivit-il, croyez-vous avoir une troupe excellente ? Non parbleu, dit le marquis, je ne le crois pas ; et je ne veux défendre qu'un très petit nombre d'acteurs. J'abandonne tout le reste. Ne conviendrez-vous pas que l'actrice qui

---

1. Don Mathias émet un jugement sévère de Moderne sur les ouvrages des Anciens. La querelle des Anciens et des Modernes fut réactivée en 1714 par Houdar de La Motte qui publia sa traduction de l'*Iliade* en alexandrins et son *Discours sur Homère*. Les forains participèrent au débat en jouant l'*Arlequin défenseur d'Homère* de Fuzelier en 1715.

a joué le rôle de Didon [1] est admirable ? N'a-t-elle pas
représenté cette reine avec toute la noblesse et tout l'agrément convenables à l'idée que nous en avons ? Et n'avez-
vous pas admiré avec quel art elle attache un spectateur,
et lui fait sentir les mouvements de toutes les passions
qu'elle exprime ? On peut dire qu'elle est consommée
dans les raffinements de la déclamation. Je demeure
d'accord, dit don Pompeyo, qu'elle sait émouvoir et toucher : jamais comédienne n'eut plus d'entrailles, et c'est
une belle représentation. Mais ce n'est point une actrice
sans défaut. Deux ou trois choses m'ont choqué dans son
jeu. Veut-elle marquer de la surprise ? elle roule les yeux
d'une manière outrée ; ce qui sied mal à une princesse.
Ajoutez à cela qu'en grossissant le son de sa voix, qui est
naturellement doux, elle en corrompt la douceur, et forme
un creux assez désagréable. D'ailleurs, il m'a semblé, dans
plus d'un endroit de la pièce, qu'on pouvait la soupçonner
de ne pas trop bien entendre [2] ce qu'elle disait. J'aime
mieux pourtant croire qu'elle était distraite, que de l'accu-
ser de manquer d'intelligence.

À ce que je vois, dit alors don Mathias au censeur, vous
ne seriez pas homme à faire des vers à la louange de nos
comédiennes. Pardonnez-moi, répondit don Pompeyo. Je
découvre beaucoup de talent au travers de leurs défauts.
Je vous dirai même que je suis enchanté de l'actrice qui a
fait la suivante dans les intermèdes [3]. Le beau naturel !
avec quelle grâce elle occupe la scène ! A-t-elle quelque
bon mot à débiter ? elle l'assaisonne d'un souris malin et
plein de charmes qui lui donne un nouveau prix. On
pourrait lui reprocher qu'elle se livre quelquefois un peu
trop à son feu et passe les bornes d'une honnête hardiesse ; mais il ne faut pas être si sévère. Je voudrais

---

1. Mlle Duclos (v. 1668-1748), selon Weigler, cité par H. Heinz dans
Gil Blas und das zeitgenössische Leben in Frankreich, Erlangen, 1914.

2. De ne pas trop bien comprendre (son rôle). Didon, reine de Carthage abandonnée par Énée, se précipita dans la mer (Virgile, *Énéide*,
IV).

3. D'après Neufchâteau, il s'agirait de Mlle Desmares (1682-1753),
nièce de la Champmeslé.

seulement qu'elle se corrigeât d'une mauvaise habitude. Souvent au milieu d'une scène, dans un endroit sérieux, elle interrompt tout à coup l'action pour céder à une folle envie de rire qui lui prend. Vous me direz que le parterre l'applaudit dans ces moments mêmes. Cela est heureux.

Eh que pensez-vous des hommes, interrompit le marquis ? Vous devez tirer sur eux à cartouches, puisque vous n'épargnez pas les femmes. Non, dit don Pompeyo ; j'ai trouvé quelques jeunes acteurs qui promettent, et je suis surtout assez content de ce gros comédien qui a joué le rôle du premier ministre de Didon [1]. Il récite très naturellement, et c'est ainsi qu'on déclame en Portugal. Si vous êtes satisfait de ceux-là, dit Segiar, vous devez être charmé de celui qui a fait le personnage d'Énée. Ne vous a-t-il pas paru un grand comédien ? un acteur original ? Fort original, répondit le censeur ; il a des tons qui lui sont particuliers, et il en a de bien aigus. Presque toujours hors de la nature, il précipite les paroles qui renferment le sentiment, et appuie sur les autres. Il fait même des éclats sur des conjonctions [2]. Il m'a fort diverti, et particulièrement lorsqu'il exprimait à son confident la violence qu'il se faisait d'abandonner sa princesse. On ne saurait témoigner de la douleur plus comiquement. Tout beau, cousin, répliqua don Alexo, tu nous ferais croire à la fin qu'on n'est pas de trop bon goût à la Cour de Portugal. Sais-tu bien que l'acteur dont nous parlons est un sujet rare ? N'as-tu pas entendu les battements de mains qu'il a excités ? Cela prouve qu'il n'est pas si mauvais. Cela ne prouve rien, repartit don Pompeyo. Messieurs, ajouta-t-il, laissons là, je vous prie, les applaudissements du parterre. Il en donne souvent aux acteurs fort mal à propos. Il applaudit même plus rarement au vrai mérite qu'au faux, comme Phèdre

---

1. Sans doute Nicolas Ponteuil (1673-1718). Cet élève de Baron (voir *infra*, p. 260, note 2) est le seul comédien épargné par Lesage dans son roman.

2. Des éclats (de voix) sur des conjonctions grammaticales (« et », « mais », « que », etc.).

nous l'apprend par une fable ingénieuse [1]. Permettez-moi
de vous la rapporter. La voici.

Tout le peuple d'une ville s'était assemblé dans une
grande place, pour voir jouer des pantomimes. Parmi ces
acteurs, il y en avait un qu'on applaudissait à chaque
moment. Ce bouffon sur la fin du jeu voulut fermer le
théâtre par un spectacle nouveau. Il parut seul sur la scène,
se baissa, se couvrit la tête de son manteau et se mit à
contrefaire le cri d'un cochon de lait. Il s'en acquitta de
manière qu'on s'imagina qu'il en avait un véritablement
sous ses habits. On lui cria de secouer son manteau et sa
robe. Ce qu'il fit, et comme il ne se trouva rien dessous, les
applaudissements se renouvelèrent avec plus de fureur dans
l'assemblée. Un paysan qui était du nombre des spectateurs, fut choqué de ces témoignages d'admiration.
Messieurs, s'écria-t-il, vous avez tort d'être charmés de ce
bouffon. Il n'est pas si bon acteur que vous le croyez. Je
sais mieux faire que lui le cochon de lait ; et si vous en
doutez, vous n'avez qu'à revenir ici demain à la même
heure. Le peuple, prévenu en faveur du pantomime, se
rassembla le jour suivant en plus grand nombre, et plutôt
pour siffler le paysan, que pour voir ce qu'il savait faire.
Les deux rivaux parurent sur le théâtre. Le bouffon commença, et fut encore plus applaudi que le jour précédent.
Alors le villageois, s'étant baissé à son tour et enveloppé
la tête de son manteau, tira l'oreille à un véritable cochon
qu'il tenait sous son bras, et lui fit pousser des cris per-
çants. Cependant l'assistance ne laissa pas de donner le
prix au pantomime, et chargea de huées le paysan, qui
montrant tout à coup le cochon de lait aux spectateurs :
Messieurs, leur dit-il, ce n'est pas moi que vous sifflez.
C'est le cochon lui-même. Voyez quels juges vous êtes.

Cousin, dit don Alexo, ta fable est un peu vive.
Néanmoins malgré ton cochon de lait, nous n'en démor-
drons pas. Changeons de matière, poursuivit-il, celle-ci
m'ennuie. Tu pars donc demain, quelque envie que j'aie
de te posséder plus longtemps ? Je voudrais, répondit son

---

1. Phèdre, *Fables*, V, 5.

parent, pouvoir faire ici un plus long séjour ; mais je ne
le puis. Je vous l'ai déjà dit, je suis venu à la Cour
d'Espagne pour une affaire d'État. Je parlai hier en arrivant au premier ministre. Je dois le voir encore demain
matin, et je partirai un moment après pour m'en retourner à Lisbonne. Te voilà devenu portugais, répliqua
Segiar ; et selon toutes les apparences, tu ne reviendras
point demeurer à Madrid. Je crois que non, repartit don
Pompeyo. J'ai le bonheur d'être aimé du roi de Portugal.
J'ai beaucoup d'agrément à sa Cour. Quelque bonté
pourtant qu'il ait pour moi, croiriez-vous que j'ai été sur
le point de sortir pour jamais de ses États ? Hé par quelle
aventure, dit le marquis ? Contez-nous cela, je vous prie.
Très volontiers, répondit don Pompeyo ; et c'est en même
temps mon histoire dont je vais vous faire le récit.

CHAPITRE 7

Histoire de don Pompeyo de Castro.

Don Alexo, poursuivit-il, sait qu'au sortir de mon
enfance, je voulus prendre le parti des armes, et que
voyant notre pays tranquille, j'allai en Portugal. De là je
passai en Afrique avec le duc de Bragance qui me donna
de l'emploi dans son armée. J'étais un cadet des moins
riches d'Espagne. Ce qui m'imposait la nécessité de me
signaler par des exploits qui m'attirassent l'attention du
général. Je fis si bien mon devoir, que le duc m'avança et
me mit en état de continuer le service avec honneur. Après
une longue guerre dont vous n'ignorez pas quelle a été la
fin [1], je m'attachai à la cour, et le Roi sur les bons

---

1. La conquête du Portugal, mentionnée plus haut (p. 229) ; cette
allusion historique situe l'épisode sous le règne de Philippe II. Dans
l'Avertissement du tome III (1724), Lesage signale une erreur de chronologie – son héros entre au service du duc de Lerme, favori de Philippe III
(1598-1621), « sans que Gil Blas en soit beaucoup plus vieux » – et

témoignages que les officiers généraux lui rendirent de moi, me gratifia d'une pension considérable. Sensible à la générosité de ce monarque, je ne perdais pas une occasion de lui en témoigner ma reconnaissance par mon assiduité. J'étais devant lui à toutes les heures où il est permis de se présenter à ses regards. Par cette conduite, je me fis insensiblement aimer de ce prince, et j'en reçus de nouveaux bienfaits.

Un jour que je me distinguai dans une course de bague et dans un combat de taureaux qui la précéda, toute la cour loua ma force et mon adresse ; et lorsque comblé d'applaudissements, je fus de retour chez moi, j'y trouvai un billet par lequel on me mandait qu'une dame, dont la conquête devait plus me flatter que tout l'honneur que je m'étais acquis ce jour-là, souhaitait de m'entretenir, et que je n'avais, à l'entrée de la nuit, qu'à me rendre à certain lieu qu'on me marquait. Cette lettre me fit plus de plaisir que toutes les louanges qu'on m'avait données, et je m'imaginai que la personne qui m'écrivait devait être une femme de la première qualité. Vous jugez bien que je volai au rendez-vous. Une vieille qui m'y attendait pour me servir de guide, m'introduisit par une petite porte du jardin dans une grande maison, et m'enferma dans un riche cabinet, en me disant : Demeurez ici. Je vais avertir ma maîtresse de votre arrivée. J'aperçus bien des choses précieuses dans ce cabinet, qu'éclairait une grande quantité de bougies ; mais je n'en considérai la magnificence que pour me confirmer dans l'opinion que j'avais déjà conçue de la noblesse de la dame. Si tout ce que je voyais semblait m'assurer que ce ne pouvait être qu'une personne du premier rang, quand elle parut, elle acheva de me le persuader par son air noble et majestueux. Cependant ce n'était pas ce que je pensais.

Seigneur cavalier, me dit-elle, après la démarche que je fais en votre faveur, il serait inutile de vouloir vous cacher

---

promet de la corriger. C'est ce qu'il fait en 1747, en transposant l'action de l'histoire de Pompeyo en Pologne, au mépris de la vraisemblance (où voit-on des corridas chez les Polonais ?).

que j'ai de tendres sentiments pour vous. Le mérite que vous avez fait paraître aujourd'hui devant toute la cour ne me les a point inspirés. Il en précipite seulement le témoignage. Je vous ai vu plus d'une fois. Je me suis informée de vous, et le bien qu'on m'en a dit m'a déterminée à suivre mon penchant. Ne croyez pas, poursuivit-elle, avoir fait la conquête d'une duchesse. Je ne suis que la veuve d'un simple officier des gardes du roi ; mais ce qui rend votre victoire glorieuse, c'est la préférence que je vous donne sur un des plus grands seigneurs du royaume. Le duc d'Almeyda m'aime, et n'épargne rien pour me plaire. Il n'y peut toutefois réussir et je ne souffre ses empressements que par vanité.

Quoique je visse bien, à ce discours, que j'avais affaire à une coquette, je ne laissai pas de savoir bon gré de cette aventure à mon étoile. Doña Hortensia, c'est ainsi que se nommait la dame, était encore dans sa première jeunesse, et sa beauté m'éblouit. De plus, on m'offrait la possession d'un cœur qui se refusait aux soins d'un duc. Quel triomphe pour un cavalier espagnol ! Je me prosternai aux pieds d'Hortense pour la remercier de ses bontés. Je lui dis tout ce qu'un homme galant pouvait lui dire, et elle eut lieu d'être satisfaite des transports de reconnaissance que je fis éclater. Aussi nous séparâmes-nous tous deux les meilleurs amis du monde, après être convenus que nous nous verrions tous les soirs que le duc d'Almeyda ne pourrait venir chez elle. Ce qu'on promit de me faire savoir très exactement. On n'y manqua pas, et je devins l'Adonis de cette nouvelle Vénus [1].

Mais les plaisirs de la vie ne sont pas d'éternelle durée. Quelques mesures que prît la dame pour dérober la connaissance de notre commerce à mon rival, il ne laissa pas d'apprendre tout ce qu'il nous importait fort qu'il ignorât. Une servante mécontente le mit au fait. Ce seigneur, naturellement généreux, mais fier, jaloux et violent, fut indigné de mon audace. La colère et la jalousie lui

---

1. Aimé par Aphrodite (Vénus), Adonis fut tué par un sanglier et ressuscité par Zeus, à la prière de la déesse.

troublèrent l'esprit ; et ne consultant que sa fureur, il résolut de se venger de moi d'une manière infâme. Une nuit
que j'étais chez Hortense, il vint m'attendre à la petite
porte du jardin, avec tous ses valets armés de bâtons. Dès
que je sortis, il me fit saisir par ces misérables, et leur
ordonna de m'assommer. Frappez, leur dit-il, que le téméraire périsse sous vos coups. C'est ainsi que je veux punir
son insolence. Il n'eut pas achevé ces paroles que ses gens
m'assaillirent tous ensemble et me donnèrent tant de
coups de bâtons, qu'ils m'étendirent sans sentiment sur la
place. Après quoi ils se retirèrent avec leur maître, pour
qui cette cruelle exécution avait été un spectacle bien
doux. Je demeurai le reste de la nuit dans l'état où ils
m'avaient mis. À la pointe du jour il passa près de moi
quelques personnes, qui s'apercevant que je respirais
encore, eurent la charité de me porter chez un chirurgien.
Par bonheur mes blessures ne se trouvèrent pas mortelles,
et je tombai entre les mains d'un habile homme, qui me
guérit en deux mois parfaitement. Au bout de ce temps-là,
je reparus à la cour et repris mes premières brisées [1],
excepté que je ne retournai plus chez Hortense, qui de son
côté ne fit aucune démarche pour me revoir, parce que le
duc, à ce prix-là, lui avait pardonné son infidélité.

Comme mon aventure n'était ignorée de personne, et
que je ne passais pas pour un lâche, tout le monde s'étonnait de me voir aussi tranquille que si je n'eusse pas reçu
un affront. Car je ne disais pas ce que je pensais, et je
semblais n'avoir aucun ressentiment. On ne savait que
s'imaginer de ma fausse insensibilité. Les uns croyaient
que, malgré mon courage, le rang de l'offenseur me tenait
en respect et m'obligeait à dévorer l'offense ; les autres,
avec plus de raison, se défiaient de mon silence, et regardaient comme un calme trompeur la situation paisible où
je paraissais être. Le Roi jugea comme ces derniers que je
n'étais pas homme à laisser un outrage impuni, et que je
ne manquerais pas de me venger, sitôt que j'en trouverais

---

1. *Reprendre ses premières brisées* : « recommencer à vivre suivant ses
premières manières » (Furetière).

une occasion favorable. Pour savoir s'il devinait ma pensée, il me fit un jour entrer dans son cabinet, où il me dit : Don Pompeyo, je sais l'accident qui vous est arrivé, et je suis surpris, je l'avoue, de votre tranquillité. Vous dissimulez certainement. Sire, lui répondis-je, j'ignore qui peut être l'offenseur. J'ai été attaqué la nuit par des gens inconnus. C'est un malheur dont il faut bien que je me console. Non, non, répliqua le Roi ; je ne suis point la dupe de ce discours peu sincère. On m'a tout dit. Le duc d'Almeyda vous a mortellement offensé. Vous êtes noble et castillan. Je sais à quoi ces deux qualités vous engagent. Vous avez formé la résolution de vous venger. Faites-moi confidence du parti que vous avez pris. Je le veux. Ne craignez point de vous repentir de m'avoir confié votre secret.

Puisque Votre Majesté me l'ordonne, lui repartis-je, il faut donc que je lui découvre mes sentiments. Oui, Seigneur, je songe à tirer vengeance de l'affront qu'on m'a fait. Tout homme qui porte un nom pareil au mien en est comptable à sa race. Vous savez l'indigne traitement que j'ai reçu, et je me propose d'assassiner le duc d'Almeyda pour me venger d'une manière qui réponde à l'offense. Je lui plongerai un poignard dans le sein, ou lui casserai la tête d'un coup de pistolet, et je me sauverai, si je puis, en Espagne. Voilà quel est mon dessein. Il est violent, dit le Roi ; néanmoins, je ne saurais le condamner après le cruel outrage que le duc d'Almeyda vous a fait. Il est digne du châtiment que vous lui réservez. Mais n'exécutez pas sitôt votre entreprise. Laissez-moi chercher un tempérament [1] pour vous accommoder tous deux. Ah, Seigneur, m'écriai-je avec chagrin, pourquoi m'avez-vous obligé de vous révéler mon secret ? Quel tempérament peut... Si je n'en trouve pas qui vous satisfasse, interrompit-il, vous pourrez faire ce que vous avez résolu. Je ne prétends point abuser de la confidence que vous m'avez faite. Je ne trahirai point votre honneur. Soyez sans inquiétude là-dessus.

J'étais assez en peine de savoir par quel moyen le Roi prétendait terminer cette affaire à l'amiable. Voici comme il s'y

---

1. Un accommodement, une voie moyenne.

prit. Il entretint en particulier le duc d'Almeyda : Duc, lui
dit-il, vous avez offensé don Pompeyo de Castro. Vous
n'ignorez pas que c'est un homme d'une naissance illustre,
un cavalier que j'aime, et qui m'a bien servi. Vous lui devez
une satisfaction [1]. Je ne suis pas d'humeur à la lui refuser,
répondit le duc. S'il se plaint de mon emportement, je suis
prêt à lui en faire raison par la voie des armes. Il faut une
autre réparation, reprit le Roi. Un gentilhomme espagnol
entend trop bien le point d'honneur, pour vouloir se
battre noblement avec un lâche assassin. Je ne puis vous
appeler autrement, et vous ne sauriez expier l'indignité de
votre action, qu'en présentant vous-même un bâton à
votre ennemi, et qu'en vous offrant à ses coups. Ô Ciel,
s'écria le duc ! quoi, Seigneur, vous voulez qu'un homme
de mon rang s'abaisse ? qu'il s'humilie devant un simple
cavalier, et qu'il en reçoive des coups de bâton ? Non,
repartit le monarque, j'obligerai don Pompeyo à me promettre qu'il ne vous frappera point. Demandez-lui seulement pardon de votre violence en lui présentant un bâton.
C'est tout ce que j'exige de vous. Et c'est trop attendre de
moi.   Seigneur,   interrompit   brusquement   le   duc
d'Almeyda. J'aime mieux demeurer exposé aux traits [2]
cachés que son ressentiment me prépare. Vos jours me
sont chers, dit le Roi, et je voudrais que cette affaire n'eût
point de mauvaises suites. Pour la finir avec moins de
désagrément pour vous, je serai seul témoin de cette satisfaction que je vous ordonne de faire à l'Espagnol.
   Le Roi eut besoin de tout le pouvoir qu'il avait sur le
duc, pour obtenir de lui qu'il fît une démarche si morti-
fiante. Ce monarque pourtant en vint à bout. Ensuite il
m'envoya chercher. Il me conta l'entretien qu'il venait
d'avoir avec mon ennemi, et me demanda si je serais
content de la réparation dont ils étaient convenus tous
deux. Je répondis qu'oui ; et je donnai ma parole que,
bien loin de frapper l'offenseur, je ne prendrais pas même
le bâton qu'il me présenterait. Cela étant réglé de cette

---

1. Vous devez réparer l'offense commise.
2. Aux coups (d'épée ou de poignard).

sorte, le duc et moi nous nous trouvâmes un jour à certaine heure chez le Roi, qui s'enferma dans son cabinet
avec nous. Allons, dit-il au duc, reconnaissez votre faute
et méritez qu'on vous la pardonne. Alors mon ennemi me
fit des excuses, et me présenta un bâton qu'il avait à la
main. Don Pompeyo, me dit le monarque en ce moment,
prenez ce bâton, et que ma présence ne vous empêche pas
de satisfaire votre honneur outragé. Je vous rends la
parole que vous m'avez donnée de ne point frapper le duc.
Non, Seigneur, lui répondis-je, il suffit qu'il se mette en
état de recevoir des coups de bâton. Un Espagnol offensé
n'en demande pas davantage. Hé bien, reprit le Roi,
puisque vous êtes content de cette satisfaction, vous pouvez présentement tous deux suivre la franchise d'un procédé régulier [1]. Mesurez vos épées pour terminer
noblement votre querelle. C'est ce que je désire avec
ardeur, s'écria le duc d'Almeyda d'un ton brusque, et cela
seul est capable de me consoler de la honteuse démarche
que je viens de faire.

À ces mots, il sortit plein de rage et de confusion ; et
deux heures après, il m'envoya dire qu'il m'attendait dans
un endroit écarté. Je m'y rendis, et je trouvai ce seigneur
disposé à se bien battre. Il n'avait pas quarante-cinq ans.
Il ne manquait ni de courage ni d'adresse. On peut dire
que la partie était égale entre nous. Venez, don Pompeyo,
me dit-il, finissons ici notre différend. Nous devons l'un
et l'autre être en fureur, vous du traitement que je vous
ai fait, et moi de vous en avoir demandé pardon. En achevant ces paroles, il mit si brusquement l'épée à la main,
que je n'eus pas le temps de lui répondre. Il me poussa
d'abord très vivement ; mais j'eus le bonheur de parer
tous les coups qu'il me porta. Je le poussai à mon tour.
Je sentis que j'avais affaire à un homme qui savait aussi
bien se défendre qu'attaquer, et je ne sais ce qu'il en serait
arrivé, s'il n'eût pas fait un faux pas en reculant et ne fût
tombé à la renverse. Je m'arrêtai aussitôt, et dis au duc :

---

1. Vous pouvez suivre à présent les règles du point d'honneur qui
fixent le déroulement correct des duels.

Relevez-vous. Pourquoi m'épargner, répondit-il? votre
pitié me fait injure. Je ne veux point, lui répliquai-je,
profiter de votre malheur. Je ferais tort à ma gloire.
Encore une fois, relevez-vous, et continuons notre
combat.

Don Pompeyo, dit-il en se relevant, après ce trait de
générosité, l'honneur ne me permet pas de me battre
contre vous. Que dirait-on de moi, si je vous perçais le
cœur? Je passerais pour un lâche d'avoir arraché la vie à
un homme qui me la pouvait ôter. Je ne puis donc plus
m'armer contre vos jours, et je sens que ma reconnaissance fait succéder de doux transports aux mouvements
furieux qui m'agitaient. Don Pompeyo, continua-t-il, cessons de nous haïr l'un l'autre. Passons même plus avant.
Soyons amis. Ah seigneur, m'écriai-je, j'accepte avec joie
une proposition si agréable. Je vous voue une amitié sincère; et pour commencer à vous en donner des marques,
je vous promets de ne plus remettre le pied chez doña
Hortensia, quand elle voudrait me revoir [1]. C'est moi, dit-
il, qui vous cède cette dame. Il est plus juste que je vous
l'abandonne, puisqu'elle a naturellement de l'inclination
pour vous. Non non, interrompis-je; vous l'aimez. Les
bontés qu'elle aurait pour moi pourraient vous faire de
la peine. Je les sacrifie à votre repos. Ah trop généreux
Castillan, reprit le duc en me serrant entre ses bras, vos
sentiments me charment. Qu'ils produisent de remords
dans mon âme! Avec quelle douleur, avec quelle honte je
me rappelle l'outrage que vous avez reçu! La satisfaction
que je vous en ai faite dans la chambre du Roi me paraît
trop légère en ce moment. Je veux mieux réparer cette
injure; et pour en effacer entièrement l'infamie, je vous
offre une de mes nièces dont je puis disposer. C'est une
riche héritière, qui n'a pas quinze ans, et qui est encore
plus belle que jeune.

Je fis là-dessus au duc tous les compliments que l'honneur d'entrer dans son alliance me put inspirer, et j'épousai sa nièce peu de jours après. Toute la cour félicita ce

---

1. Quand bien même elle voudrait me revoir.

seigneur d'avoir fait la fortune d'un cavalier qu'il avait couvert d'ignominie, et mes amis se réjouirent avec moi de l'heureux dénouement d'une aventure qui devait avoir [1] une plus triste fin. Depuis ce temps, messieurs, je vis agréablement à Lisbonne. Je suis aimé de mon épouse et j'en suis encore amoureux. Le duc d'Almeyda me donne tous les jours de nouveaux témoignages d'amitié, et j'ose me vanter d'être assez bien dans l'esprit du roi de Portugal. L'importance du voyage que je fais par son ordre à Madrid m'assure de son estime.

CHAPITRE 8

Quel accident obligea Gil Blas
à chercher une nouvelle condition.

Telle fut l'histoire que don Pompeyo raconta, et que nous entendîmes, le valet de don Alexo et moi, bien qu'on eût pris la précaution de nous renvoyer avant qu'il en commençât le récit. Au lieu de nous retirer, nous nous étions arrêtés à la porte, que nous avions laissée entrouverte, et de là nous n'en avions pas perdu un mot. Après cela, ces seigneurs continuèrent de boire ; mais ils ne poussèrent pas la débauche jusqu'au jour, attendu que don Pompeyo, qui devait parler le matin au premier ministre, était bien aise auparavant de se reposer un peu. Le marquis de Zenete et mon maître embrassèrent ce cavalier, lui dirent adieu et le laissèrent avec son parent.

Nous nous couchâmes pour le coup avant le lever de l'aurore, et don Mathias à son réveil me chargea d'un nouvel emploi. Gil Blas, me dit-il, prends du papier et de l'encre pour écrire deux ou trois lettres que je veux te dicter. Je te fais mon secrétaire. Bon, dis-je en moi-même, surcroît de fonctions ! Comme laquais, je suis mon maître

---

1. Qui aurait dû avoir (l'imparfait a ici valeur d'irréel du passé).

partout ; comme valet de chambre, je l'habille, et j'écrirai sous lui comme secrétaire. Le Ciel en soit loué ! Je vais comme la triple Hécate faire trois personnages différents [1]. Tu ne sais pas, continua-t-il, quel est mon dessein. Le voici. Mais sois discret. Il y va de ta vie. Comme je trouve quelquefois des gens qui me vantent leurs bonnes fortunes, je veux pour leur damer le pion, avoir dans mes poches de fausses lettres de femmes que je leur lirai. Cela me divertira pour un moment, et plus heureux que ceux de mes pareils qui ne font des conquêtes que pour avoir le plaisir de les publier, j'en publierai que je n'aurai pas eu la peine de faire. Mais ajouta-t-il, déguise ton écriture de manière que les billets ne paraissent pas tous d'une même main.

Je pris donc du papier, une plume et de l'encre, et je me mis en devoir d'obéir à don Mathias, qui me dicta d'abord un poulet [2] dans ces termes : *Vous ne vous êtes point trouvé cette nuit au rendez-vous. Ah don Mathias, que direz-vous pour vous justifier ? Quelle était mon erreur ? et que vous me punissez bien d'avoir eu la vanité de croire que tous les amusements et toutes les affaires du monde devaient céder au plaisir de voir doña Clara de Mendoce.* Après ce billet, il m'en fit écrire un autre comme d'une femme qui lui sacrifiait un prince, et un autre enfin, par lequel une dame lui mandait que si elle était assurée qu'il fût discret, elle ferait avec lui le voyage de Cythère [3]. Il ne se contentait pas de me dicter de si belles lettres, il m'obligeait à mettre au bas des noms de personnes qualifiées. Je ne pus m'empêcher de lui témoigner que je trouvais cela très délicat ; mais il me pria de ne lui donner des avis que lorsqu'il

---

1. Hécate était Diane sur terre, la lune au ciel et Proserpine aux Enfers. On songera au Maître Jacques de *L'Avare*, tour à tour cocher et cuisinier d'Harpagon.

2. *Poulet* : « petit billet amoureux qu'on envoie aux dames galantes, ainsi nommé, parce qu'en le pliant on y faisait deux pointes qui représentaient les ailes d'un poulet » (Furetière).

3. Les Grecs célébraient le culte de Vénus sur l'île de Cythère. Le tableau de Watteau *L'Embarquement pour Cythère* fut exposé en 1717 à l'Académie de peinture.

m'en demanderait. Je fus obligé de me taire et d'expédier ses commandements. Cela fait, il se leva, et je l'aidai à s'habiller. Il mit les lettres dans ses poches. Il sortit ensuite. Je le suivis, et nous allâmes dîner chez don Juan de Moncade qui régalait ce jour-là cinq ou six cavaliers de ses amis.

On y fit grand'chère, et la joie, qui est le meilleur assaisonnement des festins, régna dans le repas. Tous les convives contribuèrent à égayer la conversation, les uns par des plaisanteries, et les autres en racontant des histoires dont ils se disaient les héros. Mon maître ne perdit pas une si belle occasion de faire valoir les lettres qu'il m'avait fait écrire. Il les lut à haute voix et d'un air si imposant qu'à l'exception de son secrétaire, tout le monde peut-être en fut la dupe. Parmi les cavaliers devant qui se faisait effrontément cette lecture, il y en avait un qu'on appelait don Lope de Velasco. Celui-ci, homme fort grave, au lieu de se réjouir comme les autres des prétendues bonnes fortunes du lecteur, lui demanda froidement si la conquête de doña Clara lui avait coûté beaucoup. Moins que rien, lui répondit don Mathias. Elle a fait toutes les avances. Elle me voit à la promenade. Je lui plais. On me suit par son ordre. On apprend qui je suis. Elle m'écrit et me donne rendez-vous chez elle à une heure de la nuit où tout reposait dans sa maison. Je m'y trouvai. On m'introduisit dans son appartement... Je suis trop discret pour vous dire le reste.

À ce récit laconique, le seigneur de Velasco fit paraître une grande altération sur son visage. Il ne fut pas difficile de s'apercevoir de l'intérêt qu'il prenait à la dame en question. Tous ces billets, dit-il à mon maître en le regardant d'un air furieux, sont absolument faux, et surtout celui que vous vous vantez d'avoir reçu de doña Clara de Mendoce. Il n'y a point en Espagne de fille plus réservée qu'elle. Depuis deux ans un cavalier qui ne vous cède ni en naissance ni en mérite personnel, met tout en usage pour s'en faire aimer. À peine en a-t-il obtenu les plus innocentes faveurs ; mais il peut se flatter que si elle était capable d'en accorder d'autres, ce ne serait qu'à lui seul.

Hé qui vous dit le contraire, interrompit don Mathias d'un air railleur ? Je conviens avec vous que c'est une fille très honnête. De mon côté, je suis un fort honnête garçon. Par conséquent, vous devez être persuadé qu'il ne s'est rien passé entre nous que de très honnête. Ah c'en est trop, interrompit don Lope à son tour. Laissons là les railleries. Vous êtes un imposteur. Jamais doña Clara ne vous a donné de rendez-vous la nuit. Je ne puis souffrir que vous osiez noircir sa réputation. Je suis aussi trop discret pour vous dire le reste. En achevant ces mots, il rompit en visière [1] à toute la compagnie, et se retira d'un air qui me fit juger que cette affaire pourrait bien avoir de mauvaises suites. Mon maître, qui était assez brave pour un seigneur de son caractère, méprisa les menaces de don Lope. Le fat, s'écria-t-il en faisant un éclat de rire ! les chevaliers errants soutenaient la beauté de leurs maîtresses [2], il veut, lui, soutenir la sagesse de la sienne. Cela me paraît encore plus extravagant.

La retraite de Velasco, à laquelle Moncade avait en vain voulu s'opposer, ne troubla point la fête. Les cavaliers, sans y faire beaucoup d'attention, continuèrent de se réjouir, et ne se séparèrent qu'à la pointe du jour suivant. Nous nous couchâmes, mon maître et moi, sur les cinq heures du matin. Le sommeil m'accablait et je comptais de bien dormir ; mais je comptais sans mon hôte [3], ou plutôt sans notre portier, qui vint me réveiller une heure après, pour me dire qu'il y avait à la porte un garçon qui me demandait. Ah maudit portier, m'écriai-je en bâillant, songez-vous que je viens de me mettre au lit tout à l'heure ? Dites à ce garçon que je repose et qu'il revienne tantôt. Il veut, me répliqua-t-il, vous parler en ce moment. Il assure que la chose presse. À ces mots, je me levai. Je mis seulement mon haut-de-chausses et mon

---

1. Il dit des injures, des choses blessantes.
2. Allusion à Don Quichotte et à sa Dulcinée du Tobosco.
3. « On dit *compter sans son hôte*, lorsqu'on fait son compte tout seul à sa fantaisie, en l'absence de la personne qui a intérêt de le contredire » (Furetière).

pourpoint, et j'allai en jurant trouver le garçon qui m'attendait. Ami, lui dis-je, apprenez-moi, s'il vous plaît, quelle affaire pressante me procure l'honneur de vous voir de si grand matin ? J'ai, me répondit-il, une lettre à donner en main propre au seigneur don Mathias, et il faut qu'il la lise tout présentement. Cela est de la dernière conséquence pour lui. Je vous prie de m'introduire dans sa chambre. Comme je crus qu'il s'agissait d'une affaire importante, je pris la liberté d'aller réveiller mon maître. Pardon, lui dis-je, si j'interromps votre repos ; mais l'importance... Que me veux-tu, interrompit-il brusquement ? Seigneur, lui dit alors le garçon qui m'accompagnait, c'est une lettre que j'ai à vous rendre de la part de don Lope de Velasco. Don Mathias prit le billet, l'ouvrit, et, après l'avoir lu, dit au valet de don Lope : Mon enfant, je ne me lèverais jamais avant midi, quelque partie de plaisir qu'on me pût proposer ; juge si je me lèverai à six heures du matin pour me battre[1]. Tu peux dire à ton maître que s'il est encore à midi et demi dans l'endroit où il m'attend, nous nous y verrons. Va lui porter cette réponse. À ces mots, il s'enfonça dans son lit et ne tarda guère à se rendormir.

Il se leva et s'habilla fort tranquillement entre onze heures et midi. Puis il sortit en me disant qu'il me dispensait de le suivre ; mais j'étais trop tenté de voir ce qu'il deviendrait, pour lui obéir. Je marchai sur ses pas jusqu'au pré de Saint-Jérôme, où j'aperçus don Lope de Velasco qui l'attendait de pied ferme. Je me cachai pour les observer tous deux, et voici ce que je remarquai de loin. Ils se joignirent et commencèrent à se battre un moment après. Leur combat fut long. Ils se poussèrent tour à tour l'un l'autre avec beaucoup d'adresse et de vigueur. Cependant la victoire se déclara pour don Lope.

---

1. Mot attribué par Espinel au « grand chevalier Zapata » invité à se battre en duel à l'aube : « Dites à votre maître que pour les choses qui me donnent plus de plaisir, je n'ai pas accoutumé de me lever jusques à midi. Pourquoi veut-il que pour m'en aller tuer je me lève maintenant si matin ? » (*Marcos de Obregón*, I, 1, éd. citée, p. 9).

Il perça mon maître, l'étendit par terre, et s'enfuit fort
satisfait de s'être si bien vengé. Je courus au malheureux
don Mathias. Je le trouvai sans connaissance et presque
déjà sans vie. Ce spectacle m'attendrit, et je ne pus
m'empêcher de pleurer une mort à laquelle, sans y penser,
j'avais servi d'instrument. Néanmoins malgré ma douleur,
je ne laissai pas de songer à mes petits intérêts. Je m'en
retournai promptement à l'hôtel sans rien dire. Je fis un
paquet de mes hardes où je mis par mégarde quelques
nippes de mon maître, et quand j'eus porté cela chez le
barbier où mon habit d'hommes à bonnes fortunes était
encore, je répandis dans la ville l'accident funeste dont
j'avais été témoin. Je le contai à qui voulut l'entendre, et
surtout je ne manquai pas d'aller l'annoncer à Rodriguez.
Il en parut moins affligé, qu'occupé des mesures qu'il
avait à prendre là-dessus. Il assembla ses domestiques,
leur ordonna de le suivre, et nous nous rendîmes tous au
pré de Saint-Jérôme. Nous enlevâmes don Mathias qui
respirait encore, mais qui mourut trois heures après qu'on
l'eut transporté chez lui. Ainsi périt le seigneur don
Mathias de Silva, pour s'être avisé de lire mal à propos
des billets doux supposés.

CHAPITRE 9

*Quelle personne il alla servir
après la mort de don Mathias de Silva.*

Quelques jours après les funérailles de don Mathias,
tous ses domestiques furent payés et congédiés. J'établis
mon domicile chez le petit barbier, avec qui je commençais à vivre dans une étroite liaison. Je m'y promettais
plus d'agrément que chez Melendez. Comme je ne man-
quais pas d'argent, je ne me hâtai point de chercher une
nouvelle condition. D'ailleurs, j'étais devenu difficile sur
cela. Je ne voulais plus servir que des personnes hors du

commun. Encore avais-je résolu de bien examiner les postes qu'on m'offrirait. Je ne croyais pas le meilleur trop bon pour moi, tant le valet d'un jeune seigneur me paraissait alors préférable aux autres valets.

En attendant que la fortune me présentât une maison telle que je m'imaginais la mériter, je pensai que je ne pouvais mieux faire que de consacrer mon oisiveté à ma belle Laure, que je n'avais point vue depuis que nous nous étions si plaisamment détrompés. Je n'osai m'habiller en don César de Ribera. Je ne pouvais sans passer pour un extravagant, mettre cet habit que pour me déguiser. Mais outre que le mien n'avait pas encore l'air trop malpropre, j'étais bien chaussé et bien coiffé. Je me parai donc, à l'aide du barbier, d'une manière qui tenait un milieu entre don César et Gil Blas. Dans cet état, je me rendis à la maison d'Arsénie. Je trouvai Laure seule dans la même salle où je lui avais déjà parlé. Ah c'est vous, s'écria-t-elle aussitôt qu'elle m'aperçut ! Je vous croyais perdu. Il y a sept ou huit jours que je vous ai permis de me venir voir. Vous n'abusez point, à ce que je vois, des libertés que les dames vous donnent.

Je m'excusai sur la mort de mon maître, sur les occupations que j'avais eues, et j'ajoutai fort poliment que dans mes embarras même, mon aimable Laure avait toujours été présente à ma pensée. Cela étant, me dit-elle, je ne vous ferai plus de reproches, et je vous avouerai que j'ai aussi songé à vous. D'abord que j'ai appris le malheur de don Mathias, j'ai formé un projet qui ne vous déplaira peut-être point. Il y a longtemps que j'entends dire à ma maîtresse qu'elle veut avoir chez elle une espèce d'homme d'affaires, un garçon qui entende bien l'économie, et qui tienne un registre exact des sommes qu'on lui donnera pour faire la dépense de la maison. J'ai jeté les yeux sur votre seigneurie. Il me semble que vous ne remplirez point mal cet emploi. Je sens, lui répondis-je, que je m'en acquitterai à merveille. J'ai lu les *Économiques* d'Aristote [1], et pour tenir des registres, c'est mon fort... Mais,

---

1. Les deux livres d'*Économique* d'Aristote (IVe siècle) traitent de l'économie domestique (de *oïkos*, « maison »).

mon enfant, poursuivis-je, une difficulté m'empêche
d'entrer au service d'Arsénie. Quelle difficulté, me dit
Laure ? J'ai juré, lui répliquai-je, de ne plus servir de
bourgeois. J'en ai même juré par le Styx. Si Jupiter n'osait
violer ce serment, jugez si un valet doit le respecter.
Qu'appelles-tu des bourgeois, repartit fièrement la soubrette ? Pour qui prends-tu les comédiennes ? Les
prends-tu pour des avocates ou pour des procureuses ? Oh
sache, mon ami, que les comédiennes sont nobles, archi-
nobles par les alliances qu'elles contractent avec les
grands seigneurs.

Sur ce pied-là, lui dis-je, mon infante, je puis accepter
la place que vous me destinez. Je ne dérogerai point. Non
sans doute, répondit-elle, passer de chez un petit-maître
au service d'une héroïne de théâtre, c'est être toujours
dans le même monde. Nous allons de pair avec les gens
de qualité. Nous avons des équipages comme eux, nous
faisons aussi bonne chère, et dans le fond on doit nous
confondre ensemble dans la vie civile. En effet, ajouta-t-
elle, à considérer un marquis et un comédien dans le cours
d'une journée, c'est presque la même chose : si le marquis
pendant les trois quarts du jour est par son rang au-
dessus du comédien, le comédien, pendant l'autre quart,
s'élève encore davantage au-dessus du marquis par un
rôle d'empereur ou de roi qu'il représente. Cela fait, ce
me semble, une compensation de noblesse et de grandeur
qui nous égale aux personnes de la cour. Oui vraiment,
repris-je, vous êtes de niveau, sans contredit, les uns aux
autres. Peste, les comédiens ne sont pas des maroufles [1],
comme je le croyais, et vous me donnez une forte envie
de servir de si honnêtes gens. Hé bien, repartit-elle, tu n'as
qu'à revenir dans deux jours. Je ne te demande que ce
temps-là pour disposer ma maîtresse à te prendre. Je lui
parlerai en ta faveur. J'ai quelque ascendant sur son
esprit. Je suis persuadée que je te ferai entrer ici.

---

1. *Maroufle* : « terme injurieux qu'on donne aux gens gros de corps,
et grossiers d'esprit » (Furetière).

Je remerciai Laure de sa bonne volonté. Je lui témoignai que j'en étais pénétré de reconnaissance, et je l'en assurai avec des transports qui ne lui permirent pas d'en douter. Nous eûmes tous deux un assez long entretien, qui aurait encore duré, si un petit laquais ne fût venu dire à ma princesse qu'Arsénie la demandait. Nous nous séparâmes. Je sortis de chez la comédienne dans la douce espérance d'y avoir bientôt bouche à cour [1], et je ne manquai pas d'y retourner deux jours après. Je t'attendais, me dit la suivante, pour t'assurer que tu es commensal dans cette maison [2]. Viens, suis-moi. Je vais te présenter à ma maîtresse. À ces paroles, elle me mena dans un appartement composé de cinq à six pièces de plain-pied, toutes plus richement meublées les unes que les autres.

Quel luxe ! quelle magnificence ! Je me crus chez une vice-reine : ou pour mieux dire, je m'imaginai voir toutes les richesses du monde amassées dans un même lieu. Il est vrai qu'il y en avait de plusieurs nations, et qu'on pouvait définir cet appartement : le temple d'une déesse où chaque voyageur apportait pour offrande quelques raretés de son pays. J'aperçus la divinité assise sur un gros carreau de satin. Je la trouvai charmante et grasse de la fumée des sacrifices. Elle était dans un déshabillé galant, et ses belles mains s'occupaient à préparer une coiffure nouvelle pour jouer son rôle ce jour-là. Madame, lui dit la soubrette, voici l'économe en question. Je puis vous assurer que vous ne sauriez avoir un meilleur sujet. Arsénie me regarda très attentivement et j'eus le bonheur de ne lui pas déplaire. Comment donc, Laure, s'écria-t-elle ! mais voilà un fort joli garçon. Je prévois que je m'accommoderai bien de lui. Ensuite m'adressant la parole : Mon enfant, ajouta-t-elle, vous me convenez, et je n'ai qu'un mot à vous dire : vous serez content de moi, si je le suis de vous. Je lui répondis que je ferais tous mes efforts pour la servir à son gré. Comme je vis que nous étions

_____

1. « On dit *avoir bouche à cour*, pour dire, être nourri aux tables et aux dépens des princes et des grands seigneurs » (Furetière).
2. Que tu manges à la même table que les maîtres.

d'accord, je sortis sur-le-champ pour aller chercher mes
hardes, et je revins m'installer dans cette maison.

CHAPITRE 10

Qui n'est pas plus long que le précédent.

Il était à peu près l'heure de la comédie. Ma maîtresse
me dit de la suivre avec Laure au théâtre. Nous entrâmes
dans sa loge, où elle ôta son habit de ville et en prit un
autre plus magnifique pour paraître sur la scène. Quand
le spectacle commença, Laure me conduisit et se plaça
près de moi dans un endroit d'où je pouvais voir et
entendre parfaitement bien les acteurs. Ils me déplurent
pour la plupart, à cause sans doute que don Pompeyo
m'avait prévenu contre eux. On ne laissait pas d'en
applaudir plusieurs, et quelques-uns de ceux-là me firent
souvenir de la fable du cochon.

Laure m'apprenait le nom des comédiens et des comédiennes, à mesure qu'ils s'offraient à nos yeux. Elle ne se
contentait pas de les nommer, la médisante en faisait de
jolis portraits : Celui-ci, disait-elle, a le cerveau creux,
celui-là est un insolent. Cette mignonne que vous voyez
et qui a l'air plus libre que gracieux s'appelle Rosarda.
Mauvaise acquisition pour la compagnie. On devrait
mettre cela dans la troupe qu'on lève par ordre du vice-roi
de la Nouvelle-Espagne [1], et qu'on va faire incessamment
partir pour l'Amérique. Regardez bien cet astre lumineux
qui s'avance, ce beau soleil couchant : c'est Casilda. Si
depuis qu'elle a des amants, elle avait exigé de chacun
d'eux une pierre de taille pour en bâtir une pyramide,
comme fit autrefois une princesse d'Égypte, elle en pourrait faire élever une qui irait jusqu'au troisième ciel.

---

1. La Nouvelle-Espagne est le nom que les conquistadores donnèrent
au Mexique.

Enfin, Laure déchira tout le monde par des médisances. Ah la méchante langue ! Elle n'épargna pas même sa maîtresse.

Cependant j'avouerai mon faible, j'étais charmé de ma soubrette, quoique son caractère ne fût pas moralement bon. Elle médisait avec un agrément qui me faisait aimer jusqu'à sa malignité. Elle se levait dans les entractes, pour aller voir si Arsénie n'avait pas besoin de ses services ; mais au lieu de venir promptement reprendre sa place, elle s'amusait derrière le théâtre à recueillir les fleurettes des hommes qui la cajolaient. Je la suivis une fois pour l'observer, et je remarquai qu'elle avait bien des connaissances. Je comptai jusqu'à trois comédiens qui l'arrêtèrent, l'un après l'autre, pour lui parler, et ils me parurent s'entretenir avec elle très familièrement. Cela ne me plut point, et pour la première fois de ma vie, je sentis ce que c'est que d'être jaloux. Je retournai à ma place si rêveur et si triste, que Laure s'en aperçut aussitôt qu'elle m'eut rejoint. Qu'as-tu, Gil Blas, me dit-elle avec étonnement ? Quelle humeur noire s'est emparée de toi depuis que je t'ai quitté ? Tu as l'air sombre et chagrin ? Ma princesse, lui répondis-je, ce n'est pas sans raison. Vos allures sont un peu vives. Je viens de vous voir avec des comédiens... Ah le plaisant sujet de tristesse, interrompit-elle en riant ! Quoi, cela te fait de la peine ? Oh vraiment, tu n'es pas au bout. Tu verras bien d'autres choses parmi nous. Il faut que tu t'accoutumes à nos manières aisées. Point de jalousie, mon enfant. Les jaloux, chez le peuple comique, passent pour des ridicules. Aussi n'y en a-t-il presque point. Les pères, les maris, les frères, les oncles et les cousins sont les gens du monde les plus commodes, et souvent même c'est eux qui établissent leurs familles.

Après m'avoir exhorté à ne prendre ombrage de personne et à regarder tout tranquillement, elle me déclara que j'étais l'heureux mortel qui avait trouvé le chemin de son cœur. Puis elle m'assura qu'elle m'aimerait toujours uniquement. Sur cette assurance, dont je pouvais douter sans passer pour un esprit trop défiant, je lui promis de ne plus m'alarmer, et je lui tins parole. Je la vis, dès le

soir même, s'entretenir en particulier et rire avec des
hommes. À l'issue de la comédie, nous nous en retournâmes avec notre maîtresse au logis, où Florimonde
arriva bientôt avec trois vieux seigneurs et un comédien
qui y venaient souper. Outre Laure et moi, il y avait pour
domestiques dans cette maison une cuisinière, un cocher
et un petit laquais. Nous nous joignîmes tous cinq pour
préparer le repas. La cuisinière, qui n'était pas moins
habile que la dame Jacinte, apprêta les viandes avec le
cocher. La femme de chambre et le petit laquais mirent le
couvert, et je dressai le buffet composé de la plus belle
vaisselle d'argent et de plusieurs vases d'or. Autres
offrandes que la déesse du temple avait reçues. Je le parai
de bouteilles de différents vins, et je servis d'échanson [1],
pour montrer à ma maîtresse que j'étais un homme à
tout. J'admirais la contenance des comédiennes pendant
le repas. Elles faisaient les dames d'importance. Elles
s'imaginaient être des femmes du premier rang. Bien loin
de traiter d'*Excellence* les seigneurs, elles ne leur donnaient pas même de la *Seigneurie* : elles les appelaient
simplement par leur nom. Il est vrai que c'était eux qui
les gâtaient et qui les rendaient si vaines en se familiari-
sant un peu trop avec elles. Le comédien, de son côté,
comme un acteur accoutumé à faire le héros, vivait avec
eux sans façon : il buvait à leur santé, et tenait pour ainsi
dire, le haut bout. Parbleu, dis-je en moi-même, quand
Laure m'a démontré que le marquis et le comédien sont
égaux pendant le jour, elle pouvait ajouter qu'ils le sont
encore davantage pendant la nuit, puisqu'ils la passent
tout entière à boire ensemble.

Arsénie et Florimonde étaient naturellement enjouées.
Il leur échappa mille discours hardis entremêlés de
menues faveurs et de minauderies qui furent bien savou-
rées par ces vieux pécheurs. Tandis que ma maîtresse en
amusait un par un badinage innocent, son amie, qui se

---

1. « Officier qui présente à boire aux rois, aux princes » (Furetière).
C'était, on s'en souvient, la fonction de Gil Blas dans la caverne des
voleurs (I, 5, p. 61).

trouvait entre les deux autres, ne faisait point avec eux la
Suzanne[1]. Dans le temps que je considérais ce tableau,
qui n'avait que trop de charmes pour un vieil adolescent,
on apporta le fruit[2]. Alors je mis sur la table des bouteilles de liqueurs et des verres, et je disparus pour aller
souper avec Laure qui m'attendait. Hé bien, Gil Blas, me
dit-elle, que penses-tu de ces seigneurs que tu viens de
voir ? Ce sont sans doute, lui répondis-je, des adorateurs
d'Arsénie et de Florimonde. Non, reprit-elle, ce sont des
voluptueux[3] qui vont chez les coquettes sans s'y attacher.
Ils n'exigent d'elles qu'un peu de complaisance, et ils sont
assez généreux pour bien payer les petites bagatelles
qu'on leur accorde. Grâce au Ciel, Florimonde et ma
maîtresse sont à présent sans amants. Je veux dire qu'elles
n'ont pas de ces amants qui s'érigent en maris, et veulent
faire tous les plaisirs d'une maison, parce qu'ils en font
toute la dépense. Pour moi, j'en suis bien aise, et je soutiens qu'une coquette sensée doit fuir ces sortes d'engage-
ments. Pourquoi se donner un maître ? Il vaut mieux
gagner sou à sou un équipage, que de l'avoir tout d'un
coup à ce prix-là.

Lorsque Laure était en train de parler, et elle y était
presque toujours, les paroles ne lui coûtaient rien. Quelle
volubilité de langue ! Elle me conta mille aventures arrivées aux actrices de la troupe du prince, et je conclus de
tous ses discours, que je ne pouvais être mieux placé pour
connaître parfaitement les vices. Malheureusement j'étais
dans un âge où ils ne font guère d'horreur, et il faut ajouter que la soubrette savait si bien peindre les dérèglements
que je n'y envisageais que des délices. Elle n'eut pas le
temps de m'apprendre seulement la dixième partie des
exploits des comédiennes, car il n'y avait pas plus de trois
heures qu'elle en parlait. Les seigneurs et le comédien se
retirèrent avec Florimonde, qu'ils conduisirent chez elle.

----

1. La chaste Suzanne. Voir *supra*, p. 114, note 1.
2. Voir *supra*, p. 218, note 2.
3. « de vieux voluptueux » (var. de 1715*b*).

Après qu'ils furent sortis, ma maîtresse me dit en me mettant de l'argent entre les mains : Tenez, Gil Blas, voilà dix pistoles pour aller demain matin à la provision. Cinq ou six de nos messieurs et de nos dames doivent dîner ici. Ayez soin de nous faire bonne chère. Madame, lui répondis-je, avec cette somme je promets d'apporter de quoi régaler toute la troupe même. Mon ami, reprit Arsénie, corrigez, s'il vous plaît, vos expressions. Sachez qu'il ne faut point dire la troupe : il faut dire la compagnie. On dit bien une troupe de bandits, une troupe de gueux, une troupe d'auteurs ; mais apprenez qu'on doit dire une compagnie de comédiens[1]. Les acteurs de Madrid surtout méritent bien qu'on appelle leur corps une compagnie. Je demandai pardon à ma maîtresse de m'être servi d'un terme si peu respectueux. Je la suppliai très humblement d'excuser mon ignorance. Je lui protestai que dans la suite quand je parlerais de messieurs les comédiens de Madrid d'une manière collective, je dirais toujours la compagnie.

CHAPITRE 11

Comment les comédiens vivaient ensemble
et de quelle manière ils traitaient les auteurs.

Je me mis donc en campagne le lendemain matin pour commencer l'exercice de mon emploi d'économe. C'était

---

1. Arsénie prend le contre-pied de l'usage : « *Troupe* se dit quelquefois odieusement en parlant des sociétés de plusieurs personnes infâmes. Une troupe de comédiens, de bohémiens. Une troupe de bandits, de coupeurs de bourses » ; « *Compagnie* se dit de certains corps illustres établis par autorité du Roi (parlements, chambres des comptes), des sociétés des maisons religieuses, ou encore des assemblées qui se font avec permission du Prince, pour des exercices honnêtes ou pieux. L'Académie française est une compagnie qui s'assemble au Louvre pour la politesse de la langue » (Furetière).

un jour maigre : j'achetai, par ordre de ma maîtresse, de bons poulets gras, des lapins, des perdreaux et d'autres petits-pieds. Comme messieurs les comédiens ne sont pas contents des manières de l'Église à leur égard, ils n'en observent pas avec exactitude les commandements[1]. J'apportai au logis plus de viandes qu'il n'en faudrait à douze honnêtes gens pour bien passer les trois jours du carnaval. La cuisinière eut de quoi s'occuper toute la matinée. Pendant qu'elle préparait le dîner, Arsénie se leva, et demeura jusqu'à midi à sa toilette. Alors les seigneurs Rosimiro et Ricardo, comédiens, arrivèrent. Il survint ensuite deux comédiennes, Constance et Celinaura, et un moment après, parut Florimonde, accompagnée d'un homme qui avait tout l'air d'un *Señor cavallero* des plus lestes. Il avait les cheveux galamment noués, un chapeau relevé d'un bouquet de plumes de feuille-morte[2], un haut-de-chausses bien étroit, et l'on voyait aux ouvertures de son pourpoint une chemise fine avec une fort belle dentelle. Ses gants et son mouchoir étaient dans la concavité[3] de la garde de son épée, et il portait son manteau avec une grâce toute particulière.

Néanmoins, quoiqu'il eût bonne mine et fût très bien fait, je trouvai d'abord en lui quelque chose de singulier. Il faut, dis-je en moi-même, que ce gentilhomme-là soit un original. Je ne me trompais point. C'était un caractère marqué. Dès qu'il entra dans l'appartement d'Arsénie, il courut, les bras ouverts, embrasser les actrices et les acteurs, l'un après l'autre, avec des démonstrations plus outrées que celles des petits-maîtres. Je ne changeai point de sentiment lorsque je l'entendis parler. Il appuyait sur toutes les syllabes, et prononçait ses paroles d'un ton emphatique avec des gestes et des yeux accommodés au

---

1. L'Église catholique traitait les comédiens comme des excommuniés et refusait de les enterrer. Voltaire condamna ce fanatisme en dénonçant « la barbare et lâche injustice d'avoir jeté à la voirie le corps de Mlle Lecouvreur », célèbre actrice morte en 1730 (*Lettres philosophiques*, Lettre 23, éd. G. Stenger, GF-Flammarion, 2006, p. 226).

2. Couleur de feuilles sèches.

3. Dans le creux.

sujet. J'eus la curiosité de demander à Laure ce que c'était que ce cavalier : Je te pardonne, me dit-elle, ce mouvement curieux : il est impossible de voir et d'entendre pour la première fois le seigneur Carlos Alonso de la Ventoleria[1] sans avoir l'envie qui te presse. Je vais te le peindre au naturel. Premièrement, c'est un homme qui a été comédien. Il a quitté le théâtre par fantaisie et s'en est depuis repenti par raison. As-tu remarqué ses cheveux noirs ? Ils sont teints aussi bien que ses sourcils et sa moustache. Il est plus vieux que Saturne. Cependant, comme au temps de sa naissance ses parents ont négligé de faire écrire son nom sur les registres de sa paroisse, il profite de leur négligence, et se dit plus jeune qu'il n'est de vingt bonnes années pour le moins. D'ailleurs, c'est le personnage d'Espagne le plus rempli de lui-même. Il a passé les douze premiers lustres de sa vie dans une ignorance crasse ; mais pour devenir savant, il a pris un précepteur qui lui a montré à épeler en grec et en latin. De plus, il sait par cœur une infinité de bons contes, qu'il a récités tant de fois comme de son cru qu'il est parvenu à se figurer qu'ils en sont effectivement. Il les fait venir dans la conversation, et on peut dire que son esprit brille aux dépens de sa mémoire. Au reste, on dit que c'est un grand acteur. Je veux le croire pieusement. Je t'avouerai toutefois qu'il ne me plaît point. Je l'entends quelquefois déclamer ici, et je lui trouve, entre autres défauts, une prononciation trop affectée avec une voix tremblante qui donne un air antique et ridicule à sa déclamation[2].

Tel fut le portrait que ma soubrette me fit de cet histrion honoraire ; et véritablement, je n'ai jamais vu de mortel d'un maintien plus orgueilleux. Il faisait aussi le beau parleur ; il ne manqua pas de tirer de son sac deux ou trois contes qu'il débita d'un air imposant et bien

---

1. « De la Vantardise », pourrait-on traduire.
2. Portrait satirique de Baron (1653 ?-1729), élève et ami de Molière, considéré comme le plus grand acteur de la fin du siècle. Il se retira de la scène en pleine gloire (en 1691), mais remonta sur les planches en 1720 dans *Cinna*, à 68 ans.

étudié. D'une autre part, les comédiennes et les comédiens qui n'étaient point venus là pour se taire ne furent pas muets. Ils commencèrent à s'entretenir de leurs camarades absents d'une manière peu charitable, à la vérité ; mais c'est une chose qu'il faut pardonner aux comédiens comme aux auteurs. La conversation s'échauffa donc contre le prochain : Vous ne savez pas, mesdames, dit Rosimiro, un nouveau trait de Cesarino, notre cher confrère. Il a ce matin acheté des bas de soie, des rubans et des dentelles, qu'il s'est fait apporter à l'assemblée par un petit page, comme de la part d'une comtesse. Quelle friponnerie, dit le seigneur de la Ventoleria, en souriant d'un air fat et vain ? De mon temps on était de meilleure foi. Nous ne songions point à composer de pareilles fables. Il est vrai que les femmes de qualité nous en épargnaient l'invention. Elles faisaient elles-mêmes les emplettes. Elles avaient cette fantaisie-là. Parbleu, dit Ricardo du même ton, cette fantaisie les tient bien encore, et s'il était permis de s'expliquer là-dessus... mais il faut taire ces sortes d'aventures, surtout quand les personnes d'un certain rang y sont intéressées.

Messieurs, interrompit Florimonde, laissez là, de grâce, vos bonnes fortunes ; elles sont connues de toute la terre. Parlons d'Isménie. On dit que ce seigneur qui a fait tant de dépense pour elle vient de lui échapper. Oui vraiment, s'écria Constance, et je vous dirai de plus qu'elle perd un petit homme d'affaires qu'elle aurait indubitablement ruiné. Je sais la chose d'original[1]. Son Mercure[2] a fait un *quiproquo* : il a porté au seigneur un billet qu'elle écrivait à l'homme d'affaires, et a remis à l'homme d'affaires une lettre qui s'adressait au seigneur. Voilà de grandes pertes, ma mignonne, reprit Florimonde. Oh pour celle du seigneur, repartit Constance, elle est peu considérable. Le cavalier a mangé presque tout son bien ; mais le petit

----

1. « On dit qu'on sait une chose *d'original*, quand on la tient de bon lieu de gens qui la doivent bien savoir » (Furetière).

2. Nom du messager des dieux, appliqué ironiquement aux messagers des coquettes et des petits-maîtres.

homme d'affaires ne faisait que d'entrer sur les rangs. Il n'a point encore passé par les mains des coquettes. C'est un sujet à regretter.

Ils s'entretinrent à peu près de cette sorte avant le dîner, et leur entretien roula sur la même matière lorsqu'ils furent à table. Comme je ne finirais point, si j'entreprenais de rapporter tous les autres discours pleins de médisance ou de fatuité que j'entendis, le lecteur trouvera bon que je les supprime, pour lui conter de quelle façon fut reçu un pauvre diable d'auteur qui arriva chez Arsénie sur la fin du repas.

Notre petit laquais vint dire tout haut à ma maîtresse : Madame, un homme en linge sale, crotté jusqu'à l'échine, et qui sauf votre respect a tout l'air d'un poète, demande à vous parler. Qu'on le fasse monter, répondit Arsénie. Ne bougeons [1], messieurs, c'est un auteur. Effectivement, c'en était un dont on avait accepté une tragédie, et qui apportait un rôle à ma maîtresse. Il s'appelait Pedro de Moya. Il fit en entrant cinq ou six profondes révérences à la compagnie, qui ne se leva ni même ne le salua point. Arsénie répondit seulement par une simple inclination de tête aux civilités dont il l'accablait. Il s'avança dans la chambre d'un air tremblant et embarrassé. Il laissa tomber ses gants et son chapeau. Il les ramassa, s'approcha de ma maîtresse, et lui présentant un papier plus respectueusement qu'un plaideur ne présente un placet [2] à son juge : Madame, lui dit-il, agréez de grâce le rôle que je prends la liberté de vous offrir. Elle le reçut d'une manière froide et méprisante, et ne daigna pas même répondre au compliment.

Cela ne rebuta point notre auteur, qui se servant de l'occasion pour distribuer d'autres personnages, en donna

---

1. Ne bougeons pas.
2. *Placet* : « requête abrégée, ou prière qu'on présente au roi, aux ministres, ou aux juges, pour leur demander quelque grâce, quelque audience, pour faire quelque recommandation. Ce mot vient du latin *placeat*, à cause qu'on les commence par Plaise au Roi, à Monseigneur le Président » (Furetière).

un à Rosimiro et un autre à Florimonde, qui n'en usèrent
pas plus honnêtement avec lui qu'Arsénie. Au contraire,
le comédien, fort obligeant de son naturel, comme ces
messieurs le sont pour la plupart, l'insulta par de
piquantes railleries. Pedro de Moya les sentit. Il n'osa
toutefois les relever, de peur que sa pièce n'en pâtît. Il se
retira sans rien dire, mais vivement touché, à ce qu'il me
parut, de la réception que l'on venait de lui faire. Je crois
que dans son dépit, il ne manqua pas d'apostropher en
lui-même les comédiens comme ils le méritaient ; et les
comédiens de leur côté, quand il fut sorti, commencèrent
à parler des auteurs avec beaucoup de courtoisie. Il me
semble, dit Florimonde, que le seigneur Pedro de Moya
ne s'en va pas fort satisfait.

Hé madame, s'écria Rosimiro, de quoi vous inquiétez-
vous ? Les auteurs sont-ils dignes de notre attention ? Si
nous allions de pair avec eux, ce serait le moyen de les
gâter. Je connais ces petits messieurs, je les connais ; ils
s'oublieraient bientôt. Traitons-les toujours en esclaves, et
ne craignons point de lasser leur patience. Si leurs chagrins les éloignent de nous quelquefois, la fureur d'écrire
nous les ramène, et ils sont encore trop heureux que nous
voulions bien jouer leurs pièces. Vous avez raison, dit
Arsénie ; nous ne perdons que les auteurs dont nous faisons la fortune. Pour ceux-là, sitôt que nous les avons
bien placés, l'aise les gagne, et ils ne travaillent plus. Heureusement la compagnie s'en console, et le public n'en
souffre point.

On applaudit à ces beaux discours, et il se trouva que
les auteurs, malgré les mauvais traitements qu'ils recevaient des comédiens, leur en devaient encore de reste [1].
Ces histrions les mettaient au-dessous d'eux, et certes ils
ne pouvaient les mépriser davantage.

---

1. Comprendre : « on trouva que les auteurs [...] restaient encore les
obligés des comédiens ». Ce scandale fut publié par La Bruyère dès
1688 : « Le comédien couché dans son carrosse jette de la boue au visage
de Corneille qui est à pied » (*Les Caractères*, « Des jugements », 17).

CHAPITRE 12

Gil Blas se met dans le goût du théâtre ;
il s'abandonne aux délices de la vie comique,
et s'en dégoûte peu de temps après.

Les conviés demeurèrent à table jusqu'à ce qu'il fallut aller au théâtre. Alors ils s'y rendirent tous. Je les suivis, et je vis encore la comédie ce jour-là. J'y pris tant de plaisir, que je résolus de la voir tous les jours. Je n'y manquai pas, et insensiblement je m'accoutumai aux acteurs. Admirez la force de l'habitude. J'étais particulièrement charmé de ceux qui brillaient et gesticulaient le plus sur la scène, et je n'étais pas seul dans ce goût-là.

La beauté des pièces ne me touchait pas moins que la manière dont on les représentait. Il y en avait quelques-unes qui m'enlevaient, et j'aimais entre autres celles où l'on faisait paraître tous les cardinaux ou les douze pairs de France[1]. Je retenais des morceaux de ces poèmes incomparables. Je me souviens que j'appris par cœur en deux jours une comédie entière qui avait pour titre : *La Reine des fleurs*. La Rose, qui était la reine, avait pour confidente la Violette, et pour écuyer le Jasmin. Je ne trouvais rien de plus ingénieux que ces ouvrages, qui me semblaient faire beaucoup d'honneur à l'esprit de notre nation.

Je ne me contentais pas d'orner ma mémoire des plus beaux traits de ces chefs-d'œuvre dramatiques ; je m'attachai à me perfectionner le goût, et pour y parvenir sûrement, j'écoutais avec une avide attention tout ce que disaient les comédiens. S'ils louaient une pièce, je l'estimais ; leur paraissait-elle mauvaise ? je la méprisais. Je m'imaginais qu'ils se connaissaient en pièces de théâtre, comme les joailliers en diamants. Néanmoins la tragédie

---

1. Le titre de pair se dit « par excellence de douze grands seigneurs de France à qui on a donné la qualité de *pairs*. Il y a six ducs et pairs, et six comtes et pairs, dont la moitié est ecclésiastique, l'autre est laïque » (Furetière).

de Pedro de Moya eut un très grand succès, quoiqu'ils eussent jugé qu'elle ne réussirait point. Cela ne fut pas capable de me rendre leurs jugements suspects, et j'aimai mieux penser que le public n'avait pas le sens commun, que de douter de l'infaillibilité de la compagnie. Mais on m'assura de toutes parts qu'on applaudissait ordinairement les pièces nouvelles dont les comédiens n'avaient pas bonne opinion, et qu'au contraire celles qu'ils recevaient avec applaudissement étaient presque toujours sifflées. On me dit que c'était une de leurs règles, de juger si mal des ouvrages, et là-dessus on me cita mille succès de pièces qui avaient démenti leurs décisions[1]. J'eus besoin de toutes ces preuves pour me désabuser.

Je n'oublierai jamais ce qui arriva un jour qu'on représentait pour la première fois une comédie nouvelle. Les comédiens l'avaient trouvée froide et ennuyeuse. Ils avaient même jugé qu'on ne l'achèverait pas. Dans cette pensée, ils en jouèrent le premier acte, qui fut fort applaudi. Cela les étonna. Ils jouent le second acte ; le public le reçoit encore mieux que le premier. Voilà mes acteurs déconcertés. Comment diable, dit Rosimiro, cette comédie prend. Enfin ils jouent le troisième acte, qui plut encore davantage. Je n'y comprends rien, dit Ricardo ; nous avons cru que cette pièce ne serait pas goûtée ; voyez le plaisir qu'elle fait à tout le monde. Messieurs, dit alors un comédien fort naïvement, c'est qu'il y a dedans mille traits d'esprit que nous n'avons pas remarqués.

Je cessais donc de regarder les comédiens comme d'excellents juges, et je devins un juste appréciateur de leur mérite. Ils justifiaient parfaitement tous les ridicules qu'on leur donnait dans le monde. Je voyais des actrices et des acteurs que les applaudissements avaient gâtés, et qui se considérant comme des objets d'admiration, s'imaginaient faire grâce au public lorsqu'ils jouaient.

---

1. Lesage règle ici ses comptes avec les Comédiens-Français : cédant à la pression des milieux financiers, ils avaient cessé de jouer *Turcaret* au bout de sept représentations en février 1709, malgré le succès de la pièce.

J'étais choqué de leurs défauts, mais par malheur je trouvai un peu trop à mon gré leur façon de vivre, et je me plongeai dans la débauche. Comment aurais-je pu m'en défendre ? Tous les discours que j'entendais parmi eux étaient pernicieux pour la jeunesse, et je ne voyais rien qui ne contribuât à me corrompre. Quand je n'aurais pas su ce qui se passait chez Casilda, chez Constance et chez les autres comédiennes, la maison d'Arsénie toute seule n'était que trop capable de me perdre. Outre les vieux seigneurs dont j'ai parlé, il y venait des petits-maîtres, des enfants de famille que les usuriers mettaient en état de faire de la dépense, et quelquefois on y recevait aussi des traitants, qui bien loin d'être payés comme dans leurs assemblées pour leur droit de présence, payaient là pour avoir droit d'être présents.

Florimonde qui demeurait dans une maison voisine, dînait et soupait tous les jours avec Arsénie. Elles paraissaient toutes deux dans une union qui surprenait bien des gens. On était étonné que des coquettes fussent en si bonne intelligence, et l'on s'imaginait qu'elles se brouilleraient tôt ou tard pour quelque cavalier ; mais on connaissait mal ces amies parfaites. Une solide amitié les unissait. Au lieu d'être jalouses comme les autres femmes, elles vivaient en commun. Elles aimaient mieux partager les dépouilles des hommes que de s'en disputer sottement les soupirs.

Laure à l'exemple de ces deux illustres associées profitait aussi de ses beaux jours. Elle m'avait bien dit que je verrais de belles choses. Cependant je ne fis point le jaloux ; j'avais promis de prendre là-dessus l'esprit de la compagnie. Je dissimulai pendant quelques jours. Je me contentais de lui demander le nom des hommes avec qui je la voyais en conversation particulière. Elle me répondait toujours que c'était un oncle ou un cousin. Qu'elle avait de parents ! Il fallait que sa famille fût plus nombreuse que celle du roi Priam [1]. La soubrette ne s'en tenait pas

---

1. Priam, roi légendaire de Troie, eut cinquante fils et plusieurs filles, dont dix-neuf de sa seconde épouse Hécube.

même à ses oncles et à ses cousins, elle allait encore quelquefois amorcer des étrangers et faire la veuve de qualité chez la bonne vieille dont j'ai parlé. Enfin Laure, pour en donner au lecteur une idée juste et précise, était aussi jeune, aussi jolie et aussi coquette que sa maîtresse, qui n'avait point d'autre avantage sur elle que celui de divertir publiquement le public.

Je cédai au torrent pendant trois semaines. Je me livrai à toute sorte de voluptés. Mais je dirai en même temps qu'au milieu des plaisirs, je sentais souvent naître en moi des remords qui venaient de mon éducation, et qui mêlaient une amertume à mes délices. La débauche ne triompha point de ces remords ; au contraire, ils augmentaient à mesure que je devenais plus débauché, et par un effet de mon heureux naturel, les désordres de la vie comique[1] commencèrent à me faire horreur. Ah misérable, me dis-je à moi-même, est-ce ainsi que tu remplis l'attente de ta famille ? N'est-ce pas assez de l'avoir trompée en prenant un autre parti que celui de précepteur ? Ta condition servile te doit-elle empêcher de vivre en honnête homme ? Te convient-il d'être avec des gens si vicieux ? L'envie, la colère et l'avarice règnent chez les uns ; la pudeur est bannie de chez les autres ; ceux-ci s'abandonnent à l'intempérance et à la paresse, et l'orgueil de ceux-là va jusqu'à l'insolence. C'en est fait, je ne veux pas demeurer plus longtemps avec les sept péchés mortels.

FIN DU PREMIER TOME.

---

1. De la vie de comédien.

TOME SECOND

LIVRE QUATRIÈME

—— • ✦ • ——

CHAPITRE PREMIER

*Gil Blas ne pouvant s'accoutumer aux mœurs
des comédiennes,
quitte le service d'Arsénie
et trouve une plus honnête maison.*

Un reste d'honneur et de religion, que je ne laissais
pas de conserver parmi des mœurs si corrompues, me fit
résoudre non seulement à quitter Arsénie, mais à rompre
même tout commerce avec Laure, que je ne pouvais pourtant cesser d'aimer, quoique je susse bien qu'elle me faisait mille infidélités. Heureux qui peut ainsi profiter des
moments de raison qui viennent troubler les plaisirs dont
il est trop occupé ! Un beau matin, je fis mon paquet, et
sans compter avec Arsénie, qui ne me devait, à la vérité,
presque rien, sans prendre congé de ma chère Laure, je
sortis de cette maison où l'on ne respirait qu'un air de
débauche. Je n'eus pas plus tôt fait une si bonne action,
que le Ciel m'en récompensa. Je rencontrai l'intendant de
feu don Mathias mon maître. Je le saluai. Il me reconnut,
et s'arrêta pour me demander qui je servais. Je lui
répondis que depuis un instant j'étais hors de condition :
qu'après avoir demeuré près d'un mois chez Arsénie, dont
les mœurs ne me convenaient point, je venais d'en sortir
de mon propre mouvement, pour sauver mon innocence.

L'intendant, comme s'il eût été scrupuleux de son naturel, approuva ma délicatesse, et me dit qu'il voulait me placer lui-même avantageusement, puisque j'étais un garçon si plein d'honneur. Il accomplit sa promesse, et me mit dès ce jour-là chez don Vincent de Guzman, dont il connaissait l'homme d'affaires.

Je ne pouvais entrer dans une meilleure maison. Aussi ne me suis-je point repenti dans la suite d'y avoir demeuré. Don Vincent était un vieux seigneur fort riche, qui vivait depuis plusieurs années sans procès et sans femme ; les médecins lui ayant ôté la sienne, en voulant la défaire d'une toux qu'elle aurait encore pu conserver longtemps, si elle n'eût pas pris leurs remèdes. Au lieu de songer à se remarier, il s'était donné tout entier à l'éducation d'Aurore, sa fille unique, qui entrait alors dans sa vingt-sixième année, et pouvait passer pour une personne accomplie. Avec une beauté peu commune, elle avait un esprit excellent et très cultivé. Son père était un petit génie [1] ; mais il possédait l'heureux talent de bien gouverner ses affaires. Il avait un défaut qu'on doit pardonner aux vieillards : il aimait à parler, et sur toutes choses, de guerre et de combats. Si par malheur on venait à toucher cette corde en sa présence, il embouchait dans le moment la trompette héroïque, et ses auditeurs se trouvaient trop heureux, quand ils en étaient quittes pour la relation de deux sièges et de trois batailles. Comme il avait consumé les deux tiers de sa vie dans le service, sa mémoire était une source inépuisable de faits divers, qu'on n'entendait pas toujours avec autant de plaisir qu'il les racontait. Ajoutez à cela qu'il était bègue et diffus [2] ; ce qui rendait sa manière de conter fort agréable. Au reste, je n'ai point vu de seigneur d'un si bon caractère. Il avait l'humeur égale. Il n'était ni entêté, ni capricieux ; j'admirais cela dans un homme de qualité. Quoiqu'il fût bon ménager de son bien, il vivait honorablement. Son domestique était composé de plusieurs valets et de trois femmes qui

---

1. Son père avait peu d'esprit.
2. *Diffus* : prolixe, bavard.

servaient Aurore. Je reconnus bientôt que l'intendant de don Mathias m'avait procuré un bon poste et je ne songeai qu'à m'y maintenir. Je m'attachai à connaître le terrain ; j'étudiai les inclinations des uns et des autres ; puis réglant ma conduite là-dessus, je ne tardai guère à prévenir en ma faveur mon maître et tous les domestiques.

Il y avait déjà plus d'un mois que j'étais chez don Vincent, lorsque je crus m'apercevoir que sa fille me distinguait de tous les valets du logis. Toutes les fois que ses yeux venaient à s'arrêter sur moi, il me semblait y remarquer une sorte de complaisance que je ne voyais point dans les regards qu'elle laissait tomber sur les autres. Si je n'eusse pas fréquenté des petits-maîtres et des comédiens, je ne me serais jamais avisé de m'imaginer qu'Aurore pensât à moi ; mais je m'étais un peu gâté parmi ces messieurs, chez qui les dames même les plus qualifiées ne sont pas toujours dans un trop bon prédicament [1]. Si, disais-je, on en croit quelques-uns de ces histrions, il prend quelquefois à des femmes de qualité certaines fantaisies dont ils profitent. Que sais-je si ma maîtresse n'est point sujette à ces fantaisies-là ? Mais non, ajoutais-je un moment après ; je ne puis me le persuader. Ce n'est point une de ces Messalines [2] qui démentant la fierté de leur naissance, abaissent indignement leurs regards jusque dans la poussière et se déshonorent sans rougir. C'est plutôt une de ces filles vertueuses, mais tendres, qui satisfaites des bornes que leur vertu prescrit à leur tendresse, ne se font pas un scrupule d'inspirer et de sentir une passion délicate qui les amuse sans péril.

Voilà comme je jugeais de ma maîtresse, sans savoir précisément à quoi je devais m'arrêter. Cependant lorsqu'elle me voyait, elle ne manquait pas de me sourire et de témoigner de la joie. On pouvait sans passer pour fat donner dans de si belles apparences. Aussi n'y eut-il pas moyen de m'en défendre. Je crus Aurore fortement

---

1. *Être dans un bon prédicament* : avoir bonne réputation.
2. Messaline était la femme de l'empereur Claude. Les historiens (Suétone, Tacite) et les poètes (Juvénal) ont rapporté ses débauches.

éprise de mon mérite, et je ne me regardai plus que comme un de ces heureux domestiques à qui l'amour rend la servitude si douce. Pour paraître en quelque façon moins indigne du bien que ma bonne fortune me voulait procurer, je commençai d'avoir plus de soin de ma personne, que je n'en avais eu jusqu'alors. Je dépensai en linges, en pommades et en essences tout ce que j'avais d'argent. La première chose que je faisais le matin, c'était de me parer et de me parfumer, pour n'être point en négligé, s'il fallait me présenter devant ma maîtresse. Avec cette attention que j'apportais à m'ajuster et les autres mouvements que je me donnais pour plaire, je me flattais que mon bonheur n'était pas fort éloigné.

Parmi les femmes d'Aurore, il y en avait une qu'on appelait Ortiz. C'était une vieille personne qui demeurait depuis plus de vingt années chez don Vincent. Elle avait élevé sa fille et conservait encore la qualité de duègne ; mais elle n'en remplissait plus l'emploi pénible. Au contraire, au lieu d'éclairer comme autrefois les actions d'Aurore, elle ne s'occupait alors qu'à les cacher. Un soir la dame Ortiz ayant trouvé l'occasion de me parler, sans qu'on pût nous entendre, me dit tout bas, que si j'étais sage et discret je n'avais qu'à me rendre à minuit dans le jardin ; qu'on m'apprendrait là des choses que je ne serais pas fâché de savoir. Je répondis à la duègne en lui serrant la main que je ne manquerais pas d'y aller, et nous nous séparâmes vite, de peur d'être surpris. Que le temps me dura depuis ce moment jusqu'au souper, quoiqu'on soupât de fort bonne heure, et depuis le souper jusqu'au coucher de mon maître ! Il me semblait que tout se faisait dans la maison avec une lenteur extraordinaire. Pour surcroît d'ennui, lorsque don Vincent fut retiré dans son appartement, au lieu de songer à se reposer, il se mit à rebattre ses campagnes de Portugal, dont il m'avait déjà souvent étourdi. Mais ce qu'il n'avait point encore fait et ce qu'il me gardait pour ce soir-là, il me nomma tous les officiers qui s'étaient distingués de son temps. Il me raconta même leurs exploits. Que je souffris à l'écouter jusqu'au bout ! Il acheva pourtant de parler et se coucha.

Je passai aussitôt dans une petite chambre où était mon lit et d'où l'on descendait dans le jardin par un escalier dérobé. Je me frottai tout le corps de pommade. Je pris une chemise blanche, après l'avoir bien parfumée, et quand je n'eus rien oublié de tout ce qui me parut pouvoir contribuer à flatter l'entêtement de ma maîtresse, j'allai au rendez-vous.

Je n'y trouvai point Ortiz. Je jugeai qu'ennuyée de m'attendre, elle avait regagné son appartement et que l'heure du berger était passée. Je m'en pris à don Vincent ; mais comme je maudissais ses campagnes, j'entendis sonner dix heures. Je crus que l'horloge allait mal et qu'il était impossible qu'il ne fût pas du moins une heure après minuit. Cependant je me trompais si bien, qu'un gros quart d'heure après, je comptai encore dix heures à une autre horloge. Fort bien, dis-je alors en moi-même ; je n'ai plus que deux heures entières à garder le mulet [1]. On ne se plaindra pas du moins de mon peu d'exactitude. Que vais-je devenir jusqu'à minuit ? Promenons-nous dans ce jardin et songeons au rôle que je dois jouer. Il est assez nouveau pour moi. Je ne suis point encore fait aux fantaisies des femmes de qualité. Je sais de quelle manière on en use avec les grisettes [2] et les comédiennes. Vous les abordez d'un air familier et vous brusquez sans façon l'aventure ; mais il faut une autre manœuvre avec une personne de condition. Il faut, ce me semble, que le galant soit poli, complaisant, tendre et respectueux, sans pourtant être timide. Au lieu de vouloir hâter son bonheur par ses emportements, il doit l'attendre d'un moment de faiblesse.

C'est ainsi que je raisonnais, et je me promettais bien de tenir cette conduite avec Aurore. Je me représentais qu'en peu de temps j'aurais le plaisir de me voir aux pieds

---

1. « On dit qu'un homme *fait garder le mulet* à un autre, quand il le fait attendre à une porte, ou à quelque rendez-vous, jusqu'à l'impatienter » (Furetière).

2. *Grisette* : « femme ou fille jeune vêtue de gris. On le dit par mépris de toutes celles qui sont de basse condition, de quelque étoffe qu'elles soient vêtues. Des gens de qualité s'amusent souvent à fréquenter des grisettes » (Furetière).

de cet aimable objet et de lui dire mille choses passion-
nées. Je rappelai même dans ma mémoire tous les endroits
de nos pièces de théâtre dont je pouvais me servir dans
notre tête-à-tête et me faire honneur. Je comptais de les
bien appliquer, et j'espérais qu'à l'exemple de quelques
comédiens de ma connaissance, je passerais pour avoir de
l'esprit, quoique je n'eusse que de la mémoire. En m'occu-
pant de toutes ces pensées, qui amusaient plus agréablement mon impatience que les récits militaires de mon
maître, j'entendis sonner onze heures. Je pris courage, et
me replongeai dans ma rêverie, tantôt en continuant de
me promener et tantôt assis dans un cabinet de verdure
qui était au bout du jardin. L'heure enfin que j'attendais
depuis si longtemps, minuit sonna. Quelques instants
après, Ortiz aussi ponctuelle, mais moins impatiente que
moi, parut : Seigneur Gil Blas, me dit-elle en m'abordant,
combien y a-t-il que vous êtes ici ? Deux heures, lui répondis-je. Ah vraiment, reprit-elle en riant, vous êtes bien
exact. C'est un plaisir de vous donner des rendez-vous la
nuit. Il est vrai, continua-t-elle d'un air sérieux, que vous
ne sauriez trop payer le bonheur que j'ai à vous annoncer.
Ma maîtresse veut avoir un entretien particulier avec vous.
Je ne vous en dirai pas davantage. Le reste est un secret
que vous ne devez apprendre que de sa propre bouche.
Suivez-moi. Je vais vous conduire à son appartement. À
ces mots, la duègne me prit la main et par une petite porte
dont elle avait la clef, elle me mena mystérieusement dans
la chambre de sa maîtresse.

CHAPITRE 2

Comment Aurore reçut Gil Blas,
et quel entretien ils eurent ensemble.

Je trouvai Aurore en déshabillé. Je la saluai fort respectueusement et de la meilleure grâce qu'il me fut possible.

Elle me reçut d'un air riant, me fit asseoir auprès d'elle malgré moi, et dit à son ambassadrice de passer dans une autre chambre. Après ce prélude, qui ne me déplut point, elle m'adressa la parole : Gil Blas, me dit-elle, vous avez dû vous apercevoir que je vous regarde favorablement et vous distingue de tous les autres domestiques de mon père ; et quand mes regards ne vous auraient point fait juger que j'ai quelque bonne volonté pour vous, la démarche que je fais cette nuit ne vous permettrait pas d'en douter.

Je ne lui donnai pas le temps de m'en dire davantage. Je crus qu'en homme poli je devais épargner à sa pudeur la peine de s'expliquer plus formellement. Je me levai avec transport et me jetant aux pieds d'Aurore, comme un héros de théâtre qui se met à genoux devant sa princesse, je m'écriai d'un ton de déclamateur : Ah, Madame, serait-il bien possible que Gil Blas, jusqu'ici le jouet de la fortune et le rebut de la nature entière, eût le bonheur de vous avoir inspiré des sentiments... Ne parlez pas si haut, interrompit en riant ma maîtresse ; vous allez réveiller mes femmes qui dorment dans la chambre prochaine. Levez-vous. Reprenez votre place et m'écoutez jusqu'au bout sans me couper la parole. Oui, Gil Blas, poursuivit-elle en reprenant son sérieux, je vous veux du bien ; et pour vous prouver que je vous estime, je vais vous faire confidence d'un secret d'où dépend le repos de ma vie. J'aime un jeune cavalier, beau, bien fait et d'une naissance illustre. Il se nomme don Luis Pacheco. Je le vois quelquefois à la promenade et aux spectacles ; mais je ne lui ai jamais parlé. J'ignore même de quel caractère il est et s'il n'a point de mauvaises qualités. C'est de quoi pourtant je voudrais bien être instruite. J'aurais besoin d'un homme qui s'enquît soigneusement de ses mœurs et m'en rendît un compte fidèle. Je fais choix de vous. Je crois que je ne risque rien à vous charger de cette commission. J'espère que vous vous en acquitterez avec tant d'adresse et de discrétion, que je ne me repentirai point de vous avoir mis dans ma confidence.

Ma maîtresse cessa de parler en cet endroit, pour entendre ce que je lui répondrais là-dessus. J'avais d'abord été déconcerté d'avoir pris si désagréablement le change ; mais je me remis promptement l'esprit, et surmontant la honte que cause toujours la témérité, quand elle est malheureuse, je témoignai à la dame tant de zèle pour ses intérêts, je me dévouai avec tant d'ardeur à son service, que si je ne lui ôtai pas la pensée que je m'étais follement flatté de lui avoir plu, du moins je lui fis connaître que je savais bien réparer une sottise. Je ne demandai que deux jours pour lui rendre bon compte de don Luis. Après quoi la dame Ortiz, que sa maîtresse rappela, me ramena dans le jardin et me dit en me quittant : Bonsoir, Gil Blas, je ne vous recommande point de vous trouver de bonne heure au premier rendez-vous. Je connais trop votre ponctualité là-dessus.

Je retournai dans ma chambre, non sans quelque dépit de voir mon attente trompée. Je fus néanmoins assez raisonnable pour faire réflexion qu'il me convenait mieux d'être le confident de ma maîtresse que son amant. Je songeai même que cela pourrait me mener à quelque chose : que les courtiers d'amour étaient ordinairement bien payés de leurs peines ; et je me couchai dans la résolution de faire ce qu'Aurore exigeait de moi. Je sortis pour cet effet le lendemain. La demeure d'un cavalier, tel que don Luis, ne fut pas difficile à découvrir. Je m'informai de lui dans le voisinage ; mais les personnes à qui je m'adressai ne purent pleinement satisfaire ma curiosité. Ce qui m'obligea le jour suivant à recommencer mes perquisitions. Je fus plus heureux. Je rencontrai par hasard dans la rue un garçon de ma connaissance. Nous nous arrêtâmes pour nous parler. Il passa dans ce moment un de ses amis qui nous aborda, et nous dit qu'il venait d'être chassé de chez don Joseph Pacheco, père de don Luis, pour un quartaut [1] de vin qu'on l'accusait d'avoir bu. Je ne perdis pas une si belle occasion de m'informer de tout

---

1. *Quartaut* : « petite pièce de vin qui contient le quart d'un tonneau » (Furetière), soit environ 50 litres.

ce que je souhaitais d'apprendre ; et je fis tant par mes questions, que je m'en retournai au logis fort content d'être en état de tenir parole à ma maîtresse. C'était la nuit prochaine que je devais la revoir à la même heure et de la même manière que la première fois. Je n'avais pas ce soir-là tant d'inquiétude, et bien loin de souffrir impatiemment les discours de mon vieux patron, je le remis sur ses campagnes. J'attendis minuit avec la plus grande tranquillité du monde, et ce ne fut qu'après l'avoir entendu sonner à plusieurs horloges, que je descendis dans le jardin sans me pommader et me parfumer : je me corrigeai encore de cela.

Je trouvai au rendez-vous la très fidèle duègne, qui me reprocha malicieusement que j'avais bien rabattu de ma diligence. Je ne lui répondis point et je me laissai conduire à l'appartement d'Aurore, qui me demanda dès que je parus, si je m'étais bien informé de don Luis. Oui, Madame, lui dis-je, et je vais vous apprendre en deux mots ce que j'en sais. Je vous dirai premièrement qu'il partira bientôt pour s'en retourner à Salamanque achever ses études. C'est un jeune cavalier rempli d'honneur et de probité. Pour du courage, il n'en saurait manquer, puisqu'il est gentilhomme et Castillan. De plus, il a beaucoup d'esprit et les manières fort agréables ; mais ce qui peut-être ne sera guère de votre goût, c'est qu'il tient un peu trop de la nature des jeunes seigneurs ; il est diablement libertin. Savez-vous qu'à son âge il a déjà eu à bail deux comédiennes ? Que m'apprenez-vous reprit Aurore ? quelles mœurs ! Mais êtes-vous bien assuré, Gil Blas, qu'il mène une vie si licencieuse ? Oh je n'en doute pas, madame, lui repartis-je. Un valet, qu'on a chassé de chez lui ce matin, me l'a dit, et les valets sont fort sincères, quand ils s'entretiennent des défauts de leurs maîtres. D'ailleurs, il fréquente don Alexo Segiar, don Antonio Centellés et don Fernand de Gamboa. Cela seul prouve démonstrativement son libertinage. C'est assez, Gil Blas, dit alors ma maîtresse en soupirant ; je vais sur votre rapport combattre mon indigne amour. Quoiqu'il ait déjà de profondes racines dans mon cœur, je ne désespère pas de

l'en arracher. Allez, poursuivit-elle en me mettant entre
les mains une petite bourse qui n'était pas vide, voilà ce
que je vous donne pour vos peines. Gardez-vous bien de
révéler mon secret. Songez que je l'ai confié à votre
silence.

J'assurai ma maîtresse qu'elle pouvait demeurer tranquille et que j'étais l'Hippocrate *[1] des valets confidents.
Après cette assurance, je me retirai fort impatient de
savoir ce qu'il y avait dans la bourse. J'y trouvai vingt
pistoles[2]. Aussitôt je pensai qu'Aurore m'en aurait sans
doute donné davantage, si je lui eusse annoncé une nouvelle agréable, puisqu'elle en payait si bien une chagri-
nante. Je me repentis de n'avoir pas imité les gens de
justice, qui fardent quelquefois la vérité dans leurs procès-
verbaux. J'étais fâché d'avoir détruit dans sa naissance
une galanterie qui m'eût été très utile dans la suite. J'avais
pourtant la consolation de me voir dédommagé de la
dépense que j'avais faite si mal à propos en pommades et
en parfums.

CHAPITRE 3

Du grand changement qui arriva chez don Vincent ;
et de l'étrange résolution que l'amour fit prendre
à la belle Aurore.

Il arriva, peu de temps après cette aventure, que le seigneur don Vincent tomba malade. Quand il n'aurait pas
été dans un âge fort avancé, les symptômes de sa maladie
parurent si violents, qu'on eût craint un événement
funeste. Dès le commencement du mal on fit venir les

---

* C'était chez les Anciens le dieu du silence.
1. Gil Blas veut parler d'Harpocrate, dieu égyptien adopté par les
Grecs et les Romains, représenté par un enfant suçant son doigt.
2. Vingt pistoles font 200 livres, soit plus de 2 000 euros.

deux plus fameux médecins de Madrid. L'un s'appelait le docteur Andros, et l'autre le docteur Oquetos [1]. Ils examinèrent attentivement le malade et convinrent tous deux, après une exacte observation, que les humeurs étaient en fougue [2] ; mais ils ne s'accordèrent qu'en cela l'un et l'autre. Il faut, dit Andros, se hâter de purger les humeurs, quoique crues [3], pendant qu'elles sont dans une agitation violente de flux et de reflux, de peur qu'elles ne se fixent sur quelque partie noble. Oquetos soutint au contraire qu'il fallait attendre que les humeurs fussent cuites, avant que d'employer le purgatif. Mais votre méthode, reprit le premier, est directement opposée à celle du prince de la médecine. Hippocrate avertit de purger dans la plus ardente fièvre dès les premiers jours, et dit en termes formels qu'il faut être prompt à purger, quand les humeurs sont en *orgasme*, c'est-à-dire en fougue [4]. Oh c'est ce qui vous trompe, repartit Oquetos, Hippocrate par le mot d'*orgasme* n'entend pas la fougue ; il entend plutôt la coction [5] des humeurs.

Là-dessus nos docteurs s'échauffent. L'un rapporte le texte grec et cite tous les auteurs qui l'ont expliqué comme lui ; l'autre s'en fiant à une traduction latine le prend sur un ton encore plus haut. Qui des deux croire ? Don Vincent n'était pas homme à décider la question. Cependant se voyant obligé d'opter, il donna sa confiance

---

1. « Traduction » à peine voilée des noms des médecins Andry et Hecquet (voir *supra*, p. 136, note 1), identifiés sans mal par le critique du *Journal littéraire de La Haye* (voir annexes, *infra*, p. 463). Nicolas Andry de Boisregard avait publié ses *Remarques de médecine sur la saignée, la purgation et la boisson* (1710). Denis François Camusat rapporte la querelle qui l'opposa à Hecquet dans son *Histoire critique des journaux* (Amsterdam, 1734, t. II, p. 96 *sq.*).

2. En chaleur.

3. « En médecine on dit que les humeurs sont *crues*, lorsque la chaleur naturelle est faible, et qu'elles n'ont pas la préparation que la digestion leur fait acquérir ordinairement » (Furetière).

4. Le mot savant *orgasme* est formé sur le mot grec *orgôn*, qui signifie « être ardent, passionné, en rut ».

5. La digestion. Le verbe *cuire* a le sens de « digérer », dans le vocabulaire médical de l'époque.

à celui des deux qui avait le plus expédié de malades, je
veux dire au plus vieux. Aussitôt Andros, qui était le plus
jeune, se retira, non sans lancer à son ancien quelques
traits railleurs sur l'*orgasme*. Voilà donc Oquetos triomphant. Comme il était dans les principes du docteur
Sangrado, il commença par faire saigner abondamment le
malade, attendant pour le purger que les humeurs fussent
cuites ; mais la mort qui craignait sans doute qu'une purgation si sagement différée ne lui enlevât sa proie, prévint
la coction et emporta mon maître. Telle fut la fin du seigneur don Vincent, qui perdit la vie parce que son médecin ne savait pas le grec.

Aurore, après avoir fait à son père des funérailles dignes
d'un homme de sa naissance, entra dans l'administration
de son bien. Devenue maîtresse de ses volontés, elle
congédia quelques domestiques en leur donnant des
récompenses proportionnées à leurs services, et se retira
bientôt à un château qu'elle avait sur les bords du Tage
entre Sacedon et Buendia. Je fus du nombre de ceux
qu'elle retint et qui la suivirent à la campagne. J'eus même
le bonheur de lui devenir nécessaire. Malgré le rapport
fidèle que je lui avais fait de don Luis, elle aimait encore
ce cavalier ; ou plutôt n'ayant pu vaincre son amour, elle
s'y était entièrement abandonnée. Elle n'avait plus besoin
de prendre des précautions pour me parler en particulier.
Gil Blas, me dit-elle en soupirant, je ne puis oublier don
Luis ; quelque effort que je fasse pour le bannir de ma
pensée, il s'y présente sans cesse, non tel que tu me l'as
peint, plongé dans toutes sortes de désordres, mais tel que
je voudrais qu'il fût, tendre, amoureux, constant. Elle
s'attendrit en disant ces paroles, et ne put s'empêcher de
répandre quelques larmes. Peu s'en fallut que je ne pleu-
rasse aussi, tant je fus touché de ses pleurs. Je ne pouvais
mieux lui faire ma cour que de paraître si sensible à ses
peines. Mon ami, continua-t-elle après avoir essuyé ses
beaux yeux, je vois que tu es d'un très bon naturel, et
je suis si satisfaite de ton zèle que je promets de le bien
récompenser. Ton secours, mon cher Gil Blas, m'est plus
nécessaire que jamais. Il faut que je te découvre un

dessein qui m'occupe. Tu vas le trouver fort bizarre.
Apprends que je veux partir au plus tôt pour Salamanque. Là je prétends me déguiser en cavalier et sous le
nom de don Félix je ferai connaissance avec Pacheco. Je
tâcherai de gagner sa confiance et son amitié. Je lui parlerai souvent d'Aurore de Guzman dont je passerai pour
cousin. Il souhaitera peut-être de la voir, et c'est où je
l'attends. Nous aurons deux logements à Salamanque.
Dans l'un, je serai don Félix ; dans l'autre, Aurore ; et
m'offrant aux yeux de don Luis tantôt travestie en
homme, tantôt sous mes habits naturels, je me flatte que
je pourrai peu à peu l'amener à la fin que je me propose.
Je demeure d'accord, ajouta-t-elle, que mon projet est
extravagant ; mais ma passion m'entraîne, et l'innocence
de mes intentions achève de m'étourdir sur la démarche
que je veux hasarder.

J'étais fort du sentiment d'Aurore sur la nature de son
dessein. Cependant quelque déraisonnable que je le trouvasse, je me gardai bien de faire le pédagogue. Au
contraire, je commençai à dorer la pilule et j'entrepris de
prouver que ce projet fou n'était qu'un jeu d'esprit agréable et sans conséquence. Cela fit plaisir à ma maîtresse.
Les amants veulent qu'on flatte leurs plus folles imagina-
tions. Nous ne regardâmes plus cette entreprise téméraire
que comme une comédie dont il ne fallait songer qu'à
bien concerter la représentation. Nous choisîmes nos
acteurs dans le domestique, puis nous distribuâmes les
rôles. Ce qui se passa sans clameurs et sans querelles,
parce que nous n'étions pas des comédiens de profession.
Il fut résolu que la dame Ortiz ferait la tante d'Aurore
sous le nom de doña Kimena de Guzman ; qu'on lui donnerait un valet et une suivante ; et qu'Aurore travestie en
cavalier m'aurait pour valet de chambre avec une de ses
femmes déguisée en page pour la servir en particulier. Les
personnages ainsi réglés, nous retournâmes à Madrid, où
nous apprîmes que don Luis était encore, mais qu'il ne
tarderait guère à partir pour Salamanque. Nous fîmes
faire en diligence les habits dont nous avions besoin.
Lorsqu'ils furent achevés, ma maîtresse les fit emballer

proprement, attendu que nous ne devions les mettre qu'en temps et lieu. Puis, laissant le soin de sa maison à son homme d'affaires, elle partit dans un carrosse à quatre mules et prit le chemin du royaume de Léon avec tous ceux de ses domestiques qui avaient quelque rôle à jouer dans cette pièce.

Nous avions déjà traversé la Castille Vieille, quand l'essieu du carrosse se rompit. C'était entre Avila et Villaflor, à trois ou quatre cents pas d'un château qu'on apercevait au pied d'une montagne. La nuit approchait et nous étions assez embarrassés. Mais il passa par hasard auprès de nous un paysan, qui nous tira d'embarras. Il nous apprit que le château qui s'offrait à notre vue appartenait à doña Elvira, veuve de don Pedro de Pinarés, et il nous dit tant de bien de cette dame, que ma maîtresse m'envoya au château demander de sa part un logement pour cette nuit. Elvira ne démentit point le rapport du paysan. Elle me reçut d'un air gracieux et fit à mon compliment la réponse que je désirais. Nous nous rendîmes tous au château où les mules traînèrent doucement le carrosse. Nous rencontrâmes à la porte la veuve de don Pèdre, qui venait au-devant de ma maîtresse. Je passerai sous silence les discours que la civilité obligea de tenir de part et d'autre en cette occasion. Je dirai seulement qu'Elvire était une dame déjà dans un âge avancé, mais très polie, et qu'elle savait mieux que femme du monde remplir les devoirs de l'hospitalité. Elle conduisit Aurore dans un appartement superbe, où, la laissant reposer quelques moments, elle vint donner son attention jusqu'aux moindres choses qui nous regardaient. Ensuite, quand le souper fut prêt, elle ordonna qu'on servît dans la chambre d'Aurore, où toutes deux elles se mirent à table. La veuve de don Pèdre n'était pas de ces personnes qui font mal les honneurs d'un repas en prenant un air rêveur ou chagrin. Elle avait l'humeur gaie et soutenait agréablement la conversation. Elle s'exprimait noblement et en beaux termes. J'admirais son esprit et le tour fin qu'elle donnait à ses pensées. Aurore en paraissait aussi charmée que moi. Elles lièrent amitié l'une avec l'autre et se promirent réciproquement d'avoir ensemble un commerce de lettres. Comme notre carrosse ne pouvait être raccommodé que le jour suivant et que nous courions risque de partir fort tard, il fut arrêté que nous demeurerions au château le lendemain. On nous servit à notre tour des viandes avec profusion, et nous ne fûmes pas plus mal couchés que nous avions été régalés.

Le jour d'après, ma maîtresse trouva de nouveaux charmes dans l'entretien d'Elvire. Elles dînèrent dans une grande salle où il y avait plusieurs tableaux. On en remarquait un, entre autres, dont les figures étaient merveilleusement bien représentées, mais il offrait aux yeux un spectacle bien tragique. Un cavalier mort, couché à la renverse et noyé dans son sang, y était peint, et, tout mort qu'il paraissait, il avait un air menaçant. On voyait auprès de lui une jeune dame dans une autre attitude, quoiqu'elle fût aussi étendue par terre. Elle avait une épée plongée dans son sein et rendait les derniers soupirs, en attachant ses regards mourants sur un jeune homme qui semblait avoir une douleur mortelle de la perdre. Le peintre avait encore chargé son tableau d'une figure qui n'échappa point à mon attention. C'était un vieillard de bonne mine qui, vivement touché des objets qui frappaient sa vue, ne s'y montrait pas moins sensible que le jeune homme. On eût dit que ces images sanglantes leur faisaient sentir à tous deux les mêmes atteintes, mais qu'ils en recevaient différemment les impressions. Le vieillard, plongé dans une profonde tristesse, en paraissait comme accablé, au lieu qu'il y avait de la fureur mêlée avec l'affliction du jeune homme. Toutes ces choses étaient peintes avec des expressions si fortes, que nous ne pouvions nous lasser de les regarder. Ma maîtresse demanda quelle triste histoire ce tableau représentait. Madame, lui dit Elvire, c'est une peinture fidèle des malheurs de ma famille. Cette réponse piqua la curiosité d'Aurore, qui témoigna un si grand désir d'en savoir davantage, que la veuve de don Pèdre ne put se dispenser de lui promettre la satisfaction qu'elle souhaitait. Cette promesse qui se fit devant Ortiz, ses deux compagnes et moi, nous arrêta tous quatre dans la

« *Un cavalier mort, couché à la renverse
et noyé dans son sang, y était peint...* »

salle après le repas. Ma maîtresse voulut nous renvoyer ;
mais Elvire, qui s'aperçut bien que nous mourions d'envie
d'entendre l'explication du tableau, eut la bonté de nous
retenir, en disant que l'histoire qu'elle allait raconter
n'était pas de celles qui demandent du secret. Un moment
après, elle commença son récit dans ces termes.

CHAPITRE 4

Le mariage de vengeance, nouvelle [1].

Roger, roi de Sicile, avait un frère et une sœur [2]. Ce frère
appelé Mainfroy, se révolta contre lui et alluma dans le
royaume une guerre qui fut dangereuse et sanglante : mais
il eut le malheur de perdre deux batailles et de tomber
entre les mains du Roi, qui se contenta de lui ôter la
liberté pour le punir de sa révolte. Cette clémence ne servit qu'à faire passer Roger pour un barbare dans l'esprit
d'une partie de ses sujets. Ils disaient qu'il n'avait sauvé
la vie à son frère que pour exercer sur lui une vengeance
lente et inhumaine. Tous les autres, avec plus de fondement, n'imputaient les traitements durs que Mainfroy
souffrait dans sa prison qu'à sa sœur Mathilde. Cette
princesse avait en effet toujours haï ce prince, et ne cessa
point de le persécuter tant qu'il vécut. Elle mourut peu
de temps après lui, et l'on regarda sa mort comme une
juste punition de ses sentiments dénaturés.

Mainfroy laissa deux fils. Ils étaient encore dans
l'enfance. Roger eut quelque envie de s'en défaire, de
crainte que parvenus à un âge plus avancé, le désir de
venger leur père ne les portât à relever un parti qui n'était
pas si bien abattu, qu'il ne pût causer de nouveaux

---

1. Cette nouvelle est adaptée de la pièce de Francisco de Rojas y
Zorrilla, *Casarse por vengarse* (1636)
2. Il s'agit de Roger II, roi de Sicile de 1130 à 1154.

troubles dans l'État. Il communiqua son dessein au séna-
teur Léontio Siffredi, son ministre, qui pour l'en détourner, se chargea de l'éducation du prince Enrique qui était
l'aîné, et lui conseilla de confier au connétable [1] de Sicile
la conduite du plus jeune, qu'on appelait don Pèdre.
Roger, persuadé que ses neveux seraient élevés par ces
deux hommes dans la soumission qu'ils lui devaient, les
leur abandonna et prit soin lui-même de Constance, sa
nièce. Elle était de l'âge d'Enrique et fille unique de la
princesse Mathilde. Il lui donna des femmes et des
maîtres, et n'épargna rien pour son éducation.

Léontio Siffredi avait un château à deux petites lieues
de Palerme dans un lieu nommé Belmonte. C'était là que
ce ministre s'attachait à rendre Enrique digne de monter
un jour sur le trône de Sicile. Il remarqua d'abord dans
ce prince des qualités si aimables qu'il s'y attacha comme
s'il n'avait point eu d'enfant. Il avait pourtant deux filles.
L'aînée, qu'on nommait Blanche, plus jeune d'une année
que le prince, était pourvue d'une beauté parfaite ; et la
cadette appelée Porcie, après avoir en naissant causé la
mort de sa mère, était encore au berceau. Blanche et le
prince Enrique sentirent de l'amour l'un pour l'autre, dès
qu'ils furent capables d'aimer ; mais ils n'avaient pas la
liberté de s'entretenir en particulier. Le prince néanmoins
ne laissa pas quelquefois d'en trouver l'occasion. Il sut
même si bien profiter de ces moments précieux, qu'il
engagea la fille de Siffredi à lui permettre d'exécuter un
projet qu'il méditait. Il arriva justement dans ce temps-là
que Léontio fut obligé par ordre du Roi de faire un
voyage dans une province des plus reculées de l'île. Pendant son absence, Enrique fit faire une ouverture au mur
de son appartement qui répondait à la chambre de
Blanche. Cette ouverture était couverte d'une coulisse de
bois qui se fermait et s'ouvrait sans qu'elle parût, parce
qu'elle était si étroitement jointe au lambris que les yeux

---

1. C'est le plus haut grade militaire dans les monarchies féodales. En
France, ce titre désigne « l'officier de la couronne qui est chef des maré-
chaux de France, et le premier officier des armées » (Furetière).

ne pouvaient apercevoir l'artifice[1]. Un habile architecte
que le prince avait mis dans ses intérêts fit cet ouvrage
avec autant de diligence que de secret.

L'amoureux Enrique s'introduisait par là quelquefois
dans la chambre de sa maîtresse ; mais il n'abusait point
de ses bontés. Si elle avait eu l'imprudence de lui permettre une entrée secrète dans son appartement, du moins
ce n'avait été que sur les assurances qu'il lui avait données
qu'il n'exigerait d'elle que les faveurs les plus innocentes.
Une nuit, il la trouva fort inquiète. Elle avait appris que
Roger était très malade, et qu'il venait de mander Siffredi
comme grand chancelier du royaume, pour le rendre
dépositaire de ses dernières volontés. Elle se représentait
déjà sur le trône son cher Enrique, et, craignant de le
perdre dans ce haut rang, cette crainte lui causait une
étrange agitation. Elle avait même les larmes aux yeux,
lorsqu'il parut devant elle. Vous pleurez, madame, lui dit-
il, que dois-je penser de la tristesse où je vous vois plongée ? Seigneur, lui répondit Blanche, je ne puis vous
cacher mes alarmes. Le Roi votre oncle cessera bientôt
de vivre et vous allez remplir sa place. Quand j'envisage
combien votre nouvelle grandeur va vous éloigner de moi,
je vous avoue que j'ai de l'inquiétude. Un monarque voit
les choses d'un autre œil qu'un amant ; et ce qui
faisait tous ses désirs, quand il reconnaissait un pouvoir
au-dessus du sien, ne le touche plus que faiblement sur le
trône. Soit pressentiment, soit raison, je sens s'élever dans
mon cœur des mouvements qui m'agitent et que ne peut
calmer toute la confiance que je dois à vos bontés. Je ne
me défie point de la fermeté de vos sentiments ; je ne me
défie que de mon bonheur. Adorable Blanche, répliqua
le prince, vos craintes sont obligeantes et justifient mon
attachement à vos charmes ; mais l'excès où vous portez
vos défiances offense mon amour et, si je l'ose dire,

---

1. Souvenir de la légende de Pyrame et Thisbé : les deux amants se
parlent à travers une « mince lézarde » dans le mur qui sépare leurs
maisons (Ovide, *Métamorphoses*, livre IV, trad. J. Chamonard, GF-
Flammarion, 1966, p. 113).

l'estime que vous me devez. Non non, ne pensez pas que
ma destinée puisse être séparée de la vôtre. Croyez plutôt
que vous seule ferez toujours ma joie et mon bonheur.
Perdez donc une crainte vaine. Faut-il qu'elle trouble des
moments si doux ? Ah, seigneur, reprit la fille de Léontio,
dès que vous serez couronné, vos sujets pourront vous
demander pour reine une princesse descendue d'une
longue suite de rois et dont l'hymen éclatant joigne de
nouveaux états aux vôtres : et peut-être, hélas, répondrez-
vous à leur attente, même aux dépens de vos plus doux
vœux. Hé pourquoi, reprit Enrique avec emportement,
pourquoi trop prompte à vous tourmenter, vous faire une
image affligeante de l'avenir ? Si le Ciel dispose du Roi
mon oncle et me rend maître de la Sicile, je jure de me
donner à vous dans Palerme, en présence de toute ma
cour. J'en atteste tout ce qu'on reconnaît de plus sacré
parmi nous.

Les protestations d'Enrique rassurèrent la fille de Siffredi. Le reste de leur entretien roula sur la maladie du
Roi. Enrique fit voir la bonté de son naturel. Il plaignit
le sort de son oncle, quoiqu'il n'eût pas sujet d'en être
fort touché, et la force du sang lui fit regretter un prince
dont la mort lui promettait une couronne. Blanche ne
savait pas encore tous les malheurs qui la menaçaient.
Le connétable de Sicile qui l'avait rencontrée comme elle
sortait de l'appartement de son père, un jour qu'il était
venu au château de Belmonte pour quelques affaires
importantes, en avait été frappé. Il en fit dès le lendemain
la demande à Siffredi, qui agréa sa recherche ; mais la
maladie de Roger étant survenue dans ce temps-là, ce
mariage demeura suspendu et Blanche n'en avait point
entendu parler.

Un matin, comme Enrique achevait de s'habiller, il fut
surpris de voir entrer dans son appartement Léontio suivi
de Blanche. Seigneur, lui dit ce ministre, la nouvelle que
je vous apporte aura de quoi vous affliger ; mais la consolation qui l'accompagne doit modérer votre douleur. Le
Roi, votre oncle, vient de mourir. Il vous laisse par sa
mort héritier de son sceptre. La Sicile vous est soumise.

Les grands du royaume attendent vos ordres à Palerme.
Ils m'ont chargé de les recevoir de votre bouche, et je
viens, seigneur, avec ma fille, vous rendre les premiers et
les plus sincères hommages que vous doivent vos nouveaux sujets. Le prince qui savait bien que Roger depuis
deux mois était atteint d'une maladie qui le détruisait peu
à peu ne fut pas étonné de cette nouvelle. Cependant
frappé du changement subit de sa condition, il sentit
naître dans son cœur mille mouvements confus. Il rêva
quelque temps, puis rompant le silence, il adressa ces
paroles à Léontio : Sage Siffredi, je vous regarde toujours
comme mon père. Je ferai gloire de me régler par vos
conseils et vous régnerez plus que moi dans la Sicile. À
ces mots, s'approchant d'une table sur laquelle était une
écritoire et prenant une feuille blanche, il écrivit son nom
au bas de la page. Que voulez-vous faire, seigneur, lui dit
Siffredi ? Vous marquer ma reconnaissance et mon estime,
répondit Enrique. Ensuite ce prince présenta la feuille à
Blanche, et lui dit : Recevez, madame, ce gage de ma foi
et de l'empire que je vous donne sur mes volontés.
Blanche la prit en rougissant et fit cette réponse au
prince : Seigneur, je reçois avec respect les grâces de mon
roi : mais je dépends d'un père, et vous trouverez bon, s'il
vous plaît, que je remette votre billet entre ses mains pour
en faire l'usage que sa prudence lui conseillera.

Elle donna effectivement à son père la signature
d'Enrique. Alors Siffredi remarqua ce qui jusqu'à ce
moment était échappé à sa pénétration. Il démêla les sentiments du prince, et lui dit : Votre Majesté n'aura point
de reproche à me faire. Je n'abuserai point de la
confiance... Mon cher Léontio, interrompit Enrique, ne
craignez point d'en abuser. Quelque usage que vous fassiez de mon billet, j'en approuverai la disposition. Mais
allez, continua-t-il, retournez à Palerme. Ordonnez-y les
apprêts de mon couronnement, et dites à mes sujets que
je vais sur vos pas recevoir le serment de leur fidélité, et
les assurer de mon affection. Ce ministre obéit aux ordres
de son nouveau maître, et prit avec sa fille le chemin de
Palerme.

Quelques heures après leur départ, le prince partit aussi de Belmonte, plus occupé de son amour que du haut rang où il allait monter. Lorsqu'on le vit arriver dans la ville, on poussa mille cris de joie, il entra parmi les acclamations du peuple dans le palais où tout était déjà prêt pour la cérémonie. Il y trouva la princesse Constance vêtue de longs habillements de deuil. Elle paraissait fort touchée de la mort de Roger. Comme ils se devaient un compliment réciproque sur la mort de ce monarque [1], ils s'en acquittèrent l'un et l'autre avec esprit, mais avec un peu plus de froideur de la part d'Enrique que de celle de Constance, qui, malgré les démêlés de leur famille, n'avait pu haïr ce prince. Il se plaça sur le trône, et la princesse s'assit à ses côtés sur un fauteuil un peu moins élevé. Les grands du royaume prirent leurs places, chacun selon son rang. La cérémonie commença, et Léontio, comme grand chancelier de l'État et dépositaire du testament du feu roi, en ayant fait l'ouverture, se mit à lire à haute voix. Cet acte contenait en substance : que Roger se voyant sans enfant, nommait pour son successeur le fils aîné de Mainfroy, à condition qu'il épouserait la princesse Constance, et que s'il refusait sa main, la couronne de Sicile, à son exclusion, tomberait sur la tête de l'infant don Pèdre son frère à la même condition.

Ces paroles surprirent étrangement Enrique. Il en sentit une peine inconcevable, et cette peine devint encore plus vive, lorsque Léontio, après avoir achevé la lecture du testament, dit à toute l'assemblée : Seigneurs, ayant rapporté les dernières intentions du feu roi à notre nouveau monarque, ce généreux prince consent d'honorer de sa main la princesse Constance sa cousine. À ces mots Enrique interrompit le chancelier : Léontio, lui dit-il, souvenez-vous de l'écrit que Blanche vous... Seigneur, interrompit avec précipitation Siffredi, sans donner le temps au prince de s'expliquer, le voici. Les grands du royaume,

---

1. Un *compliment* (de condoléance, ici) est « un témoignage de joie, ou de douleur, qu'on rend à ses amis, quand il leur est arrivé quelque bonne ou mauvaise fortune » (Furetière).

poursuivit-il en montrant le billet à l'assemblée, y verront par l'auguste seing[1] de Votre Majesté l'estime que vous faites de la princesse, et la déférence que vous avez pour les dernières volontés du feu Roi votre oncle. Ayant achevé ces paroles, il se mit à lire le billet dans les termes dont il l'avait rempli lui-même. Le nouveau roi y faisait à ses peuples dans la forme la plus authentique une promesse d'épouser Constance conformément aux intentions de Roger. La salle retentit de longs cris de joie : Vive notre magnanime roi Enrique, s'écrièrent tous ceux qui étaient présents. Comme on n'ignorait pas l'aversion que ce prince avait toujours marquée pour la princesse, on avait craint avec raison qu'il ne se révoltât contre la condition du testament, et ne causât des mouvements dans le royaume : mais la lecture du billet en rassurant là-dessus les grands et le peuple excitait ces acclamations générales qui déchiraient en secret le cœur du monarque.

Constance qui par l'intérêt de sa gloire et par un sentiment de tendresse y prenait plus de part que personne, choisit ce temps pour l'assurer de sa reconnaissance. Le prince eut beau vouloir se contraindre, il reçut le compliment de la princesse avec tant de trouble, il était dans un si grand désordre, qu'il ne put même lui répondre ce que la bienséance exigeait de lui. Enfin cédant à la violence qu'il se faisait, il s'approcha de Siffredi, que le devoir de sa charge obligeait de se tenir assez près de sa personne, et lui dit tout bas : Que faites-vous, Léontio ? l'écrit que j'ai mis entre les mains de votre fille n'était point destiné pour cet usage. Vous trahissez... Seigneur, interrompit encore Siffredi d'un ton ferme, songez à votre gloire. Si vous refusez de suivre les volontés du roi votre oncle, vous perdez la couronne de Sicile. Il n'eut pas achevé de parler ainsi, qu'il s'éloigna du Roi pour l'empêcher de lui répliquer. Enrique demeura dans un embarras extrême. Il se sentait agité de mille mouvements contraires. Il était irrité contre Siffredi. Il ne pouvait se résoudre à quitter Blanche, et partagé entre elle et l'intérêt de sa gloire, il fut

---

1. Signature (du latin *signum*).

assez longtemps incertain du parti qu'il avait à prendre. Il se détermina pourtant et crut avoir trouvé le moyen de conserver la fille de Siffredi sans renoncer au trône. Il feignit de vouloir se soumettre aux volontés de Roger, se proposant, tandis qu'on solliciterait à Rome la dispense de son mariage avec sa cousine, de gagner par ses bienfaits les grands du royaume et d'établir si bien sa puissance, qu'on ne pût l'obliger à remplir la condition du testament.

Dès qu'il eut formé ce dessein, il devint plus tranquille, et se tournant vers Constance, il lui confirma ce que le grand chancelier avait lu devant toute l'assemblée. Mais au moment même qu'il se trahissait jusqu'à lui offrir sa foi, Blanche arriva dans la salle du conseil. Elle y venait par ordre de son père rendre ses devoirs à la princesse, et ses oreilles en entrant furent frappées des paroles d'Enrique. Outre cela, Léontio, ne voulant pas qu'elle pût douter de son malheur, lui dit en la présentant à Constance : Ma fille, rendez vos hommages à votre reine. Souhaitez-lui les douceurs d'un règne florissant et d'un heureux hyménée [1]. Ce coup terrible accabla l'infortunée Blanche. Elle entreprit inutilement de cacher sa douleur. Son visage rougit et pâlit successivement et tout son corps frissonna. Cependant la princesse n'en eut aucun soupçon. Elle attribua le désordre de son compliment à l'embarras d'une jeune personne élevée dans un désert [2] et peu accoutumée à la cour. Il n'en fut pas ainsi du jeune roi. La vue de Blanche lui fit perdre contenance et le désespoir qu'il remarquait dans ses yeux le mettait hors de lui-même. Il ne doutait pas que jugeant sur les apparences elle ne le crût infidèle. Il aurait eu moins d'inquiétude s'il eût pu lui parler : mais comment en trouver les moyens, lorsque toute la Sicile, pour ainsi dire, avait les yeux sur lui ? D'ailleurs le cruel Siffredi lui en ôta l'espérance. Ce ministre qui lisait dans le cœur de ces deux amants, et voulait prévenir les malheurs que la violence de leur

---

1. D'un heureux mariage.
2. Dans un lieu éloigné du monde et de la cour en particulier.

amour pouvait causer dans l'État, fit adroitement sortir
sa fille de l'assemblée et reprit avec elle le chemin de Belmonte, résolu, pour plus d'une raison, de la marier au
plus tôt.

Lorsqu'ils y furent arrivés, il lui fit connaître toute
l'horreur de sa destinée. Il lui déclara qu'il l'avait promise
au connétable. Juste Ciel, s'écria-t-elle emportée par un
mouvement de douleur que la présence de son père ne
put réprimer, à quels affreux supplices réserviez-vous la
malheureuse Blanche ? Son transport même fut si violent,
que toutes les puissances de son âme en furent suspen-
dues. Son corps se glaça et devenant froide et pâle, elle
tomba évanouie entre les bras de son père. Il fut touché
de l'état où il la voyait. Néanmoins quoiqu'il ressentît
vivement ses peines, sa première résolution n'en fut point
ébranlée. Blanche reprit enfin ses esprits plus par le vif
ressentiment de sa douleur que par l'eau que Siffredi lui
jeta sur le visage ; et lorsqu'en ouvrant ses yeux languis-
sants elle l'aperçut qui s'empressait à la secourir : Seigneur, lui dit-elle d'une voix presque éteinte, j'ai honte de
vous laisser voir ma faiblesse ; mais la mort, qui ne peut
tarder à finir mes tourments, va bientôt vous délivrer
d'une malheureuse fille qui a pu disposer de son cœur
sans votre aveu. Non, ma chère Blanche, répondit Léontio, vous ne mourrez point, et votre vertu reprendra sur
vous son empire. La recherche du connétable vous fait
honneur. C'est le parti le plus considérable de l'État...
J'estime sa personne et son mérite, interrompit Blanche ;
mais, seigneur, le Roi m'avait fait espérer... Ma fille, interrompit à son tour Siffredi, je sais tout ce que vous pouvez
dire là-dessus. Je n'ignore pas votre tendresse pour ce
prince et ne la désapprouverais pas dans d'autres conjonctures. Vous me verriez même ardent à vous assurer la
main d'Enrique, si l'intérêt de sa gloire et celui de l'État
ne l'obligeaient pas à la donner à Constance. C'est à la
condition seule d'épouser cette princesse que le feu Roi
l'a désigné son successeur. Voulez-vous qu'il vous préfère
à la couronne de Sicile ? Croyez que je gémis avec vous
du coup mortel qui vous frappe. Cependant puisque nous

ne pouvons aller contre les destinées, faites un généreux effort. Il y va de votre gloire de ne pas laisser voir à tout le royaume que vous vous êtes flattée d'une espérance frivole. Votre sensibilité pour le Roi donnerait même lieu à des bruits désavantageux pour vous, et le seul moyen de vous en préserver, c'est d'épouser le connétable. Enfin, Blanche, il n'est plus temps de délibérer. Le Roi vous cède pour un trône. Il épouse Constance. Le connétable a ma parole. Dégagez-la [1] ; je vous en prie ; et s'il est nécessaire pour vous y résoudre que je me serve de mon autorité, je vous l'ordonne.

En achevant ces paroles, il la quitta pour lui laisser faire ses réflexions sur ce qu'il venait de lui dire. Il espérait qu'après avoir pesé les raisons dont il s'était servi pour soutenir sa vertu contre le penchant de son cœur, elle se déterminerait d'elle-même à se donner au connétable. Il ne se trompa point ; mais combien en coûta-t-il à la triste Blanche pour prendre cette résolution ? Elle était dans l'état du monde le plus digne de pitié. La douleur de voir ses pressentiments sur l'infidélité d'Enrique tournés en certitude et d'être contrainte en le perdant de se livrer à un homme qu'elle ne pouvait aimer, lui causait des transports d'affliction si violents, que tous ses moments devenaient pour elle des supplices nouveaux : Si mon malheur est certain, s'écriait-elle, comment y puis-je résister sans mourir ? Impitoyable destinée, pourquoi me repaissais-tu des plus douces espérances, si tu devais me précipiter dans un abîme de maux ? Et toi, perfide amant, tu te donnes à une autre, quand tu me promets une éternelle fidélité ! As-tu donc pu si tôt mettre en oubli la foi que tu m'as jurée ? Pour te punir de m'avoir si cruellement trompée, fasse le Ciel que le lit conjugal que tu vas souiller par un parjure, soit moins le théâtre de tes plaisirs que de tes remords ! Que les caresses de Constance versent un poison dans ton cœur infidèle ! puisse ton hymen devenir aussi affreux que le mien ! Oui, traître, je vais épouser le connétable, que je n'aime point, pour me venger de

---

1. Tenez la promesse que j'ai faite.

moi-même ; pour me punir d'avoir si mal choisi l'objet de ma folle passion. Puisque ma religion me défend d'attenter à ma vie, je veux que les jours qui me restent à vivre ne soient qu'un tissu malheureux de peines et d'ennuis. Si tu conserves encore pour moi quelque sentiment d'amour, ce sera me venger aussi de toi, que de me jeter à tes yeux entre les bras d'un autre ; et si tu m'as entièrement oubliée, la Sicile du moins pourra se vanter d'avoir produit une femme qui s'est punie elle-même d'avoir trop légèrement disposé de son cœur.

Ce fut dans une pareille situation que cette triste victime de l'amour et du devoir passa la nuit qui précéda son mariage avec le connétable. Siffredi, la trouvant le lendemain prête à faire ce qu'il souhaitait, se hâta de profiter de cette disposition favorable. Il fit venir le connétable à Belmonte le jour même et le maria secrètement avec sa fille dans la chapelle du château. Quelle journée pour Blanche ! Ce n'était point assez de renoncer à une couronne, de perdre un amant aimé et de se donner à un objet haï : il fallait encore qu'elle contraignît ses sentiments devant un mari prévenu pour elle de la passion la plus ardente et naturellement jaloux. Cet époux charmé de la posséder, était sans cesse à ses genoux. Il ne lui laissait pas seulement la triste consolation de pleurer en secret ses malheurs. La nuit arrivée, la fille de Léontio sentit redoubler son affliction. Mais que devint-elle, lorsque ses femmes, après l'avoir déshabillée, la laissèrent seule avec le connétable ? Il lui demanda respectueusement la cause de l'abattement où elle semblait être. Cette question embarrassa Blanche, qui feignit de se trouver mal. Son époux y fut d'abord trompé ; mais il ne demeura pas longtemps dans cette erreur. Comme il était véritablement inquiet de l'état où il la voyait et qu'il la pressait de se mettre au lit, ses instances, qu'elle expliqua mal, présentèrent à son esprit une image si cruelle, que ne pouvant plus se contraindre, elle donna un libre cours à ses soupirs et à ses larmes. Quelle vue pour un homme qui s'était cru au comble de ses vœux ! Il ne douta plus que l'affliction de sa femme ne renfermât quelque chose de sinistre pour son amour. Néanmoins, quoique cette connaissance le mît dans une situation presque aussi déplorable que celle de Blanche, il eut assez de force sur lui pour cacher ses soupçons. Il redoubla ses empressements et continua de presser son épouse de se coucher, l'assurant qu'il lui laisserait prendre tout le repos dont elle avait besoin. Il s'offrit même d'appeler ses femmes, si elle jugeait que leur secours pût apporter quelque soulagement à son mal. Blanche s'étant rassurée sur cette promesse, lui dit que le sommeil seul lui était nécessaire dans la faiblesse où elle se sentait. Il feignit de la croire. Ils se mirent tous deux au lit et passèrent une nuit bien différente de celle que l'amour et l'hyménée accordent à deux amants charmés l'un de l'autre.

Pendant que la fille de Siffredi se livrait à sa douleur, le connétable cherchait en lui-même ce qui pouvait lui rendre son mariage si rigoureux. Il jugeait bien qu'il avait un rival, mais quand il voulait le découvrir, il se perdait dans ses idées. Il savait seulement qu'il était le plus malheureux de tous les hommes. Il avait déjà passé les deux tiers de la nuit dans ces agitations, lorsqu'un bruit sourd frappa ses oreilles. Il fut surpris d'entendre quelqu'un traîner lentement ses pas dans la chambre. Il crut se tromper. Car il se souvint qu'il avait fermé la porte lui-même, après que les femmes de Blanche furent sorties. Il ouvrit le rideau pour s'éclaircir par ses propres yeux de la cause du bruit qu'il entendait, mais la lumière qu'on avait laissée dans la cheminée s'était éteinte, et bientôt il ouït une voix faible et languissante qui appela Blanche à plusieurs reprises. Alors ses soupçons jaloux le transportèrent de fureur, et son honneur alarmé l'obligeant à se lever pour prévenir un affront ou pour en tirer vengeance, il prit son épée, il marcha du côté que la voix lui semblait partir. Il sent une épée nue qui s'oppose à la sienne. Il avance, on se retire. Il poursuit, on se dérobe à sa poursuite. Il cherche celui qui semble le fuir par tous les endroits de la chambre autant que l'obscurité le peut permettre, et ne le trouve plus. Il s'arrête ; il écoute, et n'entend plus rien. Quel enchantement ! Il s'approche de la porte dans la pensée qu'elle avait favorisé la fuite de ce secret ennemi de son honneur, mais elle était fermée au verrou comme auparavant. Ne pouvant rien comprendre à cette aventure, il appela ceux de ses gens qui étaient le plus à portée d'entendre sa voix et comme il ouvrit la porte pour cela, il en ferma le passage et se tint sur ses gardes, craignant de laisser échapper ce qu'il cherchait.

À ses cris redoublés, quelques domestiques accoururent avec des flambeaux ; il prend une bougie et fait une nouvelle recherche dans la chambre en tenant son épée nue. Il n'y trouva toutefois personne, ni aucune marque apparente qu'on y fût entré. Il n'aperçut point de porte secrète, ni d'ouverture par où l'on eût pu passer. Il ne pouvait pourtant s'aveugler lui-même sur les circonstances de son malheur. Il demeura dans une étrange confusion de pensées. De recourir à Blanche, elle avait trop d'intérêt à déguiser la vérité, pour qu'il en dût attendre le moindre éclaircissement. Il prit le parti d'aller ouvrir son cœur à Léontio, après avoir renvoyé ses gens en leur disant qu'il croyait avoir entendu quelque bruit dans la chambre et qu'il s'était trompé. Il rencontra son beau-père qui sortait de son appartement au bruit qu'il avait ouï, et lui racontant ce qui venait de se passer, il fit ce récit avec toutes les marques d'une extrême agitation et d'une profonde douleur.

Siffredi fut surpris de l'aventure. Quoiqu'elle ne lui parût pas naturelle, il ne laissa pas de la croire véritable ; et jugeant tout possible à l'amour du Roi, cette pensée l'affligea vivement. Mais bien loin de flatter les soupçons jaloux de son gendre, il lui représenta d'un air d'assurance que cette voix qu'il s'imaginait avoir entendue, et cette épée qui s'était opposée à la sienne, ne pouvaient être que des fantômes d'une imagination séduite par la jalousie : qu'il était impossible que quelqu'un fût entré dans la chambre de sa fille : qu'à l'égard de la tristesse qu'il avait remarquée dans son épouse, quelque indisposition l'avait peut-être causée ; que l'honneur ne devait point être responsable des altérations du tempérament ; que le changement d'état d'une fille accoutumée à vivre dans un désert et qui se voit brusquement livrée à un homme qu'elle n'a pas eu le temps de connaître et d'aimer, pouvait bien être la cause de ces pleurs, de ces soupirs et de cette vive affliction dont il se plaignait ; que l'amour, dans le cœur des filles d'un sang noble, ne s'allumait que par le temps et par les services : qu'il l'exhortait à calmer ses inquiétudes : à redoubler sa tendresse et ses empressements pour disposer Blanche à devenir plus sensible, et qu'il le priait enfin de retourner vers elle, persuadé que ses défiances et son trouble offensaient sa vertu.

Le connétable ne répondit rien aux raisons de son beau-père, soit qu'en effet il commençât à croire qu'il pouvait s'être trompé dans le désordre où était son esprit, soit qu'il jugeât plus à propos de dissimuler que d'entreprendre inutilement de convaincre le vieillard d'un événement si dénué de vraisemblance. Il retourna dans l'appartement de sa femme, se remit auprès d'elle, et tâcha d'obtenir du sommeil quelque relâche à ses inquiétudes. Blanche de son côté, la triste Blanche n'était pas plus tranquille. Elle n'avait que trop entendu les mêmes choses que son époux, et ne pouvait prendre pour illusion une aventure dont elle savait le secret et les motifs. Elle était surprise qu'Enrique cherchât à s'introduire dans son appartement, après avoir donné si solennellement sa foi à la princesse Constance. Au lieu de s'applaudir de cette démarche et d'en sentir quelque joie, elle la regardait comme un nouvel outrage et son cœur en était tout enflammé de colère.

Tandis que la fille de Siffredi, prévenue contre le jeune roi, le croyait le plus coupable des hommes, ce malheureux prince, plus épris que jamais de Blanche, souhaitait de l'entretenir pour la rassurer contre les apparences qui le condamnaient. Il serait venu plus tôt à Belmonte pour cet effet, si tous les soins dont il avait été obligé de s'occuper le lui eussent permis, mais il n'avait pu avant cette nuit se dérober à sa cour. Il connaissait trop bien les détours d'un lieu où il avait été élevé pour être en peine de se glisser dans le château de Siffredi, et même il conservait encore la clef d'une porte secrète par où l'on entrait dans

les jardins. Ce fut par là qu'il gagna son ancien appartement et qu'ensuite il passa dans la chambre de Blanche.
Imaginez-vous quel dut être l'étonnement de ce prince d'y
trouver un homme et de sentir une épée opposée à la
sienne. Peu s'en fallut qu'il n'éclatât et ne fît punir à
l'heure même l'audacieux qui osait lever sa main sacrilège
sur son propre Roi. Mais le ménagement qu'il devait à la
fille de Léontio suspendit son ressentiment. Il se retira de
la même manière qu'il était venu, et plus troublé qu'auparavant, il reprit le chemin de Palerme. Il y arriva quelques
moments devant le jour et s'enferma dans son appartement. Il était trop agité pour y prendre du repos. Il ne
songeait qu'à retourner à Belmonte. Sa sûreté, son honneur et surtout son amour ne lui permettait pas de différer l'éclaircissement de toutes les circonstances d'une si
cruelle aventure.

Dès qu'il fut jour, il commanda son équipage de chasse,
et sous prétexte de prendre ce divertissement, il s'enfonça
dans la forêt de Belmonte avec ses piqueurs et quelques-
uns de ses courtisans. Il suivit quelque temps la chasse
pour cacher son dessein, et lorsqu'il vit que chacun courait avec ardeur à la queue des chiens, il s'écarta de tout
le monde et prit seul le chemin du château de Léontio. Il
connaissait trop les routes de la forêt pour pouvoir s'y
égarer, et son impatience ne lui permettant pas de ménager son cheval, il eut en peu de temps parcouru tout
l'espace qui le séparait de l'objet de son amour. Il cherchait dans son esprit quelque prétexte plausible pour se
procurer un entretien secret avec la fille de Siffredi, quand
traversant une petite route qui aboutissait à une des
portes du parc, il aperçut auprès de lui deux femmes
assises, qui s'entretenaient au pied d'un arbre. Il ne douta
point que ces personnes ne fussent du château, et cette
vue lui causa de l'émotion ; mais il fut bien plus agité,
lorsque ces femmes s'étant tournées de son côté au bruit
que son cheval faisait en courant, il reconnut sa chère
Blanche. Elle s'était échappée du château avec Nise, celle
de ses femmes qui avait le plus de part à sa confiance,
pour pleurer du moins son malheur en liberté.

Il vola. Il se précipita pour ainsi dire à ses pieds, et voyant dans ses yeux tous les signes de la plus profonde affliction, il en fut attendri. Belle Blanche, lui dit-il, suspendez les mouvements de votre douleur. Les apparences, je l'avoue, me peignent coupable à vos yeux ; mais quand vous serez instruite du dessein que j'ai formé pour vous, ce que vous regardez comme un crime vous paraîtra une preuve de mon innocence et de l'excès de mon amour. Ces paroles qu'Enrique croyait capables de modérer l'affliction de Blanche ne servirent qu'à la redoubler. Elle voulut répondre ; mais les sanglots étouffèrent sa voix. Le prince, étonné de son saisissement, lui dit : Quoi, madame, je ne puis calmer votre trouble ? Par quel malheur ai-je perdu votre confiance, moi qui mets en péril ma couronne et même ma vie pour me conserver à vous ? Alors la fille de Léontio, faisant un effort sur elle pour s'expliquer, lui dit : Seigneur, vos promesses ne sont plus de saison. Rien désormais ne peut lier ma destinée à la vôtre. Ah Blanche, interrompit brusquement Enrique, quelles paroles cruelles me faites-vous entendre ? qui peut vous enlever à mon amour ? Qui voudra s'opposer à la fureur d'un roi qui mettrait en feu toute la Sicile, plutôt que de vous laisser ravir à ses espérances ? Tout votre pouvoir, seigneur, reprit languissamment la fille de Siffredi, devient inutile contre les obstacles qui nous séparent. Je suis femme du connétable.

Femme du connétable, s'écria le prince en reculant de quelques pas ! Il ne put continuer, tant il fut saisi, accablé de ce coup imprévu. Ses forces l'abandonnèrent. Il se laissa tomber au pied d'un arbre qui se trouva derrière lui. Il était pâle, tremblant, défait et n'avait de libre que les yeux, qu'il attacha sur Blanche d'une manière à lui faire comprendre combien il était sensible au malheur qu'elle lui annonçait. Elle le regardait de son côté d'un air qui lui faisait assez connaître que ses mouvements étaient peu différents des siens ; et ces deux amants infortunés gardaient entre eux un silence qui avait quelque chose d'affreux. Enfin le prince, revenant un peu de son désordre par un effort de courage, reprit la parole et dit à

Blanche en soupirant : Madame, qu'avez-vous fait ? Vous m'avez perdu et vous vous êtes perdue vous-même par votre crédulité.

Blanche fut piquée de ce que le prince semblait lui faire des reproches lorsqu'elle croyait avoir les plus fortes raisons de se plaindre de lui. Quoi, seigneur, répondit-elle, vous ajoutez la dissimulation à l'infidélité ? Vouliez-vous que je démentisse mes yeux et mes oreilles, et que malgré leur rapport, je vous crusse innocent ? Non, Seigneur, je vous l'avoue, je ne suis point capable de cet effort de raison. Cependant, madame, répliqua le Roi, ces témoins qui vous paraissent si fidèles vous ont imposé. Ils ont aidé eux-mêmes à vous trahir ; et il n'est pas moins vrai que je suis innocent et fidèle, qu'il est vrai que vous êtes l'épouse du connétable. Hé quoi, seigneur, reprit-elle, je ne vous ai point entendu confirmer à Constance le don de votre main et de votre cœur ? vous n'avez point assuré les grands de l'état que vous rempliriez les volontés du feu Roi ? et la princesse n'a pas reçu les hommages de vos nouveaux sujets en qualité de reine et d'épouse du prince Enrique ? Mes yeux étaient-ils donc fascinés ? Dites, dites plutôt, infidèle, que vous n'avez pas cru que Blanche dût balancer dans votre cœur l'intérêt d'un trône ; et sans vous abaisser à feindre ce que vous ne sentez plus et ce que vous n'avez peut-être jamais senti, avouez que la couronne de Sicile vous a paru plus assurée avec Constance qu'avec la fille de Léontio. Vous avez raison, seigneur ; un trône éclatant ne m'était pas plus dû que le cœur d'un prince tel que vous. J'étais trop vaine [1] d'oser prétendre à l'un et à l'autre ; mais vous ne deviez pas m'entretenir dans cette erreur. Vous savez les alarmes que je vous ai témoignées sur votre perte, qui me semblait presque infaillible pour moi. Pourquoi m'avez-vous rassurée ? Fallait-il dissiper mes craintes ? J'aurais accusé le sort plutôt que vous, et du moins vous auriez conservé mon cœur au défaut d'une main qu'un autre n'eût jamais obtenue de moi. Il n'est plus temps présentement de vous justifier. Je

_____

1. J'avais une trop haute opinion de moi-même.

suis l'épouse du connétable, et pour m'épargner la suite
d'un entretien qui fait rougir ma gloire, souffrez, seigneur,
que sans manquer au respect que je vous dois, je quitte un
prince qu'il ne m'est plus permis d'écouter.

À ces mots, elle s'éloigna d'Enrique avec toute la précipitation dont elle pouvait être capable dans l'état où elle
se trouvait. Arrêtez, madame, s'écria-t-il. Ne désespérez
point un prince plus disposé à renverser un trône que
vous lui reprochez de vous avoir préféré, qu'à répondre à
l'attente de ses nouveaux sujets. Ce sacrifice est présentement inutile, repartit Blanche. Il fallait me ravir au connétable, avant que de faire éclater des transports si généreux.
Puisque je ne suis plus libre, il m'importe peu que la Sicile
soit réduite en cendres et à qui vous donniez votre main.
Si j'ai eu la faiblesse de laisser surprendre mon cœur, du
moins j'aurai la fermeté d'en étouffer les mouvements, et
de faire voir au nouveau roi de Sicile que l'épouse du
connétable n'est plus l'amante du prince Enrique. En parlant de cette sorte, comme elle touchait à la porte du parc,
elle y rentra brusquement avec Nise, et fermant après elle
cette porte, elle laissa le prince accablé de douleur. Il ne
pouvait revenir du coup que Blanche lui avait porté par
la nouvelle de son mariage. Injuste Blanche, s'écriait-il,
vous avez perdu la mémoire de notre engagement. Malgré
mes serments et les vôtres, nous sommes séparés. L'idée
que je m'étais faite de posséder vos charmes n'était donc
qu'une vaine illusion ! Ah, cruelle, que j'achète chèrement
l'avantage de vous avoir fait approuver mon amour !

Alors l'image du bonheur de son rival vint s'offrir à
son esprit avec toutes les horreurs de la jalousie, et cette
passion prit sur lui tant d'empire pendant quelques
moments, qu'il fut sur le point d'immoler à son ressentiment le connétable et Siffredi même. La raison toutefois
calma peu à peu la violence de ses transports. Cependant
l'impossibilité où il se voyait d'ôter à Blanche les impressions qu'elle avait de son infidélité le mettait au désespoir.
Il se flattait de les effacer, s'il pouvait l'entretenir en
liberté. Pour y parvenir, il jugea qu'il fallait éloigner le
connétable, et il se résolut à le faire arrêter comme un

homme suspect dans les conjonctures où l'État se trouvait. Il en donna l'ordre au capitaine de ses gardes, qui se rendit à Belmonte, s'assura de sa personne à l'entrée de la nuit et le mena au château de Palerme.

Cet incident répandit à Belmonte la consternation. Siffredi partit sur-le-champ pour aller répondre au roi de l'innocence de son gendre et lui représenter les suites fâcheuses d'un pareil emprisonnement. Ce prince, qui s'était bien attendu à cette démarche de son ministre, et qui voulait au moins se ménager une libre entrevue avec Blanche avant que de relâcher le connétable, avait expressément défendu que personne lui parlât jusqu'au lendemain ; mais Léontio, malgré cette défense, fit si bien qu'il entra dans la chambre du Roi : Seigneur, dit-il en se présentant devant lui, s'il est permis à un sujet respectueux et fidèle de se plaindre de son maître, je viens me plaindre à vous de vous-même. Quel crime a commis mon gendre ? Votre Majesté a-t-elle bien réfléchi sur l'opprobre éternel dont elle couvre ma famille, et sur les suites d'un emprisonnement qui peut aliéner de votre service les personnes qui remplissent les postes de l'État les plus importants ? J'ai des avis certains, répondit le Roi, que le connétable a des intelligences criminelles avec l'infant don Pèdre. Des intelligences criminelles, interrompit avec surprise Léontio ? Ah, Seigneur, ne le croyez pas. L'on abuse Votre Majesté. La trahison n'eut jamais d'entrée dans la famille de Siffredi ; et il suffit au connétable qu'il soit mon gendre pour être à couvert de tout soupçon. Le connétable est innocent ; mais des vues secrètes vous ont porté à le faire arrêter.

Puisque vous me parlez si ouvertement, repartit le Roi, je vais vous parler de la même manière. Vous vous plaignez de l'emprisonnement du connétable ? hé n'ai-je point à me plaindre de votre cruauté ? C'est vous, barbare Siffredi, qui m'avez ravi mon repos et réduit par vos soins officieux à envier le sort des plus vils mortels. Car ne vous flattez pas que j'entre dans vos idées. Mon mariage avec Constance est vainement résolu... Quoi, seigneur, interrompit en frémissant Léontio, vous pourriez ne point

épouser la princesse après l'avoir flattée de cette espérance
aux yeux de tous vos peuples ! Si je trompe leur attente,
répliqua le Roi, ne vous en prenez qu'à vous. Pourquoi
m'avez-vous mis dans la nécessité de leur promettre ce
que je ne pouvais leur accorder ? Qui vous obligeait à
remplir du nom de Constance un billet que j'avais fait à
votre fille ? Vous n'ignoriez pas mon intention. Fallait-il
tyranniser le cœur de Blanche en lui faisant épouser un
homme qu'elle n'aimait pas ? Et quel droit avez-vous sur
le mien pour en disposer en faveur d'une princesse que
je hais ? Avez-vous oublié qu'elle est fille de cette cruelle
Mathilde qui foulant aux pieds les droits du sang et de
l'humanité, fit expirer mon père dans les rigueurs d'une
dure captivité ? Et je l'épouserais ? Non Siffredi. Perdez
cette espérance. Avant que de voir allumer le flambeau de
cet affreux hymen [1], vous verrez toute la Sicile en flammes
et ses sillons inondés de sang.

L'ai-je bien entendu, s'écria Léontio ? Ah, Seigneur,
que me faites-vous envisager ? quelles terribles menaces !
Mais je m'alarme mal à propos, continua-t-il en changeant de ton. Vous chérissez trop vos sujets, pour leur
procurer une si triste destinée. Vous ne vous laisserez
point surmonter par l'amour. Vous ne ternirez pas vos
vertus en tombant dans les faiblesses des hommes ordinaires. Si j'ai donné ma fille au connétable, je ne l'ai fait,
seigneur, que pour acquérir à Votre Majesté un sujet
vaillant qui pût appuyer de son bras et de l'armée dont il
dispose vos intérêts contre ceux du prince don Pèdre. J'ai
cru qu'en le liant à ma famille par des nœuds si étroits...
Hé ce sont ces nœuds, s'écria le prince Enrique, ce sont
ces funestes nœuds qui m'ont perdu. Cruel ami, pourquoi
me porter un coup si sensible ? Vous avais-je chargé de
ménager mes intérêts aux dépens de mon cœur ? Que ne
me laissiez-vous soutenir mes droits moi-même ?
Manqué-je de courage pour réduire ceux de mes sujets
qui voudront s'y opposer ? J'aurais bien su punir le

---

1. Avant de voir cet affreux mariage (Enrique use d'un style élevé,
comme il sied à un héros tragique).

connétable, s'il m'eût désobéi. Je sais que les rois ne sont pas des tyrans : que le bonheur de leurs peuples est leur premier devoir ; mais doivent-ils être les esclaves de leurs sujets ? et du moment que le Ciel les choisit pour gouverner, perdent-ils le droit que la nature accorde à tous les hommes de disposer de leurs affections ? Ah s'ils n'en peuvent jouir comme les derniers des mortels, reprenez, Siffredi, cette souveraine puissance que vous m'avez voulu assurer aux dépens de mon repos.

Vous ne pouvez ignorer, seigneur, répliqua le ministre, que c'est au mariage de la princesse que le feu Roi votre oncle attache la succession de la couronne. Et quel droit, repartit Enrique, avait-il lui-même d'établir cette disposition ? Avait-il reçu cette indigne loi du roi Charles, son frère, lorsqu'il lui succéda ? Deviez-vous avoir la faiblesse de vous soumettre à une condition si injuste ? Pour un grand chancelier, vous êtes bien mal instruit de nos usages. En un mot, quand j'ai promis ma main à Constance, cet engagement n'a pas été volontaire. Je ne prétends point tenir ma promesse ; et si don Pèdre fonde sur mon refus l'espérance de monter au trône, sans engager les peuples dans un démêlé qui coûterait trop de sang, l'épée pourra décider entre nous, qui des deux sera le plus digne de régner. Léontio n'osa le presser davantage et se contenta de lui demander à genoux la liberté de son gendre ; ce qu'il obtint. Allez, lui dit le Roi, retournez à Belmonte. Le connétable vous y suivra bientôt. Le ministre sortit, et regagna Belmonte, persuadé que son gendre marcherait incessamment sur ses pas. Il se trompait. Enrique voulait voir Blanche cette nuit, et pour cet effet il remit au lendemain matin l'élargissement de son époux.

Pendant ce temps-là, ce connétable faisait de cruelles réflexions. Son emprisonnement lui avait ouvert les yeux sur la véritable cause de son malheur. Il s'abandonna tout entier à sa jalousie, et démentant la fidélité qui l'avait jusqu'alors rendu si recommandable, il ne respira plus que vengeance. Comme il jugeait bien que le Roi ne manquerait pas cette nuit d'aller trouver Blanche, pour les surprendre ensemble, il pria le gouverneur du château de Palerme de le laisser sortir de prison, l'assurant qu'il y rentrerait le lendemain avant le jour. Le gouverneur qui lui était tout dévoué, y consentit d'autant plus facilement qu'il avait déjà su que Siffredi avait obtenu sa liberté, et même il lui fit donner un cheval pour se rendre à Belmonte. Le connétable, y étant arrivé, attacha son cheval à un arbre, entra dans le parc par une petite porte dont il avait la clef, et fut assez heureux pour se glisser dans le château sans rencontrer personne. Il gagna l'appartement de sa femme, et se cacha dans l'antichambre derrière un paravent qu'il y trouva sous sa main. Il se proposait d'observer de là tout ce qui se passerait et de paraître subitement dans la chambre de Blanche au moindre bruit qu'il y entendrait. Il en vit sortir Nise qui venait de quitter sa maîtresse pour se retirer dans un cabinet où elle couchait.

La fille de Siffredi, qui avait pénétré sans peine le motif de l'emprisonnement de son mari, jugeait bien qu'il ne reviendrait pas cette nuit à Belmonte, quoique son père lui eût dit que le Roi l'avait assuré que le connétable partirait bientôt après lui. Elle ne doutait pas qu'Enrique ne voulût profiter de la conjoncture pour la voir et l'entretenir en liberté. Dans cette pensée, elle attendait ce prince, pour lui reprocher une action qui pouvait avoir de terribles suites pour elle. Effectivement, peu de temps après la retraite de Nise, la coulisse s'ouvrit, et le Roi vint se jeter aux genoux de Blanche : Madame, lui dit-il, ne me condamnez point sans m'entendre. Si j'ai fait emprisonner le connétable, songez que c'était le seul moyen qui me restait pour me justifier. N'imputez donc qu'à vous seule cet artifice. Pourquoi ce matin refusiez-vous de m'entendre ? Hélas, demain votre époux sera libre et je ne pourrai plus vous parler. Écoutez-moi donc pour la dernière fois. Si votre perte rend mon sort déplorable, accordez-moi du moins la triste consolation de vous apprendre que je ne me suis point attiré ce malheur par mon infidélité. Si j'ai confirmé à Constance le don de ma main, c'est que je ne pouvais m'en dispenser dans la situation où votre père avait réduit les choses. Il fallait tromper la princesse, pour votre intérêt et pour le mien ; pour vous assurer la couronne et la main de votre amant. Je me promettais d'y réussir. J'avais déjà pris des mesures pour rompre cet engagement ; mais vous avez détruit mon ouvrage, et, disposant de vous trop légèrement, vous avez préparé une éternelle douleur à deux cœurs qu'un parfait amour aurait rendus contents.

Il acheva ce discours avec des signes si visibles d'un véritable désespoir, que Blanche en fut touchée. Elle ne douta plus de son innocence. Elle en eut d'abord de la joie. Ensuite le sentiment de son infortune en devint plus vif. Ah, seigneur, dit-elle au prince, après la disposition que le destin a faite de nous, vous me causez une peine nouvelle en m'apprenant que vous n'étiez pas coupable. Qu'ai-je fait, malheureuse ? Mon ressentiment m'a séduite. Je me suis crue abandonnée et dans mon dépit j'ai reçu la main du connétable, que mon père m'a présentée. J'ai fait le crime et nos malheurs. Hélas, dans le temps que je vous accusais de me tromper, c'était donc moi, trop crédule amante, qui rompais des nœuds que j'avais juré de rendre éternels ? Vengez-vous, seigneur, à votre tour. Haïssez l'ingrate Blanche... Oubliez... Hé, le puis-je, madame, interrompit tristement Enrique ? Le moyen d'arracher de mon cœur une passion que votre injustice même ne saurait éteindre ? Il vous faut pourtant faire cet effort, seigneur, reprit en soupirant la fille de Siffredi... Hé serez-vous capable de cet effort, vous-même, répliqua le Roi ? Je ne me promets pas d'y réussir, repartit-elle ; mais je n'épargnerai rien pour en venir à bout. Ah cruelle, dit le prince, vous oublierez facilement Enrique, puisque vous pouvez en former le dessein. Quelle est donc votre pensée, dit Blanche d'un ton plus ferme ? Vous flattez-vous que je puisse vous permettre de continuer à me rendre des soins ? Non, seigneur, renoncez à cette espérance. Si je n'étais pas née pour être reine, le Ciel ne m'a pas non plus formée pour écouter un amour illégitime. Mon époux est comme vous, seigneur, de la noble maison d'Anjou ; et quand ce que je lui dois n'opposerait pas un obstacle insurmontable à vos galanteries, ma gloire m'empêcherait de les souffrir. Je vous conjure de vous retirer. Il ne faut plus nous voir. Quelle barbarie, s'écria le Roi ! Ah Blanche, est-il possible que vous me traitiez avec tant de rigueur ? Ce n'est donc point assez pour m'accabler, que vous soyez entre les bras du connétable ? Vous voulez encore m'interdire votre vue, la seule consolation qui me reste ? Fuyez plutôt, répondit la fille de Siffredi en versant quelques larmes. La vue de ce qu'on a tendrement aimé n'est plus un bien, lorsqu'on a perdu l'espérance de le posséder. Adieu, seigneur, fuyez-moi. Vous devez cet effort à votre gloire et à ma réputation. Je vous le demande aussi pour mon repos ; car enfin quoique ma vertu ne soit point alarmée des mouvements de mon cœur, le souvenir de votre tendresse me livre des combats si cruels, qu'il m'en coûte trop pour les soutenir.

Elle prononça ces paroles avec tant de vivacité, qu'elle renversa, sans y penser, un flambeau qui était sur une table derrière elle. La bougie s'éteignit en tombant. Blanche la ramasse et pour la rallumer, elle ouvre la porte de l'antichambre et gagne le cabinet de Nise, qui n'était pas encore couchée ; puis elle revient avec de la lumière. Le Roi qui attendait son retour, ne la vit pas plus tôt, qu'il se remit à la presser de souffrir son attachement. À la voix de ce prince, le connétable, l'épée à la main, entra brusquement dans la chambre presque en même temps que son épouse, et s'avançant vers Enrique avec tout le ressentiment que sa rage lui inspirait : C'en est trop, tyran, lui cria-t-il, ne crois pas que je sois assez lâche pour endurer l'affront que tu fais à mon honneur. Ah, traître, lui répondit le Roi en se mettant en défense, ne t'imagine pas toi-même pouvoir impunément exécuter ton dessein. À ces mots, ils commencèrent un combat qui fut trop vif pour durer longtemps. Le connétable, craignant que Siffredi et ses domestiques n'accourussent trop vite aux cris que poussait Blanche et ne s'opposassent à sa vengeance, ne se ménagea point. Sa fureur lui ôta le jugement. Il prit si mal ses mesures qu'il s'enferra lui-même dans l'épée de son ennemi. Elle lui entra dans le corps jusqu'à la garde. Il tomba, et le Roi s'arrêta dans le moment.

La fille de Léontio, touchée de l'état où elle voyait son époux et surmontant la répugnance naturelle qu'elle avait pour lui, se jeta à terre et s'empressa de le secourir. Mais ce malheureux époux était trop prévenu contre elle, pour se laisser attendrir aux témoignages qu'elle lui donnait de sa douleur et de sa compassion. La mort, dont il sentait les approches, ne put étouffer les transports de sa jalousie. Il n'envisagea, dans ces derniers moments, que le bonheur de son rival ; et cette idée lui parut si affreuse que rappelant tout ce qui lui restait de force il leva son épée, qu'il tenait encore, et la plongea tout entière dans le sein de Blanche : Meurs, lui dit-il en la perçant, meurs, infidèle épouse, puisque les nœuds de l'hyménée n'ont pu me conserver une foi que tu m'avais jurée sur les autels. Et toi, poursuivit-il, Enrique, ne t'applaudis point de ta destinée. Tu ne saurais jouir de mon malheur. Je meurs content. En achevant de parler de cette sorte, il expira, et son visage, tout couvert qu'il était des ombres de la mort, avait encore quelque chose de fier et de terrible. Celui de Blanche offrait un spectacle bien différent. Le coup qui l'avait frappée était mortel. Elle tomba sur le corps mourant de son époux, et le sang de l'innocente victime se confondait avec celui de son meurtrier, qui avait si brusquement exécuté sa cruelle résolution que le Roi n'en avait pu prévenir l'effet.

Ce prince infortuné fit un cri en voyant tomber Blanche, et plus frappé qu'elle du coup qui l'arrachait à la vie, il se mit en devoir de lui rendre les mêmes soins qu'elle avait voulu prendre, et dont elle avait été si mal récompensée. Mais elle lui dit d'une voix mourante : Seigneur, votre peine est inutile. Je suis la victime que le sort impitoyable demandait. Puisse-t-elle apaiser sa colère, et assurer le bonheur de votre règne. Comme elle achevait ces paroles, Léontio, attiré par les cris qu'elle avait poussés, arriva dans la chambre, et saisi des objets qui se présentaient à ses yeux, il demeura immobile. Blanche, sans l'apercevoir, continua de parler au Roi. Adieu, prince, lui

dit-elle, conservez chèrement ma mémoire. Ma tendresse
et mes malheurs vous y obligent. N'ayez point de ressentiment contre mon père. Ménagez ses jours et sa douleur,
et rendez justice à son zèle. Surtout, faites-lui connaître
mon innocence. C'est ce que je vous recommande plus
que toute autre chose. Adieu, mon cher Enrique... je
meurs... recevez mon dernier soupir.

À ces mots, elle mourut. Le Roi garda quelque temps
un morne silence. Ensuite il dit à Siffredi qui paraissait
dans un accablement mortel : Voyez, Léontio, contemplez
votre ouvrage. Considérez dans ce tragique événement le
fruit de vos soins officieux et de votre zèle pour moi. Le
vieillard ne répondit rien, tant il était pénétré de douleur.
Mais pourquoi m'arrêter à décrire des choses qu'aucuns
termes ne peuvent exprimer ? Il suffit de dire qu'ils firent
l'un et l'autre les plaintes du monde les plus touchantes,
dès que leur affliction leur permit de faire éclater leurs
mouvements.

Le Roi conserva toute sa vie un tendre souvenir de son
amante. Il ne put se résoudre à épouser Constance.
L'infant don Pèdre se joignit à cette princesse, et tous
deux, ils n'épargnèrent rien pour faire valoir la disposition du testament de Roger ; mais ils furent enfin obligés
de céder au prince Enrique, qui vint à bout de ses ennemis. Pour Siffredi, le chagrin qu'il eut d'avoir causé tant
de malheurs, le détacha du monde, et lui rendit insupportable le séjour de sa patrie. Il abandonna la Sicile, et passant en Espagne avec Porcie, la fille qui lui restait, il
acheta ce château. Il vécut ici près de quinze années après
la mort de Blanche, et il eut, avant que de mourir, la
consolation de marier Porcie. Elle épousa don Jérôme de
Silva, et je suis l'unique fruit de ce mariage. Voilà, poursuivit la veuve de don Pedro de Pinarés, l'histoire de ma
famille, et un fidèle récit des malheurs qui sont représen-
tés dans ce tableau, que Léontio mon aïeul fit faire pour
laisser à sa postérité un monument [1] de cette funeste
aventure.

---

1. *Monument* : « témoignages qui nous restent dans les histoires et
chez les auteurs des actions passées » (Furetière).

CHAPITRE 5

De ce que fit Aurore de Guzman,
lorsqu'elle fut à Salamanque.

Ortiz, ses compagnes et moi, après avoir entendu cette
histoire, nous sortîmes de la salle, où nous laissâmes
Aurore avec Elvire. Elles y passèrent le reste de la journée
à s'entretenir. Elles ne s'ennuyaient point l'une avec
l'autre, et le lendemain, quand nous partîmes, elles eurent
autant de peine à se quitter, que deux amies qui se sont
fait une douce habitude de vivre ensemble.

Enfin nous arrivâmes sans accident à Salamanque.
Nous y louâmes d'abord une maison toute meublée, et la
dame Ortiz, ainsi que nous en étions convenus, prit le
nom de doña Kimena de Guzman. Elle avait été trop
longtemps duègne, pour n'être pas une bonne actrice. Elle
sortit un matin avec Aurore, une femme de chambre et un
valet, et se rendit à un hôtel garni, où nous avions appris
que Pacheco logeait ordinairement. Elle demanda s'il y
avait quelque appartement à louer. On lui répondit
qu'oui, et on lui en montra un assez propre, qu'elle arrêta.
Elle donna même de l'argent d'avance à l'hôtesse, en lui
disant que c'était pour un de ses neveux qui venait de
Tolède étudier à Salamanque, et qui devait arriver ce
jour-là.

La duègne et ma maîtresse après s'être assurées de ce
logement, revinrent sur leurs pas, et la belle Aurore, sans
perdre de temps, se travestit en cavalier. Elle couvrit ses
cheveux noirs d'une fausse chevelure blonde, se teignit les
sourcils de la même couleur, et s'ajusta de sorte qu'elle
pouvait fort bien passer pour un jeune seigneur. Elle avait
l'action libre et aisée, et à la réserve de son visage qui
était un peu trop beau pour un homme, rien ne trahissait
son déguisement. La suivante qui devait lui servir de page
s'habilla aussi, et nous n'appréhendions point qu'elle fît
mal son personnage : outre qu'elle n'était pas des plus
jolies, elle avait un petit air effronté qui convenait fort à

son rôle. L'après-dînée, ces deux actrices se trouvant en état de paraître sur la scène, c'est-à-dire dans l'hôtel garni, j'en pris le chemin avec elles. Nous y allâmes tous trois en carrosse, et nous y portâmes toutes les hardes dont nous avions besoin.

L'hôtesse, appelée Bernarda Ramirez, nous reçut avec beaucoup de civilité et nous conduisit à notre appartement, où nous commençâmes à l'entretenir. Nous convînmes de la nourriture qu'elle aurait soin de nous fournir, et de ce que nous lui donnerions pour cela tous les mois. Nous lui demandâmes ensuite si elle avait bien des pensionnaires. Je n'en ai pas présentement, nous répondit-elle ; je n'en manquerais point si j'étais d'humeur à prendre toute sorte de personnes ; mais je ne veux que de jeunes seigneurs. J'en attends ce soir un qui vient de Madrid achever ici ses études. C'est don Luis Pacheco. Vous en avez peut-être entendu parler. Non, lui dit Aurore, je ne sais quel homme c'est, et vous me ferez plaisir de me l'apprendre, puisque je dois demeurer avec lui. Seigneur, reprit l'hôtesse en regardant ce faux cavalier, c'est une figure toute brillante ; il est fait à peu près comme vous. Ah que vous serez bien ensemble l'un et l'autre ! Par saint Jacques ! je pourrai me vanter d'avoir chez moi les deux plus gentils [1] seigneurs d'Espagne. Ce don Luis, répliqua ma maîtresse, a sans doute en ce pays-ci mille bonnes fortunes ? Oh je vous en assure, repartit la vieille ; c'est un vert galant [2] sur ma parole. Il n'a qu'à se montrer pour faire des conquêtes. Il a charmé, entre autres, une dame qui a de la jeunesse et de la beauté. On la nomme Isabelle. C'est la fille d'un vieux docteur en droit. Elle en est ce qui s'appelle folle. Et dites-moi, ma bonne, interrompit Aurore avec précipitation, en est-il fort amoureux ? Il l'aimait, répondit Bernarda Ramirez, avant son départ pour Madrid. Mais je ne sais s'il l'aime

---

1. *Gentil* : beau, aimable.
2. *Vert galant* : « jeune homme sain et vigoureux qui est propre à faire l'amour » (Furetière).

encore ; car il est un peu sujet à caution[1]. Il court de femme en femme, comme tous les jeunes cavaliers ont coutume de faire.

La bonne veuve n'avait pas achevé de parler que nous entendîmes du bruit dans la cour. Nous regardâmes aussitôt par la fenêtre, et nous aperçûmes deux hommes qui descendaient de cheval. C'était don Luis Pacheco lui-même qui arrivait de Madrid avec un valet de chambre. La vieille nous quitta pour aller le recevoir ; ma maîtresse se disposa non sans émotion à jouer le rôle de don Félix. Nous vîmes bientôt entrer dans notre appartement don Luis encore tout botté : Je viens d'apprendre, dit-il en saluant Aurore, qu'un jeune seigneur tolédan est logé dans cet hôtel. Il veut bien que je lui témoigne la joie que j'ai de l'avoir pour convive. Pendant que ma maîtresse répondait à ce compliment, Pacheco me parut surpris de trouver un cavalier si aimable. Aussi ne put-il s'empêcher de lui dire qu'il n'en avait jamais vu de si beau ni de si bien fait. Après force discours pleins de politesse de part et d'autre, don Luis se retira dans l'appartement qui lui était destiné.

Tandis qu'il y faisait ôter ses bottes, et changeait d'habit et de linge, une espèce de page, qui le cherchait pour lui rendre une lettre, rencontra par hasard Aurore sur l'escalier. Il la prit pour don Luis, et lui remettant le billet dont il était chargé : Tenez, seigneur cavalier, lui dit-il, quoique je ne connaisse pas le seigneur Pacheco, je ne crois pas avoir besoin de vous demander si vous l'êtes, je suis persuadé que je ne me trompe point. Non, mon ami, répondit ma maîtresse avec une présence d'esprit admirable, vous ne vous trompez pas assurément. Vous vous acquittez de vos commissions à merveille. Je suis don Luis Pacheco. Allez, j'aurai soin de faire tenir ma réponse. Le page disparut, et Aurore, s'enfermant avec sa suivante et moi, ouvrit la lettre et nous lut ces paroles : *Je viens d'apprendre que vous êtes à Salamanque. Avec quelle joie*

_____
1. « On dit proverbialement d'un grand hâbleur, que tout ce qu'il dit est *sujet à caution*, pour dire qu'il ment souvent » (Furetière).

*j'ai reçu cette nouvelle ! J'en ai pensé perdre l'esprit. Mais
aimez-vous encore Isabelle ? Hâtez-vous de l'assurer que
vous n'avez point changé. Je crois qu'elle mourra de plaisir,
si elle vous retrouve fidèle.*

Le billet est passionné, dit Aurore ; il marque une âme
bien éprise. Cette dame est une rivale qui doit m'alarmer.
Il faut que je n'épargne rien pour en détacher don Luis,
et pour empêcher même qu'il ne la revoie. L'entreprise, je
l'avoue, est difficile. Cependant je ne désespère pas d'en
venir à bout. Ma maîtresse se mit à rêver là-dessus ; et un
moment après, elle ajouta : Je vous les garantis brouillés
en moins de vingt-quatre heures. En effet, Pacheco s'étant
un peu reposé dans son appartement, vint nous retrouver
dans le nôtre, et renoua l'entretien avec Aurore avant le
souper. Seigneur cavalier, lui dit-il en plaisantant, je crois
que les maris et les amants ne doivent pas se réjouir de
votre arrivée à Salamanque ; vous allez leur causer de
l'inquiétude. Pour moi, je tremble pour mes conquêtes.
Écoutez, lui répondit ma maîtresse sur le même ton, votre
crainte n'est pas mal fondée. Don Félix de Mendoce est
un peu redoutable, je vous en avertis. Je suis déjà venu
dans ce pays-ci. Je sais que les femmes n'y sont pas insen-
sibles. Il y a un mois que je passai par cette ville. Je m'y
arrêtai huit jours, et je vous dirai confidemment que
j'enflammai la fille d'un vieux docteur en droit.

Je m'aperçus, à ces paroles, que don Luis se troubla.
Peut-on, sans indiscrétion, reprit-il, vous demander le
nom de la dame ? Comment sans indiscrétion, s'écria le
faux don Félix ? Pourquoi vous ferais-je un mystère de
cela ? Me croyez-vous plus discret que les autres seigneurs
de mon âge ? Ne me faites point cette injustice-là.
D'ailleurs l'objet, entre nous, ne mérite pas tant de ménagement. Ce n'est qu'une petite bourgeoise. Un homme de
qualité ne s'occupe pas sérieusement d'une grisette, et
croit même lui faire honneur en la déshonorant. Je vous
apprendrai donc sans façon que la fille du docteur se
nomme Isabelle. Et le docteur, interrompit impatiemment

Pacheco, s'appellerait-il le seigneur Murcia de la Llaña [1] ?
Justement, répliqua ma maîtresse. Voici une lettre qu'elle
m'a fait tenir tout à l'heure. Lisez-la, et vous verrez si la
princesse me veut du bien. Don Luis jeta les yeux sur
le billet, et reconnaissant l'écriture, il demeura confus et
interdit. Que vois-je, poursuivit alors Aurore d'un air
étonné ? Vous changez de couleur. Je crois, Dieu me pardonne, que vous prenez intérêt à cette dame ! Ah que je
me veux de mal de vous avoir parlé avec tant de franchise !

Je vous en sais très bon gré, moi, dit don Luis avec un
transport mêlé de dépit et de colère. La perfide ! la
volage ! Don Félix, que ne vous dois-je point ? Vous me
tirez d'une erreur que j'aurais peut-être conservée encore
longtemps. Je m'imaginais être aimé, que dis-je, aimé ? je
croyais être adoré d'Isabelle. J'avais quelque estime pour
cette créature-là, et je vois bien que ce n'est qu'une
coquette digne de tout mon mépris. J'approuve votre ressentiment, dit Aurore en marquant à son tour de l'indignation. La fille d'un docteur en droit devait [2] bien se
contenter d'avoir pour amant un jeune seigneur aussi
aimable que vous l'êtes. Je ne puis excuser son incons-
tance, et bien loin d'agréer le sacrifice qu'elle me fait de
vous, je prétends, pour la punir, dédaigner ses bontés.
Pour moi, reprit Pacheco, je ne la reverrai de ma vie. C'est
la seule vengeance que j'en dois tirer. Vous avez raison,
s'écria le faux Mendoce. Néanmoins pour lui faire
connaître jusqu'à quel point nous la méprisons tous deux,
je suis d'avis que nous lui écrivions chacun un billet insul-
tant. J'en ferai un paquet que je lui enverrai pour réponse
à sa lettre. Mais avant que nous en venions à cette extrémité, consultez votre cœur ; peut-être vous repentirez-
vous un jour d'avoir rompu avec Isabelle ? Non non,
interrompit don Luis, je n'aurai jamais cette faiblesse ; et

---

1. En espagnol, l'adjectif *llano* signifie « plat », et l'expression *a la
llana* « simplement », « sans embarras ».
2. Aurait dû.

je consens que pour mortifier l'ingrate, nous fassions ce que vous me proposez.

Aussitôt j'allai chercher du papier et de l'encre, et ils se mirent à composer l'un et l'autre des billets fort obligeants pour la fille du docteur Murcia de la Llaña. Pacheco surtout ne pouvait trouver des termes assez forts à son gré pour exprimer ses sentiments, et il déchira cinq ou six lettres commencées, parce qu'elles ne lui parurent pas assez dures. Il en fit pourtant une dont il fut content, et dont il avait sujet de l'être. Elle contenait ces paroles : *Apprenez à vous connaître, ma Princesse, et n'ayez plus la vanité de croire que je vous aime. Il faut un autre mérite que le vôtre pour m'attacher. Vous n'êtes pas même assez agréable pour m'amuser quelques moments. Vous n'êtes propre qu'à faire l'amusement des derniers écoliers de l'université.* Il écrivit donc ce billet gracieux, et lorsque Aurore eut achevé le sien, qui n'était pas moins offensant, elle les cacheta tous deux, y mit une enveloppe et me donnant le paquet : Tiens, Gil Blas, me dit-elle, fais en sorte qu'Isabelle reçoive cela ce soir. Tu m'entends bien, ajouta-t-elle en me faisant des yeux un signe que je compris parfaitement. Oui, seigneur, lui répondis-je, vous serez servi comme vous le souhaitez.

Je sortis en même temps ; et quand je fus dans la rue, je me dis : Oh çà, monsieur Gil Blas, vous faites donc le valet dans cette comédie ? Hé bien, mon ami, montrez que vous avez assez d'esprit pour remplir un si beau rôle. Le seigneur don Félix s'est contenté de vous faire un signe. Il compte, comme vous voyez, sur votre intelligence. A-t-il tort ? Non. Je conçois ce qu'il attend de moi. Il veut que je fasse tenir seulement le billet de don Luis. C'est ce que signifie ce signe-là. Rien n'est plus intelligible. Je ne balançai point à défaire le paquet. Je tirai la lettre de Pacheco, et je la portai chez le docteur Murcia, dont j'eus bientôt appris la demeure. Je trouvai à la porte de sa maison le petit page qui était venu à l'hôtel garni. Frère, lui dis-je, ne seriez-vous point par hasard domestique de la fille de M. le docteur Murcia ? Il me répondit qu'oui. Vous avez, lui répliquai-je, la physionomie si officieuse que j'ose vous prier de rendre un billet doux à votre maîtresse.

Le petit page me demanda de quelle part je l'apportais, et je ne lui eus pas sitôt reparti que c'était de celle de don Luis Pacheco, qu'il me dit : Cela étant, suivez-moi. J'ai ordre de vous faire entrer. Isabelle veut vous entretenir. Je me laissai introduire dans un cabinet, où je ne tardai guère à voir paraître la señora. Je fus frappé de la beauté de son visage. Je n'ai point vu de traits plus délicats. Elle avait un air mignon et enfantin, mais cela n'empêchait pas que depuis trente bonnes années pour le moins elle ne marchât sans lisière [1]. Mon ami, me dit-elle d'un air riant, appartenez-vous à don Luis Pacheco ? Je lui répondis que j'étais son valet de chambre depuis trois semaines. Ensuite, je lui remis le billet fatal dont j'étais chargé. Elle le relut deux ou trois fois. Il semblait qu'elle se défiât du rapport de ses yeux. Effectivement, elle ne s'attendait à rien moins qu'à une pareille réponse. Elle éleva ses regards vers le Ciel, se mordit les lèvres, et pendant quelque temps sa contenance rendit témoignage des peines de son cœur. Puis tout à coup m'adressant la parole : Mon ami, me dit-elle, don Luis est-il devenu fou ? Apprenez-moi, si vous le savez, pourquoi il m'écrit si galamment. Quel démon peut l'agiter ? S'il veut rompre avec moi, ne le saurait-il faire sans m'outrager par des lettres si brutales ?

Madame, lui dis-je, mon maître a tort assurément. Mais il a été en quelque façon forcé de le faire. Si vous me promettiez de garder le secret, je vous découvrirais tout le mystère. Je vous le promets, interrompit-elle avec précipitation. Ne craignez point que je vous commette [2]. Expliquez-vous hardiment. Hé bien, repris-je, voici le fait en deux mots : Un moment après votre lettre reçue, il est entré dans notre hôtel une dame couverte d'une mante

---

1. On dit « mener un enfant par la *lisière*, quand on le retient par une lisière ou un cordon attaché au dos de sa robe pour lui apprendre à marcher » (Furetière).

2. Que je vous compromette.

des plus épaisses. Elle a demandé le seigneur Pacheco, lui
a parlé quelque temps en particulier, et sur la fin de la
conversation, j'ai entendu qu'elle lui a dit : Vous me jurez
que vous ne la reverrez jamais. Ce n'est pas tout. Il faut,
pour ma satisfaction, que vous lui écriviez tout à l'heure
un billet que je vais vous dicter. J'exige cela de vous. Don
Luis a fait ce qu'elle désirait ; puis me mettant le papier
entre les mains : Informe-toi, m'a-t-il dit, où demeure le
docteur Murcia de la Llaña, et fais adroitement tenir ce
poulet à sa fille Isabelle.

Vous voyez bien, madame, poursuivis-je, que cette lettre
désobligeante est l'ouvrage d'une rivale, et que par conséquent mon maître n'est pas si coupable. Ô Ciel, s'écria-t-
elle, il l'est encore plus que je ne pensais. Son infidélité
m'offense plus que les mots piquants que sa main a tracés.
Ah l'infidèle ! il a pu former d'autres nœuds... Mais,
ajouta-t-elle en prenant un air fier, qu'il s'abandonne sans
contrainte à son nouvel amour. Je ne prétends point le
traverser[1]. Dites-lui qu'il n'avait pas besoin de m'insulter
pour m'obliger à laisser le champ libre à ma rivale, et que
je méprise trop un amant si volage pour avoir la moindre
envie de le rappeler. À ce discours, elle me congédia et se
retira fort irritée contre don Luis.

Je sortis fort satisfait de moi, et je compris que si je
voulais me mettre dans le génie[2], je deviendrais un habile
fourbe. Je m'en retournai à notre hôtel, où je trouvai les
seigneurs Mendoce et Pacheco qui soupaient ensemble et
s'entretenaient comme s'ils se fussent connus de longue
main[3]. Aurore s'aperçut à mon air content, que je ne
m'étais point mal acquitté de ma commission. Te voilà
donc de retour, Gil Blas, me dit-elle ; rends-nous compte
de ton message. Il fallut encore là payer d'esprit. Je dis
que j'avais donné le paquet en main propre, et qu'Isabelle,
après avoir lu les deux billets doux qu'il contenait, au lieu

---

1. Lui faire obstacle.
2. Le *génie* désigne l'art des fortifications, et ceux qui l'exercent sont
appelés *ingénieurs*. Le mot est ici employé ironiquement.
3. Depuis longtemps.

d'en paraître déconcertée, s'était mise à rire comme une folle, en disant : Par ma foi, les jeunes seigneurs ont un joli style. Il faut avouer que les autres personnes n'écrivent pas si agréablement. C'est fort bien se tirer d'embarras, s'écria ma maîtresse ; et voilà certainement une coquette des plus fieffées. Pour moi, dit don Luis, je ne connais point [1] Isabelle à ces traits-là. Il faut qu'elle ait changé de caractère pendant mon absence. J'aurais jugé d'elle aussi tout autrement, reprit Aurore. Convenons qu'il y a des femmes qui savent prendre toutes sortes de formes. J'en ai aimé une de celles-là, et j'en ai été longtemps la dupe. Gil Blas vous le dira, elle avait un air de sagesse à tromper toute la terre. Il est vrai, dis-je en me mêlant à la conversation, que c'était un minois à piper les plus fins. J'y aurais moi-même été attrapé.

Le faux Mendoce et Pacheco firent de grands éclats de rire en m'entendant parler ainsi ; l'un à cause du témoignage que je portais contre une dame imaginaire, et l'autre riait seulement des termes dont je venais de me servir. Nous continuâmes à nous entretenir des femmes qui ont l'art de se masquer, et le résultat de tous nos discours fut qu'Isabelle demeura dûment atteinte et convaincue d'être une franche coquette. Don Luis protesta de nouveau qu'il ne la reverrait jamais, et don Félix, à son exemple, jura qu'il aurait toujours pour elle un parfait mépris. Ensuite de ces protestations, ils se lièrent d'amitié tous deux, et se promirent mutuellement de n'avoir rien de caché l'un pour l'autre. Ils passèrent l'après-souper à se dire des choses gracieuses, et enfin ils se séparèrent pour s'aller reposer chacun dans son appartement. Je suivis Aurore dans le sien, où je lui rendis un compte exact de l'entretien que j'avais eu avec la fille du docteur. Je n'oubliai pas la moindre circonstance. Peu s'en fallut qu'elle ne m'embrassât de joie : Mon cher Gil Blas, me dit-elle, je suis charmée de ton esprit. Quand on a le malheur d'être engagée dans une passion qui nous oblige de recourir à des stratagèmes, quel avantage d'avoir dans ses

_____

1. Je ne reconnais point.

intérêts un garçon aussi spirituel que toi. Courage, mon
ami. Nous venons d'écarter une rivale qui pouvait nous
embarrasser. Cela ne va pas mal. Mais, comme les amants
sont sujets à d'étranges retours [1], je suis d'avis de brus-
quer l'aventure, et de mettre en jeu dès demain Aurore de
Guzman. J'approuvai cette pensée, et laissant le seigneur
don Félix avec son page, je me retirai dans un cabinet où
était mon lit.

CHAPITRE 6

Quelles ruses Aurore mit en usage
pour se faire aimer de don Luis Pacheco.

Les deux nouveaux amis se rassemblèrent le lendemain
matin. Ils commencèrent la journée par des embrassades,
qu'Aurore fut obligée de donner et de recevoir pour bien
jouer le rôle de don Félix. Ils allèrent ensemble se promener dans la ville, et je les accompagnai avec Chilindron [2],
valet de don Luis. Nous nous arrêtâmes auprès de l'université pour regarder quelques affiches de livres [3] qu'on
venait d'attacher à la porte. Plusieurs personnes s'amusaient aussi à les lire, et j'aperçus parmi celles-là un petit
homme qui disait son sentiment sur ces ouvrages affichés.
Je remarquai qu'on l'écoutait avec une extrême attention,
et je jugeai en même temps qu'il croyait la mériter. Il
paraissait vain, et il avait l'esprit décisif, comme l'ont la
plupart des petits hommes. Cette *Nouvelle traduction
d'Horace*, disait-il, que vous voyez annoncée au public en
si gros caractères, est un ouvrage en prose composé par

---

1. Retours de tendresse.
2. En espagnol, *chilindron* est le nom d'un jeu de cartes (le nain jaune)
et *chilindrina* signifie « plaisanterie ».
3. Depuis le XVIe siècle, les pages de titre des livres étaient affichées
pour en assurer la publicité. Furetière signale l'expression : « Il est menteur comme une *affiche* de charlatan. »

un vieil auteur du collège. C'est un livre fort estimé des écoliers. Ils en ont consumé quatre éditions. Il n'y a pas un honnête homme qui en ait acheté un exemplaire. Il ne portait pas de jugements plus avantageux des autres livres. Il les frondait tous sans charité. C'était apparemment quelque auteur [1]. Je n'aurais pas été fâché de l'entendre jusqu'au bout : mais il me fallut suivre don Luis et don Félix, qui ne prenant pas plus de plaisir à ses discours que d'intérêt aux livres qu'il critiquait, s'éloignèrent de lui et de l'université.

Nous revînmes à notre hôtel à l'heure du dîner. Ma maîtresse se mit à table avec Pacheco, et fit adroitement tomber la conversation sur sa famille : Mon père, dit-elle, est un cadet de la maison de Mendoce qui s'est établi à Tolède ; et ma mère est propre sœur de doña Kimena de Guzman, qui depuis quelques jours est venue à Salamanque pour une affaire importante avec sa nièce Aurore, fille unique de don Vincent de Guzman, que vous avez peut-être connu. Non, répondit don Luis, mais on m'en a souvent parlé, ainsi que d'Aurore, votre cousine. Dois-je croire ce qu'on dit d'elle ? On assure que rien n'égale son esprit et sa beauté. Pour de l'esprit, reprit don Félix, elle n'en manque pas. Elle l'a même assez cultivé. Mais ce n'est point une si belle personne. On trouve que nous nous ressemblons beaucoup. Si cela est, s'écria Pacheco, elle justifie sa réputation. Vos traits sont réguliers ; votre teint est parfaitement beau ; votre cousine doit être charmante. Je voudrais bien la voir et l'entretenir. Je m'offre à satisfaire votre curiosité, repartit le faux Mendoce, et même dès ce jour. Je vous mène cette après-dînée chez ma tante.

Ma maîtresse changea tout à coup d'entretien et parla de choses indifférentes. L'après-midi, pendant qu'ils se disposaient tous deux à sortir pour aller chez doña

---

1. D'après Neufchâteau, la traduction d'Horace est celle du jésuite Tarteron (1710) et le « petit homme » serait Nicolas Boindin, auteur de comédies à succès (*La Matrone d'Éphèse*, *Les Trois Gascons*, 1702) et des *Lettres historiques sur les spectacles de Paris* (1719).

Kimena, je pris les devants, et courus avertir la duègne de
se préparer à cette visite. Je revins ensuite sur mes pas
pour accompagner don Félix, qui conduisit enfin chez sa
tante le seigneur don Luis. Mais à peine furent-ils entrés
dans la maison qu'ils rencontrèrent la dame Chimène, qui
leur fit signe de ne point faire de bruit : Paix, paix, leur
dit-elle d'une voix basse, vous réveillerez ma nièce. Elle a
depuis hier une migraine effroyable qui ne fait que de la
quitter, et la pauvre enfant repose depuis un quart
d'heure. Je suis fâché de ce contretemps, dit Mendoce.
J'espérais que nous verrions ma cousine. J'avais fait fête
de ce plaisir à mon ami Pacheco. Ce n'est pas une affaire
si pressée, répondit en souriant Ortiz, vous pouvez la
remettre à demain. Les cavaliers eurent une conversation
fort courte avec la vieille, et se retirèrent.

Don Luis nous mena chez un jeune gentilhomme de
ses amis qu'on appelait don Gabriel de Pedros. Nous y
passâmes le reste de la journée ; nous y soupâmes même,
et nous n'en sortîmes que sur les deux heures après minuit
pour nous en retourner au logis. Nous avions peut-être
fait la moitié du chemin, lorsque nous rencontrâmes sous
nos pieds dans la rue deux hommes étendus par terre.
Nous jugeâmes que c'étaient des malheureux qu'on venait
d'assassiner, et nous nous arrêtâmes pour les secourir, s'il
en était encore temps. Comme nous cherchions à nous
instruire, autant que l'obscurité de la nuit nous le pouvait
permettre, de l'état où ils se trouvaient, la patrouille
arriva. Le commandant nous prit d'abord pour des assassins, et nous fit environner par ses gens ; mais il eut
meilleure opinion de nous lorsqu'il nous eut entendus
parler, et qu'à la faveur d'une lanterne sourde, il vit les
traits de Mendoce et de Pacheco. Ses archers, par son
ordre, examinèrent les deux hommes que nous nous imaginions avoir été tués, et il se trouva que c'était un gros
licencié avec son valet, tous deux pris de vin, ou plutôt
ivres-morts. Messieurs, s'écria un des archers, je reconnais
ce gros vivant. Hé c'est le seigneur licencié Guyomar,

recteur de notre université[1]. Tel que vous le voyez, c'est un grand personnage, un génie supérieur. Il n'y a point de philosophe qu'il ne terrasse dans une dispute. Il a un flux de bouche sans pareil. C'est dommage qu'il aime un peu trop le vin, le procès et la grisette. Il revient de souper de chez son Isabelle, où par malheur, son guide s'est enivré comme lui. Ils sont tombés l'un et l'autre dans le ruisseau[2]. Avant que le bon licencié fût recteur, cela lui arrivait assez souvent. Les honneurs, comme vous voyez, ne changent pas toujours les mœurs. Nous laissâmes ces ivrognes entre les mains de la patrouille, qui eut soin de les porter chez eux. Nous regagnâmes notre hôtel, et chacun ne songea qu'à se reposer.

Don Félix et don Luis se levèrent sur le midi, et Aurore de Guzman fut la première chose dont ils s'entretinrent. Gil Blas, me dit ma maîtresse, va chez ma tante doña Kimena, et lui demande si nous pouvons aujourd'hui, le seigneur Pacheco et moi, voir ma cousine. Je sortis pour m'acquitter de cette commission, ou plutôt pour concerter avec la duègne ce que nous avions à faire ; et quand nous eûmes pris ensemble de justes mesures, je vins rejoindre le faux Mendoce : Seigneur, lui dis-je, votre cousine Aurore se porte à merveille. Elle m'a chargé elle-même de vous témoigner de sa part que votre visite ne lui saurait être que très agréable ; et doña Kimena m'a dit d'assurer le seigneur Pacheco qu'il sera toujours parfaitement bien reçu chez elle sous vos auspices.

---

1. Anagramme approximative de Guillaume Dagoumer, recteur de l'université de Paris. Lenglet du Fresnoy donne la clé de cette « application » : « Le *Gil Blas*, quoique mieux écrit [que le *Guzmán d'Alfarache*], n'est pas digne d'un sort beaucoup meilleur. Je ne m'embarrasse peu si l'on a trouvé ivre et vautré dans la boue un célèbre licencié, que l'on fut même obligé de ramener chez lui. Mais ce sont là, dit-on, des caractères de mœurs ; [je réponds que] ce sont des portraits : ce seigneur licencié, vous devez le connaître, c'est le sieur Dagoumer ; il est peut-être aujourd'hui un peu plus tempéré » (*De l'usage des romans*, Amsterdam, 1734, t. I, p. 198).
2. Dans le caniveau.

Je m'aperçus que ces dernières paroles firent plaisir à don Luis. Ma maîtresse le remarqua de même, et en conçut un heureux présage. Un moment avant le dîner, le valet de la señora Kimena parut, et dit à don Félix : Seigneur, un homme de Tolède est venu vous demander chez madame votre tante et y a laissé ce billet. Le faux Mendoce l'ouvrit, et y trouva ces mots qu'il lut à haute voix : *Si vous avez envie d'apprendre des nouvelles de votre père et des choses de conséquence pour vous, ne manquez pas aussitôt la présente reçue de vous rendre au Cheval noir, auprès de l'université.* Je suis, dit-il, trop curieux de savoir ces choses importantes, pour ne pas satisfaire ma curiosité tout à l'heure. Sans adieu, Pacheco, continua-t-il, si je ne suis point de retour ici dans deux heures, vous pourrez aller seul chez ma tante. J'irai vous y rejoindre dans l'après-dînée. Vous savez ce que Gil Blas vous a dit de la part de doña Kimena ; vous êtes en droit de faire cette visite. Il sortit en parlant de cette sorte, et m'ordonna de le suivre.

Vous vous imaginez bien qu'au lieu de prendre la route du *Cheval noir*, nous enfilâmes celle de la maison où était Ortiz. D'abord que nous y fûmes arrivés, Aurore ôta sa chevelure blonde, lava et frotta ses sourcils, mit un habit de femme, et devint une belle brune telle qu'elle l'était naturellement. On peut dire que son déguisement la changeait à un point qu'Aurore et don Félix paraissaient deux personnes différentes. Il semblait même qu'elle fût beaucoup plus grande en femme qu'en homme. Il est vrai que ses chappins[1], car elle en avait d'une hauteur excessive, n'y contribuaient pas peu. Lorsqu'elle eut ajouté à ses charmes tous les secours que l'art leur pouvait prêter, elle attendit don Luis avec une agitation mêlée de crainte et d'espérance. Tantôt elle se fiait à son esprit et à sa beauté, et tantôt elle appréhendait de n'en faire qu'un essai malheureux. Ortiz de son côté se prépara de son mieux à seconder ma maîtresse. Pour moi, comme il ne fallait pas

---

1. *Chappin* : « espèce de chaussure dont on se sert en Espagne, et qui sert de surtout [de protection] au soulier » (*Dictionnaire de Trévoux*).

que Pacheco me vît dans cette maison, et que semblable aux acteurs qui ne paraissent qu'au dernier acte d'une pièce, je ne devais me montrer que sur la fin de la visite, je sortis aussitôt que j'eus dîné.

Enfin tout était en état, quand don Luis arriva. Il fut reçu très agréablement de la dame Chimène, et il eut avec Aurore une conversation de deux ou trois heures, après quoi j'entrai dans la chambre où ils étaient, et m'adressant au cavalier : Seigneur, lui dis-je, don Félix mon maître ne viendra point ici d'aujourd'hui. Il vous prie de l'excuser. Il est avec trois hommes de Tolède, dont il ne peut se débarrasser. Ah le petit libertin, s'écria doña Kimena ; il est sans doute en débauche. Non, madame, repris-je, il s'entretient avec eux d'affaires fort sérieuses. Il a un véritable chagrin de ne pouvoir se rendre ici. Il m'a chargé de vous le dire aussi bien qu'à doña Aurora. Oh, je ne reçois point ses excuses, dit ma maîtresse ! Il sait que j'ai été indisposée : il devait marquer un peu plus d'empressement pour les personnes à qui le sang le lie. Pour le punir, je ne le veux voir de quinze jours. Hé, madame, dit alors don Luis, ne formez point une si cruelle résolution, don Félix est assez à plaindre de ne vous avoir pas vue.

Ils plaisantèrent quelque temps là-dessus. Ensuite Pacheco se retira. La belle Aurore change aussitôt de forme et reprend son habit de cavalier. Elle retourne à l'hôtel garni le plus promptement qu'il lui est possible. Je vous demande pardon, cher ami, dit-elle à don Luis, de ne vous avoir pas été trouver chez ma tante ; mais je n'ai pu me défaire des personnes avec qui j'étais. Ce qui me console, c'est que vous avez eu du moins tout le loisir de satisfaire vos désirs curieux. Hé bien, que pensez-vous de ma cousine ? J'en suis enchanté, répondit Pacheco. Vous aviez raison de dire que vous vous ressemblez. Je n'ai jamais vu de traits plus semblables. C'est le même tour de visage. Vous avez les mêmes yeux, la même bouche, le même son de voix. Il y a pourtant quelque différence entre vous deux : Aurore est plus grande que vous ; elle est brune et vous êtes blond ; vous êtes enjoué, elle est sérieuse. Voilà tout ce qui vous distingue l'un de l'autre. Pour de l'esprit, continua-t-il, je ne crois pas qu'une substance céleste [1] puisse en avoir plus que votre cousine. En un mot, c'est une personne d'un mérite accompli.

Le seigneur Pacheco prononça ces dernières paroles avec tant de vivacité, que don Félix lui dit en souriant : Ami, n'allez plus chez doña Kimena. Je vous le conseille pour votre repos. Aurore de Guzman pourrait vous faire voir du pays, et vous inspirer une passion... Je n'ai pas besoin de la revoir, interrompit-il, pour en devenir amoureux. L'affaire en est faite. J'en suis fâché pour vous, répliqua le faux Mendoce ; car vous n'êtes pas un homme à vous attacher, et ma cousine n'est pas une Isabelle. Je vous en avertis. Elle ne s'accommoderait pas d'un amant qui n'aurait pas des vues légitimes. Des vues légitimes, repartit don Luis ? Peut-on en avoir d'autres sur une fille de son sang ? Hélas, je m'estimerais le plus heureux de tous les hommes, si elle approuvait ma recherche et voulait lier sa destinée à la mienne.

En le prenant sur ce ton-là, reprit don Félix, vous m'intéressez à vous servir. Oui, j'entre dans vos sentiments. Je vous offre mes bons offices auprès d'Aurore, et je veux dès demain gagner ma tante, qui a beaucoup de crédit sur son esprit. Pacheco rendit mille grâces au cavalier qui lui faisait de si belles promesses, et nous nous aperçûmes avec joie que notre stratagème ne pouvait aller mieux. Le jour suivant nous augmentâmes encore l'amour de don Luis par une nouvelle invention. Ma maîtresse, après avoir été trouver doña Kimena comme pour la rendre favorable à ce cavalier, vint le rejoindre [2] : J'ai parlé à ma tante, lui dit-elle, et je n'ai pas eu peu de peine à la mettre dans vos intérêts. Elle était furieusement prévenue contre vous. Je ne sais qui vous a fait passer dans son esprit pour un libertin ; mais j'ai pris vivement votre

_____

1. Qu'un ange.
2. Les deux éditions de 1715 donnent la leçon « elle vint le rejoindre », que nous corrigeons.

parti, et j'ai détruit enfin la mauvaise impression qu'on lui avait donnée de vos mœurs.

Ce n'est pas tout, poursuivit Aurore, je veux que vous ayez en ma présence un entretien avec ma tante ; nous achèverons de vous assurer son appui. Pacheco témoigna une extrême impatience d'entretenir doña Kimena, et cette satisfaction lui fut accordée le lendemain matin. Le faux Mendoce le conduisit à la dame Ortiz, et ils eurent tous trois une conversation, où don Luis fit voir qu'en peu de temps il s'était laissé fort enflammer. L'adroite Kimena feignit d'être touchée de toute la tendresse qu'il faisait paraître, et promit au cavalier de faire tous ses efforts pour engager sa nièce à l'épouser. Pacheco se jeta aux pieds d'une si bonne tante et la remercia de ses bontés. Là-dessus don Félix demanda si sa cousine était levée. Non, répondit la duègne, elle repose encore, et vous ne sauriez la voir présentement ; mais revenez cette après-dînée, et vous lui parlerez à loisir. Cette réponse de la dame Chimène redoubla, comme vous pouvez croire, la joie de don Luis, qui trouva le reste de la matinée bien long. Il regagna l'hôtel garni avec Mendoce, qui ne prenait pas peu de plaisir à l'observer et à remarquer en lui toutes les apparences d'un véritable amour.

Ils ne s'entretinrent que d'Aurore, et lorsqu'ils eurent dîné, don Félix dit à Pacheco : Il me vient une idée. Je suis d'avis d'aller chez ma tante quelques moments avant vous. Je veux parler en particulier à ma cousine, et découvrir, s'il est possible, dans quelle disposition son cœur est à votre égard. Don Luis approuva cette pensée. Il laissa sortir son ami, et ne partit qu'une heure après lui. Ma maîtresse profita si bien de ce temps-là qu'elle était habillée en femme, quand son amant arriva. Je croyais, dit ce cavalier après avoir salué Aurore et la duègne, je croyais trouver ici don Félix. Vous le verrez dans un instant, répondit doña Kimena ; il écrit dans mon cabinet. Pacheco parut se payer de cette défaite, et lia conversation avec les dames. Cependant malgré la présence de l'objet aimé, il s'aperçut que les heures s'écoulaient sans que Mendoce se montrât ; et comme il ne put s'empêcher d'en témoigner quelque surprise, Aurore changea tout à coup de contenance, se mit à rire et dit à don Luis : Est-il possible que vous n'ayez pas encore le moindre soupçon de la supercherie qu'on vous fait ? Une fausse chevelure blonde et des sourcils teints me rendent-ils si différente de moi-même, qu'on puisse jusque-là s'y tromper ? Désabusez-vous donc, Pacheco, continua-t-elle en reprenant son sérieux, apprenez que don Félix de Mendoce et Aurore de Guzman ne sont qu'une même personne.

Elle ne se contenta pas de le tirer de cette erreur ; elle avoua la faiblesse qu'elle avait pour lui, et toutes les démarches qu'elle avait faites pour l'amener au point où elle le voyait enfin rendu. Don Luis ne fut pas moins charmé que surpris de ce qu'il entendit, il se jeta aux pieds de ma maîtresse, et lui dit avec transport : Ah belle Aurore ; croirai-je en effet que je suis l'heureux mortel pour qui vous avez eu tant de bontés ? Que puis-je faire pour les reconnaître ? Un éternel amour ne saurait assez les payer. Ces paroles furent suivies de mille autres discours tendres et passionnés ; après quoi les amants parlèrent des mesures qu'ils avaient à prendre pour parvenir à l'accomplissement de leurs désirs. Il fut résolu que nous partirions tous incessamment pour Madrid, où nous dénouerions notre comédie par un mariage [1]. Ce dessein fut presque aussitôt exécuté que conçu ; don Luis quinze jours après épousa ma maîtresse, et leurs noces donnèrent lieu à des fêtes et à des réjouissances infinies.

---

1. Référence à la pièce de Diego de Córdova y Figueroa *Todo es enredos en amor, y diablos son las mujeres*, dont Lesage démarque l'intrigue dans les chapitres 5 et 6 de ce livre.

CHAPITRE 7

Gil Blas change de condition,
il passe au service de don Gonzale Pacheco.

Trois semaines après ce mariage, ma maîtresse voulut récompenser les services que je lui avais rendus. Elle me fit présent de cent pistoles, et me dit : Gil Blas, mon ami, je ne vous chasse point de chez moi ; je vous laisse la liberté d'y demeurer tant qu'il vous plaira ; mais un oncle de mon mari, don Gonzale Pacheco, souhaite de vous avoir pour valet de chambre. Je lui ai parlé si avantageusement de vous, qu'il m'a témoigné que je lui ferais plaisir de vous donner à lui. C'est un vieux seigneur, ajouta-t-elle, un homme d'un très bon caractère ; vous serez parfaitement bien auprès de lui.

Je remerciai Aurore de ses bontés, et comme elle n'avait plus besoin de moi, j'acceptai d'autant plus volontiers le poste qui se présentait, que je ne sortais point de la famille. J'allai donc un matin de la part de la nouvelle mariée chez le seigneur don Gonzale. Il était encore au lit, quoiqu'il fût près de midi. Lorsque j'entrai dans sa chambre, je le trouvai qui prenait un bouillon qu'un page venait de lui apporter. Le vieillard avait la moustache en papillotes [1], les yeux presque éteints avec un visage pâle et décharné. C'était un de ces vieux garçons qui ont été fort libertins dans leur jeunesse, et qui ne sont guère plus sages dans un âge plus avancé. Il me reçut agréablement, et me dit que si je voulais le servir avec autant de zèle que j'avais servi sa nièce, je pouvais compter qu'il me ferait un heureux sort. Je promis d'avoir pour lui le même attachement que j'avais eu pour elle, et dès ce moment il me retint à son service.

Me voilà donc à un nouveau maître, et Dieu sait quel homme c'était ! Quand il se leva, je crus voir la

_____
1. La moustache frisée.

résurrection du Lazare [1]. Imaginez-vous un grand corps si sec, qu'en le voyant à nu on aurait fort bien pu apprendre l'ostéologie [2]. Il avait les jambes si menues qu'elles me parurent encore très fines, après qu'il eut mis trois ou quatre paires de bas l'une sur l'autre. Outre cela cette momie vivante était asthmatique et toussait à chaque parole qui lui sortait de la bouche. Il prit d'abord du chocolat. Il demanda ensuite du papier et de l'encre, écrivit un billet qu'il cacheta, et le fit porter à son adresse par le page qui lui avait donné un bouillon ; puis se tournant de mon côté : Mon ami, me dit-il, c'est toi que je prétends désormais charger de mes commissions, et particulièrement de celles qui regarderont doña Eufrasia. Cette dame est une jeune personne que j'aime et dont je suis tendrement aimé.

Bon Dieu, dis-je aussitôt en moi-même, hé comment les jeunes gens pourront-ils s'empêcher de croire qu'on les aime, puisque ce vieux penard [3] s'imagine qu'on l'idolâtre ? Gil Blas, poursuivit-il, je te mènerai chez elle dès aujourd'hui ; j'y soupe presque tous les soirs. Tu seras charmé de son air sage et retenu. Bien loin de ressembler à ces petites étourdies qui donnent dans la jeunesse, et s'engagent sur les apparences, elle a l'esprit déjà mûr et judicieux ; elle veut des sentiments dans un homme, et préfère aux figures les plus brillantes un amant qui sait aimer. Le seigneur don Gonzale ne borna point là l'éloge de sa maîtresse : il entreprit de la faire passer pour l'abrégé de toutes les perfections ; mais il avait un auditeur assez difficile à persuader là-dessus. Après toutes les manœuvres que j'avais vu faire aux comédiennes, je ne croyais pas les vieux seigneurs fort heureux en amour. Je feignis pourtant par complaisance d'ajouter foi à tout ce

---

1. Lazare de Béthanie, ressuscité par Jésus d'après l'Évangile selon Jean (chant XI).
2. L'anatomie des os.
3. « Terme injurieux qu'on dit quelquefois aux hommes âgés. C'est un vieux *penard* qui crache sur les tisons, qui ne sait ce qu'il dit » (Furetière).

que me dit mon maître. Je fis plus, je vantai le discernement et le bon goût d'Eufrasie. Je fus même assez impu-
dent pour avancer qu'elle ne pouvait avoir de galant plus
aimable. Le bonhomme ne sentit point que je lui donnais
de l'encensoir par le nez [1] ; au contraire, il s'applaudit de
mes paroles ; tant il est vrai qu'un flatteur peut tout risquer avec les grands. Ils se prêtent jusqu'aux flatteries les
plus outrées.

Le vieillard, après avoir écrit, s'arracha quelques poils
de la barbe avec une pincette ; puis il se lava les yeux,
pour ôter une épaisse chassie dont ils étaient pleins. Il
lava aussi ses oreilles, ensuite ses mains, et quand il eut
fait ses ablutions, il teignit en noir sa moustache, ses sourcils et ses cheveux. Il fut plus longtemps à sa toilette
qu'une vieille douairière [2] qui s'étudie à cacher l'outrage
des années. Comme il achevait de s'ajuster, il entra un
autre vieillard de ses amis, qu'on nommait le comte de
Asumar. Celui-ci laissait voir ses cheveux blancs,
s'appuyait sur un bâton, et semblait se faire honneur de
sa vieillesse, au lieu de vouloir paraître jeune. Seigneur
Pacheco, dit-il en entrant, je viens vous demander à dîner.
Soyez le bienvenu, comte, répondit mon maître. En même
temps, ils s'embrassèrent l'un l'autre, s'assirent, et commencèrent à s'entretenir en attendant qu'on servît.

Leur conversation roula d'abord sur une course de taureaux qui s'était faite depuis peu de jours. Ils parlèrent
des cavaliers qui y avaient montré le plus d'adresse et de
vigueur, et là-dessus le vieux comte, tel que Nestor [3] à qui

---

1. « On dit proverbialement et figurément *Donner de l'encensoir par
le nez*, pour dire Donner des louanges outrées, qui font voir qu'on se
moque de celui qu'on loue ; ou donner des louanges grossières qui
blessent plus qu'elles ne flattent » (*Dictionnaire de l'Académie*, 1762).

2. Veuve qui jouit de son douaire, c'est-à-dire des « biens que le mari
assigne à sa femme en se mariant, pour en jouir par usufruit pendant
sa viduité [son veuvage], et en laisser la propriété à ses enfants » (Furetière). En France, le douaire représente la moitié des biens du mari : les
douairières sont très recherchées...

3. Ce roi légendaire est un conseiller avisé chez Homère, mais au fil
des siècles, l'expression « le sage Nestor » a fini par désigner un rado-
teur, un vieux moralisateur.

toutes les choses présentes donnaient occasion de louer les choses passées, dit en soupirant : Hélas, je ne vois point aujourd'hui d'hommes comparables à ceux que j'ai vus autrefois, ni les tournois ne se font pas [1] avec autant de magnificence qu'on les faisait dans ma jeunesse. Je riais en moi-même de la prévention [2] du bon seigneur de Asumar, qui ne s'en tint pas aux tournois ; je me souviens, quand il fut à table, et qu'on apporta le fruit, qu'il dit en voyant de fort belles pêches qu'on avait servies : De mon temps, les pêches étaient bien plus grosses qu'elles ne le sont à présent. La nature s'affaiblit de jour en jour. Sur ce pied-là, dit en souriant don Gonzale, les pêches du temps d'Adam devaient être d'une grosseur merveilleuse.

Le comte de Asumar demeura presque jusqu'au soir avec mon maître, qui ne se vit pas plus tôt débarrassé de lui qu'il sortit en me disant de le suivre. Nous allâmes chez Eufrasie qui logeait à cent pas de notre maison, et nous la trouvâmes dans un appartement des plus propres. Elle était galamment habillée, et avait un air de jeunesse qui me la fit prendre pour une mineure, bien qu'elle eût trente bonnes années pour le moins [3]. Elle pouvait passer pour jolie, et j'admirai bientôt son esprit. Ce n'était pas une de ces coquettes qui n'ont qu'un babil brillant avec des manières libres ; il y avait de la modestie [4] dans son action comme dans ses discours, et elle parlait le plus spirituellement du monde, sans paraître se donner pour spirituelle. Ô Ciel, dis-je, est-il possible qu'une personne qui se montre si réservée soit capable de vivre dans le libertinage ? Je m'imaginais que toutes les femmes galantes devaient être effrontées. J'étais surpris d'en voir une modeste en apparence, sans faire réflexion que ces créatures savent se composer de toutes les façons et se conformer au caractère des gens riches et des seigneurs qui

---

1. Tour négatif archaïque. Comprendre : « et les tournois ne se font pas... »
2. Des préjugés.
3. La majorité est fixée à 25 ans sous l'Ancien Régime.
4. De la pudeur, de la retenue.

tombent entre leurs mains. Veulent-ils de l'emportement ? elles sont vives et pétulantes. Aiment-ils la retenue ? elles se parent d'un extérieur sage et vertueux. Ce sont de vrais caméléons qui changent de couleur suivant l'humeur et le génie des hommes qui les approchent.

Don Gonzale n'était pas du goût des seigneurs qui demandent des beautés hardies ; il ne pouvait souffrir celles-là, et il fallait pour le piquer, qu'une femme eût un air de vestale [1]. Aussi Eufrasie se réglait là-dessus, et faisait voir que les bonnes comédiennes n'étaient pas toutes à la comédie. Je laissai mon maître avec sa nymphe, et je descendis dans une salle où je trouvai une vieille femme de chambre que je reconnus pour une soubrette qui avait été suivante d'une comédienne. De son côté, elle me remit. Hé vous voilà, seigneur Gil Blas, me dit-elle ! Vous êtes donc sorti de chez Arsénie, comme moi de chez Constance ? Oh vraiment, lui répondis-je, il y a longtemps que je l'ai quittée. J'ai même servi depuis une fille de condition. La vie des personnes de théâtre n'est guère de mon goût. Je me suis donné mon congé moi-même, sans daigner avoir le moindre éclaircissement avec Arsénie. Vous avez bien fait, reprit la soubrette nommée Béatrix. J'en ai usé à peu près de la même manière avec Constance. Un beau matin, je lui rendis mes comptes froidement. Elle les reçut sans me dire une syllabe, et nous nous séparâmes assez cavalièrement.

Je suis ravi, lui dis-je, que nous nous retrouvions dans une maison plus honorable. Doña Eufrasia me paraît une façon de femme de qualité [2], et je la crois d'un très bon caractère. Vous ne vous trompez pas, me répondit la vieille suivante, elle a de la naissance, et pour son humeur, je puis vous assurer qu'il n'y en a point de plus égale ni de plus douce. Elle n'est point de ces maîtresses emportées et difficiles qui trouvent à redire à tout, qui crient sans cesse, tourmentent leurs domestiques, et dont le service,

_____

1. Les vestales, vierges consacrées au service de la déesse Vesta, gardaient le feu sacré dans la religion romaine.
2. Elle a l'air et la conduite d'une femme de qualité.

en un mot, est un enfer. Je ne l'ai pas encore entendue
gronder une seule fois. Quand il m'arrive de ne pas faire
les choses à sa fantaisie, elle me reprend sans colère, et
jamais il ne lui échappe de ces épithètes dont les dames
violentes sont si libérales. Mon maître, repris-je, est aussi
fort doux, c'est le meilleur de tous les humains ; et sur ce
pied-là, nous sommes vous et moi beaucoup mieux que
nous n'étions chez nos comédiennes. Mille fois mieux,
repartit Béatrix ; je menais une vie tumultueuse, au lieu
que je vis présentement dans la retraite. Il ne vient pas
d'autre homme ici que le seigneur don Gonzale. Je ne
verrai que vous dans ma solitude, et j'en suis bien aise. Il
y a longtemps que j'ai de l'affection pour vous ; et j'ai
plus d'une fois envié le bonheur de Laure de vous avoir
pour amant, mais enfin j'espère que je ne serai pas moins
heureuse qu'elle. Si je n'ai pas sa jeunesse et sa beauté, en
récompense je hais la coquetterie, et je suis une tourterelle
pour la fidélité.

Comme la bonne Béatrix était une de ces personnes qui
sont obligées d'offrir leurs faveurs, parce qu'on ne les leur
demanderait pas, je ne fus nullement tenté de profiter de
ses avances. Je ne voulus pas pourtant qu'elle s'aperçût
que je la méprisais, et même j'eus la politesse de lui parler
de manière qu'elle ne perdît pas toute espérance de
m'engager à l'aimer. Je m'imaginai donc que j'avais fait
la conquête d'une vieille suivante, et je me trompai encore
dans cette occasion. La soubrette n'en usait pas ainsi avec
moi seulement pour mes beaux yeux : son dessein était
de m'inspirer de l'amour pour me mettre dans les intérêts
de sa maîtresse, pour qui elle se sentait si zélée, qu'elle ne
s'embarrassait point de ce qu'il lui en coûterait pour la
servir. Je reconnus mon erreur dès le lendemain matin
que je portai de la part de mon maître un billet doux à
Eufrasie. Cette dame me fit un accueil gracieux, me dit
mille choses obligeantes, et la femme de chambre aussi
s'en mêla. L'une admirait ma physionomie ; l'autre me
trouvait un air de sagesse et de prudence. À les entendre,
le seigneur don Gonzale possédait en moi un trésor. En
un mot, elles me louèrent tant que je me défiai des

louanges qu'elles me donnèrent. J'en pénétrai le motif ; mais je les reçus en apparence avec toute la simplicité d'un sot, et par cette contre-ruse je trompai les friponnes, qui levèrent enfin le masque.

Écoute, Gil Blas, me dit Eufrasie ; il ne tiendra qu'à toi de faire ta fortune. Agissons de concert, mon ami. Don Gonzale est vieux et d'une santé si délicate, que la moindre fièvre aidée d'un bon médecin l'emportera. Ménageons les moments qui lui restent, et faisons en sorte qu'il me laisse la meilleure partie de son bien. Je t'en ferai bonne part. Je te le promets, et tu peux compter sur cette promesse, comme si je te la faisais par-devant tous les notaires de Madrid. Madame, lui répondis-je, disposez de votre serviteur. Vous n'avez qu'à me prescrire la conduite que je dois tenir, et vous serez satisfaite. Hé bien, reprit-elle, il faut observer ton maître, et me rendre compte de tous ses pas. Quand vous vous entretiendrez tous deux, ne manque pas de faire tomber la conversation sur les femmes, et de là prends, mais avec art, occasion de lui dire du bien de moi. Occupe-le d'Eufrasie autant qu'il te sera possible. Je te recommande encore d'être fort attentif à ce qui se passe dans la famille des Pacheco. Si tu t'aperçois que quelque parent de don Gonzale ait de grandes assiduités auprès de lui et couche en joue sa succession, tu m'en avertiras aussitôt. Je ne t'en demande pas davantage ; je le coulerai à fond en peu de temps. Je connais les divers caractères des parents de ton maître : je sais quels portraits ridicules on lui peut faire d'eux, et j'ai déjà mis assez mal dans son esprit tous ses neveux et ses cousins.

Je jugeai par ces instructions et par d'autres qu'y joignit Eufrasie, que cette dame était de celles qui s'attachent aux vieillards généreux. Elle avait depuis peu obligé don Gonzale à vendre une terre dont elle avait touché l'argent. Elle tirait de lui tous les jours de bonnes nippes [1], et de plus, elle espérait qu'il ne l'oublierait pas

_____

1. *Nippes* : « terme général qui se dit tant des habits que des meubles, et de tout ce qui sert à l'ajustement et à la parure » (*Dictionnaire de Trévoux*). Voir II, 2, p. 134.

dans son testament. Je feignis de m'engager volontiers à faire tout ce qu'on exigeait de moi, et pour ne rien dissimuler, je doutai en m'en retournant au logis si je contribuerais à tromper mon maître, ou si j'entreprendrais de le détacher de sa maîtresse. L'un de ces deux partis me paraissait plus honnête que l'autre, et je me sentais plus de penchant à remplir mon devoir qu'à le trahir. D'ailleurs, Eufrasie ne m'avait rien promis de positif, et cela peut-être était cause qu'elle n'avait pas corrompu ma fidélité. Je me résolus donc à servir don Gonzale avec zèle, et je me persuadai que si j'étais assez heureux pour l'arracher à son idole, je serais mieux payé de cette bonne action, que des mauvaises que je pourrais faire.

Pour parvenir à la fin que je me proposais, je me montrai tout dévoué au service de doña Eufrasia. Je lui fis accroire que je parlais d'elle incessamment à mon maître, et là-dessus je lui débitais des fables qu'elle prenait pour argent comptant. Je m'insinuai si bien dans son esprit, qu'elle me crut entièrement dans ses intérêts. Pour mieux imposer encore, j'affectai de paraître amoureux de Béatrix, qui ravie, à son âge, de voir un jeune homme à ses trousses, ne se souciait guère d'être trompée, pourvu que je la trompasse bien. Lorsque nous étions auprès de nos princesses, mon maître et moi, cela faisait deux tableaux différents dans le même goût. Don Gonzale sec et pâle, comme je l'ai peint, avait l'air d'un agonisant quand il voulait faire les doux yeux ; et mon infante, à mesure que je me montrais plus passionné, prenait des manières enfantines, et faisait tout le manège d'une vieille coquette. Aussi avait-elle quarante ans d'école pour le moins. Elle s'était raffinée au service de quelques-unes de ces héroïnes de galanterie qui savent plaire jusque dans leur vieillesse, et qui meurent chargées des dépouilles de deux ou trois générations.

Je ne me contentais pas d'aller tous les soirs avec mon maître chez Eufrasie, j'y allais quelquefois tout seul pendant le jour. Mais à quelque heure que j'entrasse dans cette maison, je n'y rencontrais jamais d'homme, pas même de femme d'un air équivoque. Je n'y découvrais pas la moindre trace d'infidélité. Ce qui ne m'étonnait pas peu ; car je ne pouvais penser qu'une si jolie dame fût exactement fidèle à don Gonzale. En quoi certes je ne faisais pas un jugement téméraire, et la belle Eufrasie, comme vous le verrez bientôt, pour attendre plus patiemment la succession de mon maître, s'était pourvue d'un amant plus convenable à une femme de son âge.

Un matin je portais à mon ordinaire un poulet à la princesse. J'aperçus, tandis que j'étais dans sa chambre, les pieds d'un homme caché derrière une tapisserie. Je sortis sans faire semblant de les avoir remarqués ; mais quoique cet objet dût peu me surprendre, et que la chose ne roulât pas sur mon compte je ne laissai pas d'en être fort ému : Ah perfide, dis-je en moi-même avec indignation [1], scélérate Eufrasie ! Tu n'es pas satisfaite d'imposer à un bon vieillard en lui persuadant que tu l'aimes, il faut que tu te livres à un autre pour mettre le comble à ta trahison ! Que j'étais fat, quand j'y pense, de raisonner de la sorte ! Il fallait plutôt rire de cette aventure, et la regarder comme une compensation des ennuis et des langueurs qu'il y avait dans le commerce de mon maître. J'aurais du moins mieux fait de n'en dire mot, que de me servir de cette occasion pour faire le bon valet. Mais au lieu de modérer mon zèle, j'entrai avec chaleur dans les intérêts de don Gonzale, et lui fis un fidèle rapport de ce que j'avais vu. J'ajoutai même à cela qu'Eufrasie m'avait voulu séduire. Je ne lui dissimulai rien de tout ce qu'elle m'avait dit, et il ne tint qu'à lui de connaître parfaitement sa maîtresse. Il fut frappé de mes discours, et une petite émotion de colère qui parut sur son visage sembla présager que la dame ne lui serait pas impunément infidèle. C'est assez, Gil Blas, me dit-il, je suis très sensible à l'attachement que je te vois à mon service, et ta fidélité me plaît. Je vais tout à l'heure chez Eufrasie. Je veux l'accabler de reproches, et rompre avec l'ingrate. À ces mots, il sortit effectivement pour se rendre chez elle, et il me

---

1. « Ah perfide, disais-je avec indignation » (var. de 1715b).

dispensa de le suivre, pour m'épargner le mauvais rôle
que j'aurais eu à jouer pendant leur éclaircissement.

J'attendis le plus impatiemment du monde que mon
maître fût de retour. Je ne doutais point qu'ayant un aussi
grand sujet qu'il en avait de se plaindre de sa nymphe,
il ne revînt détaché de ses attraits. Dans cette pensée, je
m'applaudissais de mon ouvrage. Je me représentais la
satisfaction qu'auraient les héritiers naturels de don Gonzale, quand ils apprendraient que leur parent n'était plus
le jouet d'une passion si contraire à leurs intérêts. Je me
flattais qu'ils m'en tiendraient compte, et qu'enfin j'allais
me distinguer des autres valets de chambre qui sont ordinairement plus disposés à maintenir leurs maîtres dans la
débauche qu'à les en retirer. J'aimais l'honneur, et je pensais avec plaisir que je passerais pour le coryphée des
domestiques ; mais une idée si agréable s'évanouit
quelques heures après. Mon patron arriva : Mon ami, me
dit-il, je viens d'avoir un entretien très vif avec Eufrasie.
Elle soutient que tu m'as fait un faux rapport. Tu n'es, si
on l'en croit, qu'un imposteur, qu'un valet dévoué à mes
neveux, pour l'amour de qui tu n'épargnerais rien pour
me brouiller avec elle. J'ai vu couler de ses yeux des pleurs
véritables [1]. Elle m'a juré par ce qu'il y a de plus sacré
qu'elle ne t'a fait aucune proposition, et qu'elle ne voit
pas un homme. Béatrix, qui me paraît une bonne fille,
m'a protesté la même chose ; de sorte que malgré moi ma
colère s'est apaisée.

Hé quoi, monsieur, interrompis-je avec douleur, doutez-
vous de ma sincérité ? vous défiez-vous... Non, mon
enfant, interrompit-il à son tour, je te rends justice. Je ne
te crois point d'accord avec mes neveux. Je suis persuadé
que mon intérêt seul te touche, et je t'en sais bon gré ;
mais les apparences sont trompeuses ; peut-être n'as-tu
pas vu effectivement ce que tu t'imaginais voir, et dans

---

1. Reprise parodique des vers que prononce Thésée, en réponse aux
accusations d'Aricie : « Mais j'en crois des témoins certains, irrépro-
chables :/J'ai vu, j'ai vu couler des larmes véritables » (Racine, *Phèdre*,
V, 3, v. 1441-1442).

ce cas juge jusqu'à quel point ton accusation doit être désagréable à Eufrasie. Quoi qu'il en soit, c'est une femme que je ne puis m'empêcher d'aimer. Il faut même que je lui fasse le sacrifice qu'elle exige de moi et ce sacrifice est de te donner ton congé. J'en suis fâché, mon pauvre Gil Blas, poursuivit-il, et je t'assure que je n'y ai consenti qu'à regret ; mais je ne saurais faire autrement. Ce qui doit te consoler, c'est que je ne te renverrai pas sans récompense. De plus, je prétends te placer chez une dame de mes amies, où tu seras fort agréablement.

Je fus bien mortifié de voir tourner ainsi mon zèle contre moi. Je maudis Eufrasie, et déplorai la faiblesse de don Gonzale de s'en être laissé posséder. Le bon vieillard sentait assez qu'en me congédiant pour plaire seulement à sa maîtresse, il ne faisait pas une action des plus viriles ; aussi, pour compenser sa mollesse et me mieux faire avaler la pilule, il me donna cinquante ducats, et me mena le jour suivant chez la marquise de Chaves. Il dit en ma présence à cette dame que j'étais un jeune homme qui n'avait que de bonnes qualités ; qu'il m'aimait, et que, des raisons de famille ne lui permettant pas de me retenir à son service, il la priait de me prendre au sien. Elle me reçut dès ce moment au nombre de ses domestiques. Si bien que je me trouvai tout à coup dans une nouvelle maison.

CHAPITRE 8

De quel caractère était la marquise de Chaves,
et quelles personnes allaient ordinairement chez elle.

La marquise de Chaves était une veuve de trente-cinq ans, belle, grande et bien faite. Elle jouissait d'un revenu de dix mille ducats et n'avait point d'enfants. Je n'ai jamais vu de femme plus sérieuse, ni qui parlât moins. Cela ne l'empêchait pas de passer pour la dame de Madrid la plus spirituelle. Le grand concours de personnes de qualité et de gens de lettres qu'on voyait chez elle tous les jours contribuait peut-être plus que ce qu'elle disait à lui donner cette réputation. C'est une chose dont je ne déciderai point. Je me contenterai de dire que son nom emportait une idée de génie supérieur, et que sa maison était appelée par excellence dans la ville le bureau des ouvrages d'esprit [1].

Effectivement on y lisait chaque jour tantôt des poèmes dramatiques et tantôt d'autres poésies. Mais on n'y faisait guère que des lectures sérieuses. Les pièces comiques y étaient méprisées. On n'y regardait la meilleure comédie ou le roman le plus ingénieux et le plus égayé que comme une faible production qui ne méritait aucune louange ; au lieu que le moindre ouvrage sérieux, une ode, une églogue, un sonnet y passait pour le plus grand effort de l'esprit humain. Il arrivait souvent que le public ne confirmait pas les jugements du bureau, et que même il sifflait quelquefois impoliment les pièces qu'on y avait fort applaudies.

J'étais maître de salle dans cette maison ; c'est-à-dire que mon emploi consistait à tout préparer dans l'appartement de ma maîtresse pour recevoir la compagnie, à ranger des chaises pour les hommes et des carreaux pour les femmes : après quoi je me tenais à la porte de la chambre pour annoncer et introduire les personnes qui arrivaient. Le premier jour, à mesure que je les faisais entrer, le gouverneur des pages, qui par hasard était alors dans l'antichambre avec moi, me les dépeignait agréablement. Il se nommait André Molina. Il était naturellement froid et railleur, et ne manquait pas d'esprit. D'abord un évêque se présenta. Je l'annonçai, et quand il fut entré, le gouverneur me dit : Ce prélat est d'un caractère assez plaisant. Il a quelque crédit [2] à la cour ; mais il voudrait bien persuader qu'il en a beaucoup. Il fait des offres de service à

---

1. D'après Neufchâteau, il s'agirait du salon de la marquise de Lambert (1647-1733), que fréquentaient Houdar de La Motte, Fontenelle, Marivaux et Montesquieu.
2. Il a de l'influence.

tout le monde et ne sert personne. Un jour il rencontre chez le Roi un cavalier qui le salue ; il l'arrête, l'accable de civilités, et lui serrant la main : Je suis, lui dit-il, tout acquis à votre seigneurie. Mettez-moi, de grâce, à l'épreuve ; je ne mourrai point content, si je ne trouve une occasion de vous obliger. Le cavalier le remercia d'une manière pleine de reconnaissance, et quand ils furent tous deux séparés, le prélat dit à un de ses officiers qui le suivait : Je crois connaître cet homme-là. J'ai une idée confuse de l'avoir vu quelque part.

Un moment après l'évêque, le fils d'un grand parut, et lorsque je l'eus introduit dans la chambre de ma maîtresse : Ce seigneur, me dit Molina, est encore un original. Imaginez-vous qu'il entre souvent dans une maison pour traiter d'une affaire importante avec le maître du logis, qu'il quitte sans se souvenir de lui en parler. Mais, ajouta le gouverneur, en voyant arriver deux femmes, voici doña Angela de Peñafiel et doña Margarita de Montalvan. Ce sont deux femmes qui ne se ressemblent nullement. Doña Margarita se pique d'être philosophe. Elle va tenir tête aux plus profonds docteurs de Salamanque, et jamais ses raisonnements ne céderont à leurs raisons. Pour doña Angela, elle ne fait point la savante, quoiqu'elle ait l'esprit cultivé. Ses discours ont de la justesse, ses pensées sont fines, ses expressions délicates, nobles et naturelles. Ce dernier caractère est aimable, dis-je à Molina ; mais l'autre ne convient guère, ce me semble, au beau sexe. Pas trop, répondit-il en souriant, il y a même bien des hommes qu'il rend ridicules. Mme la marquise notre maîtresse, continua-t-il, est aussi un peu entichée [1] de philosophie. Qu'on va disputer ici aujourd'hui ! Dieu veuille que la religion ne soit pas intéressée dans la dispute.

Comme il achevait ces mots, nous vîmes entrer un homme sec qui avait l'air grave et renfrogné. Mon gouverneur ne l'épargna point. Celui-ci, me dit-il, est un de ces esprits sérieux qui veulent passer pour de grands génies,

---

1. L'édition 1715*a* porte par erreur : « entachée ». Nous rectifions d'après 1715*b*.

à la faveur de quelques sentences tirées de Sénèque, et qui ne sont que de sots personnages, à les examiner fort sérieusement. Il vint ensuite un cavalier d'assez belle taille, qui avait la mine grecque, c'est-à-dire le maintien plein de suffisance. Je demandai qui c'était. C'est un poète dramatique, me dit Molina. Il a fait cent mille vers en sa vie qui ne lui ont pas rapporté quatre sols ; mais en récompense, il vient avec six lignes de prose de se faire un établissement considérable.

J'allais m'éclaircir de la nature d'une fortune faite à si peu de frais, quand j'entendis un grand bruit sur l'escalier. Bon, s'écria le gouverneur, voici le licencié Campanario [1]. Il s'annonce lui-même avant qu'il paraisse. Il se met à parler dès la porte de la rue, et en voilà jusqu'à ce qu'il soit sorti de la maison. En effet tout retentissait de la voix du bruyant licencié, qui entra enfin dans l'antichambre avec un bachelier de ses amis, et qui ne déparla point tant que dura sa visite. Le seigneur Campanario, dis-je à Molina, est apparemment un beau génie. Oui, répondit mon gouverneur, c'est un homme qui a des saillies brillantes, des expressions détournées. Il est réjouissant. Mais outre que c'est un parleur impitoyable, il ne laisse pas de se répéter, et pour n'estimer les choses qu'autant qu'elles valent, je crois que l'air agréable et comique dont il assaisonne ce qu'il dit en fait le plus grand mérite. La meilleure partie de ses traits ne feraient pas grand honneur à un recueil de bons mots.

Il vint encore d'autres personnes dont Molina me fit de plaisants portraits. Il n'oublia pas de me peindre aussi la marquise. Je vous donne, me dit-il, notre patronne pour un esprit assez uni, malgré sa philosophie. Elle n'est point d'une humeur difficile et on a peu de caprices à essuyer en la servant. C'est une femme de qualité des plus raisonnables que je connaisse. Elle n'a même aucune passion. Elle est sans goût pour le jeu, comme pour la galanterie, et n'aime que la conversation. Sa vie serait bien ennuyeuse pour la plupart des dames. Le gouverneur par cet éloge

---

1. Le terme espagnol *campanario* signifie « clocher ».

me prévint en faveur de ma maîtresse. Cependant quelques jours après, je ne pus m'empêcher de la soupçonner de n'être pas si ennemie de l'amour, et je vais dire sur quel fondement je conçus ce soupçon.

Un matin, pendant qu'elle était à sa toilette, il se présenta devant moi un petit homme de quarante ans, désagréable de sa figure, plus crasseux que l'auteur Pedro de Moya, et fort bossu par-dessus le marché. Il me dit qu'il voulait parler à Mme la marquise. Je lui demandai de quelle part. De la mienne, répondit-il fièrement. Dites-lui que je suis le cavalier dont elle s'est entretenue hier avec doña Anna de Velasco. Je l'introduisis dans l'appartement de ma maîtresse et je l'annonçai. La marquise fit aussitôt une exclamation, et dit avec un transport de joie qu'il pouvait entrer. Elle ne se contenta pas de le recevoir favorablement, elle obligea toutes ses femmes à sortir de la chambre ; de sorte que le petit bossu, plus heureux qu'un honnête homme, y demeura seul avec elle. Les soubrettes et moi nous rîmes un peu de ce beau tête-à-tête qui dura près d'une heure ; après quoi ma patronne congédia le bossu en lui faisant des civilités qui marquaient qu'elle était très contente de lui.

Elle avait effectivement pris tant de goût à son entretien, qu'elle me dit le soir en particulier : Gil Blas, quand le bossu reviendra, faites-le entrer dans mon appartement le plus secrètement que vous pourrez. J'obéis. Dès que le petit homme revint, et ce fut le lendemain matin, je le conduisis par un escalier dérobé jusque dans la chambre de Madame. Je fis pieusement la même chose deux ou trois fois sans m'imaginer qu'il pût y avoir de la galanterie. Mais la malignité qui est si naturelle à l'homme me donna bientôt d'étranges idées, et je conclus de là que la marquise avait des inclinations bizarres, ou que le bossu faisait le personnage d'un entremetteur.

Prévenu de cette opinion, je disais souvent en moi-même : Si[1] ma maîtresse aime quelque homme bien fait,

---

1. « Ma foi, disais-je, prévenu de cette opinion : Si » (var. de 1715*b*).

je le lui pardonne ; mais si elle est entêtée de ce magot [1], franchement je ne puis excuser cette dépravation de goût. Que je jugeais mal de la patronne ! Le petit bossu se mêlait de magie, et comme on avait vanté son savoir à la marquise, qui se prêtait volontiers aux prestiges des charlatans, elle avait des entretiens particuliers avec lui. Il faisait voir dans le verre, montrait à tourner le sas, et révélait pour de l'argent tous les mystères de la cabale [2] ; ou bien pour parler plus juste, c'était un fripon qui subsistait aux dépens de personnes trop crédules, et l'on disait qu'il avait sous contribution plusieurs femmes de qualité.

CHAPITRE 9

*Par quel incident Gil Blas sortit
de chez la marquise de Chaves, et ce qu'il devint.*

Il y avait déjà six mois que je demeurais chez la marquise de Chaves, et j'avoue que j'étais fort content de ma condition. Mais la destinée que j'avais à remplir ne me permit pas de faire un plus long séjour dans la maison de cette dame ni même à Madrid. Je vais conter quelle aventure m'obligea de m'en éloigner.

---

1. « *Magot* se dit figurément des hommes difformes, laids, comme sont les singes, des gens mal bâtis » (Furetière).
2. Ce sont deux procédés de divination. On fait *tourner le sas* (ou tamis) pour découvrir l'auteur d'un vol domestique : « le charlatan le tourne si adroitement qu'il le fait arrêter sur celui qu'il soupçonne, lequel ordinairement se découvre lui-même ». La *cabale* est une « science secrète que les Hébreux prétendent avoir par tradition et révélation divine, par laquelle ils expliquent tous les mystères de la Divinité, et toutes les opérations de la nature : ce qui consiste la plupart du temps en des rapports mystérieux qu'ils font des choses aux lettres de l'alphabet hébraïque » (Furetière). « Je dis la bonne aventure, je fais tourner le sas pour retrouver les choses perdues, et montre tout ce qu'on veut dans le miroir ou dans le verre », dira la mère de Scipion, bohémienne de profession, à l'archer de l'Inquisition qui souhaite l'épouser (*Gil Blas*, X, 10, éd. citée, p. 501).

Parmi les femmes de ma maîtresse, il y en avait une qu'on appelait Porcie. Outre qu'elle était jeune et belle, je la trouvai d'un si bon caractère, que je m'y attachai sans savoir qu'il me faudrait disputer son cœur. Le secrétaire de la marquise, homme fier et jaloux, était épris de ma belle. Il ne s'aperçut pas plus tôt de mon amour, que sans chercher à s'éclaircir de quel œil Porcie me voyait, il résolut de se battre avec moi. Pour cet effet, il me donna rendez-vous un matin dans un endroit écarté. Comme c'était un petit homme qui m'arrivait à peine aux épaules, et qui me paraissait très faible, je ne le crus pas un rival fort dangereux. Je me rendis avec confiance au lieu où il m'avait appelé [1]. Je comptais bien de remporter une victoire aisée, et de m'en faire un mérite auprès de Porcie ; mais l'événement ne répondit point à mon attente ; le petit secrétaire, qui avait deux ou trois ans de salle, me désarma comme un enfant, et me présentant la pointe de son épée : Prépare-toi, me dit-il, à recevoir le coup de la mort, ou bien donne-moi ta parole d'honneur que tu sortiras aujourd'hui de chez la marquise de Chaves, et que tu ne penseras plus à Porcie. Je lui fis cette promesse, et je la tins sans répugnance. Je me faisais une peine de paraître devant les domestiques de notre hôtel après avoir été vaincu, et surtout devant la belle Hélène qui avait fait le sujet de notre combat. Je ne retournai au logis que pour y prendre tout ce que j'avais de nippes et d'argent, et dès le même jour, je marchai vers Tolède, la bourse assez bien garnie, et le dos chargé d'un paquet composé de toutes mes hardes. Quoique je ne me fusse point engagé à quitter le séjour de Madrid, je jugeai à propos de m'en écarter, du moins pour quelques années. Je formai la résolution de parcourir l'Espagne et de m'arrêter de ville en ville. L'argent que j'ai, disais-je, me mènera loin. Je ne le dépenserai pas indiscrètement. Et quand je n'en aurai plus, je me remettrai à servir. Un garçon fait comme je suis

_____

1. Où il m'avait provoqué en duel.

trouvera des conditions de reste [1], quand il lui plaira d'en chercher.

J'avais particulièrement envie de voir Tolède. J'y arrivai au bout de trois jours. J'allai loger dans une bonne hôtellerie, où je passai pour un cavalier d'importance à la faveur de mon habit d'homme à bonnes fortunes, dont je ne manquai pas de me parer, et par des airs de petit-maître que j'affectai de me donner. Il dépendit de moi de lier commerce avec de jolies femmes qui demeuraient dans mon voisinage ; mais comme j'appris qu'il fallait débuter chez elles par une grande dépense, cela brida mes désirs, et me sentant toujours du goût pour les voyages, après avoir vu tout ce qu'on voit de curieux à Tolède, j'en partis un jour au lever de l'aurore, et pris le chemin de Cuença, dans le dessein d'aller en Aragon. J'entrai la seconde journée dans une hôtellerie que je trouvai sur la route, et, dans le temps que je commençais à m'y rafraîchir, il survint une troupe d'archers de la sainte Hermandad. Ces messieurs demandèrent du vin, se mirent à boire, et j'entendis qu'en buvant ils faisaient le portrait d'un jeune homme qu'ils avaient ordre d'arrêter. Le cavalier, disait l'un d'entre eux, n'a pas plus de vingt-trois ans. Il a de longs cheveux noirs, une belle taille, le nez aquilin, et il est monté sur un cheval bai-brun.

Je les écoutai sans paraître faire quelque attention à ce qu'ils disaient, et véritablement je ne m'en souciais guère. Je les laissai dans l'hôtellerie et continuai mon chemin. Je n'eus pas fait un demi-quart de lieue, que je rencontrai un jeune cavalier fort bien fait, et monté sur un cheval châtain. Par ma foi, dis-je en moi-même, voici l'homme que les archers cherchent. Il a une longue chevelure noire et le nez aquilin. Il faut que je lui rende un bon office. Seigneur, lui dis-je, permettez-moi de vous demander si vous n'avez point sur les bras quelque affaire d'honneur. Le jeune homme, sans me répondre, jeta les yeux sur moi, et parut surpris de ma question. Je l'assurai que ce n'était point par curiosité que je venais de lui adresser ces

---

1. Trouvera plus qu'il n'en faut des places de domestique.

paroles. Il en fut bien persuadé, quand je lui eus rapporté tout ce que j'avais entendu dans l'hôtellerie. Généreux [1] inconnu, me dit-il, je ne vous dissimulerai point que j'ai sujet de croire qu'effectivement c'est à moi que ces archers en veulent. Ainsi je vais suivre une autre route pour les éviter. Je suis d'avis, lui répliquai-je, que nous cherchions un endroit où vous soyez sûrement [2], et où nous puissions nous mettre à couvert d'un orage que je vois dans l'air et qui va bientôt tomber. En même temps, nous découvrîmes et gagnâmes une allée d'arbres assez touffus qui nous conduisit au pied d'une montagne où nous trouvâmes un ermitage.

C'était une grande et profonde grotte que le temps avait percée dans la montagne, et la main des hommes y avait ajouté un avant-corps de logis bâti de rocailles et de coquillages et tout couvert de gazon [3]. Les environs étaient parsemés de mille sortes de fleurs qui parfumaient l'air, et l'on voyait auprès de la grotte une petite ouverture dans la montagne par où sortait avec bruit une source d'eau, qui courait se répandre dans une prairie. Il y avait à l'entrée de cette maison solitaire un bon ermite qui paraissait accablé de vieillesse. Il s'appuyait d'une main sur un bâton, et de l'autre il tenait un rosaire [4] à gros grains de vingt dizaines pour le moins. Il avait la tête enfoncée dans un bonnet de laine brune à longues oreilles, et sa barbe plus blanche que la neige, lui descendait jusqu'à la ceinture. Nous nous approchâmes de lui : Mon père, lui dis-je, vous voulez bien que nous vous demandions un asile contre l'orage qui nous menace ? Venez, mes enfants, répondit l'anachorète [5], après m'avoir regardé avec attention ; cet ermitage vous est ouvert, et

1. L'adjectif est ici employé au sens fort : « qui a l'âme grande et noble, et qui préfère l'honneur à tout autre intérêt » (Furetière).

2. En sûreté.

3. Couvert d'herbe.

4. « Chapelet composé de cinq ou quinze dizaines de grains, pour réciter autant d'*Ave Maria* à l'honneur de la Vierge » (Furetière).

5. L'ermite. *Anachorète* (du grec *anachoreo* : « je me retire à l'écart ») : « homme dévot qui vit seul dans le désert » (Furetière).

vous y pourrez demeurer tant qu'il vous plaira. Pour votre
cheval, ajouta-t-il en nous montrant l'avant-corps de
logis, il sera fort bien là. Le cavalier qui m'accompagnait
y fit entrer son cheval, et nous suivîmes le vieillard dans
la grotte.

Nous n'y fûmes pas plus tôt qu'il tomba une grosse
pluie entremêlée d'éclairs et de coups de tonnerre épouvantables. L'ermite se mit à genoux devant une image de
saint Pacôme [1] qui était collée contre le mur ; et nous en
fîmes autant à son exemple. Cependant le tonnerre cessa.
Nous nous levâmes ; mais comme la pluie continuait, et
que la nuit n'était pas fort éloignée, le vieillard nous dit :
Mes enfants, je ne vous conseille pas de vous remettre en
chemin par ce temps-là, à moins que vous n'ayez des
affaires bien pressantes. Nous répondîmes, le jeune
homme et moi, que nous n'en avions point qui nous
défendît de nous arrêter, et que si nous n'appréhendions
pas de l'incommoder, nous le prierions de nous laisser
passer la nuit dans son ermitage. Vous ne m'incommode-
rez point, répliqua l'ermite. C'est vous seuls qu'il faut
plaindre. Vous serez fort mal couchés, et je n'ai à vous
offrir qu'un repas d'anachorète.

Après avoir ainsi parlé, le saint homme nous fit asseoir
à une petite table, et nous présentant quelques ciboules [2]
avec un morceau de pain et une cruche d'eau : Mes
enfants, reprit-il, vous voyez mes repas ordinaires ; mais
je veux aujourd'hui faire un excès pour l'amour de vous.
À ces mots, il alla prendre un peu de fromage et deux
poignées de noisettes qu'il étala sur la table. Le jeune
homme, qui n'avait pas grand appétit, ne fit guère d'honneur à ces mets. Je m'aperçois, lui dit l'ermite, que vous
êtes accoutumé à de meilleures tables que la mienne, ou
plutôt que la sensualité a corrompu votre goût naturel.
J'ai été comme vous dans le monde. Les viandes les plus
délicates, les ragoûts les plus exquis n'étaient pas trop

---

1. Ermite fameux du IVᵉ siècle qui peupla d'anachorètes la Thébaïde
(région située autour de la ville de Thèbes, en Haute-Égypte).
2. Petits oignons.

bons pour moi ; mais depuis que je vis dans la solitude, j'ai rendu à mon goût toute sa pureté. Je n'aime présentement que les racines, les fruits, le lait, en un mot, que ce qui faisait toute la nourriture de nos premiers pères.

Tandis qu'il parlait de la sorte, le jeune homme tomba dans une profonde rêverie. L'ermite s'en aperçut : Mon fils, lui dit-il, vous avez l'esprit embarrassé. Ne puis-je savoir ce qui vous occupe ? Ouvrez-moi votre cœur. Ce n'est point par curiosité que je vous en presse. C'est la seule charité qui m'anime. Je suis dans un âge à donner des conseils, et vous êtes peut-être dans une situation à en avoir besoin. Oui, mon père, répondit le cavalier en soupirant, j'en ai besoin sans doute, et je veux suivre les vôtres, puisque vous avez la bonté de me les offrir. Je crois que je ne risque rien à me découvrir à un homme tel que vous. Non, mon fils, dit le vieillard, vous n'avez rien à craindre. On me peut faire toute sorte de confidences. Alors le cavalier lui parla dans ces termes [1].

CHAPITRE 10

Histoire de don Alphonse et de la belle Séraphine [2].

Je ne vous déguiserai rien, mon père, non plus qu'à ce cavalier qui m'écoute. Après la générosité qu'il a fait paraître, j'aurais tort de me défier de lui. Je vais vous apprendre mes malheurs. Je suis de Madrid, et voici mon origine : un officier de la garde allemande [3], nommé le

---

1. Le héros du roman d'Espinel, surpris par un orage, s'abrite chez un ermite à qui il raconte, comme don Alphonse, ses aventures (*Marcos de Obregón*, I, 8).

2. L'histoire de don Alphonse est tirée d'une nouvelle de Castillo Solórzano (1584-1648) : *Mas puede amor que la sangre*, du recueil *Sala de recreación*.

3. La garde personnelle des rois d'Espagne était composée, depuis Charles Quint, de soldats et d'officiers allemands.

baron de Steinbach, rentrant un soir dans sa maison, aperçut au pied de l'escalier un paquet de linge blanc. Il le prit et l'emporta dans l'appartement de sa femme, où il se trouva que c'était un enfant nouveau-né enveloppé dans une toilette fort propre, avec un billet par lequel on assurait qu'il appartenait à des personnes de qualité qui se feraient connaître un jour, et l'on ajoutait qu'il avait été baptisé et nommé Alphonse. Je suis cet enfant malheureux, et c'est tout ce que je sais. Victime de l'honneur ou de l'infidélité, j'ignore si ma mère ne m'a point exposé seulement pour cacher de honteuses amours, ou si séduite par un amant parjure, elle s'est trouvée dans la cruelle nécessité de me désavouer.

Quoi qu'il en soit, le baron et sa femme furent touchés de mon sort, et comme ils n'avaient point d'enfants, ils se déterminèrent à m'élever sous le nom de don Alphonse. À mesure que j'avançais en âge, ils se sentaient attachés à moi. Mes manières flatteuses et complaisantes excitaient à tous moments leurs caresses. Enfin j'eus le bonheur de m'en faire aimer. Ils me donnèrent toute sorte de maîtres. Mon éducation devint leur unique étude, et loin d'attendre impatiemment que mes parents se découvrissent, il semblait au contraire qu'ils souhaitassent que ma naissance demeurât toujours inconnue. Dès que le baron me vit en état de porter les armes, il me mit dans le service. Il obtint pour moi une enseigne[1], me fit faire un petit équipage, et pour mieux m'animer à chercher les occasions d'acquérir de la gloire, il me représenta que la carrière de l'honneur était ouverte à tout le monde, et que je pouvais dans la guerre me faire un nom d'autant plus glorieux, que je ne le devrais qu'à moi seul. En même temps il me révéla le secret de ma naissance, qu'il m'avait cachée jusque-là. Comme je passais pour son fils dans Madrid, et que j'avais cru l'être effectivement, je vous avouerai que cette confidence me fit beaucoup de peine. Je ne pouvais et ne puis encore y penser sans honte. Plus mes sentiments semblent m'assurer d'une noble origine,

---

1. L'*enseigne* désigne le porte-drapeau dans les armées.

plus j'ai de confusion de me voir abandonné des personnes à qui je dois le jour.

J'allai servir dans les Pays-Bas ; mais la paix se fit fort peu de temps après [1], et l'Espagne se trouvant sans ennemis, mais non sans envieux, je revins à Madrid, où je reçus du baron et de sa femme de nouvelles marques de tendresse. Il y avait déjà deux mois que j'étais de retour, lorsqu'un petit page entra dans ma chambre un matin, et me présenta un billet à peu près conçu dans ces termes : *Je ne suis ni laide ni mal faite, et cependant vous me voyez souvent à mes fenêtres sans m'agacer [2]. Ce procédé répond mal à votre air galant, et j'en suis si piquée, que je voudrais bien pour m'en venger vous donner de l'amour.*

Après avoir lu ce billet, je ne doutai point qu'il ne fût d'une veuve appelée Léonor, qui demeurait vis-à-vis de notre maison et qui avait la réputation d'être fort coquette. Je questionnai là-dessus le petit page, qui voulut d'abord faire le discret, mais pour un ducat que je lui donnai, il satisfit ma curiosité. Il se chargea même d'une réponse par laquelle je mandais à sa maîtresse que je reconnaissais mon crime et que je sentais déjà qu'elle était à demi vengée.

Je ne fus pas insensible à cette façon de conquête. Je ne sortis point le reste de la journée, et j'eus grand soin de me tenir à mes fenêtres pour observer la dame, qui n'oublia pas de se montrer aux siennes. Je lui fis des mines. Elle y répondit, et dès le lendemain elle me manda par son petit page que si je voulais la nuit prochaine me trouver dans la rue entre onze heures et minuit, je pourrais l'entretenir à la fenêtre d'une salle basse. Quoique je ne me sentisse pas fort amoureux d'une veuve si vive, je ne laissai pas de lui faire une réponse très passionnée et d'attendre la nuit avec autant d'impatience que si j'eusse

---

1. La guerre contre les Provinces du Nord (actuellement les Pays-Bas), demeurées irréductibles, se termina en 1598, à la mort de Philippe II.

2. *Agacer* : « exciter par des regards, par des manières attrayantes » (*Dictionnaire de l'Académie*, 1762).

été bien touché. Lorsqu'elle fut venue, j'allai me promener au Prado jusqu'à l'heure du rendez-vous. Je n'y étais pas encore arrivé qu'un homme monté sur un beau cheval mit tout à coup pied à terre auprès de moi, et m'abordant d'un air brusque : Cavalier, me dit-il, n'êtes-vous pas le fils du baron de Steinbach ? Oui, lui répondis-je. C'est donc vous, reprit-il, qui devez cette nuit entretenir Léonor à sa fenêtre ? J'ai vu ses lettres et vos réponses. Son page me les a montrées, et je vous ai suivi ce soir depuis votre maison jusqu'ici, pour vous apprendre que vous avez un rival dont la vanité s'indigne d'avoir un cœur à disputer avec vous. Je crois qu'il n'est pas besoin de vous en dire davantage. Nous sommes dans un endroit écarté. Battons-nous, à moins que pour éviter le châtiment que je vous apprête, vous ne me promettiez de rompre tout commerce avec Léonor. Sacrifiez-moi les espérances que vous avez conçues, ou bien je vais vous ôter la vie. Il fallait, lui dis-je, demander ce sacrifice, et non pas l'exiger. J'aurais pu l'accorder à vos prières ; mais je le refuse à vos menaces.

Hé bien, répliqua-t-il, après avoir attaché son cheval à un arbre, battons-nous donc. Il ne convient point à une personne de ma qualité de s'abaisser à prier un homme de la vôtre. La plupart même de mes pareils, à ma place, se vengeraient de vous d'une manière moins honorable. Je me sentis choqué de ces dernières paroles ; et voyant qu'il avait déjà tiré son épée, je tirai aussi la mienne. Nous nous battîmes avec tant de furie, que le combat ne dura pas longtemps. Soit qu'il s'y prît avec trop d'ardeur, soit que je fusse plus adroit que lui, je le perçai bientôt d'un coup mortel. Je le vis chanceler et tomber. Alors ne songeant plus qu'à me sauver, je montai sur son propre cheval et pris la route de Tolède. Je n'osai retourner chez le baron de Steinbach, jugeant bien que mon aventure ne ferait que l'affliger ; et quand je me représentais tout le péril où j'étais, je croyais ne pouvoir assez tôt m'éloigner de Madrid.

En faisant là-dessus les plus tristes réflexions, je marchai le reste de la nuit et toute la matinée. Mais sur le midi, il fallut m'arrêter pour faire reposer mon cheval, et laisser passer la chaleur qui devenait insupportable. Je demeurai dans un village jusqu'au coucher du soleil. Après quoi voulant aller tout d'une traite à Tolède, je continuai mon chemin. J'avais déjà gagné Illescas et deux lieues par-delà, lorsqu'environ sur le minuit un orage pareil à celui d'aujourd'hui vint me surprendre au milieu de la campagne. Je m'approchai des murs d'un jardin que je découvris à quelques pas de moi, et ne trouvant pas d'abri plus commode, je me rangeai avec mon cheval, le mieux qu'il me fut possible, auprès de la porte d'un cabinet qui était au bout du mur, et au-dessus de laquelle il y avait un balcon. Comme je m'appuyais contre la porte, je sentis qu'elle était ouverte. Ce que j'attribuai à la négligence des domestiques. Je mis pied à terre, et moins par curiosité que pour être mieux à couvert de la pluie qui ne laissait pas de m'incommoder sous le balcon, j'entrai dans le bas du cabinet avec mon cheval que je tirais par la bride.

Je m'attachai pendant l'orage à observer les lieux où j'étais ; et quoique je n'en pusse guère juger qu'à la faveur des éclairs, je connus bien que c'était une maison qui ne devait point appartenir à des personnes du commun. J'attendais toujours que la pluie cessât, pour me remettre en chemin ; mais une grande lumière que j'aperçus de loin me fit prendre une autre résolution. Je laissai mon cheval dans le cabinet dont j'eus soin de fermer la porte ; je m'avançai vers cette lumière, persuadé que l'on était encore sur pied dans cette maison, et résolu d'y demander un logement pour cette nuit. Après avoir traversé quelques allées, j'arrivai près d'un salon dont je trouvai aussi la porte ouverte. J'y entrai, et quand j'en eus vu toute la magnificence à la faveur d'un beau lustre de cristal où il y avait quelques bougies, je ne doutai point que je ne fusse chez un grand seigneur. Le pavé en était de marbre, le lambris fort propre et artistement doré, la corniche admirablement bien travaillée, et le plafond me parut l'ouvrage des plus habiles peintres. Mais ce que je regardai particulièrement, ce fut une infinité de bustes de

héros espagnols, que soutenaient des escabellons[1] de
marbre jaspé qui régnaient autour du salon. J'eus le loisir
de considérer toutes ces choses ; car j'avais beau de temps
en temps prêter une oreille attentive, je n'entendais aucun
bruit, ni ne voyais paraître personne.

Il y avait à l'un des côtés du salon une porte qui n'était
que poussée ; je l'entrouvris, et j'aperçus une enfilade de
chambres dont la dernière seulement était éclairée. Que
dois-je faire, dis-je alors en moi-même ? M'en retournerai-
je ? ou serai-je assez hardi pour pénétrer jusqu'à cette
chambre ? Je pensais bien que le parti le plus judicieux,
c'était de retourner sur mes pas ; mais je ne pus résister à
ma curiosité, ou pour mieux dire, à la force de mon étoile
qui m'entraînait. Je m'avance, je traverse les chambres, et
j'arrive à celle où il y avait de la lumière, c'est-à-dire une
bougie qui brûlait sur une table de marbre dans un flambeau de vermeil. Je remarquai d'abord un ameublement
d'été très propre et très galant ; mais bientôt, jetant les
yeux sur un lit dont les rideaux étaient à demi ouverts à
cause de la chaleur, je vis un objet qui attira mon attention tout entière. C'était une jeune dame qui malgré le
bruit du tonnerre qui venait de se faire entendre, dormait
d'un profond sommeil. Je m'approchai d'elle tout doucement, et, à la clarté que la bougie me prêtait, je démêlai
un teint et des traits qui m'éblouirent. Mes esprits tout à
coup se troublèrent à sa vue. Je me sentis saisir, transporter ; mais quelques mouvements qui m'agitassent, l'opinion que j'avais de la noblesse de son sang m'empêcha de
former une pensée téméraire, et le respect l'emporta sur
le sentiment. Pendant que je m'enivrais du plaisir de la
contempler, elle se réveilla[2].

---

1. *Escabellon* : « espèce de piédestal sur lequel on met des bustes dans
les galeries et cabinets curieux » (Furetière).
2. Scène topique de la belle endormie, reprise par Marivaux dans *Les
Effets surprenants de la sympathie* (1713). Fredelingue, autre noble d'origine
allemande, découvre Parménie sur un lit de repos ; surmontant sa timidité,
« il baisa le bras de cette personne ; et s'oublia si fort dans le plaisir qu'il
ressentit, qu'elle s'éveilla » (*Œuvres de jeunesse*, éd. F. Deloffre, Gallimard,
« Bibliothèque de la Pléiade », 1972, p. 117-118). La tentation de viol qu'y
introduit Lesage rompt avec la bienséance romanesque.

« C'était une jeune dame qui […] dormait d'un profond sommeil. »

Imaginez-vous quelle fut sa surprise de voir dans sa
chambre et au milieu de la nuit un homme qu'elle ne
connaissait point. Elle frémit en m'apercevant et fit un
grand cri. Je m'efforçai de la rassurer, et mettant un
genou à terre : Madame, lui dis-je, ne craignez rien. Je ne
viens point ici pour vous nuire. J'allais continuer ; mais
elle était si effrayée, qu'elle ne m'écouta point. Elle
appelle ses femmes à plusieurs reprises, et comme personne ne lui répondait, elle prend une robe de chambre
légère qui était au pied de son lit, se lève brusquement, et
passe dans les chambres que j'avais traversées, en appelant
encore les filles qui la servaient, aussi bien qu'une sœur
cadette qu'elle avait sous sa conduite. Je m'attendais à
voir arriver tous les valets, et j'avais lieu d'appréhender
que sans vouloir m'entendre, ils ne me fissent un mauvais
traitement ; mais par bonheur pour moi, elle eut beau
crier, il ne vint à ses cris qu'un vieux domestique qui ne
lui aurait pas été d'un grand secours, si elle eût eu quelque
chose à craindre. Néanmoins devenue un peu plus hardie
par sa présence, elle me demanda fièrement qui j'étais,
par où et pourquoi j'avais eu l'audace d'entrer dans sa
maison. Je commençai alors à me justifier, et je ne lui eus
pas sitôt dit que j'avais trouvé la porte du cabinet du jardin ouverte, qu'elle s'écria dans le moment : Juste Ciel,
quel soupçon me vient dans l'esprit ?

En disant ces paroles, elle alla prendre la bougie sur la
table ; elle parcourut toutes les chambres l'une après
l'autre, et elle n'y vit ni ses femmes ni sa sœur. Elle remarqua même qu'elles avaient emporté toutes leurs hardes.
Ses soupçons ne lui paraissant alors que trop bien éclair-
cis, elle vint à moi avec beaucoup d'émotion, et me dit :
Perfide, n'ajoute pas la feinte à la trahison. Ce n'est point
le hasard qui t'a fait entrer ici. Tu es de la suite de
don Fernand de Leyva, et tu as part à son crime.
Mais n'espère pas m'échapper. Il me reste encore assez de
monde pour t'arrêter. Madame, lui dis-je, ne me
confondez point avec vos ennemis. Je ne connais point
don Fernand de Leyva. J'ignore même qui vous êtes. Je
suis un malheureux qu'une affaire d'honneur oblige à

s'éloigner de Madrid ; et je jure, par tout ce qu'il y a de plus sacré, que sans l'orage qui m'a surpris, je ne serais point venu chez vous. Jugez donc de moi plus favorablement. Au lieu de me croire complice du crime qui vous offense, croyez-moi plutôt disposé à vous venger. Ces derniers mots, et le ton dont je les prononçai, apaisèrent la dame qui sembla ne me plus regarder comme son ennemi ; mais si elle perdit sa colère, ce ne fut que pour se livrer à sa douleur. Elle se mit à pleurer amèrement. Ses larmes m'attendrirent, et je n'étais guère moins affligé qu'elle, bien que je ne susse pas encore le sujet de son affliction. Je ne me contentai pas de pleurer avec elle. Impatient de venger son injure, je me sentis saisir d'un mouvement de fureur : Madame, m'écriai-je, quel outrage avez-vous reçu ? Parlez. J'épouse [1] votre ressentiment. Voulez-vous que je coure après don Fernand et que je lui perce le cœur ? Nommez-moi tous ceux qu'il faut vous immoler. Commandez. Quelques périls, quelques malheurs qui soient attachés à votre vengeance, cet inconnu, que vous croyez d'accord avec vos ennemis, va s'y exposer pour vous.

Ce transport surprit la dame, et arrêta le cours de ses pleurs. Ah, seigneur, me dit-elle, pardonnez ce soupçon à l'état cruel où je me vois. Ces sentiments généreux détrompent Séraphine. Ils m'ôtent jusqu'à la honte d'avoir un étranger pour témoin d'un affront fait à ma famille. Oui, noble inconnu, je reconnais mon erreur, et je ne rejette pas votre secours. Mais je ne demande point la mort de don Fernand. Hé bien, madame, repris-je, quels services pouvez-vous attendre de moi ? Seigneur, repartit Séraphine, voici de quoi je me plains. Don Fernand de Leyva est amoureux de ma sœur Julie qu'il a vue par hasard à Tolède, où nous demeurons ordinairement. Il y a trois mois qu'il en fit la demande au comte de Polan mon père qui lui refusa son aveu, à cause d'une vieille inimitié qui règne entre nos maisons. Ma sœur n'a pas encore quinze ans. Elle aura eu la faiblesse de suivre les

---

1. Je partage.

mauvais conseils de mes femmes, que don Fernand a sans
doute gagnées ; et ce cavalier averti que nous étions toutes
seules en cette maison de campagne, a pris ce temps pour
enlever Julie. Je voudrais du moins savoir quelle retraite
il lui a choisie, afin que mon père et mon frère qui sont à
Madrid depuis deux mois puissent prendre des mesures
là-dessus. Au nom de Dieu, ajouta-t-elle, donnez-vous la
peine de parcourir les environs de Tolède. Faites une
exacte recherche de cet enlèvement. Que ma famille vous
ait cette obligation-là.

La dame ne songeait pas que l'emploi dont elle me
chargeait ne convenait guère à un homme qui ne pouvait
trop tôt sortir de Castille ; mais comment y aurait-elle
fait réflexion ? Je n'y pensai pas moi-même. Charmé du
bonheur de me voir nécessaire à la plus aimable personne
du monde, j'acceptai la commission avec transport, et
promis de m'en acquitter avec autant de zèle que de diligence. En effet, je n'attendis pas qu'il fût jour pour
aller accomplir ma promesse ; je quittai sur-le-champ
Séraphine, en la conjurant de me pardonner la frayeur
que je lui avais causée, et l'assurant qu'elle aurait bientôt
de mes nouvelles. Je sortis par où j'étais entré, mais si
occupé de la dame, qu'il ne me fut pas difficile de juger
que j'en étais déjà fort épris. Je m'en aperçus encore
mieux à l'empressement que j'avais de courir pour elle, et
aux amoureuses chimères que je formai. Je me représentais que Séraphine, quoique possédée de sa douleur, avait
remarqué mon amour naissant, et qu'elle ne l'avait peut-
être pas vu sans plaisir. Je m'imaginais même que si je
pouvais lui porter des nouvelles certaines de sa sœur, et
que l'affaire tournât au gré de ses souhaits, j'en aurais
tout l'honneur.

Don Alphonse interrompit en cet endroit le fil de son
histoire, et dit au vieil ermite : Je vous demande pardon,
mon père, si trop plein de ma passion je m'étends sur des
circonstances qui vous ennuient sans doute. Non, mon
fils, répondit l'anachorète, elles ne m'ennuient pas. Je suis
même bien aise de savoir jusqu'à quel point vous êtes

épris de cette jeune dame dont vous m'entretenez. Je réglerai là-dessus mes conseils.

L'esprit échauffé de ces flatteuses images, reprit le jeune homme, je cherchai pendant deux jours le ravisseur de Julie ; mais j'eus beau faire toutes les perquisitions imaginables, il ne me fut pas possible d'en découvrir les traces. Très mortifié de n'avoir recueilli aucun fruit de mes recherches, je retournai chez Séraphine, que je me peignais dans une extrême inquiétude. Cependant elle était plus tranquille que je ne pensais. Elle m'apprit qu'elle avait été plus heureuse que moi : qu'elle savait ce que sa sœur était devenue : qu'elle avait reçu une lettre de don Fernand même, qui lui mandait qu'après avoir secrètement épousé Julie, il l'avait conduite dans un couvent de Tolède. J'ai envoyé sa lettre à mon père, poursuivit Séraphine. J'espère que la chose pourra se terminer à l'amiable, et qu'un mariage solennel éteindra bientôt la haine qui sépare depuis si longtemps nos maisons.

Lorsque la dame m'eut instruit du sort de sa sœur, elle parla de la fatigue qu'elle m'avait causée, et du péril où elle pouvait m'avoir imprudemment jeté en m'engageant à poursuivre un ravisseur, sans se ressouvenir que je lui avais dit qu'une affaire d'honneur me faisait prendre la fuite. Elle m'en fit des excuses dans les termes les plus obligeants. Comme j'avais besoin de repos, elle me mena dans le salon où nous nous assîmes tous deux. Elle avait une robe de chambre de taffetas blanc à raies noires, avec un petit chapeau de la même étoffe et des plumes noires ; ce qui me fit juger qu'elle pouvait être veuve. Mais elle me paraissait si jeune que je ne savais ce que j'en devais penser.

Si j'avais envie de m'en éclaircir, elle n'en avait pas moins de savoir qui j'étais. Elle me pria de lui apprendre mon nom, ne doutant pas, disait-elle, à mon air noble, et encore plus à la pitié généreuse qui m'avait fait entrer si vivement dans ses intérêts, que je ne fusse d'une famille considérable. La question m'embarrassa. Je rougis, je me troublai, et j'avouerai que trouvant moins de honte à mentir qu'à dire la vérité, je répondis que j'étais fils du baron de Steinbach, officier de la garde allemande. Dites-moi encore, reprit la dame, pourquoi vous êtes sorti de Madrid ? Je vous offre par avance tout le crédit de mon père, aussi bien que celui de mon frère don Gaspard. C'est la moindre marque de reconnaissance que je puisse donner à un cavalier qui pour me servir, a négligé jusqu'au soin de sa propre vie. Je ne fis point difficulté de lui raconter toutes les circonstances de mon combat. Elle donna le tort au cavalier que j'avais tué, et promit d'inté-resser pour moi toute sa maison.

Quand j'eus satisfait sa curiosité, je la priai de conten-ter la mienne. Je lui demandai si sa foi était libre ou enga-gée. Il y a trois ans, répondit-elle, que mon père me fit épouser don Diègue de Lara, et je suis veuve depuis quinze mois. Madame, lui dis-je, quel malheur vous a sitôt enlevé votre époux ? Je vais vous l'apprendre, sei-gneur, repartit la dame, pour répondre à la confiance que vous venez de me marquer.

Don Diègue de Lara, poursuivit-elle, était un cavalier fort bien fait ; mais quoiqu'il eût pour moi une passion violente, et que chaque jour il mît en usage pour me plaire tout ce que l'amant le plus tendre et le plus vif fait pour se rendre agréable à ce qu'il aime, quoiqu'il eût mille bonnes qualités, il ne put toucher mon cœur. L'amour n'est pas toujours l'effet des empressements ni du mérite connu ; hélas, ajouta-t-elle, une personne que nous ne connais-sons point nous enchante souvent dès la première vue. Je ne pouvais donc l'aimer. Plus confuse que charmée des témoignages de sa tendresse et forcée d'y répondre sans penchant, si je m'accusais en secret d'ingratitude, je me trouvais aussi fort à plaindre. Pour son malheur et pour le mien, il avait encore plus de délicatesse que d'amour. Il démêlait dans mes actions et dans mes discours mes mouvements les plus cachés. Il lisait au fond de mon âme. Il se plaignait à tous moments de mon indifférence, et s'estimait d'autant plus malheureux de ne pouvoir me plaire, qu'il savait bien qu'aucun rival ne l'en empêchait ; car j'avais à peine seize ans, et avant que de m'offrir sa foi, il avait gagné toutes mes femmes, qui l'avaient assuré

que personne ne s'était encore attiré mon attention. Oui,
Séraphine, me disait-il souvent, je voudrais que vous fussiez prévenue pour un autre, et que cela seul fût la cause
de votre insensibilité pour moi. Mes soins et votre vertu
triompheraient de cet entêtement ; mais je désespère de
vaincre votre cœur, puisqu'il ne s'est pas rendu à tout
l'amour que je vous ai témoigné. Fatiguée de l'entendre
répéter les mêmes discours, je lui disais qu'au lieu de troubler son repos et le mien par trop de délicatesse, il ferait
mieux de s'en remettre au temps. Effectivement à l'âge
que j'avais je n'étais guère propre à goûter les raffinements d'une passion si délicate, et c'était le parti que don
Diègue devait prendre[1] ; mais voyant qu'une année
entière s'était écoulée sans qu'il fût plus avancé qu'au premier jour, il perdit patience, ou plutôt il perdit la raison ;
et feignant d'avoir à la cour une affaire importante, il partit pour aller servir dans les Pays-Bas en qualité de volontaire, et bientôt il trouva dans les périls ce qu'il y
cherchait, c'est-à-dire la fin de sa vie et de ses tourments.

Après que la dame eut fait ce récit, le caractère singulier de son mari devint le sujet de notre entretien. Nous
fûmes interrompus par l'arrivée d'un courrier qui vint
remettre à Séraphine une lettre du comte de Polan. Elle
me demanda permission de la lire, et je remarquai qu'en
la lisant elle devenait pâle et tremblante. Après l'avoir lue,
elle leva les yeux au Ciel, poussa un long soupir, et son
visage en un moment fut couvert de larmes. Je ne vis
point tranquillement sa douleur. Je me troublai ; et
comme si j'eusse pressenti le coup qui m'allait frapper,
une crainte mortelle vint glacer mes esprits. Madame, lui
dis-je d'une voix presque éteinte, puis-je vous demander
quels malheurs vous annonce ce billet ? Tenez, seigneur,
me répondit tristement Séraphine en me donnant la
lettre ; lisez vous-même ce que mon père m'écrit. Hélas,
vous n'y êtes que trop intéressé.

À ces mots qui me firent frémir, je pris la lettre en tremblant et j'y trouvai ces paroles : *Don Gaspard, votre frère, se*

---

1. Aurait dû prendre.

battit hier au Prado. Il reçut un coup d'épée dont il est mort
aujourd'hui ; et il a déclaré en mourant que le cavalier qui l'a
tué est fils du baron de Steinbach, officier de la garde alle-
mande. Pour surcroît de malheur, le meurtrier m'est échappé.
Il a pris la fuite ; mais en quelques lieux qu'il aille se cacher,
je n'épargnerai rien pour le découvrir. Je vais écrire à
quelques gouverneurs qui ne manqueront pas de le faire arrê-
ter, s'il passe par les villes de leur juridiction, et je vais par
d'autres lettres achever de lui fermer tous les chemins.

LE COMTE DE POLAN.

Figurez-vous dans quel désordre ce billet jeta tous mes
sens. Je demeurai quelques moments immobile et sans
avoir la force de parler. Dans mon accablement j'envisage
ce que la mort de don Gaspard a de cruel pour mon
amour. J'entre tout à coup dans un vif désespoir. Je me
jette aux pieds de Séraphine, et lui présentant mon épée
nue : Madame, lui dis-je, épargnez au comte de Polan le
soin de chercher un homme qui pourrait se dérober à ses
coups. Vengez vous-même votre frère. Immolez-lui son
meurtrier de votre propre main. Frappez. Que ce même
fer qui lui a ôté la vie devienne funeste à son malheureux
ennemi. Seigneur, me répondit Séraphine un peu émue de
mon action, j'aimais don Gaspard. Quoique vous l'ayez
tué en brave homme et qu'il se soit attiré lui-même son
malheur, vous devez être persuadé que j'entre dans le ressentiment de mon père. Oui, don Alphonse ; je suis votre
ennemie, et je ferai contre vous tout ce que le sang et
l'amitié peuvent exiger de moi. Mais je n'abuserai point
de votre mauvaise fortune. Elle a beau vous livrer à ma
vengeance, si l'honneur m'arme contre vous, il me défend
aussi de me venger lâchement. Les droits de l'hospitalité
doivent être inviolables, et je ne veux point payer d'un
assassinat le service que vous m'avez rendu. Fuyez.
Échappez, si vous pouvez, à nos poursuites et à la rigueur
des lois, et sauvez votre tête du péril qui la menace.

Hé quoi, madame, repris-je, vous pouvez vous-même
vous venger, et vous vous en remettez à des lois qui

tromperont peut-être votre ressentiment ? Ah percez plutôt un misérable qui ne mérite pas que vous l'épargniez. Non, madame, ne gardez point avec moi un procédé si noble et si généreux. Savez-vous qui je suis ? Tout Madrid me croit fils du baron de Steinbach, et je ne suis qu'un malheureux qu'il a élevé chez lui par pitié. J'ignore même quels sont les auteurs de ma naissance. N'importe, interrompit Séraphine avec précipitation, comme si mes dernières paroles lui eussent fait une nouvelle peine, quand vous seriez le dernier des hommes, je ferai ce que l'honneur me prescrit. Hé bien, madame, lui dis-je, puisque la mort d'un frère n'est pas capable de vous exciter à répandre mon sang, je veux irriter votre haine par un nouveau crime, dont j'espère que vous n'excuserez point l'audace. Je vous adore. Je n'ai pu voir vos charmes sans en être ébloui, et malgré l'obscurité de mon sort, j'avais formé l'espérance d'être à vous. J'étais assez amoureux, ou plutôt assez vain pour me flatter que le Ciel, qui peut-être me fait grâce en me cachant mon origine, me la découvrirait un jour, et que je pourrais sans rougir, vous apprendre mon nom. Après cet aveu qui vous outrage, balancerez-vous encore à me punir ?

Ce téméraire aveu, répliqua la dame, m'offenserait sans doute dans un autre temps ; mais je le pardonne au trouble qui vous agite. D'ailleurs, dans la situation où je suis moi-même, je fais peu d'attention aux discours qui vous échappent. Encore une fois, don Alphonse, ajouta-t-elle en versant quelques larmes, partez, éloignez-vous d'une maison que vous remplissez de douleur ; chaque moment que vous y demeurez augmente mes peines. Je ne résiste plus, madame, repartis-je en me relevant. Il faut m'éloigner de vous. Mais ne pensez pas que, soigneux de conserver une vie qui vous est odieuse, j'aille chercher un asile où je puisse être en sûreté. Non, non, je me dévoue à votre ressentiment. Je vais attendre avec impatience à Tolède le destin que vous me préparez, et me livrant à vos poursuites, j'avancerai moi-même la fin de mes malheurs.

Je me retirai en achevant ces paroles. On me donna mon cheval et je me rendis à Tolède, où je demeurai huit jours, et où véritablement je pris si peu de soin de me cacher, que je ne sais comment je n'ai point été arrêté ; car je ne puis croire que le comte de Polan, qui ne songe qu'à me fermer tous les passages, n'ait pas jugé que je pouvais passer par Tolède. Enfin je sortis hier de cette ville, où il semblait qu'il me m'ennuyasse d'être en liberté, et sans tenir de route assurée, je suis venu jusqu'à cet ermitage, comme un homme qui n'aurait rien eu à craindre. Voilà, mon père, ce qui m'occupe. Je vous prie de m'aider de vos conseils.

CHAPITRE 11

Quel homme c'était que le vieil ermite,
et comment Gil Blas s'aperçut
qu'il était en pays de connaissance.

Quand don Alphonse eut achevé le triste récit de ses malheurs, le vieil ermite lui dit : Mon fils, vous avez eu bien de l'imprudence de demeurer si longtemps à Tolède. Je regarde d'un autre œil que vous tout ce que vous m'avez raconté, et votre amour pour Séraphine me paraît une pure folie. Croyez-moi, il faut oublier cette jeune dame, qui ne saurait être à vous. Cédez de bonne grâce aux obstacles qui vous séparent d'elle, et vous livrez à votre étoile [1], qui selon toutes les apparences vous promet bien d'autres aventures. Vous trouverez sans doute quelque jeune personne qui fera sur vous la même impression et dont vous n'aurez pas tué le frère.

Il allait ajouter à cela beaucoup d'autres choses pour exhorter don Alphonse à prendre patience, lorsque nous vîmes entrer dans l'ermitage un autre ermite chargé d'une besace fort enflée. Il revenait de faire une copieuse quête dans la ville de Cuença. Il paraissait plus jeune que son compagnon et il avait une barbe rousse et fort épaisse.

---

1. Et livrez-vous à votre destin.

Soyez le bienvenu, frère Antoine, lui dit le vieil anachorète ; quelles nouvelles apportez-vous de la ville ? D'assez
mauvaises, répondit le frère rousseau [1], en lui mettant
entre les mains un papier plié en forme de lettre, ce billet
va vous en instruire. Le vieillard l'ouvrit, et, après l'avoir
lu avec toute l'attention qu'il méritait, il s'écria : Dieu soit
loué ! puisque la mèche est découverte, nous n'avons qu'à
prendre notre parti. Changeons de style, poursuivit-il, seigneur don Alphonse, en adressant la parole au jeune cavalier, vous voyez un homme en butte comme vous aux
caprices de la fortune. On me mande de Cuença qui est
une ville à une lieue d'ici, qu'on m'a noirci dans l'esprit
de la justice, dont tous les suppôts doivent dès demain se
mettre en campagne pour venir dans cet ermitage s'assurer de ma personne. Mais ils ne trouveront point le lièvre
au gîte. Ce n'est pas la première fois que je me suis vu
dans de pareils embarras. Grâce à Dieu, je m'en suis
presque toujours tiré en homme d'esprit. Je vais me
montrer sous une nouvelle forme ; car tel que vous me
voyez, je ne suis rien moins qu'un ermite et qu'un
vieillard.

En parlant de cette manière, il se dépouilla de la longue
robe qu'il portait, et l'on vit dessous un pourpoint de
serge noire avec des manches tailladées. Puis il ôta son
bonnet, détacha un cordon qui tenait sa barbe postiche,
et prit tout à coup la figure d'un homme de vingt-huit à
trente ans. Le frère Antoine à son exemple quitta son
habit d'ermite, se défit de la même manière que son compagnon de sa barbe rousse, et tira d'un vieux coffre de
bois à demi pourri une méchante soutanelle dont il se
revêtit. Mais représentez-vous ma surprise, lorsque je
reconnus dans le vieil anachorète le seigneur don
Raphaël, et dans le frère Antoine mon très cher et très
fidèle valet Ambroise de Lamela. Vive Dieu, m'écriai-je
aussitôt, je suis ici, à ce que je vois, en pays de connaissance ! Cela est vrai, seigneur Gil Blas, me dit don
Raphaël en riant, vous retrouvez deux de vos amis lorsque

---

1. Le frère roux. Judas est roux, d'après la mythologie chrétienne.

vous vous y attendiez le moins. Je conviens que vous avez quelque sujet de vous plaindre de nous ; mais oublions le passé, et rendons grâces au Ciel qui nous rassemble. Ambroise et moi nous vous offrons nos services ; ils ne sont point à mépriser. Ne nous croyez pas de méchantes gens. Nous n'attaquons, nous n'assassinons personne. Nous ne cherchons seulement qu'à vivre aux dépens d'autrui, et si voler est une action injuste, la nécessité en corrige l'injustice. Associez-vous avec nous et vous mènerez une vie errante. C'est un genre de vie fort agréable quand on sait se conduire prudemment. Ce n'est pas que malgré toute notre prudence l'enchaînement des causes secondes ne soit tel quelquefois qu'il nous arrive de mauvaises aventures. N'importe ; nous en trouvons les bonnes meilleures. Nous sommes accoutumés à la variété des temps, aux alternatives de la fortune.

Seigneur cavalier, poursuivit le faux ermite en parlant à don Alphonse, nous vous faisons la même proposition, et je ne crois pas que vous deviez la rejeter dans la situation où vous paraissez être, car sans parler de l'affaire qui vous oblige à vous cacher, vous n'avez pas sans doute beaucoup d'argent ? Non vraiment, dit don Alphonse, et cela, je l'avoue, augmente mes chagrins. Hé bien, reprit don Raphaël, ne nous quittez donc point. Vous ne sauriez mieux faire que de vous joindre à nous. Rien ne vous manquera, et nous rendrons inutiles toutes les recherches de vos ennemis. Nous connaissons presque toute l'Espagne pour l'avoir parcourue. Nous savons où sont les bois, les montagnes, tous les endroits propres à servir d'asile contre les brutalités de la justice. Don Alphonse les remercia de leur bonne volonté, et se trouvant effectivement sans argent, sans ressource, il se résolut à les accompagner. Je m'y déterminai aussi, parce que je ne voulus point quitter ce jeune homme, pour qui je me sentis naître beaucoup d'inclination.

Nous convînmes tous quatre d'aller ensemble, et de ne nous point séparer. Il fut mis en délibération si nous partirions à l'heure même, ou si nous donnerions auparavant

quelque atteinte à un outre plein [1] d'un excellent vin que
le frère Antoine avait apporté de la ville de Cuença le jour
précédent ; mais Raphaël, comme celui qui avait le plus
d'expérience, représenta qu'il fallait avant toutes choses
penser à notre sûreté ; qu'il était d'avis que nous marchas-
sions toute la nuit pour gagner un bois fort épais, qui était
entre Villardesa et Almodabar ; que nous ferions halte en
cet endroit, où nous voyant sans inquiétude, nous passe-
rions la journée à nous reposer. Cet avis fut approuvé.
Alors les faux ermites firent deux paquets de toutes les
hardes et provisions qu'ils avaient, et les mirent en équi-
libre sur le cheval de don Alphonse. Cela se fit avec une
extrême diligence. Après quoi nous nous éloignâmes de
l'ermitage, laissant en proie à la justice les deux robes
d'ermite avec la barbe blanche et la barbe rousse, deux
grabats, une table, un mauvais coffre, deux vieilles chaises
de paille et l'image de saint Pacôme.

Nous marchâmes toute la nuit, et nous commencions à
nous sentir fort fatigués, lorsque à la pointe du jour nous
aperçûmes le bois où tendaient nos pas. La vue du port
donne une vigueur nouvelle aux matelots lassés d'une
longue navigation. Nous prîmes courage, et nous arrivâmes enfin au bout de notre carrière avant le lever du
soleil. Nous nous enfonçâmes dans le plus épais du bois,
et nous nous arrêtâmes dans un endroit fort agréable, sur
un gazon entouré de plusieurs gros chênes, dont les
branches entremêlées formaient une voûte que la chaleur
du jour ne pouvait percer. Nous débridâmes le cheval
pour le laisser paître, après l'avoir déchargé. Nous nous
assîmes. Nous tirâmes de la besace du frère Antoine
quelques grosses pièces de pain avec plusieurs morceaux
de viandes rôties, et nous nous mîmes à nous en escrimer
comme à l'envi l'un de l'autre. Néanmoins quelque appétit que nous eussions, nous cessions souvent de manger
pour donner des accolades à l'outre, qui ne faisait que
passer des bras de l'un entre les bras de l'autre.

---

1. L'*outre* est une peau de bouc cousue. Ce substantif est masculin
au XVIIIe siècle.

Sur la fin du repas, don Raphaël dit à don Alphonse : Seigneur cavalier, après la confidence que vous m'avez faite, il est juste que je vous raconte aussi l'histoire de ma vie avec la même sincérité. Vous me ferez plaisir, répondit le jeune homme. Et à moi particulièrement, m'écriai-je ; j'ai une extrême curiosité d'entendre vos aventures. Je ne doute pas qu'elles ne soient dignes d'être écoutées. Je vous en réponds, répliqua Raphaël, et je prétends bien les écrire un jour. Ce sera l'amusement de ma vieillesse, car je suis encore jeune et je veux grossir le volume. Mais nous sommes fatigués. Délassons-nous par quelques heures de sommeil. Pendant que nous dormirons tous trois, Ambroise veillera de peur de surprise, et tantôt à son tour il dormira. Quoique nous soyons, ce me semble, ici fort en sûreté, il est toujours bon de se tenir sur ses gardes. En achevant ces mots, il s'étendit sur l'herbe. Don Alphonse fit la même chose. Je suivis leur exemple et Lamela se mit en sentinelle.

Don Alphonse, au lieu de prendre quelque repos, s'occupa de ses malheurs, et je ne pus fermer l'œil. Pour don Raphaël, il s'endormit bientôt. Mais il se réveilla une heure après, et nous voyant disposés à l'écouter, il dit à Lamela : Mon ami Ambroise, tu peux présentement goûter la douceur du sommeil. Non, non, répondit Lamela ; je n'ai point envie de dormir, et bien que je sache tous les événements de votre vie, ils sont si instructifs pour les personnes de notre profession, que je serai bien aise de les entendre encore raconter. Aussitôt don Raphaël commença dans ces termes l'histoire de sa vie.

FIN DU QUATRIÈME LIVRE.

LIVRE CINQUIÈME

---•◆•---

CHAPITRE PREMIER
Histoire de don Raphaël.

Je suis fils d'une comédienne de Madrid fameuse par sa déclamation et plus encore par ses galanteries ; elle se nommait Lucinde. Pour un père, je ne puis, sans témérité, m'en donner un. Je dirais bien quel homme de qualité était amoureux de ma mère lorsque je suis venu au monde ; mais cette époque ne serait pas une preuve convaincante qu'il fût l'auteur de ma naissance ; une personne de la profession de ma mère est si sujette à caution, que dans le temps même qu'elle paraît le plus attachée à un seigneur, elle lui donne presque toujours quelque substitut pour son argent.

Rien n'est tel que de se mettre au-dessus de la médisance. Lucinde, au lieu de me faire élever chez elle dans l'obscurité, me prenait sans façon par la main, et me menait au théâtre fort honnêtement, sans se soucier des discours qu'on tenait sur son compte, ni des ris malins que ma vue ne manquait pas d'exciter. Enfin, je faisais ses délices, et j'étais caressé de tous les hommes qui venaient au logis. On eût dit que le sang parlait en eux en ma faveur.

On me laissa passer les douze premières années de ma vie dans toutes sortes d'amusements frivoles. À peine me

montra-t-on à lire et à écrire. On s'attacha moins encore
à m'enseigner les principes de ma religion. J'appris seulement à danser, à chanter, et à jouer de la guitare. C'est
tout ce que je savais faire, lorsque le marquis de Leganez
me demanda pour être auprès de son fils unique, qui avait
à peu près mon âge. Lucinde y consentit volontiers, et ce
fut alors que je commençai à m'occuper sérieusement. Le
jeune Leganez n'était pas plus avancé que moi ; ce petit
seigneur ne paraissait pas né pour les sciences. Il ne
connaissait presque pas une lettre de son alphabet, bien
qu'il eût un précepteur depuis quinze mois. Ses autres
maîtres n'en tiraient pas meilleur parti. Il mettait leur
patience à bout. Il est vrai qu'il ne leur était pas permis
d'user de rigueur à son égard : ils avaient un ordre exprès
de l'instruire sans le tourmenter, et cet ordre joint à la
mauvaise disposition du sujet rendait les leçons assez
inutiles.

Mais le précepteur imagina un bel expédient pour inti-
mider le jeune seigneur sans aller contre la défense de son
père : il résolut de me fouetter, quand le petit Leganez
mériterait d'être puni, et il ne manqua pas d'exécuter sa
résolution. Je ne trouvai point l'expédient de mon goût.
Je m'échappai et m'allai plaindre à ma mère d'un traitement si injuste. Cependant quelque tendresse qu'elle se
sentît pour moi, elle eut la force de résister à mes larmes,
et considérant que c'était un grand avantage pour son fils
d'être chez le marquis de Leganez, elle m'y fit ramener
sur-le-champ. Me voilà donc livré au précepteur. Comme
il s'était aperçu que son invention avait produit un bon
effet, il continua de me fouetter à la place du petit seigneur, et pour faire plus d'impression sur lui, il m'étrillait
très rudement. J'étais sûr de payer tous les jours pour le
jeune Leganez. Je puis dire qu'il n'a pas appris une lettre
de son alphabet qui ne m'ait coûté cent coups de fouet ;
jugez à combien me revient son rudiment !

Le fouet n'était pas le seul désagrément que j'eusse à
essuyer dans cette maison : comme tout le monde m'y
connaissait, les moindres domestiques, jusqu'aux marmitons, me reprochaient ma naissance. Cela me déplut à un

point, que je m'enfuis un jour, après avoir trouvé moyen de me saisir de tout ce que le précepteur avait d'argent comptant. Ce qui pouvait bien aller à cent cinquante ducats. Telle fut la vengeance que je tirai des coups de fouet qu'il m'avait donnés si injustement. Je fis ce tour de main avec beaucoup de subtilité, quoique ce fût mon coup d'essai, et j'eus l'adresse de me dérober aux perquisitions qu'on fit de moi pendant deux jours. Je sortis de Madrid, et me rendis à Tolède, sans voir personne à mes trousses.

J'entrais alors dans ma quinzième année. Quel plaisir, à cet âge, d'être indépendant et maître de ses volontés ! J'eus bientôt fait connaissance avec de jeunes gens qui me dégourdirent et m'aidèrent à manger mes ducats. Je m'associai ensuite avec des chevaliers de l'industrie, qui cultivèrent si bien mes heureuses dispositions, que je devins en peu de temps un des plus forts de l'Ordre. Au bout de cinq années, l'envie de voyager me prit : je quittai mes confrères, et voulant commencer mes voyages par l'Estramadure, je gagnai Alcantara ; mais avant que d'y arriver, je trouvai une occasion d'exercer mes talents, et je ne la laissai point échapper. Comme j'étais à pied et de plus, chargé d'un havresac assez pesant, je m'arrêtais de temps en temps pour me reposer sous les arbres qui m'offraient leur ombrage à quelques pas du grand chemin. Je rencontrai deux enfants de famille qui s'entretenaient avec gaieté sur l'herbe en prenant le frais. Je les saluai très civilement, et ce qui me parut ne leur pas déplaire, j'entrai dans leur conversation. Le plus vieux n'avait pas quinze ans. Ils étaient tous deux bien sincères : Seigneur cavalier, me dit le plus jeune, nous sommes fils de deux riches bourgeois de Plazencia. Nous avons une extrême envie de voir le royaume de Portugal, et pour satisfaire notre curiosité, nous avons pris chacun cent pistoles à nos parents. Bien que nous voyagions à pied, nous ne laisserons pas d'aller loin avec cet argent. Qu'en pensez-vous ? Si j'en avais autant, lui répondis-je, Dieu sait où j'irais. Je voudrais parcourir les quatre parties du monde. Comment diable, deux cents pistoles ? C'est une

somme immense. Vous n'en verrez jamais la fin. Si vous
l'avez pour agréable [1], messieurs, ajoutai-je, j'aurai l'honneur de vous accompagner jusqu'à la ville d'Almerin, où
je vais recueillir la succession d'un oncle qui depuis vingt
années ou environ s'était établi là.

Les jeunes bourgeois me témoignèrent que ma compagnie leur ferait plaisir. Ainsi, lorsque nous nous fûmes
tous trois un peu délassés, nous marchâmes vers Alcantara,
où nous arrivâmes longtemps avant la nuit. Nous allâmes
loger à une bonne hôtellerie. Nous demandâmes une
chambre, et l'on nous en donna une où il y avait une
armoire qui fermait à clef. Nous ordonnâmes d'abord le
souper, et pendant qu'on nous l'apprêtait, je proposai à
mes compagnons de voyage de nous promener dans la
ville. Ils acceptèrent la proposition. Nous serrâmes nos
havresacs dans l'armoire, dont un des bourgeois prit la
clef, et nous sortîmes de l'hôtellerie. Nous allâmes visiter
les églises, et dans le temps que nous étions dans la principale, je feignis tout à coup d'avoir une affaire importante.
Messieurs, dis-je à mes camarades, je viens de me souvenir qu'une personne de Tolède m'a chargé de dire de sa
part deux mots à un marchand qui demeure auprès de
cette église. Attendez-moi, de grâce, ici. Je serai de retour
dans un moment. À ces mots, je m'éloignai d'eux. Je
cours à l'hôtellerie, je vole à l'armoire, j'en force la serrure, et fouillant dans les havresacs de mes jeunes bourgeois, j'y trouve leurs pistoles. Les pauvres enfants ! je ne
leur en laissai pas seulement une pour payer leur gîte. Je
les emportai toutes. Après cela, je sortis promptement de
la ville, et pris la route de Merida, sans m'embarrasser de
ce qu'ils deviendraient.

Cette aventure me mit en état de voyager avec agrément. Quoique jeune, je me sentais capable de me
conduire prudemment. Je puis dire que j'étais bien avancé
pour mon âge. Je résolus d'acheter une mule, ce que je fis
en effet au premier bourg. Je convertis même mon havresac en valise, et je commençai à faire un peu plus l'homme

---

1. Si vous l'agréez, si vous en êtes d'accord.

d'importance. La troisième journée, je rencontrai un homme qui chantait vêpres à pleine tête sur le grand chemin. Je jugeai à son air que c'était un chantre, et je lui dis : Courage, seigneur bachelier. Cela va le mieux du monde ! Vous avez, à ce que je vois, le cœur au métier. Seigneur, me répondit-il, je suis chantre, pour vous rendre mes très humbles services, et je suis bien aise de tenir ma voix en haleine.

Nous entrâmes de cette manière en conversation. Je m'aperçus que j'étais avec un personnage des plus spirituels et des plus agréables. Il avait vingt-quatre ou vingt-cinq ans. Comme il était à pied, je n'allais que le petit pas pour avoir le plaisir de l'entretenir. Nous parlâmes entre autres choses de Tolède. Je connais parfaitement cette ville, me dit le chantre ; j'y ai fait un assez long séjour. J'y ai même quelques amis. Et dans quel endroit, interrompis-je, demeuriez-vous à Tolède ? Dans la rue Neuve, répondit-il. J'y demeurais avec don Vincent de Buena Garra, don Mathias de Cordel, et deux ou trois autres honnêtes cavaliers. Nous logions, nous mangions ensemble, nous passions fort bien le temps. Ces paroles me surprirent, car il faut observer que les gentilshommes dont il me citait les noms étaient les aigrefins [1] avec qui j'avais été faufilé à Tolède. Seigneur chantre, m'écriai-je, ces messieurs que vous venez de nommer sont de ma connaissance, et j'ai demeuré aussi avec eux dans la rue Neuve. Je vous entends, reprit-il en souriant, c'est-à-dire que vous êtes entré dans la compagnie depuis trois ans que j'en suis sorti. Je viens, lui repartis-je, de quitter ces seigneurs, parce que je me suis mis dans le goût des voyages. Je veux faire le tour de l'Espagne. J'en vaudrai mieux quand j'aurai plus d'expérience. Sans doute, me dit-il, pour se perfectionner l'esprit, il faut voyager. C'est aussi pour cette raison que j'abandonnai Tolède, quoique

---

1. Nom d'un poisson (sorte de gros merlan). Il se dit « par mépris d'un homme qui vit d'industrie » (*Dictionnaire de l'Académie*, 1762). Les deux personnages portent bien des noms d'aigrefins : *buena garra* signifie « bonne griffe », et *cordel*, « corde » (de pendu, assurément).

j'y vécusse fort agréablement. Je rends grâce au Ciel, poursuivit-il, qui m'a fait rencontrer un chevalier de mon ordre, lorsque j'y pensais le moins. Unissons-nous ; voyageons ensemble ; attentons sur la bourse du prochain ; profitons de toutes les occasions qui se présenteront d'exercer notre savoir-faire.

Il me fit cette proposition si franchement et de si bonne grâce, que je l'acceptai. Il gagna tout à coup ma confiance en me donnant la sienne. Nous nous ouvrîmes l'un à l'autre. Je lui contai mon histoire et il ne me déguisa point ses aventures. Il m'apprit qu'il venait de Portalègre, d'où une fourberie déconcertée par un contretemps l'avait obligé de se sauver avec précipitation et sous l'habillement que je lui voyais. Après qu'il m'eut fait une entière confidence de ses affaires, nous résolûmes d'aller tous deux à Merida tenter la fortune, d'y faire quelque bon coup si nous pouvions, et d'en décamper aussitôt pour nous rendre ailleurs. Dès ce moment, nos biens devinrent communs entre nous. Il est vrai que Moralés, ainsi se nommait mon compagnon, ne se trouvait pas dans une situation fort aisée. Tout ce qu'il avait consistait en cinq ou six ducats avec quelques hardes qu'il portait dans un bissac[1] ; mais si j'étais mieux que lui en argent comptant, il était en récompense plus consommé que moi dans l'art de tromper les hommes. Nous montions ma mule alternativement, et nous arrivâmes de cette manière à Merida.

Nous nous arrêtâmes dans une hôtellerie du faubourg, où mon camarade tira de son bissac un habit dont il ne fut pas sitôt revêtu, que nous allâmes faire un tour dans la ville pour reconnaître le terrain, et voir s'il ne s'offrirait point quelque occasion de travailler. Nous considérions fort attentivement tous les objets qui se présentaient à nos regards. Nous ressemblions, comme aurait dit Homère, à deux milans qui cherchent des yeux dans la campagne des

---

1. « Sac double et tout d'une pièce qui a une ouverture par le milieu et deux poches qu'on emplit des deux côtés » (Furetière).

oiseaux dont ils puissent faire leur proie[1]. Nous attendions enfin que le hasard nous fournît quelque sujet
d'employer notre industrie, lorsque nous aperçûmes dans
la rue un cavalier à cheveux gris, qui avait l'épée à la main
et qui se battait contre trois hommes qui le poussaient
vigoureusement. L'inégalité de ce combat me choqua, et
comme je suis naturellement ferrailleur, je volai au
secours du vieillard. Moralés suivit mon exemple. Nous
chargeâmes les trois ennemis du cavalier, et nous les obli-
geâmes à prendre la fuite.

Le vieillard nous fit de grands remerciements. Nous
sommes ravis, lui dis-je, de nous être trouvés ici si à propos pour vous secourir ; mais que nous sachions du moins
à qui nous avons eu le bonheur de rendre service, et dites-
nous, de grâce, pourquoi ces trois hommes voulaient vous
assassiner ? Messieurs, nous répondit-il, je vous ai trop
d'obligation pour refuser de satisfaire votre curiosité. Je
m'appelle Jérôme de Moyadas et je vis de mon bien dans
cette ville. L'un de ces assassins dont vous m'avez délivré
est un amant de ma fille. Il me la fit demander en mariage
ces jours passés, et comme il ne put obtenir mon aveu, il
vient de me faire mettre l'épée à la main pour s'en venger.
Et peut-on, repris-je, vous demander encore pour quelle
raison vous n'avez point accordé votre fille à ce cavalier ?
Je vais vous l'apprendre, me dit-il ; j'avais un frère marchand dans cette ville. Il se nommait Augustin. Il y a deux
mois qu'il était à Calatrava, logé chez Juan Velez de la
Membrilla[2], son correspondant. Ils étaient tous deux
amis intimes, et mon frère pour fortifier encore davantage

---

1. Lors du massacre des prétendants, Ulysse et les siens sont compa-
rés à des vautours qui « fondent des montagnes le bec crochu et les
serres recourbées, sur les petits oiseaux qui tombent dans la plaine en
fuyant les nuages » (Homère, *Odyssée*, chant XXII, trad. M. Dufour et
J. Raison, GF-Flammarion, 1993, p. 317). Confusion avec les références
homériques de la fable de La Fontaine *Le Milan, le roi et le chasseur*
(*Fables*, XII, 12) ?
2. Noms cocasses : *de mojadas* (ici orthographié *moyadas*) signifie
« des mouillures » (de *mojar*, « tremper »), et *de la membrilla*, « du
coing ».

leur amitié, promit Florentine, ma fille unique, au fils de son correspondant, ne doutant point qu'il n'eût assez de crédit sur moi pour m'obliger à dégager sa promesse. Effectivement mon frère étant de retour à Merida, ne m'eut pas plus tôt parlé de ce mariage que j'y consentis pour l'amour de lui. Il envoya le portrait de Florentine à Calatrava ; mais hélas, il n'a pas eu la satisfaction d'achever son ouvrage ; il est mort depuis trois semaines. En mourant il me conjura de ne disposer de ma fille qu'en faveur du fils de son correspondant. Je le lui promis, et voilà pourquoi j'ai refusé Florentine au cavalier qui vient de m'attaquer, quoique ce soit un parti fort avantageux. Je suis esclave de ma parole, et j'attends à tout moment le fils de Juan Velez de la Membrilla pour en faire mon gendre, bien que je ne l'aie jamais vu, non plus que son père. Je vous demande pardon, continua Jérôme de Moyadas, si je vous fais toute cette narration ; mais vous l'avez exigée de moi.

J'écoutai ce récit avec beaucoup d'attention, et m'arrêtant à une supercherie qui me vint tout à coup dans l'esprit, j'affectai un grand étonnement, je levai même les yeux au ciel. Ensuite, je me tournai vers le vieillard, et lui dis d'un ton pathétique : Ah seigneur de Moyadas, est-il possible qu'en arrivant à Merida, je sois assez heureux pour sauver la vie à mon beau-père ? Ces paroles causèrent une étrange surprise au vieux bourgeois, et n'étonnèrent pas moins Moralés, qui me fit connaître par sa contenance que je lui paraissais un grand fripon. Que m'apprenez-vous, me répondit le vieillard ? Quoi vous seriez le fils du correspondant de mon frère ? Oui Seigneur Jérôme de Moyadas, lui répliquai-je en payant d'audace et en lui jetant les bras au cou, je suis le fortuné mortel à qui l'adorable Florentine est destinée. Mais avant que je vous témoigne la joie que j'ai d'entrer dans votre famille, permettez que je répande dans votre sein les larmes que renouvelle ici le souvenir de votre frère Augustin. Je serais le plus ingrat de tous les hommes, si je n'étais vivement touché de la mort d'une personne à qui je dois le bonheur de ma vie. En achevant ces mots, j'embrassai encore le bon Jérôme, et je passai ensuite la main sur mes yeux, comme pour essuyer mes pleurs. Moralés, qui comprit tout d'un coup l'avantage que nous pouvions tirer d'une pareille tromperie, ne manqua pas de me seconder [1]. Il voulut passer pour mon valet et il se mit à renchérir sur le regret que je marquais de la mort du seigneur Augustin. Monsieur Jérôme, s'écria-t-il, quelle perte vous avez faite en perdant votre frère ! C'était un si honnête homme ! le phénix du commerce, un marchand désintéressé, un marchand de bonne foi, un marchand comme on n'en voit point.

Nous avions affaire à un homme simple et crédule ; bien loin d'avoir quelque soupçon de notre fourberie, il s'y prêta de lui-même. Hé pourquoi, me dit-il, n'êtes-vous pas venu tout droit chez moi ? Il ne fallait point aller loger dans une hôtellerie. Dans les termes où nous en sommes, on ne doit point faire de façons. Monsieur, lui dit Moralés, en prenant la parole pour moi, mon maître est un peu cérémonieux. Ce n'est pas, ajouta-t-il, qu'il ne soit excusable en quelque manière de n'avoir pas voulu paraître devant vous en l'état où il est. Nous avons été volés sur la route. On nous a pris toutes nos hardes. Ce garçon, interrompis-je, vous dit la vérité, seigneur de Moyadas. Ce malheur ne m'a point permis d'aller chez vous. Je n'osais me présenter sous cet habit aux yeux d'une maîtresse qui ne m'a point encore vu, et j'attendais pour cela le retour d'un valet que j'ai envoyé à Calatrava. Cet accident, reprit le vieillard, ne devait point vous empêcher de venir demeurer dans ma maison, et je prétends que vous y preniez tout à l'heure un logement.

En parlant de cette sorte, il m'emmena chez lui ; mais avant que d'y arriver, nous nous entretînmes du prétendu vol qu'on m'avait fait, et je témoignai que mon plus grand chagrin était d'avoir perdu, avec mes hardes, le portrait de Florentine. Le bourgeois là-dessus me dit en riant qu'il

---

1. Cette fourberie est tirée de la pièce de Antonio Hurtado de Mendoza *Los Empeños del mentir*, qui inspira déjà Lesage pour *Crispin rival de son maître* (1707).

fallait me consoler de cette perte, et que l'original valait
mieux que la copie. En effet dès que nous fûmes dans sa
maison, il appela sa fille, qui n'avait pas plus que seize
ans, et qui pouvait passer pour une personne accomplie.
Vous voyez, me dit-il, l'objet que feu mon frère vous a
promis. Ah, seigneur, m'écriai-je d'un air passionné, il
n'est pas besoin de me dire que c'est l'aimable Florentine.
Ces traits charmants sont gravés dans ma mémoire et
encore plus dans mon cœur. Si le portrait que j'ai perdu,
et qui n'était qu'une faible ébauche de tant d'attraits, a pu
m'embraser de mille feux, jugez quels transports doivent
m'agiter en ce moment ! Ce discours est trop flatteur, me
dit Florentine, et je ne suis point assez vaine pour m'imaginer que je le justifie. Continuez vos compliments, interrompit alors le père. En même temps il me laissa seul avec
sa fille, et prenant Moralés en particulier : Mon ami, lui
dit-il, on vous a donc emporté toutes vos hardes et sans
doute votre argent ? Oui, Monsieur, répondit mon camarade ; une nombreuse troupe de bandits est venue fondre
sur nous auprès de Castil-Blazo, et ne nous a laissé que
les habits que nous avons sur le corps ; mais nous rece-
vrons incessamment des lettres de change, et nous allons
nous remettre sur pied.

En attendant vos lettres de change, répliqua le vieillard
en tirant de sa poche une bourse, voici cent pistoles dont
vous pouvez disposer. Oh monsieur, repartit Moralés,
mon maître ne voudra point les accepter. Vous ne le
connaissez pas. Tudieu ! c'est un homme fort délicat sur
cette matière. Ce n'est point un de ces enfants de famille
qui sont prêts à prendre de toutes mains. Il n'aime pas à
s'endetter. Il demanderait plutôt l'aumône que d'emprunter un maravédi. Tant mieux, dit le bourgeois ; je l'en
estime davantage. Je ne puis souffrir que l'on contracte
des dettes. Je pardonne cela aux personnes de qualité,
parce que c'est une chose dont ils sont en possession [1]. Je
ne veux pas, continua-t-il, contraindre ton maître ; et si

---

1. Dont ils ont l'habitude (voir les dettes de don Mathias, III, 3,
p. 209).

c'est lui faire de la peine que de lui offrir de l'argent, il n'en faut plus parler. En disant ces paroles, il voulut remettre la bourse dans sa poche ; mais mon compagnon lui retint le bras : Attendez, seigneur de Moyadas, lui dit-il ; quelque aversion que mon maître ait pour les emprunts, je ne désespère pas de lui faire agréer vos cent pistoles. Ce n'est que des étrangers qu'il n'aime point à emprunter. Il n'est pas si façonnier[1] avec sa famille. Il demande même fort bien à son père tout l'argent dont il a besoin. Ce garçon, comme vous voyez, sait distinguer les personnes, et il doit vous regarder, monsieur, comme un second père.

Moralés par de semblables discours s'empara de la bourse du vieillard, qui vint nous rejoindre et qui nous trouva sa fille et moi engagés dans les compliments. Il rompit notre entretien. Il apprit à Florentine l'obligation qu'il m'avait, et sur cela il me tint des propos qui me firent connaître combien il en avait de ressentiment[2]. Je profitai d'une si favorable disposition. Je dis au bourgeois que la plus touchante marque de reconnaissance qu'il pût me donner était de hâter mon mariage avec sa fille. Il céda de bonne grâce à mon impatience. Il m'assura que dans trois jours au plus tard, je serais l'époux de Florentine, et qu'au lieu de six mille ducats qu'il avait promis pour sa dot, il en donnerait dix mille, pour me témoigner jusqu'à quel point il était pénétré du service que je lui avais rendu.

Nous étions donc Moralés et moi chez le bonhomme Jérôme de Moyadas bien traités, et dans l'agréable attente de toucher dix mille ducats, avec quoi nous nous proposions de partir promptement de Merida. Une crainte pourtant troublait notre joie : nous appréhendions qu'avant trois jours le véritable fils de Juan Velez de la Membrilla ne vînt traverser notre bonheur. Cette crainte n'était pas mal fondée. Dès le lendemain, une espèce de paysan chargé d'une valise, arriva chez le père de Florentine. Je ne m'y trouvai point alors ; mais mon camarade

---

1. Il ne fait pas tant de cérémonies.
2. De joie.

y était. Seigneur, dit le paysan au vieillard, j'appartiens au cavalier de Calatrava qui doit être votre gendre, au seigneur Pedro de la Membrilla. Nous venons tous deux d'arriver. Il sera ici dans un instant. J'ai pris les devants pour vous en avertir. À peine eut-il achevé ces mots, que son maître parut. Ce qui surprit fort le vieillard et déconcerta un peu Moralés.

Le jeune Pedro était un garçon des mieux faits. Il adressa la parole au père de Florentine ; mais le bonhomme ne lui donna pas le temps de finir son discours, et se tournant vers mon compagnon, il lui demanda ce que cela signifiait. Alors Moralés, qui ne cédait en effronterie à personne au monde, prit un air d'assurance et dit au vieillard : Monsieur, ces deux hommes que vous voyez sont de la troupe des voleurs qui nous ont détroussés sur le grand chemin. Je les reconnais, et particulièrement celui qui a l'audace de se dire fils du seigneur Juan Velez de la Membrilla. Le vieux bourgeois crut Moralés ; et persuadé que les nouveaux venus étaient des fripons, il leur dit : Messieurs, vous arrivez trop tard. On vous a prévenus. Pedro de la Membrilla est chez moi depuis hier. Prenez garde à ce que vous dites, lui répondit le jeune homme de Calatrava. Vous avez dans votre maison un imposteur. Sachez que Juan Velez de la Membrilla n'a point d'autre fils que moi. À d'autres, répliqua le vieillard ; je n'ignore pas qui vous êtes. Ne remettez-vous pas ce garçon, et ne vous ressouvenez-vous plus de son maître que vous ayez volé ? Si je n'étais pas chez vous, repartit Pedro, je punirais l'insolence de ce fourbe qui m'ose traiter de voleur. Qu'il rende grâce à votre présence qui retient ma colère. Seigneur, poursuivit-il, on vous trompe. Je suis le jeune homme à qui votre frère Augustin a promis votre fille. Voulez-vous que je vous montre toutes les lettres qu'il a écrites à mon père au sujet de ce mariage ? En croirez-vous le portrait de Florentine qu'il m'envoya quelque temps avant sa mort ?

Non, interrompit le vieux bourgeois, le portrait ne me persuadera pas plus que les lettres. Je sais bien de quelle manière il est tombé entre vos mains, et je vous conseille charitablement de sortir au plus tôt de Merida. C'en est trop, interrom-

pit à son tour le jeune cavalier. Je ne souffrirai point qu'on
me vole impunément mon nom, ni qu'on me fasse passer
pour un brigand. Je connais quelques personnes dans cette
ville. Je vais les chercher, et je reviendrai confondre l'imposture qui vous prévient contre moi. À ces mots, il se retira
suivi de son valet, et Moralés demeura triomphant. Cette
aventure même fut cause que Jérôme de Moyadas résolut de
faire le mariage ce jour-là. Il sortit et alla sur-le-champ donner les ordres nécessaires pour cet effet.

Quoique mon camarade fût bien aise de voir le père de
Florentine dans des dispositions si favorables pour nous,
il n'était pas sans inquiétude. Il craignait la suite des
démarches qu'il jugeait bien que Pedro ne manquerait pas
de faire, et il m'attendait avec impatience pour m'informer
de ce qui se passait. Je le trouvai plongé dans une profonde rêverie. Qu'y a-t-il, mon ami, lui dis-je ? tu me
parais bien occupé. Ce n'est pas sans raison, me répondit-
il. En même temps il me mit au fait. Tu vois, ajouta-t-il
ensuite, si j'ai tort de rêver. C'est toi, téméraire, qui nous
jettes dans cet embarras. L'entreprise, je l'avoue, était
brillante, et t'aurait comblé de gloire, si elle eût réussi ;
mais selon toutes les apparences, elle finira mal, et je
serais d'avis, pour prévenir les éclaircissements, que nous
prissions la fuite avec la plume que nous avons tiré de
l'aile du bonhomme.

Monsieur Moralés, repris-je à ce discours, vous cédez
bien promptement aux difficultés. Vous ne faites guère
d'honneur à don Mathias de Cordel ni aux autres cavaliers avec qui vous avez demeuré à Tolède. Quand on a
fait son apprentissage sous de si grands maîtres, on ne
doit pas si facilement s'alarmer. Pour moi, qui veux marcher sur les traces de ces héros, et prouver que j'en suis
un digne élève, je me raidis contre l'obstacle qui vous
épouvante et je me fais fort de le lever. Si vous en venez
à bout, me dit mon compagnon, je vous mettrai au-dessus
de tous les grands hommes de Plutarque[1].

---

1. Référence aux *Vies parallèles* ou *Vies des hommes illustres grecs et
romains, comparées l'une avec l'autre* (Alexandre et César, par exemple),
traduites en français par Amyot (1559).

Comme Moralés achevait de parler, Jérôme de Moyadas entra. Vous serez mon gendre dès ce soir. Votre valet,
ajouta-t-il, doit vous avoir conté ce qui vient d'arriver.
Que dites-vous de l'effronterie du fripon qui m'a voulu
persuader qu'il était fils du correspondant de mon frère !
Seigneur, lui répondis-je tristement, et de l'air le plus
ingénu qu'il me fût possible d'affecter, je sens que je ne
suis pas né pour soutenir une trahison. Il faut vous faire
un aveu sincère. Je ne suis point fils de Juan Velez de
la Membrilla. Qu'entends-je, interrompit le vieillard avec
autant de précipitation que de surprise ? Hé quoi, vous
n'êtes pas le jeune homme à qui mon frère... De grâce,
seigneur, interrompis-je aussi, daignez m'écouter jusqu'au
bout. Il y a huit jours que j'aime votre fille et que l'amour
m'arrête à Merida. Hier, après vous avoir secouru, je me
préparais à vous la demander en mariage ; mais vous me
fermâtes la bouche, en m'apprenant que vous la destiniez
à un autre. Vous me dîtes que votre frère en mourant vous
conjura de la donner à Pedro de la Membrilla, que vous
le lui promîtes et qu'enfin vous étiez esclave de votre
parole. Ce discours, je l'avoue, m'accabla, et mon amour
réduit au désespoir m'inspira le stratagème dont je me
suis servi. Je vous dirai pourtant que je me suis secrètement reproché la supercherie que je vous ai faite ; mais
j'ai cru que vous me la pardonneriez quand je vous la
découvrirais, et quand vous sauriez que je suis un prince
italien qui voyage *incognito*. Mon père est souverain de
certaines vallées qui sont entre les Suisses, le Milanais et
la Savoie[1]. Je m'imaginais que vous seriez agréablement
surpris lorsque je vous révélerais ma naissance, et je me
faisais un plaisir d'époux délicat et charmé de la déclarer
à Florentine après l'avoir épousée. Le Ciel, poursuivis-je
en changeant de ton, n'a pas voulu permettre que j'eusse
tant de joie. Pedro de la Membrilla paraît. Il faut lui restituer son nom, quelque chose qu'il m'en coûte à le lui
rendre. Votre promesse vous engage à le choisir pour

---

1. C'est aussi précis que s'il disait : « quelque part entre la Provence
et la Bretagne ».

votre gendre, vous devez me le préférer sans avoir égard
à mon rang, sans avoir pitié de la situation cruelle où
vous m'allez réduire. Je ne vous représenterai point que
votre frère n'était que l'oncle de votre fille, que vous en
êtes le père, et qu'il est plus juste de vous acquitter envers
moi de l'obligation que vous m'avez que de vous piquer
de l'honneur de tenir une parole qui ne vous lie que faiblement.

Oui sans doute cela est bien plus juste, s'écria Jérôme
de Moyadas. Aussi je ne prétends point balancer entre
vous et Pedro de la Membrilla. Si mon frère Augustin
vivait encore, il ne trouverait pas mauvais que je donnasse
la préférence à un homme qui m'a sauvé la vie, et qui
plus est à un prince qui ne dédaigne pas de rechercher
mon alliance. Il faudrait que je fusse ennemi de mon bonheur, et que j'eusse entièrement perdu l'esprit, si je ne
vous donnais ma fille, et si je ne pressais pas même ce
mariage. Cependant, seigneur, repris-je, ne faites rien par
impétuosité. Ne consultez que vos seuls intérêts ; et malgré la noblesse de mon sang... Vous vous moquez de moi,
interrompit-il, dois-je hésiter un moment ? Non, mon
prince ; et je vous supplie de vouloir bien dès ce soir
honorer de votre main l'heureuse Florentine. Hé bien, lui
dis-je, soit. Allez vous-même lui porter cette nouvelle, et
l'instruire de son destin glorieux.

Tandis que le bon bourgeois s'empressait d'aller dire à
sa fille qu'elle avait fait la conquête d'un prince, Moralés
qui avait entendu toute la conversation, se mit à genoux
devant moi et me dit : Monsieur le prince italien, fils
du souverain des vallées qui sont entre les Suisses, le
Milanais et la Savoie, souffrez que je me jette aux pieds
de Votre Altesse pour lui témoigner le ravissement où je
suis. Foi de fripon, je vous regarde comme un prodige. Je
me croyais le premier homme du monde ; mais franchement je mets pavillon bas devant vous, quoique vous ayez
moins d'expérience que moi. Tu n'as donc plus, lui dis-je,
d'inquiétude ? Oh pour cela non, répondit-il. Je ne crains
plus le seigneur Pedro. Qu'il vienne présentement ici tant
qu'il lui plaira ! Nous voilà, Moralés et moi, fermes sur

nos étriers. Nous commençâmes à régler la route que
nous prendrions avec la dot sur laquelle nous comptons
si bien, que si nous l'eussions déjà touchée, nous
n'aurions pas cru être plus sûrs de l'avoir. Nous ne la
tenions pas toutefois encore, et le dénouement de l'aventure ne répondit pas à notre confiance.

Nous vîmes bientôt revenir le jeune homme de Calatrava.
Il était accompagné de deux bourgeois et d'un alguazil,
aussi respectable par sa moustache et sa mine brune que
par sa charge. Le père de Florentine était avec nous. Seigneur de Moyadas, lui dit Pedro, voici trois honnêtes gens
que je vous amène. Ils me connaissent, et peuvent vous
dire qui je suis. Oui, certes, s'écria l'alguazil, je puis le
dire. Je le certifie à tous ceux qu'il appartiendra ; je vous
connais. Vous vous appelez Pedro, et vous êtes fils unique
de Juan Velez de la Membrilla. Quiconque ose soutenir
le contraire est un imposteur. Je vous crois, monsieur
l'alguazil, dit alors le bonhomme Jérôme de Moyadas.
Votre témoignage est sacré pour moi aussi bien que celui
des seigneurs marchands qui sont avec vous. Je suis pleinement convaincu que le jeune cavalier qui vous a conduit
ici est le fils unique du correspondant de mon frère. Mais
que m'importe ? Je ne suis plus dans la résolution de lui
donner ma fille.

Oh c'est une autre affaire, dit l'alguazil. Je ne viens
dans votre maison que pour vous assurer que ce jeune
homme m'est connu. Vous êtes maître de votre fille, et
l'on ne saurait vous contraindre à la marier malgré vous.
Je ne prétends pas non plus, interrompit Pedro, faire violence aux volontés du seigneur Moyadas, mais il me permettra de lui demander pourquoi il a changé de
sentiment. A-t-il quelque sujet de se plaindre de moi ? Ah,
du moins qu'en perdant la douce espérance d'être son
gendre, j'apprenne que je ne l'ai point perdue par ma
faute ! Je ne me plains pas de vous, répondit le vieillard ;
je vous le dirai même, c'est à regret que je me vois dans
la nécessité de vous manquer de parole et je vous conjure
de me le pardonner. Je suis persuadé que vous êtes trop
généreux pour me savoir mauvais gré de vous préférer un

rival qui m'a sauvé la vie. Vous le voyez, poursuivit-il en me montrant, c'est ce seigneur qui m'a tiré d'un grand péril ; et pour m'excuser encore mieux auprès de vous, je vous apprends que c'est un prince italien.

À ces dernières paroles, Pedro demeura muet et confus. Les deux marchands ouvrirent de grands yeux, et parurent fort surpris. Mais l'alguazil, accoutumé à regarder les choses du mauvais côté, soupçonna cette merveilleuse aventure d'être une fourberie où il y avait à gagner pour lui. Il m'envisagea fort attentivement ; et comme mes traits qui lui étaient inconnus mettaient en défaut sa bonne volonté, il examina mon camarade avec la même attention. Malheureusement pour mon altesse, il reconnut Moralés, et, se ressouvenant de l'avoir vu dans les prisons de Ciudad-Réal : Ah ah, s'écria-t-il, voici une de mes pratiques [1]. Je remets ce gentilhomme, et je vous le donne pour un des plus parfaits fripons qui soient dans les royaumes et principautés d'Espagne. Allons bride en main [2], monsieur l'alguazil, dit Jérôme de Moyadas ; ce garçon dont vous nous faites un si mauvais portrait est un domestique du prince. Fort bien, repartit l'alguazil. Je n'en veux pas davantage pour savoir à quoi m'en tenir. Je juge du maître par le valet. Je ne doute point que ces galants ne soient deux fourbes qui s'accordent pour vous tromper. Je me connais en pareil gibier, et pour vous faire voir que ces drôles sont des aventuriers, je vais les mener en prison tout à l'heure. Je prétends leur ménager un tête-à-tête avec monsieur le corregidor ; après quoi, ils sentiront que tous les coups de fouet n'ont point encore été donnés. Halte-là, monsieur l'officier, reprit le vieillard. Ne poussons pas l'affaire si loin. Vous ne craignez pas vous autres de faire de la peine à un honnête homme. Ce valet ne saurait-il être un fourbe, sans que son maître le soit ? Est-il nouveau de voir des fripons au service des princes ? Vous moquez-vous avec vos princes, interrompit

---

1. Un de mes clients (sens ironique).

2. « On dit qu'il faut aller *bride en main* en quelque affaire, pour dire qu'il faut agir lentement et après une mûre délibération » (Furetière).

l'alguazil ? Ce jeune homme est un intrigant sur ma parole, et je l'arrête *de par le roi*, de même que son camarade. J'ai vingt archers à la porte qui les traîneront à la prison, s'ils ne s'y laissent pas conduire de bonne grâce. Allons, mon prince, me dit-il ensuite, marchons.

Je fus étourdi de ces paroles, ainsi que Moralés, et notre trouble nous rendit suspects à Jérôme de Moyadas, ou plutôt nous perdit dans son esprit. Il jugea bien que nous l'avions voulu tromper. Il prit pourtant dans cette occasion le parti que devait prendre un galant homme : Monsieur l'officier, dit-il à l'alguazil, vos soupçons peuvent être faux ; peut-être aussi ne sont-ils que trop véritables. Quoi qu'il en soit, n'approfondissons point cela. Que ces deux jeunes cavaliers sortent, et se retirent où bon leur semblera. Ne vous opposez point, je vous prie, à leur retraite. C'est une grâce que je vous demande, pour m'acquitter envers eux de l'obligation que je leur ai. Si je faisais ce que je dois, répondit l'alguazil, j'emprisonnerais ces messieurs sans avoir égard à vos prières ; mais je veux bien relâcher de mon devoir pour l'amour de vous, à condition que dès ce moment ils sortiront de cette ville, car si je les rencontre demain, vive Dieu, ils verront ce qui leur arrivera.

Lorsque nous entendîmes dire, Moralés et moi, qu'on nous laissait libres, nous nous remîmes un peu. Nous voulûmes parler avec fermeté, et soutenir que nous étions des personnes d'honneur ; mais l'alguazil nous regarda de travers, et nous imposa silence. Je ne sais pourquoi ces gens-là ont un ascendant sur nous. Il fallut donc abandonner Florentine et la dot à Pedro de la Membrilla, qui sans doute devint gendre de Jérôme de Moyadas. Je me retirai avec mon camarade. Nous prîmes le chemin de Truxillo [1], avec la consolation d'avoir du moins gagné cent pistoles à cette aventure. Une heure avant la nuit, nous passâmes par un petit village, résolus d'aller coucher plus loin. Nous aperçûmes une hôtellerie d'assez belle apparence pour ce lieu-là. L'hôte et l'hôtesse étaient à la porte

---

1. Ou Trujillo.

assis sur de longues pierres. L'hôte, grand homme sec et déjà suranné [1], raclait une mauvaise guitare pour divertir sa femme qui paraissait l'écouter avec plaisir. Messieurs, nous cria l'hôte, lorsqu'il vit que nous ne nous arrêtions point, je vous conseille de faire halte en cet endroit. Il y a trois mortelles lieues d'ici au premier village que vous trouverez, et vous n'y serez pas aussi bien que dans celui-ci, je vous en avertis. Croyez-moi, entrez dans ma maison. Je vous y ferai bonne chère et à juste prix. Nous nous laissâmes persuader. Nous nous approchâmes de l'hôte et de l'hôtesse ; nous les saluâmes, et nous étant assis auprès d'eux, nous commençâmes à nous entretenir tous quatre de choses indifférentes. L'hôte se disait officier de la sainte Hermandad, et l'hôtesse était une grosse réjouie qui avait l'air de savoir bien vendre ses denrées.

Notre conversation fut interrompue par l'arrivée de douze à quinze cavaliers montés les uns sur des mules, les autres sur des chevaux, et suivis d'une trentaine de mulets chargés de ballots. Ah, que de princes, s'écria l'hôte à la vue de tant de monde ! où pourrai-je les loger tous ? Dans un instant le village se trouva rempli d'hommes et d'animaux. Il y avait par bonheur auprès de l'hôtellerie une vaste grange où l'on mit les mulets et les ballots. Les mules et les chevaux des cavaliers furent placés dans d'autres endroits. Pour les hommes, ils songèrent moins à chercher des lits, qu'à se faire apprêter un bon repas. L'hôte, l'hôtesse, et une jeune servante qu'ils avaient ne s'y épargnèrent point. Ils firent main basse sur toute la volaille de leur basse-cour. Cela joint à quelques civets de lapins et de matous, et à une copieuse soupe aux choux faite avec du mouton, il y en eut pour tout l'équipage.

Nous regardions Moralés et moi ces cavaliers, qui de temps en temps nous envisageaient aussi. Enfin, nous liâmes conversation, et nous leur dîmes que s'ils le voulaient bien, nous souperions avec eux. Ils nous témoignèrent que cela leur ferait plaisir. Nous voilà donc tous à table ensemble. Il y en avait un parmi eux qui ordonnait,

---

1. Déjà vieux.

et pour qui les autres, quoique d'ailleurs ils en usassent
assez familièrement avec lui, ne laissaient pas de marquer
des déférences. Il est vrai que celui-là tenait le haut bout [1].
Il parlait d'un ton de voix élevé. Il contredisait même
quelquefois d'un air cavalier le sentiment des autres, qui
bien loin de lui rendre la pareille, semblaient respecter ses
opinions. L'entretien tomba par hasard sur l'Andalousie,
et comme Moralés s'avisa de louer Séville, l'homme dont
je viens de parler lui dit : Seigneur cavalier, vous faites
l'éloge de la ville où j'ai pris naissance, ou du moins je
suis né aux environs, puisque le bourg de Mayrena m'a
vu naître. Je vous dirai la même chose, lui répondit mon
compagnon. Je suis aussi de Mayrena, il n'est pas possible
que je ne connaisse point vos parents. De qui êtes-vous
fils ? D'un honnête notaire, repartit le cavalier, de Martin
Moralés. Par ma foi, s'écria mon camarade avec émotion,
l'aventure est fort singulière ! vous êtes donc mon frère
aîné Manuel Moralés ? Justement, dit l'autre, et vous êtes
apparemment, vous, mon petit frère Luis, que je laissai au
berceau quand j'abandonnai la maison paternelle ? Vous
m'avez nommé, répondit mon camarade. À ces mots, ils
se levèrent de table tous deux, et s'embrassèrent à plusieurs reprises. Ensuite le seigneur Manuel dit à la compagnie : Messieurs, cet événement est tout à fait
merveilleux ! Le hasard veut que je rencontre et reconnaisse un frère que je n'ai point vu depuis plus de vingt
années. Permettez que je vous le présente. Alors tous les
cavaliers, qui par bienséance se tenaient debout, saluèrent
le cadet Moralés, et l'accablèrent d'embrassades. Après
cela, on se remit à table et l'on y demeura toute la nuit.
On ne se coucha point. Les deux frères s'assirent l'un
auprès de l'autre, et s'entretinrent tout bas de leur famille,
pendant que les autres convives buvaient et se réjouissaient.

---

1. « On appelle le *haut bout*, le *bas bout*, dans les séances et cérémonies où les rangs sont distingués, les places les plus ou les moins honorables » (Furetière).

Luis eut une longue conversation avec Manuel, et me prenant ensuite en particulier, il me dit : Tous ces cavaliers sont des domestiques du comte de Montanos que le Roi a nommé depuis peu à la vice-royauté de Majorque [1]. Ils conduisent l'équipage du vice-roi à Alicante, où ils doivent s'embarquer. Mon frère, qui est devenu intendant de ce seigneur, m'a proposé de m'emmener avec lui, et sur la répugnance que je lui ai témoigné que j'avais à vous quitter, il m'a dit que si vous voulez être du voyage, il vous fera donner un bon emploi. Cher ami, poursuivit-il, je te conseille de ne pas dédaigner ce parti. Allons ensemble à l'île de Majorque. Si nous y avons de l'agrément, nous y demeurerons, et si nous ne nous y plaisons point, nous reviendrons en Espagne.

J'acceptai volontiers la proposition. Nous nous joignîmes, le jeune Moralés et moi, aux officiers du comte, et nous partîmes avec eux de l'hôtellerie avant le lever de l'aurore. Nous nous rendîmes à grandes journées [2] à la ville d'Alicante, où j'achetai une guitare et me fis faire un habit fort propre avant l'embarquement. Je ne pensais à rien qu'à l'île de Majorque et Luis Moralés était dans la même disposition. Il semblait que nous eussions renoncé aux friponneries. Il faut dire la vérité. Nous voulions passer pour honnêtes gens parmi les cavaliers avec qui nous étions, et cela tenait nos génies en respect [3]. Enfin nous nous embarquâmes gaiement et nous nous flattions d'être bientôt à Majorque ; mais à peine fûmes-nous hors du golfe d'Alicante, qu'il survint une bourrasque effroyable. J'aurais dans cet endroit de mon récit une occasion de vous faire une belle description de tempête, de peindre l'air tout en feu, de faire gronder la foudre, siffler les vents, soulever les flots, *et caetera*. Mais laissant à part toutes ces fleurs de rhétorique [4], je vous dirai que l'orage

---

1. Majorque (orthographiée « Mayorque » à l'époque) est la plus grande île des Baléares.

2. Rapidement (la *journée* désigne ici le trajet parcouru en un jour).

3. Cela réfrénait nos dispositions naturelles (pour le vol).

4. Lesage ironise sur la description des tempêtes, épisode topique des romans d'aventures.

fut violent et nous obligea de relâcher à la pointe de l'île de la Cabrera[1]. C'est une île déserte, où il y a un petit fort, qui était alors gardé par cinq ou six soldats et un officier, qui nous reçut fort honnêtement.

Comme il nous fallait passer là plusieurs jours à raccommoder nos voiles et nos cordages, nous cherchâmes diverses sortes d'amusements pour éviter l'ennui. Chacun suivait ses inclinations : les uns jouaient à la prime[2], les autres s'amusaient autrement, et moi j'allais me promener dans l'île avec ceux de nos cavaliers qui aimaient la promenade. Nous sautions de rocher en rocher, car le terrain est inégal, plein de pierres partout, et l'on y voit fort peu de terre. Un jour, tandis que nous considérions ces lieux secs et arides, et que nous admirions le caprice de la nature qui se montre féconde et stérile quand il lui plaît, notre odorat fut saisi tout à coup d'une senteur agréable. Nous nous tournâmes aussitôt du côté de l'orient, d'où venait cette odeur, et nous aperçûmes avec étonnement, entre des rochers, un grand rond de verdure de chèvrefeuilles plus beaux et plus odorants que ceux mêmes qui croissent dans l'Andalousie. Nous nous approchâmes volontiers de ces arbrisseaux charmants qui parfumaient l'air aux environs, et il se trouva qu'ils bordaient l'entrée d'une caverne très profonde. Cette caverne était large, peu sombre, et nous descendîmes au fond en tournant par des degrés[3] de pierre dont les extrémités étaient parées de fleurs, et qui formaient naturellement un escalier en limaçon. Lorsque nous fûmes en bas, nous vîmes serpenter sur un sable plus jaune que l'or plusieurs petits ruisseaux qui tiraient leurs sources des gouttes d'eau que les rochers distillaient sans cesse en dedans, et qui se perdaient sous la terre. L'eau nous parut si belle, que nous en voulûmes boire, et elle était si fraîche, que nous résolûmes de revenir le jour suivant dans cet endroit, et d'y apporter quelques

---

1. Îlot situé à 15 kilomètres au sud de Majorque.
2. Jeu très simple : on distribue quatre cartes par joueur et celui dont les cartes sont de quatre couleurs gagne la prime.
3. Des marches.

bouteilles de vin, persuadés qu'on ne les boirait point là
sans plaisir.

Nous ne quittâmes qu'à regret un lieu si agréable, et
lorsque nous fûmes de retour au fort, nous ne manquâmes pas de vanter à nos camarades une si belle découverte ; mais le commandant de la forteresse nous dit qu'il
nous avertissait en ami de ne plus aller à la caverne dont
nous étions si charmés. Hé pourquoi cela, lui dis-je ? y
a-t-il quelque chose à craindre ? Sans doute, me répondit-
il. Les corsaires d'Alger et de Tripoli descendent quelquefois dans cette île, et viennent faire provision d'eau à cette
fontaine. Ils y surprirent un jour deux soldats de ma garnison qu'ils firent esclaves. L'officier eut beau parler d'un
air très sérieux, il ne put nous persuader. Nous crûmes
qu'il plaisantait, et dès le lendemain, je retournai à la
caverne avec trois cavaliers de l'équipage. Nous y allâmes
même sans armes à feu, pour faire voir que nous n'appréhendions rien. Le jeune Moralés ne voulut point être de la
partie. Il aima mieux, aussi bien que son frère, demeurer à
jouer dans le fort.

Nous descendîmes au fond de l'antre comme le jour
précédent, et nous fîmes rafraîchir dans les ruisseaux
quelques bouteilles de vin que nous avions apportées.
Pendant que nous le buvions délicieusement, en jouant de
la guitare, et en nous entretenant avec gaieté, nous vîmes
paraître au haut de la caverne plusieurs hommes qui
avaient des moustaches épaisses, des turbans et des habits
à la turque. Nous nous imaginâmes que c'était une partie
de l'équipage et le commandant du fort qui s'étaient ainsi
déguisés pour nous faire peur. Prévenus de cette pensée,
nous nous mîmes à rire, et nous en laissâmes descendre
jusqu'à dix sans songer à notre défense. Nous fûmes bientôt tristement désabusés et nous connûmes [1] que c'était
un corsaire qui venait avec ses gens nous enlever : *Rendez-
vous, chiens*, nous cria-t-il en langue castillane, *ou bien
vous allez tous mourir* ! En même temps les hommes qui
l'accompagnaient nous couchèrent en joue avec des

---

1. Nous reconnûmes.

carabines qu'ils portaient, et nous aurions essuyé une belle décharge, si nous eussions fait la moindre résistance. Nous préférâmes l'esclavage à la mort. Nous donnâmes nos épées au pirate. Il nous fit charger de chaînes et conduire à son vaisseau, qui n'était pas loin de là. Puis mettant à la voile, il cingla vers Alger [1].

C'est de cette manière que nous fûmes punis d'avoir négligé l'avertissement de l'officier de la garnison. La première chose que fit le corsaire fut de nous fouiller et de prendre ce que nous avions d'argent. La bonne aubaine pour lui ! Les deux cents pistoles des bourgeois de Plazencia, les cent que Moralés avait reçues de Jérôme de Moyadas, et dont par malheur j'étais chargé, tout cela me fut raflé sans miséricorde. Mes compagnons avaient aussi la bourse bien garnie. Enfin c'était un excellent coup de filet. Le pirate en paraissait tout réjoui, et le bourreau ne se contentait pas de nous enlever nos espèces, il nous insultait par des railleries que nous sentions beaucoup moins que la nécessité de les souffrir. Après mille plaisanteries, il se fit apporter les bouteilles de vin que nous avions fait rafraîchir à la fontaine, et que ses gens avaient eu soin de prendre. Il se mit à les vider avec eux, et à boire à notre santé par dérision.

Pendant ce temps-là mes camarades avaient une contenance qui rendait témoignage de ce qui se passait en eux. Ils étaient d'autant plus mortifiés de leur esclavage, qu'ils s'étaient fait une idée plus douce d'aller dans l'île de Majorque où ils avaient compté qu'ils mèneraient une vie délicieuse. Pour moi, j'eus la fermeté de prendre mon parti, et moins consterné que les autres, je liai conversation avec le railleur. J'entrai même de bonne grâce dans ses plaisanteries. Ce qui lui plut. Jeune homme, me dit-il, j'aime le caractère de ton esprit. Et dans le fond, au lieu de gémir et de soupirer, il vaut mieux s'armer de patience et s'accommoder au temps. Joue-nous un petit air, continua-t-il en voyant que je portais une guitare. Voyons ce

_____

1. Cet épisode de l'île de la Cabrera est inspiré du *Marcos de Obregón* (II, 8).

que tu sais faire. Je lui obéis dès qu'il m'eut fait délier les bras, et je commençai à racler ma guitare d'une manière qui m'attira ses applaudissements. Il est vrai que j'avais appris du meilleur maître de Madrid et que je jouais de cet instrument assez bien. Je chantai aussi et l'on ne fut pas moins satisfait de ma voix. Tous les Turcs qui étaient dans le vaisseau témoignèrent par des gestes admiratifs le plaisir qu'ils avaient eu à m'entendre ; ce qui me fit juger qu'en matière de musique ils n'avaient pas le goût fort délicat. Le pirate me dit à l'oreille que je ne serais pas un esclave malheureux, et qu'avec mes talents je pouvais compter sur un emploi qui rendrait ma captivité très supportable.

Je sentis quelque joie à ces paroles ; mais toutes flatteuses qu'elles étaient, je ne laissais pas d'avoir de l'inquiétude sur l'occupation dont le corsaire me faisait fête. Quand nous arrivâmes au port d'Alger, nous vîmes un grand nombre de personnes assemblées pour nous recevoir, et nous n'avions point encore débarqué qu'ils poussèrent mille cris de joie. Ajoutez à cela que l'air retentissait du son confus des trompettes, des flûtes morisques et d'autres instruments dont on se sert en ce pays-là. Ce qui formait une symphonie plus bruyante qu'agréable. La cause de ces réjouissances venait d'un faux bruit qui s'était répandu dans la ville. On avait ouï dire que le renégat Mehemet [1], ainsi se nommait notre pirate, avait péri en attaquant un gros vaisseau génois ; de sorte que tous ses amis, informés de son retour, s'empressaient de lui témoigner leur joie.

Nous n'eûmes pas mis pied à terre, qu'on me conduisit avec tous mes compagnons au palais du bacha [2] Soliman,

---

1. Transcription de la prononciation turque du nom Mohammed. On appelle *renégat* celui qui a renié la religion chrétienne pour en embrasser une autre.

2. Confusion fréquente au XVIIIᵉ siècle entre *pacha* (« titre donné aux gouverneurs de provinces, ministres d'État, ou à ceux qui ont été élevés aux plus hautes dignités de l'Empire ») et *bacha* (équivalent du *señor caballero* en espagnol), d'après La Motraye (*Voyages en Europe, Asie et Afrique*, La Haye, 1727, t. I, p. 180).

où un écrivain chrétien, nous interrogeant chacun en particulier, nous demanda nos noms, nos âges, notre patrie,
notre religion et nos talents. Alors Mehemet, me montrant au bacha, lui vanta ma voix et lui dit que je jouais
de la guitare à ravir. Il n'en fallut pas davantage pour
déterminer Soliman à me choisir pour son service. Je
demeurai donc dans son sérail. Les autres captifs furent
menés dans une place publique et vendus suivant la coutume. Ce que Mehemet m'avait prédit dans le vaisseau
m'arriva. J'éprouvai un heureux sort. Je ne fus point livré
aux gardes des prisons, ni employé aux ouvrages pénibles.
Soliman bacha me fit mettre dans un lieu particulier avec
cinq ou six esclaves de qualité qui devaient incessamment
être rachetés, et à qui l'on ne donnait que de légers travaux. On me chargea du soin d'arroser dans les jardins
les orangers et les fleurs. Je ne pouvais avoir une plus
douce occupation.

Soliman était un homme de quarante ans, bien fait de
sa personne, fort poli et fort galant pour un Turc. Il avait
pour favorite une Cachemirienne qui par son esprit et par
sa beauté s'était acquis un empire absolu sur lui. Il
l'aimait jusqu'à l'idolâtrie. Il la régalait tous les jours de
quelque fête : tantôt d'un concert de voix et d'instruments, et tantôt d'une comédie à la manière des Turcs. Ce
qui suppose des poèmes dramatiques où la pudeur et la
bienséance n'étaient pas plus respectées que les règles
d'Aristote[1]. La favorite qui s'appelait Farrukhnaz[2]
aimait passionnément ces spectacles. Elle faisait même
quelquefois représenter par ses femmes des pièces arabes
devant le bacha. Elle y jouait des rôles elle-même et char-
mait tous les spectateurs par la grâce et la vivacité qu'il y
avait dans son action. Un jour que j'étais parmi les musi-
ciens à une de ces représentations, Soliman m'ordonna de
jouer de la guitare et de chanter tout seul dans un

---

1. La *Poétique* d'Aristote fixe les règles de composition des tragédies.
2. « Heureuse fierté », en persan. C'est le nom de la fille du roi du
Cachemire, héroïne du conte-cadre des *Mille et Un Jours* de Pétis de la
Croix (1710-1712).

entracte. J'eus le bonheur de plaire. On m'applaudit, et la favorite, à ce qu'il me parut, me regarda d'un œil favorable.

Le lendemain de ce jour-là, comme j'arrosais des orangers dans les jardins, il passa près de moi un eunuque qui sans s'arrêter ni me rien dire, jeta un billet à mes pieds. Je le ramassai avec un trouble mêlé de plaisir et de crainte. Je me couchai par terre de peur d'être aperçu des fenêtres du sérail et me cachant derrière des caisses d'orangers, j'ouvris le billet. J'y trouvai un diamant d'un assez grand prix et ces paroles en bon castillan : *Jeune chrétien, rends grâce au Ciel de ta captivité. L'amour et la fortune la rendront heureuse, l'amour, si tu es sensible aux charmes d'une belle personne, et la fortune, si tu as le courage de mépriser toutes sortes de périls.*

Je ne doutai pas un moment que la lettre ne fût de la sultane favorite ; le style et le diamant me le persuadèrent. Outre que je ne suis pas naturellement timide, la vanité d'être bien avec la maîtresse d'un grand seigneur, et plus que cela l'espérance de tirer d'elle quatre fois plus d'argent qu'il ne m'en fallait pour ma rançon, me fit former le dessein d'éprouver cette aventure, quelque danger qu'il y eût à courir. Je continuai mon travail en rêvant aux moyens d'entrer dans l'appartement de Farrukhnaz, ou plutôt en attendant qu'elle m'en ouvrît les chemins, car je jugeais bien qu'elle n'en demeurerait point là, et qu'elle ferait plus de la moitié des frais. Je ne me trompais pas. Le même eunuque qui avait passé près de moi repassa une heure après et me dit : Chrétien, as-tu fait tes réflexions, et auras-tu la hardiesse de me suivre ? Je répondis qu'oui. Hé bien, reprit-il, le Ciel te conserve. Tu me reverras demain dans la matinée. En parlant de cette sorte, il se retira. Le jour suivant, je le vis en effet paraître sur les huit heures du matin. Il me fit signe d'aller à lui. Je le joignis, et il me conduisit dans une salle où il y avait un grand rouleau de toile qu'un autre eunuque et lui venaient d'apporter là, et qu'ils devaient porter chez la sultane, pour servir à la décoration d'une pièce arabe, qu'elle préparait pour le bacha.

Les deux eunuques déroulèrent la toile, me firent mettre dedans tout de mon long ; puis au hasard de m'étouffer, ils la roulèrent de nouveau et m'enveloppèrent dedans. Ensuite la prenant chacun par un bout, ils me portèrent ainsi impunément jusque dans la chambre où couchait la belle Cachemirienne. Elle était seule avec une vieille esclave dévouée à ses volontés. Elles déroulèrent toutes deux la toile, et Farrukhnaz à ma vue fit éclater des transports de joie qui découvraient bien le génie des femmes de son pays. Tout hardi que j'étais naturellement, je ne pus me voir tout à coup transporté dans l'appartement secret des femmes sans sentir un peu de frayeur. La dame s'en aperçut bien, et pour dissiper ma crainte : Jeune homme, me dit-elle, n'appréhende rien. Soliman vient de partir pour sa maison de campagne. Il y sera toute la journée. Nous pouvons nous entretenir ici librement.

Ces paroles me rassurèrent et me firent prendre une contenance qui redoubla la joie de la favorite. Vous m'avez plu, poursuivit-elle, et je prétends adoucir la rigueur de votre esclavage. Je vous crois digne des sentiments que j'ai conçus pour vous. Quoique sous les habits d'un esclave, vous avez un air noble et galant qui fait connaître que vous n'êtes point une personne du commun. Parlez-moi confidemment [1]. Dites-moi qui vous êtes. Je sais bien que les captifs qui ont de la naissance déguisent leur condition pour être rachetés à meilleur marché. Mais vous êtes dispensé d'en user de la sorte avec moi, et même ce serait une précaution qui m'offenserait, puisque je vous promets votre liberté. Soyez donc sincère, et m'avouez que vous êtes un jeune homme de bonne maison. Effectivement, madame, lui répondis-je, il me siérait mal de payer vos bontés de dissimulation. Vous voulez absolument que je vous découvre ma qualité. Il faut vous satisfaire. Je suis fils d'un Grand d'Espagne. Je disais peut-être la vérité. Du moins la sultane le crut, et s'applaudissant d'avoir jeté les yeux sur un cavalier d'importance, elle m'assura qu'il ne tiendrait pas à elle

---

1. Avec confiance.

que nous ne nous vissions souvent en particulier. Nous eûmes ensemble un fort long entretien. Je n'ai jamais vu de femme plus amusante. Elle savait plusieurs langues et surtout la castillane qu'elle parlait assez bien. Lorsqu'elle jugea qu'il était temps de nous séparer, je me mis par son ordre dans une grande corbeille d'osier couverte d'un ouvrage de soie fait de sa main. Puis les deux esclaves qui m'avaient apporté furent appelés, et ils me remportèrent comme un présent que la favorite envoyait au bacha. Ce qui est sacré pour tous les hommes commis à la garde des femmes [1].

Nous trouvâmes, Farrukhnaz et moi, d'autres moyens encore de nous parler ; et cette aimable captive m'inspira peu à peu autant d'amour qu'elle en avait pour moi. Notre intelligence fut secrète pendant deux mois, quoiqu'il soit fort difficile que dans un sérail les mystères amoureux échappent longtemps aux Argus [2]. Mais un contretemps dérangea nos petites affaires, et ma fortune changea de face entièrement. Un jour que, dans le corps d'un dragon artificiel qu'on avait fait pour un spectacle, j'avais été introduit chez la sultane, et que je m'entretenais avec elle, Soliman, que je croyais occupé hors de la ville, survint. Il entra si brusquement dans l'appartement de sa favorite, que la vieille esclave eut à peine le temps de nous avertir de son arrivée. J'eus encore moins le loisir de me cacher. Ainsi je fus le premier objet qui s'offrit à la vue du bacha.

Il parut fort étonné de me voir, et ses yeux tout à coup s'allumèrent de fureur. Je me regardai comme un homme qui touchait à son dernier moment, et je m'imaginais déjà être dans les supplices. Pour Farrukhnaz, je m'aperçus à la vérité qu'elle était effrayée ; mais au lieu d'avouer son crime et d'en demander pardon, elle dit à Soliman :

---

1. Cet épisode oriental s'inspire de *La Desgraciada Amistad*, nouvelle de Juan Pérez de Montalván (traduite en français en 1652) que Lesage avait adaptée dans « La force de l'amitié », récit secondaire du *Diable boiteux* (éd. R. Laufer, Gallimard, « Folio », p. 227-254).
2. Aux espions (voir *supra*, p. 177, note 1).

Seigneur, avant que vous prononciez mon arrêt, daignez m'écouter. Les apparences sans doute me condamnent, et je semble vous faire une trahison digne des plus horribles châtiments. J'ai fait venir ici ce jeune captif, et pour l'introduire dans mon appartement, j'ai employé les mêmes artifices dont je me serais servie, si j'eusse eu pour lui un amour violent. Cependant, et j'en atteste notre grand prophète, malgré ces démarches, je ne vous suis point infidèle. J'ai voulu entretenir cet esclave chrétien pour le détacher de sa secte[1] et l'engager à suivre celle des croyants. J'ai trouvé en lui une résistance à laquelle je m'étais bien attendue. J'ai toutefois vaincu ses préjugés, et il vient de me promettre qu'il embrassera le mahométisme.

Je conviens que je devais démentir[2] la favorite sans avoir égard à la conjoncture dangereuse où je me trouvais ; mais dans l'accablement où j'avais l'esprit, touché du péril où je voyais une femme que j'aimais, et tremblant pour moi-même, je demeurai interdit et confus. Je ne pus proférer une parole, et le bacha persuadé par mon silence que sa maîtresse ne disait rien qui ne fût véritable se laissa désarmer. Madame, répondit-il, je veux croire que vous ne m'avez point offensé, et que l'envie de faire une chose agréable au prophète a pu vous engager à hasarder une action si délicate. J'excuse donc votre imprudence, pourvu que ce captif prenne tout à l'heure le turban. Aussitôt il fit venir un marabout[3]. On me revêtit d'un habit à la turque. Je fis tout ce qu'on voulut, sans que j'eusse la force de m'en défendre. Ou pour mieux dire, je ne savais ce que je faisais dans le désordre où étaient mes sens. Que de chrétiens auraient été aussi lâches que moi dans cette occasion !

---

1. De sa secte chrétienne : selon les préjugés religieux de l'époque, le chrétien est pour un musulman un « infidèle », et *vice versa*.

2. J'aurais dû démentir (en bon chrétien, qu'il n'est pas).

3. Prêtre mahométan. L'infidélité (à la religion) de Raphaël couvre ainsi l'infidélité (sexuelle) de la favorite.

Après la cérémonie, je sortis du sérail pour aller sous le nom de Sidy Hally exercer un petit emploi que Soliman me donna. Je ne revis plus la sultane ; mais un de ses eunuques vint un jour me trouver. Il m'apporta de sa part des pierreries pour deux mille sultanins [1] d'or, avec un billet par lequel la dame m'assurait qu'elle n'oublierait jamais la généreuse complaisance que j'avais eue de me faire mahométan pour lui sauver la vie. Véritablement, outre les présents que j'avais reçus de Farrukhnaz, j'obtins par son canal [2] un emploi plus considérable que le premier, et je devins en moins de six à sept années un des plus riches renégats de la ville d'Alger.

Vous vous imaginez bien que si j'assistais aux prières que les musulmans font dans leurs mosquées, et remplissais les autres devoirs de la religion, ce n'était que par pure grimace. Je conservais une volonté déterminée de rentrer dans le sein de l'Église ; et pour cet effet je me proposais de me retirer un jour en Espagne ou en Italie avec les richesses que j'aurais amassées. En attendant je vivais fort agréablement. J'étais logé dans une belle maison ; j'avais des jardins superbes, un grand nombre d'esclaves et de fort jolies femmes dans mon sérail. Quoique l'usage du vin soit défendu en ce pays-là aux mahométans, ils ne laissent pas, pour la plupart, d'en boire en secret. Pour moi, j'en buvais sans façon, comme font tous les renégats. Je me souviens que j'avais deux compagnons de débauche, avec qui je passais souvent la nuit à table. L'un était Juif et l'autre Arabe. Je les croyais honnêtes gens, et dans cette opinion, je vivais avec eux sans contrainte. Un soir, je les invitai à souper chez moi. Il m'était mort ce jour-là un chien que j'aimais passionnément ; nous lavâmes son corps et l'enterrâmes avec toute la cérémonie qui s'observe aux funérailles des mahométans. Ce que nous en faisions n'était pas pour tourner en

---

1. *Sultanin* : monnaie de Turquie, « de la valeur à peu près de nos ducats ou écus d'or » (*Dictionnaire de Trévoux*), soit entre 6 et 10 livres. La dame est généreuse : son présent vaut environ 160 000 euros.
2. Par son intermédiaire.

ridicule la religion musulmane ; c'était seulement pour
nous réjouir et satisfaire une folle envie qui nous prit dans
la débauche de rendre les derniers devoirs à mon chien.

Cette action pourtant me pensa perdre. Le lendemain,
il vint chez moi un homme qui me dit : Seigneur Sidy
Hally, une affaire importante m'amène chez vous. Monsieur le cadi [1] veut vous parler. Prenez, s'il vous plaît, la
peine de vous rendre chez lui tout à l'heure. Un marchand
arabe qui soupa hier avec vous lui a donné avis de certaine
impiété par vous commise à l'occasion d'un chien que
vous avez enterré. C'est pour cela que je vous somme de
comparaître aujourd'hui devant ce juge. Faute de quoi, je
vous avertis qu'il sera procédé criminellement contre vous.
Il sortit en achevant ces paroles, et me laissa fort étourdi
de sa sommation. L'Arabe n'avait aucun sujet de se
plaindre de moi, et je ne pouvais comprendre pourquoi le
traître m'avait joué ce tour-là. La chose néanmoins méritait quelque attention. Je connaissais le cadi pour un
homme sévère en apparence, mais au fond peu scrupuleux. Je mis deux cents sultanins d'or dans ma bourse, et
j'allai trouver ce juge. Il me fit entrer dans son cabinet, et
me dit d'un air rébarbatif : Vous êtes un impie, un sacrilège, un homme abominable. Vous avez enterré un chien
comme un musulman ! quelle profanation ! Est-ce donc
ainsi que vous respectez nos cérémonies les plus saintes ?
Et ne vous êtes-vous fait mahométan que pour vous
moquer de nos pratiques de dévotion ? Monsieur le cadi,
lui répondis-je, l'Arabe qui vous a fait un si mauvais rapport, ce faux ami est complice de mon crime, si c'en est
un d'accorder les honneurs de la sépulture à un fidèle
domestique, à un animal qui possédait mille bonnes qualités. Il aimait tant les personnes de mérite et de distinction, qu'en mourant même il a voulu leur donner des
marques de son amitié. Il leur laisse tous ses biens par un
testament qu'il a fait, et dont je suis l'exécuteur. Il lègue
à l'un vingt écus, trente à l'autre ; et il ne vous a point

1. *Cadi* : « nom donné aux juges chez les Sarrasins et les Turcs »
(Furetière).

oublié, monseigneur, poursuivis-je en tirant ma bourse : voilà deux cents sultanins d'or qu'il m'a chargé de vous remettre [1]. Le cadi, à ce discours, perdit sa gravité. Il ne put s'empêcher de rire, et comme nous étions seuls, il prit sans façon la bourse, et me dit en me renvoyant : Allez, seigneur Sidy Hally, vous avez fort bien fait d'inhumer avec pompe et avec honneur un chien qui avait tant de considération pour les honnêtes gens.

Je me tirai d'affaire par ce moyen, et si cela ne me rendit pas plus sage, j'en devins du moins plus circonspect. Je ne fis plus de débauche avec l'Arabe ni même avec le Juif. Je choisis pour boire avec moi un jeune gentilhomme de Livourne qui était mon esclave. Il s'appelait Azarini. Je ne ressemblais point aux autres renégats qui font plus souffrir de maux aux esclaves chrétiens que les Turcs mêmes. Tous mes captifs attendaient assez patiemment qu'on les rachetât. Je les traitais, à la vérité, si doucement, que quelquefois ils me disaient qu'ils appréhendaient plus de changer de patron qu'ils ne soupiraient après la liberté, quelques charmes qu'elle ait pour les personnes qui sont dans l'esclavage.

Un jour les vaisseaux du bacha revinrent avec des prises considérables. Ils amenaient plus de cent esclaves de l'un et de l'autre sexe qu'ils avaient enlevés sur les côtes d'Espagne. Soliman n'en garda qu'un très petit nombre, et tout le reste fut vendu. J'arrivai dans la place où la vente s'en faisait, et j'achetai une fille espagnole de dix à douze ans. Elle pleurait à chaudes larmes et se désespérait. J'étais surpris de la voir à son âge si sensible à sa captivité. Je lui dis en castillan de modérer son affliction, et je l'assurai qu'elle était tombée entre les mains d'un maître qui ne manquait pas d'humanité, quoiqu'il eût un turban. La petite personne, toujours occupée du sujet de sa douleur, ne m'écoutait pas. Elle ne faisait que gémir, que se plaindre du sort, et de temps en temps elle s'écriait

---

1. Ce testament facétieux provient de la *Bibliothèque orientale* de d'Herbelot de Molainville, collègue et ami d'Antoine Galland (Paris, 1697, article « Cadhi »).

402   HISTOIRE DE GIL BLAS DE SANTILLANE

d'un air attendri : Ô ma mère, pourquoi sommes-nous
séparées ? Je prendrais patience, si nous étions toutes
deux ensemble. En prononçant ces mots, elle tournait la
vue vers une femme de quarante-cinq à cinquante ans,
que l'on voyait à quelques pas d'elle, et qui les yeux baissés attendait dans un morne silence que quelqu'un l'ache-
tât. Je demandai à la jeune fille si la personne qu'elle
regardait était sa mère. Hélas, oui, seigneur, me répondit-
elle ; au nom de Dieu, faites que je ne la quitte point ! Hé
bien, mon enfant, lui dis-je, si pour vous consoler, il ne
faut que vous réunir l'une et l'autre, vous serez bientôt
satisfaite. En même temps, je m'approchai de la mère
pour la marchander ; mais je ne l'eus pas sitôt envisagée,
que je reconnus, avec toute l'émotion que vous pouvez
penser, les traits, les propres traits de Lucinde. Juste Ciel,
dis-je en moi-même, c'est ma mère ! je n'en saurais douter.
Pour elle, soit qu'un vif ressentiment de ses malheurs ne
lui fît voir que des ennemis dans les objets qui l'environ-
naient, soit que mon habit me déguisât, ou bien que je
fusse changé depuis douze années que je ne l'avais vue,
elle ne me remit point. Après l'avoir aussi achetée, je la
menai avec sa fille à ma maison.

Là je voulus leur donner le plaisir d'apprendre qui
j'étais : Madame, dis-je à Lucinde, est-il possible que mon
visage ne vous frappe point ? Ma moustache et mon turban vous font-ils méconnaître Raphaël votre fils ? Ma
mère tressaillit à ces paroles, me considéra, me reconnut,
et nous nous embrassâmes tendrement. J'embrassai
ensuite sa fille, qui ne savait peut-être pas plus qu'elle eût
un frère, que je savais que j'avais une sœur. Avouez, dis-je
à ma mère, que dans toutes vos pièces de théâtre vous
n'avez pas une reconnaissance aussi originale que celle-
ci [1]. Mon fils, me répondit-elle en soupirant, j'ai d'abord

---

1. Parmi ces scènes de reconnaissance, on peut citer, dans un contexte
comparable, le début de *Zaïre* (1732) de Voltaire. Capturé par les Sarrasins, Lusignan reconnaît ses enfants sous l'habit oriental, et s'exclame
en voyant sa fille : « Mon Dieu qui me la rends, me la rends-tu chrétienne ? » (II, 3, éd. J. Goldzink, GF-Flammarion, 2004, p. 89).

eu de la joie de vous revoir ; mais ma joie se convertit en douleur. Dans quel état, hélas, vous retrouvé-je ! Mon esclavage me fait mille fois moins de peine que l'habillement odieux... Ah parbleu, madame, interrompis-je en riant, j'admire votre délicatesse. J'aime cela dans une comédienne. Hé, bon Dieu, ma mère, vous êtes donc bien changée, si ma métamorphose vous blesse si fort la vue. Au lieu de vous révolter contre mon turban, regardez-moi plutôt comme un acteur qui représente sur la scène un rôle turc. Quoique renégat, je ne suis pas plus musulman que je l'étais en Espagne ; et dans le fond, je me sens toujours attaché à ma religion. Quand vous saurez toutes les aventures qui me sont arrivées en ce pays-ci, vous m'excuserez. L'amour a fait mon crime. Je sacrifie à ce dieu. Je tiens un peu de vous, je vous en avertis. Une autre raison encore, ajoutai-je, doit modérer en vous le déplaisir de me voir dans la situation où je suis. Vous vous attendiez à n'éprouver dans Alger qu'une captivité rigoureuse, et vous trouvez dans votre patron un fils tendre, respectueux, et assez riche pour vous faire vivre ici dans l'abondance, jusqu'à ce que nous saisissions l'occasion de retourner sûrement en Espagne. Demeurez d'accord de la vérité du proverbe qui dit qu'*à quelque chose le malheur est bon.*

Mon fils, me dit Lucinde, puisque vous avez dessein de repasser un jour dans votre pays et d'y abjurer le mahométisme, je suis toute consolée. Grâce au Ciel, continua-t-elle, je pourrai ramener saine et sauve en Castille votre sœur Béatrix. Oui, madame, m'écriai-je, vous le pourrez. Nous irons tous trois, le plus tôt qu'il nous sera possible, rejoindre le reste de notre famille, car vous avez apparemment encore en Espagne d'autres marques de votre fécondité ! Non, dit ma mère, je n'ai que vous deux d'enfants, et vous saurez que Béatrix est le fruit d'un mariage des plus légitimes. Et pourquoi, repris-je, avez-vous donné à ma petite sœur cet avantage-là sur moi ? Comment avez-vous pu vous résoudre à vous marier ? Je vous ai cent fois entendu dire dans mon enfance que vous ne pardonniez point à une jolie femme de prendre un mari. D'autre temps, d'autres soins, mon fils, repartit-elle ; les hommes les plus fermes dans leurs résolutions sont sujets à changer, et vous voulez qu'une femme soit inébranlable dans les siennes ? Je vais, poursuivit-elle, vous conter mon histoire, depuis votre sortie de Madrid. Alors elle me fit le récit suivant, que je n'oublierai jamais. Je ne veux pas vous priver d'une narration si curieuse.

Il y a, dit ma mère, s'il vous en souvient, près de treize ans que vous quittâtes le jeune Leganez. Dans ce temps-là le duc de Medina Celi me dit qu'il voulait un soir souper en particulier avec moi. Il me marqua le jour. J'attendis ce seigneur. Il vint et je lui plus. Il me demanda le sacrifice de tous les rivaux qu'il pouvait avoir. Je le lui accordai dans l'espérance qu'il me le payerait bien. Il n'y manqua pas. Dès le lendemain, je reçus de lui des présents qui furent suivis de plusieurs autres qu'il me fit dans la suite. Je craignais de ne pouvoir retenir longtemps dans mes chaînes un homme d'un si haut rang ; et j'appréhendais cela d'autant plus que je n'ignorais pas qu'il était échappé à des beautés fameuses dont il avait aussitôt rompu que porté les fers. Cependant loin de prendre de jour en jour moins de goût à mes complaisances, il semblait plutôt y trouver un plaisir nouveau. Enfin, j'avais l'art de l'amuser et d'empêcher son cœur naturellement volage de se laisser aller à son penchant.

Il y avait déjà trois mois qu'il m'aimait, et j'avais lieu de me flatter que son amour serait de longue durée, lorsqu'une femme de mes amies et moi nous nous rendîmes à une assemblée où il était avec la duchesse son épouse. Nous y allions pour entendre un concert de voix et d'instruments qu'on y faisait. Nous nous plaçâmes par hasard assez près de la duchesse, qui s'avisa de trouver mauvais que j'osasse paraître dans un lieu où elle était. Elle m'envoya dire par une de ses femmes qu'elle me priait de sortir promptement. Je fis une réponse brutale à la messagère. La duchesse irritée s'en plaignit à son époux, qui vint à moi lui-même, et me dit : Sortez, Lucinde. Quand de grands seigneurs s'attachent à de petites créatures comme vous, elles ne doivent point pour cela s'oublier. Si nous vous aimons plus que nos femmes, nous honorons nos femmes plus que vous ; et toutes les fois que vous serez assez insolentes pour vouloir vous mettre en comparaison avec elles, vous aurez toujours la honte d'être traitées avec indignité.

Heureusement le duc me tint ce cruel discours d'un ton de voix si bas, qu'il ne fut point entendu des personnes qui étaient autour de nous. Je me retirai toute honteuse, et je pleurai de dépit d'avoir essuyé cet affront. Pour surcroît de chagrin, les comédiens et les comédiennes apprirent cette aventure dès le soir même. On dirait qu'il y a chez ces gens-là un démon qui se plaît à rapporter aux uns tout ce qui arrive aux autres. Un comédien, par exemple, a-t-il fait dans une débauche quelque action extravagante : une comédienne vient-elle de passer bail avec un riche galant ? la troupe en est aussitôt informée. Tous mes camarades surent donc ce qui s'était passé au concert, et Dieu sait s'ils se réjouirent bien à mes dépens. Il règne parmi eux un esprit de charité qui se manifeste dans ces sortes d'occasions. Je me mis pourtant au-dessus de leurs caquets, et je me consolai de la perte du duc de Medina Celi ; car je ne le revis plus chez moi, et j'appris même peu de jours après qu'une chanteuse en avait fait la conquête.

Lorsqu'une dame de théâtre a le bonheur d'être en vogue, les amants ne sauraient lui manquer ; et l'amour d'un grand seigneur, ne durât-il que trois jours, lui donne un nouveau prix. Je me vis obsédée d'adorateurs, sitôt qu'il fut notoire à Madrid que le duc avait cessé de me voir. Les rivaux que je lui avais sacrifiés, plus épris de mes charmes qu'auparavant, revinrent en foule sur les rangs ; je reçus encore l'hommage de mille autres cœurs. Je n'avais jamais été tant à la mode. De tous les hommes qui briguaient mes bonnes grâces, un gros Allemand, gentilhomme du duc d'Ossune, me parut un des plus empressés. Ce n'était pas une figure fort aimable ; mais il s'attira mon attention par un millier de pistoles qu'il avait amassées au service de son maître, et qu'il prodigua pour mériter d'être sur la liste de mes amants fortunés. Ce bon sujet se nommait Brutandorf[1]. Tant qu'il fit de la dépense, je le reçus favorablement ; dès qu'il fut ruiné, il trouva ma porte fermée. Mon procédé lui déplut. Il vint me chercher à la comédie pendant le spectacle. J'étais derrière le théâtre. Il voulut me faire des reproches. Je lui ris au nez. Il se mit en colère, et me donna un soufflet en franc Allemand[2]. Je poussai un grand cri. J'interrompis l'action. Je parus sur le théâtre, et m'adressant au duc d'Ossune qui ce jour-là était à la comédie avec la duchesse sa femme, je lui demandai justice des manières germaniques de son gentilhomme. Le duc ordonna de continuer la comédie, et dit qu'il entendrait les parties quand on aurait achevé la pièce. D'abord qu'elle fut finie, je me présentai fort émue devant le duc et j'exposai vivement mes griefs. Pour l'Allemand, il n'employa que deux mots pour sa défense : il dit qu'au lieu de se repentir de ce qu'il avait fait, il était homme à recommencer. Parties ouïes[3], le duc d'Ossune dit au Germain : Brutandorf, je vous chasse de chez moi et vous défends de paraître à mes yeux, non pour avoir donné un soufflet à une comédienne, mais pour avoir manqué de respect à votre maître et à votre maîtresse, et avoir osé troubler le spectacle en leur présence[4].

Ce jugement me demeura sur le cœur. Je conçus un dépit mortel de ce qu'on ne chassait pas l'Allemand pour

---

1. Encore un nom parlant sorti tout droit du répertoire de la Foire.
2. Comme un véritable allemand.
3. Ayant entendu les deux parties. Archaïsme de palais : *ouïr*, au sens juridique, signifie « donner audience ».
4. Roger Laufer rapporte une anecdote de même eau, colportée par Jean Buvat dans sa *Gazette de la Régence* à la date du 4 janvier 1717 : « Lundi dernier, la Minier, actrice de l'Opéra, étant à la messe avec le marquis de Lautrec aux Capucins du Marais, causa longtemps avec lui sur le pied de son amant : après quoi il sortit avant elle ; mais ayant su qu'elle était allée à une autre messe à Saint-Roch en rendez-vous avec un autre, il alla l'attendre de ce côté-là, si bien qu'à son sortir il lui donna de bons soufflets et comme il se douta qu'elle irait se plaindre au Régent près de qui elle a quelques amis, il alla le prévenir. Cependant la belle ne tarda pas à aller se jeter à ses pieds toute en pleurs ; sur quoi Son Altesse lui dit : je ne me mêle pas d'une fille qui entend deux messes par jour, et la quitta, la laissant en risée à tout le public. »

m'avoir insultée. Je m'imaginais qu'une pareille offense faite à une comédienne devait être aussi sévèrement punie qu'un crime de lèse-majesté, et j'avais compté que le gentilhomme subirait une peine afflictive[1]. Ce désagréable événement me détrompa, et me fit connaître que le monde ne confond pas les acteurs avec les rôles qu'ils représentent. Cela me dégoûta du théâtre. Je résolus de l'abandonner, et d'aller vivre loin de Madrid. Je choisis la ville de Valence pour le lieu de ma retraite, et je m'y rendis *incognito* avec la valeur de vingt mille ducats[2] que j'avais tant en argent qu'en pierreries. Ce qui me parut plus que suffisant pour m'entretenir le reste de mes jours, puisque j'avais dessein de mener une vie retirée. Je louai à Valence une petite maison et pris pour tout domestique une femme et un page à qui je n'étais pas moins inconnue qu'à toute la ville. Je me donnai pour veuve d'un officier de chez le Roi, et je dis que je venais m'établir à Valence, sur la réputation que ce séjour avait d'être un des plus agréables d'Espagne. Je ne voyais que très peu de monde, et je tenais une conduite si régulière, qu'on ne me soupçonna point d'avoir été comédienne. Malgré pourtant le soin que je prenais de me cacher, je m'attirai les regards d'un gentilhomme qui avait un château près de Paterna. C'était un cavalier assez bien fait, de trente-cinq à quarante ans, mais un noble fort endetté. Ce qui n'est pas plus rare dans le royaume de Valence que dans beaucoup d'autres pays.

Ce seigneur *Hidalgo*[3] trouvant ma personne à son gré, voulut savoir si d'ailleurs j'étais son fait. Il découpla des grisons[4] pour courir aux enquêtes, et il eut le plaisir

---

1. « *Peine afflictive* se dit seulement des peines corporelles qu'on souffre par ordre de la justice » (Furetière).

2. Somme énorme : 200 000 livres, soit plus de deux millions d'euros.

3. *Hidalgo* (*hiro de algo* : « fils de quelque chose ») est le titre des nobles espagnols qui disent descendre d'une ancienne famille chrétienne, sans mélange de sang juif, maure ou autre.

4. Métaphore cynégétique pour dire : « il lança des espions à ses trousses ». *Découpler* veut dire « lâcher les chiens attachés deux par deux » et, au sens figuré, « lâcher des gens après quelqu'un qui s'enfuit, pour le prendre, pour le maltraiter » (Furetière).

d'apprendre par leur rapport qu'avec un minois peu
dégoûtant, j'étais une douairière assez opulente. Il jugea
que je lui convenais, et bientôt il vint chez moi une bonne
vieille qui me dit de sa part, que charmé de ma vertu
autant que de ma beauté, il m'offrait sa foi, et qu'il était
prêt à me conduire à l'autel, si je voulais bien devenir sa
femme. Je demandai trois jours pour me consulter là-
dessus. Je m'informai du gentilhomme, et le bien qu'on
me dit de lui, quoiqu'on ne me celât point l'état de ses
affaires, me détermina sans peine à l'épouser peu de
temps après.

Don Manuel de Xerica, c'est ainsi que mon époux
s'appelait, me mena d'abord à son château qui avait un
air antique dont il était fort vain. Il prétendait qu'un de
ses ancêtres l'avait autrefois fait bâtir, et il concluait de là
qu'il n'y avait point de maison plus ancienne en Espagne
que celle de Xerica. Mais un si beau titre de noblesse
allait être détruit par le temps ; le château, étayé en plusieurs endroits, menaçait ruine : quel bonheur pour don
Manuel de m'avoir épousée ! Plus de la moitié de mon
argent fut employé aux réparations, et le reste servit à
nous mettre en état de faire grosse figure dans le pays.
Me voilà donc, pour ainsi dire, dans un nouveau monde.
Changée en nymphe de château, en dame de paroisse.
Quelle métamorphose ! J'étais trop bonne actrice pour ne
pas bien soutenir la splendeur que mon rang répandait
sur moi. Je prenais de grands airs, des airs de théâtre, qui
faisaient concevoir dans le village une haute opinion de
ma naissance. Qu'on se serait égayé à mes dépens, si l'on
eût été au fait sur mon compte ! La noblesse des environs
m'aurait donné mille brocards [1], et les paysans auraient
bien rabattu des respects qu'ils me rendaient.

Il y avait près de six années que je vivais fort heureuse
avec don Manuel, lorsqu'il mourut. Il me laissa des
affaires à débrouiller et votre sœur Béatrix qui avait quatre ans passés. Le château, qui était notre unique bien, se

---

1. *Brocard* : « terme injurieux et satirique, qu'on dit en plaisantant
contre quelqu'un » (Furetière).

trouva par malheur engagé à plusieurs créanciers, dont le principal se nommait Bernard Astuto. Qu'il soutenait bien son nom [1] ! Il exerçait à Valence une charge de procureur qu'il remplissait en homme consommé dans la procédure, et qui même avait étudié en droit pour apprendre à mieux faire des injustices. Le terrible créancier ! Un château sous la griffe d'un semblable procureur est comme une colombe dans les serres d'un milan. Aussi le seigneur Astuto, dès qu'il sut la mort de mon mari, ne manqua pas de former le siège du château. Il l'aurait indubitablement fait sauter par les mines que la chicane commençait à faire [2], si mon étoile ne s'en fût mêlée ; mais mon bonheur voulut que l'assiégeant devînt mon esclave. Je le charmai dans une entrevue que j'eus avec lui au sujet de ses poursuites. Je n'épargnai rien, je l'avoue, pour lui donner de l'amour, et l'envie de sauver ma terre me fit essayer sur lui tous les airs de visage qui m'avaient tant de fois si bien réussi. Avec tout mon savoir-faire je craignais de rater le procureur. Il était si enfoncé dans son métier, qu'il ne paraissait pas susceptible d'une amoureuse impression. Cependant ce sournois, ce grimaud, ce gratte-papier prenait plus de plaisir que je ne pensais à me regarder : Madame, me dit-il, je ne sais point faire l'amour [3]. Je me suis toujours tellement appliqué à ma profession, que cela m'a fait négliger d'apprendre les us et coutumes de la galanterie. Je n'ignore pourtant pas l'essentiel, et pour venir au fait, je vous dirai que si vous voulez m'épouser, nous brûlerons toute la procédure ; j'écarterai les créanciers qui se sont joints à moi pour faire vendre votre terre. Vous en aurez le revenu, et votre fille la propriété. L'intérêt de Béatrix et le mien ne me permirent pas de balancer. J'acceptai la proposition. Le procureur tint sa promesse. Il tourna ses armes contre les autres créanciers, et m'assura la possession de mon château. C'était peut-être

---

1. *Astuto* signifie « astucieux », « rusé », en espagnol.
2. Par les manœuvres souterraines produites par la chicane (l'abus des procédures judiciaires).
3. Faire la cour aux femmes.

la première fois de sa vie qu'il eût bien servi la veuve et
l'orphelin.

Je devins donc procureuse, sans toutefois cesser d'être
dame de paroisse. Mais ce nouveau mariage me perdit
dans l'esprit de la noblesse de Valence. Les femmes de
qualité me regardèrent comme une personne qui avait
dérogé, et ne voulurent plus me voir. Il fallut m'en tenir
au commerce des bourgeoises. Ce qui ne laissa pas
d'abord de me faire un peu de peine, parce que j'étais
accoutumée depuis six ans à ne fréquenter que des dames
de distinction : je m'en consolai pourtant bientôt. Je fis
connaissance avec une greffière et deux procureuses dont
les caractères étaient fort plaisants. Il y avait dans leurs
manières un ridicule qui me réjouissait. Ces petites
demoiselles se croyaient des femmes hors du commun.
Hélas, disais-je quelquefois en moi-même, quand je les
voyais s'oublier, voilà le monde. Chacun s'imagine être
au-dessus de son voisin. Je pensais qu'il n'y avait que les
comédiennes qui se méconnussent. Les bourgeoises, à ce
que je vois, ne sont pas plus raisonnables. Je voudrais
pour les punir qu'on les obligeât à garder dans leurs maisons les portraits de leurs aïeux. Mort de ma vie, elles ne
les placeraient pas dans l'endroit le plus éclairé.

Après quatre années de mariage, le seigneur Bernard
Astuto tomba malade, et mourut sans enfants. Avec le
bien dont il m'avait avantagée en m'épousant et celui que
je possédais déjà, je me vis une riche douairière. Aussi j'en
avais la réputation ; et sur ce bruit un gentilhomme sici-
lien, nommé Colifichini [1], résolut de s'attacher à moi pour
me ruiner ou pour m'épouser. Il me laissa la préférence.
Il était venu de Palerme pour voir l'Espagne ; et après
avoir satisfait sa curiosité, il attendait, disait-il, à Valence
l'occasion de repasser en Sicile. Le cavalier n'avait pas
vingt-cinq ans. Il était bien fait, quoique petit, et sa figure

---

1. Traduction bouffonne du mot *colifichet* en italien. Un colifichet est
une babiole, une bagatelle. Le terme désigne aussi « de certains petits
ornements mal placés et qui n'ont point de convenance dans le lieu où
ils sont mis » (*Dictionnaire de l'Académie*, 1762).

enfin me revenait. Il trouva moyen de me parler en particulier, et je vous l'avouerai franchement, j'en devins folle
dès le premier entretien que j'eus avec lui. De son côté, le
petit fripon se montra fort épris de mes charmes. Je crois,
Dieu me pardonne, que nous nous serions mariés sur-le-
champ, si la mort du procureur encore toute récente
m'eût permis de contracter sitôt un nouvel engagement.
Mais depuis que je m'étais mise dans le goût des hymé-
nées, je gardais des mesures avec le monde.

Nous convînmes donc de différer notre mariage de
quelque temps par bienséance. Cependant Colifichini me
rendait des soins, et son amour, loin de se ralentir, semblait devenir plus vif de jour en jour. Le pauvre garçon
n'était pas trop bien en argent comptant. Je m'en aperçus
et il ne manqua plus d'espèces. Outre que j'avais presque
deux fois son âge, je me souvenais d'avoir fait contribuer
les hommes dans ma jeunesse, et je regardais ce que je
donnais comme une façon de restitution qui acquittait
ma conscience. Nous attendîmes, le plus patiemment qu'il
nous fut possible, le temps que le respect humain prescrit
aux veuves pour se remarier. Lorsqu'il fut arrivé, nous
allâmes à l'autel où nous nous liâmes l'un à l'autre par
des nœuds éternels. Nous nous retirâmes ensuite dans
mon château, où je puis dire que nous y vécûmes[1]
pendant deux années moins en époux qu'en tendres
amants ; mais, hélas, nous n'étions pas unis tous deux
pour être longtemps si heureux ! une pleurésie emporta
mon cher Colifichini.

J'interrompis en cet endroit ma mère. Hé quoi,
madame, lui dis-je, votre troisième époux mourut encore ?
Il faut que vous soyez une place bien meurtrière. Que voulez-vous, mon fils, me répondit-elle ? Puis-je prolonger des
jours que le Ciel a comptés ? Si j'ai perdu trois maris, je
n'y saurais que faire. J'en ai fort regretté deux. Celui que
j'ai le moins pleuré, c'est le procureur. Comme je ne
l'avais épousé que par intérêt, je me consolai facilement

---

1. Faute corrigée en 1747 par la leçon : « et je puis dire que nous y
vécûmes ».

de sa perte. Mais, continua-t-elle, pour revenir à Colifichini, je vous dirai que quelques mois après sa mort, je
voulus aller voir par moi-même auprès de Palerme une
maison de campagne qu'il m'avait assignée pour douaire
dans notre contrat de mariage. Je m'embarquai avec ma
fille pour passer en Sicile, mais nous avons été prises sur
la route par les vaisseaux du bacha d'Alger. On nous a
conduites dans cette ville. Heureusement pour nous, vous
vous êtes trouvé dans la place où l'on voulait nous vendre.
Sans cela, nous serions tombées entre les mains de
quelque patron barbare qui nous aurait maltraitées, et
chez qui peut-être nous aurions été toute notre vie en
esclavage, sans que vous eussiez entendu parler de nous.

Tel fut le récit que fit ma mère. Après quoi, messieurs,
je lui donnai le plus bel appartement de ma maison, avec
la liberté de vivre comme il lui plairait. Ce qui se trouva
fort de son goût. Elle avait une habitude d'aimer formée
par tant d'actes réitérés, qu'il lui fallait absolument un
amant ou un mari. Elle jeta d'abord les yeux sur
quelques-uns de mes esclaves ; mais Hally Pegelin renégat
grec qui venait quelquefois au logis attira bientôt toute son
attention. Elle conçut pour lui plus d'amour qu'elle n'en
avait jamais eu pour Colifichini, et elle était si stylée [1] à
plaire aux hommes qu'elle trouva le secret de charmer
encore celui-là. Je ne fis pas semblant de m'apercevoir [2] de
leur intelligence. Je ne songeais alors qu'à m'en retourner
en Espagne. Le bacha m'avait déjà permis d'armer un vaisseau pour aller en course et faire le pirate. Cet armement
m'occupait, et huit jours devant qu'il fût achevé, je dis à
Lucinde : Madame, nous partirons d'Alger incessamment ;
nous allons perdre de vue ce séjour que vous détestez.

Ma mère pâlit à ces paroles, et garda un silence glacé.
J'en fus étrangement surpris. Que vois-je, lui dis-je ? d'où
vient que vous m'offrez un visage épouvanté ? Il semble
que je vous afflige au lieu de vous causer de la joie. Je
croyais vous annoncer une nouvelle agréable, en vous

---

1. Si accoutumée.
2. Je fis semblant de ne pas m'apercevoir.

apprenant que j'ai tout disposé pour notre départ. Est-ce que vous ne souhaiteriez pas de repasser en Espagne ? Non, mon fils, je ne le souhaite plus, répondit ma mère. J'y ai eu tant de chagrin, que j'y renonce pour jamais. Qu'entends-je, m'écriai-je avec douleur ? ah dites plutôt que c'est l'amour qui vous en détache. Quel changement, ô Ciel ! Quand vous arrivâtes dans cette ville, tout ce qui se présentait à vos regards vous était odieux ; mais Hally Pegelin vous a mise dans une autre disposition. Je ne m'en défends pas, repartit Lucinde ; j'aime ce renégat et j'en veux faire mon quatrième époux. Quel projet, interrompis-je avec horreur ! Vous, épouser un musulman ! Vous oubliez que vous êtes chrétienne ; ou plutôt vous ne l'avez été jusqu'ici que de nom. Ah, ma mère, que me faites-vous envisager ? Vous avez résolu votre perte. Vous allez faire volontairement ce que je n'ai fait que par nécessité.

Je lui tins bien d'autres discours encore pour la détourner de son dessein, mais je la haranguai fort inutilement. Elle avait pris son parti. Elle ne se contenta pas même de suivre son mauvais penchant et de me quitter pour aller vivre avec ce renégat, elle voulut emmener avec elle Béatrix. Je m'y opposai. Ah malheureuse Lucinde, lui dis-je, si rien n'est capable de vous retenir, abandonnez-vous du moins toute seule à la fureur qui vous possède. N'entraînez point une jeune innocente dans le précipice où vous courez vous jeter. Lucinde s'en alla sans répliquer. Je crus qu'un reste de raison l'éclairait et l'empêchait de s'obstiner à demander sa fille. Que je connaissais mal ma mère ! Un de mes esclaves me dit deux jours après : Seigneur, prenez garde à vous. Un captif de Pegelin vient de me faire une confidence dont vous ne sauriez trop tôt profiter. Votre mère a changé de religion, et pour vous punir de lui avoir refusé Béatrix, elle a formé la résolution d'avertir le bacha de votre fuite. Je ne doutai pas un moment que Lucinde ne fût femme à faire ce que mon esclave me disait. J'avais eu le temps d'étudier la dame, et je m'étais aperçu qu'à force de jouer des rôles sanguinaires dans les tragédies, elle s'était familiarisée avec le crime. Elle m'aurait fort bien fait brûler tout vif, et je ne crois pas qu'elle eût été plus sensible à ma mort qu'à la catastrophe [1] d'une pièce de théâtre.

Je ne voulus donc pas négliger l'avis que me donnait mon esclave. Je pressai mon embarquement. Je pris des Turcs selon la coutume des corsaires d'Alger qui vont en course [2] ; mais je n'en pris seulement que ce qu'il m'en fallait pour ne me pas rendre suspect, et je sortis du port le plus tôt qu'il me fut possible avec tous mes esclaves et ma sœur Béatrix. Vous jugez bien que je n'oubliai pas d'emporter en même temps ce que j'avais d'argent et de pierreries. Ce qui pouvait monter à la valeur de six mille ducats. Lorsque nous fûmes en pleine mer, nous commençâmes par nous assurer des Turcs. Nous les enchaînâmes facilement, parce que mes esclaves étaient en plus grand nombre. Nous eûmes un vent si favorable, que nous gagnâmes en peu de temps les côtes d'Italie. Nous arrivâmes le plus heureusement du monde au port de Livourne, où je crois que toute la ville accourut pour nous voir débarquer. Le père de mon esclave Azarini se trouva par hasard ou par curiosité parmi les spectateurs. Il considérait attentivement tous mes captifs à mesure qu'ils mettaient pied à terre ; mais quoiqu'il cherchât en eux les traits de son fils, il ne s'attendait pas à le revoir. Que de transports, que d'embrassements suivirent leur reconnaissance, quand ils vinrent tous deux à se reconnaître !

Sitôt qu'Azarini eut appris à son père qui j'étais et ce qui m'amenait à Livourne, le vieillard m'obligea de même que Béatrix à prendre un logement chez lui. Je passerai sous silence le détail de mille choses qu'il me fallut faire pour rentrer dans le sein de l'Église ; je dirai seulement que j'abjurai le mahométisme de meilleure foi que je ne l'avais embrassé. Après m'être entièrement purgé de ma

---

1. Au dénouement.
2. C'est l'étymologie même de *corsaire* (*corsarius*, de *cursus* : « course en mer ») : celui qui écume les mers avec un vaisseau armé pour dépouiller les navires marchands.

gale d'Alger [1], je vendis mon vaisseau et donnai la liberté
à tous mes esclaves. Pour les Turcs on les retint dans les
prisons de Livourne pour les échanger contre des chrétiens. Je reçus de l'un et de l'autre Azarini toutes sortes
de bons traitements ; le fils épousa même ma sœur Béatrix, qui n'était pas, à la vérité, un mauvais parti pour lui,
puisqu'elle était fille d'un gentilhomme et qu'elle avait le
château de Xerica que ma mère avait pris soin de donner
à bail à un riche laboureur de Paterna, lorsqu'elle voulut
passer en Sicile.

De Livourne, après y avoir demeuré quelque temps, je
partis pour Florence que j'avais envie de voir. Je n'y allai
pas sans lettres de recommandation. Azarini le père avait
des amis à la cour du grand-duc, et il me recommandait
à eux comme un gentilhomme espagnol qui était son allié.
J'ajoutai le *don* à mon nom ; imitant en cela bien des
Espagnols roturiers qui prennent sans façon ce titre
d'honneur hors de leur pays. Je me faisais donc effrontément appeler don Raphaël, et comme j'avais apporté
d'Alger de quoi soutenir dignement ma noblesse, je parus
à la cour avec éclat. Les cavaliers à qui le vieil Azarini
avait écrit en ma faveur y publièrent que j'étais une personne de qualité ; si bien que leur témoignage et les airs
que je me donnais me firent passer sans peine pour un
homme d'importance. Je me faufilai bientôt avec les principaux seigneurs, qui me présentèrent au grand-duc. J'eus
le bonheur de lui plaire. Je m'attachai à faire ma cour à
ce prince et à l'étudier. J'écoutai attentivement ce que les
plus vieux courtisans lui disaient, et par leurs discours je
démêlai ses inclinations. Je remarquai entre autres choses
qu'il aimait les plaisanteries, les bons contes et les bons
mots. Je me réglai là-dessus. J'écrivais tous les matins sur
mes tablettes les histoires que je voulais lui conter dans la
journée. J'en savais une grande quantité ; j'en avais, pour
ainsi dire, un sac tout plein. J'eus beau toutefois les

---

1. Métaphore désignant l'apostasie. Dans le *Marcos de Obregón*, le
joueur de guitare (I, 2) est galeux (au sens propre) et Marcos attrape
cette maladie à Salamanque (I, 10).

ménager, mon sac se vida peu à peu, de sorte que j'aurais été obligé de me répéter ou de faire voir que j'étais au bout de mes apophtegmes [1], si mon génie fertile en fictions ne m'en eût pas abondamment fourni ; mais je composai des contes galants et comiques qui divertirent fort le grand-duc, et ce qui arrive souvent aux beaux esprits de profession, je mettais le matin sur mon agenda de bons mots que je donnais l'après-dînée pour des impromptus [2].

Je m'érigeai même en poète et je consacrai ma muse aux louanges du prince. Je demeure d'accord de bonne foi que mes vers n'étaient pas bons. Aussi ne furent-ils pas critiqués ; mais quand ils auraient été meilleurs, je doute qu'ils eussent été mieux reçus du grand-duc. Il en paraissait très content. La matière peut-être l'empêchait de les trouver mauvais. Quoi qu'il en soit, ce prince prit insensiblement tant de goût pour moi, que cela donna de l'ombrage aux courtisans. Ils voulurent découvrir qui j'étais. Ils n'y réussirent point. Ils apprirent seulement que j'avais été renégat. Ils ne manquèrent pas de le dire au prince dans l'espérance de me nuire. Ils n'en vinrent pourtant pas à bout. Au contraire le grand-duc un jour m'obligea de lui faire une relation fidèle de mon voyage d'Alger. Je lui obéis, et mes aventures, que je ne lui déguisai point, le réjouirent infiniment.

Don Raphaël, me dit-il après que j'en eus achevé le récit, j'ai de l'amitié pour vous, et je veux vous en donner une marque qui ne vous permettra pas d'en douter. Je vous fais dépositaire de mes secrets, et pour commencer à vous mettre dans ma confidence, je vous dirai que j'aime la femme d'un de mes ministres. C'est la dame de ma cour la plus aimable, mais en même temps la plus vertueuse. Renfermée dans son domestique, uniquement attachée à un époux qui l'idolâtre, elle semble ignorer le bruit que

---

1. *Apophtegme* (du grec *apophthengomai* : « je parle par sentences ») : « parole sentencieuse ou remarquable qui est dite par quelque personne illustre en naissance ou en savoir » (Furetière).
2. *Impromptu* : petite pièce de poésie, bon mot ou conte agréable, improvisé sur-le-champ par l'auteur.

ses charmes font dans Florence. Jugez si cette conquête
est difficile. Cependant cette beauté, tout inaccessible
qu'elle est aux amants, a quelquefois entendu mes soupirs.
J'ai trouvé moyen de lui parler sans témoins. Elle connaît
mes sentiments. Je ne me flatte point de lui avoir inspiré
de l'amour. Elle ne m'a point donné sujet de former une
si agréable pensée. Je ne désespère pas toutefois de lui
plaire par ma constance et par la conduite mystérieuse
que je prends soin de tenir.

La passion que j'ai pour cette dame, continua-t-il, n'est
connue que d'elle seule. Au lieu de suivre mon penchant
sans contrainte, et d'agir en souverain, je dérobe à tout le
monde la connaissance de mon amour. Je crois devoir ce
ménagement à Mascarini[1], c'est l'époux de la personne
que j'aime. Le zèle et l'attachement qu'il a pour moi, ses
services et sa probité m'obligent à me conduire avec beaucoup de secret et de circonspection. Je ne veux pas enfon-
cer un poignard dans le sein de ce mari malheureux en me
déclarant amant de sa femme. Je voudrais qu'il ignorât
toujours, s'il est possible, l'ardeur dont je me sens brûler :
car je suis persuadé qu'il mourrait de douleur, s'il savait
la confidence que je vous fais en ce moment. Je cache
donc mes démarches, et j'ai résolu de me servir de vous
pour exprimer à Lucrèce tous les maux que me fait souffrir la contrainte que je m'impose. Vous serez l'interprète
de mes sentiments. Je ne doute point que vous ne vous
acquittiez à merveille de cette commission. Liez commerce avec Mascarini. Attachez-vous à gagner son amitié.
Introduisez-vous chez lui, et vous ménagez[2] la liberté de
parler à sa femme. Voilà ce que j'attends de vous, et ce
que je suis assuré que vous ferez avec toute l'adresse et la
discrétion que demande un emploi si délicat.

Je promis au grand-duc de faire tout mon possible pour
répondre à sa confiance et contribuer au bonheur de ses
feux. Je lui tins bientôt parole. Je n'épargnai rien pour

---

1. Nom cocasse (un *mascarin* est une perruche de Madagascar),
proche de *mascarade*.
2. Et ménagez-vous.

plaire à Mascarini, et j'en vins à bout sans peine. Charmé
de voir son amitié recherchée par un homme aimé du
prince, il fit la moitié du chemin. Sa maison me fut
ouverte. J'eus un libre accès auprès de son épouse, et j'ose
dire que je me composai si bien qu'il n'eut pas le moindre
soupçon de la négociation dont j'étais chargé. Il est vrai
qu'il était peu jaloux pour un Italien ; il se reposait sur la
vertu de sa Lucrèce, et s'enfermant dans son cabinet, il
me laissait souvent seul avec elle. Je fis d'abord les choses
rondement. J'entretins la dame de l'amour du grand-duc,
et lui dis que je ne venais chez elle que pour lui parler de
ce prince. Elle ne me parut pas éprise de lui, et je m'aperçus néanmoins que la vanité l'empêchait de rejeter ses
soupirs. Elle prenait plaisir à les entendre sans vouloir y
répondre. Elle avait de la sagesse, mais elle était femme, et
je remarquais que sa vertu cédait insensiblement à l'image
superbe de voir un souverain dans ses fers. Enfin, le
prince pouvait justement se flatter que, sans employer la
violence de Tarquin, il verrait Lucrèce rendue à son
amour [1]. Un incident toutefois auquel il se serait le moins
attendu, détruisit ses espérances, comme vous l'allez
apprendre.

Je suis naturellement hardi avec les femmes. J'ai
contracté cette habitude bonne ou mauvaise chez les
Turcs. Lucrèce était belle. J'oubliai que je ne devais faire
que le personnage d'ambassadeur. Je parlai pour mon
compte. J'offris mes services à la dame le plus galamment
qu'il me fut possible. Au lieu de paraître choquée de mon
audace et de me répondre avec colère, elle me dit en souriant : Avouez, don Raphaël, que le grand-duc a fait choix
d'un agent fort fidèle et fort zélé. Vous le servez avec une
intégrité qu'on ne peut assez louer. Madame, dis-je sur le
même ton, n'examinons point les choses scrupuleusement. Laissons, je vous prie, les réflexions ; je sais bien
qu'elles ne me sont pas favorables ; mais je m'abandonne
au sentiment. Je ne crois pas, après tout, être le premier
confident de prince qui ait trahi son maître en matière de

---

1. Voir *supra*, p. 55, note 1.

galanterie. Les grands seigneurs ont souvent dans leurs Mercures [1] des rivaux dangereux. Cela se peut, reprit Lucrèce ; pour moi, je suis fière, et tout autre qu'un prince ne saurait me toucher. Réglez-vous là-dessus, poursuivit-elle en prenant son sérieux, et changeons d'entretien. Je veux bien oublier ce que vous venez de me dire, à condition qu'il ne vous arrivera plus de me tenir de pareils propos ; autrement, vous pourrez vous en repentir.

Quoique cela fût un avis au lecteur, et que je dusse en profiter, je ne cessai point d'entretenir de ma passion la femme de Mascarini. Je la pressai même avec plus d'ardeur qu'auparavant de répondre à ma tendresse, et je fus assez téméraire pour vouloir prendre des libertés. La dame alors, s'offensant de mes discours et de mes manières musulmanes, me rompit en visière. Elle me menaça de faire savoir au grand-duc mon insolence, en m'assurant qu'elle le prierait de me punir comme je le méritais. Je fus piqué de ces menaces à mon tour. Mon amour se changea en haine. Je résolus de me venger du mépris que Lucrèce m'avait témoigné. J'allai trouver son mari, et après l'avoir obligé de jurer qu'il ne me commettrait point [2], je l'informai de l'intelligence que sa femme avait avec le prince, dont je ne manquai pas de la peindre fort amoureuse pour rendre la scène plus intéressante. Le ministre, pour prévenir tout accident, renferma, sans autre forme de procès, son épouse dans un appartement secret, où il la fit étroitement garder par des personnes affidées [3]. Tandis qu'elle était environnée d'Argus qui l'observaient et l'empêchaient de donner de ses nouvelles au grand-duc, j'annonçai d'un air triste à ce prince qu'il ne devait plus penser à Lucrèce : je lui dis que Mascarini avait sans doute découvert tout, puisqu'il s'avisait de veiller sur sa femme : que je ne savais pas ce qui pouvait lui avoir donné lieu de me soupçonner, attendu que je croyais m'être toujours conduit avec beaucoup d'adresse :

---

1. Leurs entremetteurs (voir aussi *supra*, p. 261, note 2).
2. Qu'il ne me compromettrait point.
3. Des personnes de confiance.

que la dame peut-être avait elle-même avoué tout à son époux, et que de concert avec lui, elle s'était laissé renfermer pour se dérober à des poursuites qui alarmaient sa vertu. Le prince parut fort affligé de mon rapport. Je fus touché de sa douleur, et je me repentis plus d'une fois de ce que j'avais fait ; mais il n'était plus temps. D'ailleurs, je le confesse, je sentais une maligne joie, quand je me représentais la situation où j'avais réduit l'orgueilleuse qui avait dédaigné mes vœux.

Je goûtais impunément le plaisir de la vengeance qui est si doux à tout le monde et principalement aux Espagnols, lorsqu'un jour le grand-duc, étant avec cinq ou six seigneurs de sa cour et moi, nous dit : De quelle manière jugeriez-vous à propos qu'on punît un homme qui aurait abusé de la confidence de son prince et voulu lui ravir sa maîtresse ? Il faudrait, dit un de ses courtisans, le faire tirer à quatre chevaux [1]. Un autre fut d'avis qu'on l'assommât et le fît mourir sous le bâton. Le moins cruel de ces Italiens et celui qui opina le plus favorablement pour le coupable, dit qu'il se contenterait de le faire précipiter du haut d'une tour en bas. Et don Raphaël, reprit alors le grand-duc, de quelle opinion est-il ? Je suis persuadé que les Espagnols ne sont pas moins sévères que les Italiens dans de semblables conjonctures.

Je compris bien, comme vous pouvez penser, que Mascarini n'avait pas gardé son serment, ou que sa femme avait trouvé moyen d'instruire le prince de ce qui s'était passé entre elle et moi. On remarquait sur mon visage le trouble qui m'agitait. Cependant tout troublé que j'étais, je répondis d'un ton ferme au grand-duc : Seigneur, les Espagnols sont plus généreux. Ils pardonneraient en cette occasion au confident, et feraient naître, par cette bonté dans son âme un regret éternel de les avoir trahis. Hé bien, me dit le prince, je me sens capable de cette générosité. Je pardonne au traître. Aussi bien, je ne dois m'en prendre qu'à moi-même d'avoir donné ma confiance à un homme que je ne connaissais point, et dont j'avais sujet de me

---

1. Le faire écarteler par quatre chevaux.

défier, après tout ce qu'on m'en avait dit. Don Raphaël, ajouta-t-il, voici de quelle manière je veux me venger de vous. Sortez incessamment de mes États, et ne paraissez plus devant moi. Je me retirai sur-le-champ, moins affligé de ma disgrâce que ravi d'en être quitte à si bon marché. Je m'embarquai dès le lendemain dans un vaisseau de Barcelone qui sortit du port de Livourne pour s'en retourner.

J'interrompis don Raphaël dans cet endroit de son histoire. Pour un homme d'esprit, lui dis-je, vous fîtes, ce me semble, une grande faute de ne pas quitter Florence immédiatement après avoir découvert à Mascarini l'amour du prince pour Lucrèce. Vous deviez bien vous imaginer que le grand-duc ne tarderait pas à savoir votre trahison. J'en demeure d'accord, répondit le fils de Lucinde. Aussi, malgré l'assurance que le ministre me donna de ne me point exposer au ressentiment du prince, je me proposais de disparaître au plus tôt.

J'arrivai à Barcelone, continua-t-il, avec le reste des richesses que j'avais apportées d'Alger, et dont j'avais dissipé la meilleure partie à Florence en faisant le gentilhomme espagnol. Je ne demeurai pas longtemps en Catalogne. Je mourais d'envie de revoir Madrid, le lieu charmant de ma naissance, et je satisfis le plus tôt qu'il me fut possible le désir qui me pressait. En arrivant dans cette ville, j'allai loger par hasard dans un hôtel garni où demeurait une dame qu'on appelait Camille. Quoiqu'elle fût hors de minorité, c'était une créature fort piquante. J'en atteste le seigneur Gil Blas qui l'a vue à Valladolid presque dans le même temps. Elle avait encore plus d'esprit que de beauté, et jamais aventurière n'a eu plus de talent pour amorcer les dupes. Mais elle ne ressemblait point à ces coquettes qui mettent à profit la reconnaissance de leurs amants ; venait-elle de dépouiller un homme d'affaires ? elle en partageait les dépouilles avec le premier chevalier de tripot qu'elle trouvait à son gré.

Nous nous aimâmes l'un l'autre dès que nous nous vîmes, et la conformité de nos inclinations nous lia si étroitement, que nous fûmes bientôt en communauté de biens. Nous n'en avions pas, à la vérité, de considérables et nous les mangeâmes en peu de temps. Nous ne songions par malheur tous deux qu'à nous plaire, sans faire le moindre usage des dispositions que nous avions à vivre aux dépens d'autrui. La misère enfin réveilla nos génies, que le plaisir avait engourdis : Mon cher Raphaël, me dit Camille, faisons diversion, mon ami. Cessons de garder une fidélité qui nous ruine[1]. Vous pouvez entêter une riche veuve ; je puis charmer quelque vieux seigneur ; si nous continuons à nous être fidèles, voilà deux fortunes manquées. Belle Camille, lui répondis-je, vous me prévenez[2]. J'allais vous faire la même proposition. J'y consens, ma reine. Oui, pour mieux entretenir notre mutuelle ardeur, tentons d'utiles conquêtes. Les infidélités que nous nous ferons deviendront des triomphes pour nous.

Cette convention faite, nous nous mîmes en campagne. Nous nous donnâmes d'abord de grands mouvements, sans pouvoir rencontrer ce que nous cherchions. Camille ne trouvait que des petits-maîtres, ce qui suppose des amants qui n'avaient pas le sou, et moi que des femmes qui aimaient mieux lever des contributions que d'en payer. Comme l'amour se refusait à nos besoins, nous eûmes recours aux fourberies. Nous en fîmes tant et tant que le corregidor en entendit parler, et ce juge, sévère en diable, chargea un de ses alguazils de nous arrêter ; mais l'alguazil aussi bon que le corregidor était mauvais, nous laissa le loisir de sortir de Madrid pour une petite somme que nous lui donnâmes. Nous prîmes la route de Valladolid, et nous allâmes nous établir dans cette ville. J'y louai une maison où je logeai avec Camille, que je fis passer pour ma sœur de peur de scandale. Nous tînmes d'abord notre industrie en bride et nous commençâmes d'étudier le terrain avant que de former aucune entreprise.

---

1. « Ne vois-tu pas, ma pauvre chère âme, que dans l'état où nous sommes réduits, c'est une sotte vertu que la fidélité ? Crois-tu qu'on puisse être bien tendre lorsqu'on manque de pain ? », écrira Manon à « [s]on chevalier » (Prévost, *Manon Lescaut*, éd. citée, p. 100).
2. Vous me devancez.

Un jour un homme m'aborda dans la rue, me salua très civilement, et me dit : Seigneur don Raphaël, me reconnaissez-vous ? Je lui répondis que non. Et moi, reprit-il, je vous remets parfaitement. Je vous ai vu à la cour de Toscane, et j'étais alors garde du grand-duc. Il y a quelques mois, ajouta-t-il, que j'ai quitté le service de ce prince. Je suis venu en Espagne avec un Italien des plus subtils. Nous sommes à Valladolid depuis trois semaines. Nous demeurons avec un Castillan et un Galicien qui sont sans contredit deux honnêtes garçons. Nous vivons ensemble du travail de nos mains. Nous faisons bonne chère et nous nous divertissons comme des princes. Si vous voulez vous joindre à nous, vous serez agréablement reçu de mes confrères, car vous m'avez toujours paru un galant homme, peu scrupuleux de votre naturel et profès dans notre ordre [1].

La franchise de ce fripon excita la mienne. Puisque vous me parlez à cœur ouvert, lui dis-je, vous méritez que je m'explique de même avec vous. Véritablement je ne suis pas novice dans votre profession, et si ma modestie me permettait de conter mes exploits, vous verriez que vous n'avez pas jugé trop avantageusement de moi ; mais je laisse là les louanges, et je me contenterai de vous dire, en acceptant la place que vous m'offrez dans votre compagnie, que je ne négligerai rien pour vous prouver que je n'en suis pas indigne. Je n'eus pas sitôt dit à cet ambidextre [2], que je consentais d'augmenter le nombre de ses camarades, qu'il me conduisit où ils étaient, et là je fis connaissance avec eux. C'est dans cet endroit que je vis pour la première fois l'illustre Ambroise de Lamela. Ces messieurs m'interrogèrent sur l'art de s'approprier finement le bien du prochain. Ils voulurent savoir si j'avais des principes ; mais je leur montrai bien des tours qu'ils ignoraient et qu'ils admirèrent. Ils furent encore plus

---

1. Métaphores impies : un *profès* est un religieux qui a prononcé ses vœux (obéissance, pauvreté, chasteté) dans un couvent.

2. Cet habile. Est *ambidextre* celui qui est adroit de ses deux mains, qui n'a aucune main *gauche*.

étonnés, lorsque méprisant la subtilité de ma main, comme une chose trop ordinaire, je leur dis que j'excellais dans les fourberies qui demandent de l'esprit. Pour le leur persuader, je leur racontai l'aventure de Jérôme de Moyadas, et sur le simple récit que j'en fis, ils me trouvèrent un génie si supérieur, qu'ils me choisirent d'une commune voix pour leur chef. Je justifiai bien leur choix par une infinité de friponneries que nous fîmes, et dont je fus, pour ainsi parler, la cheville ouvrière[1]. Quand nous avions besoin d'une actrice pour nous seconder[2], nous nous servions de Camille qui jouait à ravir tous les rôles qu'on lui donnait.

Dans ce temps-là, notre confrère Ambroise fut tenté de revoir sa patrie. Il partit pour la Galice, en nous assurant que nous pouvions compter sur son retour. Il contenta son envie, et comme il s'en revenait, étant allé à Burgos pour y faire quelque coup, un hôtelier de sa connaissance le mit au service du seigneur Gil Blas de Santillane, dont il n'oublia pas de lui apprendre les affaires. Seigneur Gil Blas, poursuivit-il en m'adressant la parole, vous savez de quelle manière nous vous dévalisâmes dans un hôtel garni de Valladolid ; je ne doute pas que vous n'ayez soupçonné Ambroise d'avoir été le principal instrument de ce vol, et vous avez eu raison. Il vint nous trouver en arrivant. Il nous exposa l'état où vous étiez, et messieurs les entrepreneurs se réglèrent là-dessus. Mais vous ignorez les suites de cette aventure. Je vais vous en instruire. Nous enlevâmes, Ambroise et moi, votre valise, et tous deux montés sur vos mules, nous prîmes le chemin de Madrid, sans nous embarrasser de Camille ni de nos camarades, qui furent sans doute aussi surpris que vous de ne nous pas revoir le lendemain.

---

1. La *cheville ouvrière* d'un carrosse est « une grosse cheville de fer sur laquelle tourne le train de devant, et qui l'attache à la flèche » (Furetière), d'où, par métaphore, l'agent principal et indispensable d'une opération.

2. « pour nous seconder dans le besoin » : texte de 1715*a*, corrigé par Lesage. Nous adoptons ici 1715*b*.

Nous changeâmes de dessein la seconde journée. Au lieu d'aller à Madrid, d'où je n'étais pas sorti sans raison, nous passâmes par Zebreros et continuâmes notre route jusqu'à Tolède. Notre premier soin dans cette ville fut de nous habiller fort proprement. Puis nous donnant pour deux frères galiciens qui voyageaient par curiosité, nous connûmes bientôt de fort honnêtes gens. J'étais si accoutumé à faire l'homme de qualité, qu'on s'y méprit aisément ; et comme on éblouit d'ordinaire par la dépense, nous jetâmes de la poudre aux yeux de tout le monde par les fêtes galantes que nous commençâmes à donner aux dames. Parmi les femmes que je voyais il y en eut une qui me toucha. Je la trouvai plus belle que Camille et beaucoup plus jeune. Je voulus savoir qui elle était ; j'appris qu'elle se nommait Violante et qu'elle avait épousé un cavalier qui déjà las de ses caresses, courait après celles d'une courtisane qu'il aimait. Je n'eus pas besoin qu'on m'en dît davantage pour me déterminer à établir Violante dame souveraine de mes pensées.

Elle ne tarda guère à s'apercevoir de sa conquête. Je commençai à suivre partout ses pas, et à faire cent folies pour lui persuader que je ne demandais pas mieux que de la consoler des infidélités de son époux. La belle fit là-dessus ses réflexions, qui furent telles que j'eus enfin le plaisir de connaître que mes intentions étaient approuvées. Je reçus d'elle un billet en réponse de plusieurs que je lui avais fait tenir par une de ces vieilles qui sont d'une si grande commodité en Espagne et en Italie. La dame me mandait que son mari soupait tous les soirs chez sa maîtresse, et ne revenait au logis que fort tard. Je compris bien ce que cela signifiait. Dès la même nuit j'allai sous les fenêtres de Violante et je liai avec elle une conversation des plus tendres. Avant que de nous séparer, nous convînmes que toutes les nuits à pareille heure, nous pourrions nous entretenir de la même manière, sans préjudice de tous les autres actes de galanterie qu'il nous serait permis d'exercer le jour.

Jusque-là don Baltazar, ainsi se nommait l'époux de ma princesse, en avait été quitte à bon marché ; mais je

voulais aimer physiquement, et je me rendis un soir sous
les fenêtres de la dame dans le dessein de lui dire que je
ne pouvais plus vivre, si je n'avais un tête-à-tête avec elle
dans un lieu plus convenable à l'excès de mon amour.
Ce que je n'avais pu encore obtenir d'elle. Mais comme
j'arrivais, je vis venir dans la rue un homme qui semblait
m'observer. En effet, c'était le mari qui revenait de chez
sa courtisane de meilleure heure qu'à l'ordinaire, et qui
remarquant un cavalier près de sa maison, au lieu d'y
entrer, se promenait dans la rue. Je demeurai quelque
temps incertain de ce que je devais faire. Enfin, je pris le
parti d'aborder don Baltazar, que je ne connaissais point
et dont je n'étais pas connu. Seigneur cavalier, lui dis-je,
laissez-moi, je vous prie, la rue libre pour cette nuit.
J'aurai une autre fois la même complaisance pour vous.
Seigneur, me répondit-il, j'allais vous faire la même prière.
Je suis amoureux d'une fille que son frère fait soigneusement garder, et qui demeure à vingt pas d'ici. Je souhaite-
rais qu'il n'y eût personne dans la rue. Il y a, repris-je,
moyen de nous satisfaire tous deux sans nous incommoder. Car, ajoutai-je en lui montrant sa propre maison, la
dame que je sers loge là. Il faut même que nous nous
secourions, si l'un ou l'autre vient à être attaqué. J'y
consens, repartit-il, je vais à mon rendez-vous, et nous
nous épaulerons s'il en est besoin. À ces mots, il me
quitta, mais c'était pour mieux m'observer ; ce que
l'obscurité de la nuit lui permettait de faire impunément [1].

Pour moi, je m'approchai de bonne foi du balcon de
Violante. Elle parut bientôt, et nous commençâmes à
nous entretenir. Je ne manquai pas de presser ma reine
de m'accorder un entretien secret dans quelque endroit
particulier. Elle résista un peu à mes instances, pour augmenter le prix de la grâce que je demandais ; puis me
jetant un billet qu'elle tira de sa poche : Tenez, me dit-elle,
vous trouverez dans cette lettre la promesse d'une chose

---

1. Cet épisode est tiré d'une pièce de Lope de Vega composée vers
1589, *Las Ferias de Madrid*, dont les personnages sont Leandro, Patricio
et Violante.

dont vous m'importunez tant. Ensuite elle se retira, parce que l'heure à laquelle son mari revenait ordinairement approchait. Je serrai le billet et je m'avançai vers le lieu où don Baltazar m'avait dit qu'il avait affaire. Mais cet époux qui s'était fort bien aperçu que j'en voulais à sa femme, vint au-devant de moi, et me dit : Hé bien, seigneur cavalier, êtes-vous content de votre bonne fortune ? J'ai sujet de l'être, lui répondis-je. Et vous, qu'avez-vous fait ? L'amour vous a-t-il favorisé ? Hélas, non, repartit-il : le maudit frère de la beauté que j'aime est de retour d'une maison de campagne, d'où nous avions cru qu'il ne reviendrait que demain. Ce contretemps m'a sevré du plaisir dont je m'étais flatté.

Nous nous fîmes don Baltazar et moi des protestations d'amitié, et pour en serrer les nœuds, nous nous donnâmes rendez-vous le lendemain matin dans la grande place. Ce cavalier après que nous nous fûmes séparés, entra chez lui, et ne fit nullement connaître à Violante qu'il sût de ses nouvelles. Il se trouva le jour suivant dans la grande place. J'y arrivai un moment après lui. Nous nous saluâmes avec des démonstrations d'amitié aussi perfides d'un côté que sincères de l'autre. Ensuite, l'artificieux don Baltazar me fit une fausse confidence de son intrigue avec la dame dont il m'avait parlé la nuit précédente. Il me raconta là-dessus une longue fable qu'il avait composée, et tout cela pour m'engager à lui dire à mon tour de quelle façon j'avais fait connaissance avec Violante. Je ne manquai pas de donner dans le piège ; j'avouai tout avec la plus grande franchise du monde. Je montrai même le billet que j'avais reçu d'elle, et je lus ces paroles qu'il contenait : *J'irai demain dîner chez doña Inès. Vous savez où elle demeure. C'est dans la maison de cette fidèle amie que je prétends avoir un tête-à-tête avec vous. Je ne puis vous refuser plus longtemps cette faveur que vous me paraissez mériter.*

Voilà, dit don Baltazar, un billet qui vous promet le prix de vos feux. Je vous félicite par avance du bonheur qui vous attend. Il ne laissait pas en parlant de la sorte d'être un peu déconcerté ; mais il déroba facilement à mes yeux son trouble et son embarras. J'étais si plein de mes espérances, que je ne me mettais guère en peine d'observer mon confident, qui fut obligé toutefois de me quitter, de peur que je ne m'aperçusse enfin de son agitation. Il courut avertir son beau-frère de cette aventure. J'ignore ce qui se passa entre eux ; je sais seulement que don Baltazar vint frapper à la porte de doña Inès dans le temps que j'étais chez cette dame avec Violante. Nous sûmes que c'était lui, et je me sauvai par une porte de derrière avant qu'il fût entré. D'abord que j'eus disparu, les femmes, que l'arrivée imprévue de ce mari avait troublées, se rassurèrent, et le reçurent avec tant d'effronterie, qu'il se douta bien qu'on m'avait caché ou fait évader. Je ne vous dirai point ce qu'il dit à doña Inès et à sa femme. C'est une chose qui n'est pas venue à ma connaissance.

Cependant sans soupçonner encore que je fusse la dupe de don Baltazar, je sortis en le maudissant, et je retournai à la grande place où j'avais donné rendez-vous à Lamela. Je ne l'y trouvai point. Il avait aussi ses petites affaires, et le fripon était plus heureux que moi. Comme je l'attendais, je vis arriver mon perfide confident, qui avait un air gai. Il me joignit et me demanda en riant des nouvelles de mon tête-à-tête avec ma nymphe chez doña Inès. Je ne sais, lui dis-je, quel démon jaloux de mes plaisirs se plaît à les traverser. Mais tandis que seul avec ma dame, je la pressais de faire mon bonheur, son mari, que le Ciel confonde [1], est venu frapper à la porte de la maison. Il a fallu promptement songer à me retirer. Je suis sorti par une porte de derrière en donnant à tous les diables le fâcheux qui rompait toutes mes mesures. J'en ai un véritable chagrin, s'écria don Baltazar, qui sentait une secrète joie de voir ma peine. Voilà un impertinent mari. Je vous conseille de ne lui point faire de quartier. Oh, je suivrai vos conseils, lui répliquai-je, et je puis vous assurer que son honneur passera le pas [2] cette nuit. Sa femme, quand je l'ai quittée, m'a dit de ne me pas rebuter pour si peu

---

1. Que le Ciel le couvre de honte.
2. Son honneur cédera (en clair : je le déshonorerai).

de chose. Que je ne manque pas de me rendre sous ses fenêtres de meilleure heure qu'à l'ordinaire : qu'elle est résolue à me faire entrer chez elle ; mais qu'à tout hasard j'aie la précaution de me faire escorter par deux ou trois amis, de crainte de surprise. Que cette dame est prudente, dit-il ! Je m'offre à vous accompagner. Ah mon cher ami, m'écriai-je tout transporté de joie, et jetant mes bras au cou de don Baltazar, que je vous ai d'obligation ! Je ferai plus, reprit-il, je connais un jeune homme qui est un César [1]. Il sera de la partie, et vous pourrez alors vous reposer hardiment sur une pareille escorte.

Je ne savais que dire à ce nouvel ami pour le remercier, tant j'étais charmé de son zèle. Enfin j'acceptai les secours qu'il m'offrait, et nous donnant rendez-vous sous le balcon de Violante à l'entrée de la nuit, nous nous séparâmes. Il alla trouver son beau-frère qui était le César en question, et moi, je me promenai jusqu'au soir avec Lamela, qui bien qu'étonné de l'ardeur avec laquelle don Baltazar entrait dans mes intérêts, ne s'en défia pas plus que moi. Nous donnions tête baissée dans le panneau [2]. Je conviens que cela n'était guère pardonnable à des gens comme nous. Quand je jugeai qu'il était temps de me présenter devant les fenêtres de Violante, Ambroise et moi nous y parûmes armés de bonnes rapières [3]. Nous y trouvâmes le mari de ma dame avec un autre homme. Ils nous attendaient de pied ferme. Don Baltazar m'aborda, et me montrant son beau-frère, il me dit : Seigneur, voici le cavalier dont je vous ai tantôt vanté la bravoure. Introduisez-vous chez votre maîtresse, et qu'aucune inquiétude ne vous empêche de jouir d'une parfaite félicité !

Après quelques compliments de part et d'autre, je frappai à la porte de Violante. Une espèce de duègne vint

---

1. On dit « brave comme un César » (Furetière).

2. Le *panneau* est un filet de chasse. « On dit qu'il a *donné dans le panneau*, pour dire qu'il a été surpris par son trop de crédulité, qu'il a donné dans un piège qui lui avait été tendu » (Furetière).

3. *Rapière* : « épée longue, vieille et de peu de prix, telles que celles dont l'on arme d'ordinaire les soldats. On appelle les filous et batteurs de pavé, traîneurs de rapière » (Furetière).

ouvrir. J'entrai, et sans prendre garde à ce qui se passait
derrière moi, je m'avançai dans une salle où était cette
dame. Pendant que je la saluais, les deux traîtres qui
m'avaient suivi dans la maison, et qui en avaient fermé la
porte si brusquement après eux, qu'Ambroise était resté
dans la rue, se découvrirent. Vous vous imaginez bien
qu'il en fallut alors découdre[1]. Ils me chargèrent tous
deux en même temps ; mais je leur fis voir du pays. Je
les occupai l'un et l'autre de manière qu'ils se repentirent
peut-être de n'avoir pas pris une voie plus sûre pour se
venger. Je perçai l'époux. Son beau-frère, le voyant hors
de combat, gagna la porte que la duègne et Violante
avaient ouverte pour se sauver, tandis que nous nous bat-
tions. Je le poursuivis jusque dans la rue, où je rejoignis
Lamela, qui n'ayant pu tirer un seul mot des femmes qu'il
avait vu fuir, ne savait précisément ce qu'il devait juger du
bruit qu'il venait d'entendre. Nous retournâmes à notre
auberge. Nous prîmes ce que nous y avions de meilleur,
et montant sur nos mules, nous sortîmes de la ville sans
attendre le jour.

Nous comprîmes bien que cette affaire pourrait avoir
des suites, et qu'on ferait dans Tolède des perquisitions
que nous n'avions pas tort de prévenir. Nous allâmes coucher à Villarubia. Nous logeâmes dans une hôtellerie, où
quelque temps après nous il arriva un marchand de
Tolède qui allait à Ségorbe. Nous soupâmes avec lui. Il
nous conta l'aventure tragique du mari de Violante, et il
était si éloigné de nous soupçonner d'y avoir part, que
nous lui fîmes hardiment toutes sortes de questions. Messieurs, nous dit-il, comme je partais ce matin, j'ai appris
ce triste événement. On cherchait partout Violante et l'on
m'a dit que le corregidor, qui est parent de don Baltazar,
a résolu de ne rien épargner pour découvrir les auteurs
de ce meurtre. Voilà tout ce que je sais.

Je ne fus guère alarmé des recherches du corregidor de
Tolède. Cependant je formai la résolution de sortir
promptement de la Castille nouvelle. Je fis réflexion que

1. Il fallut alors se battre.

Violante retrouvée avouerait tout, et que sur le portrait qu'elle ferait de ma personne à la justice, on mettrait des gens à mes trousses. Cela fut cause que dès le jour suivant nous évitâmes le grand chemin par précaution. Heureusement Lamela connaissait les trois quarts de l'Espagne, et savait par quels détours nous pouvions sûrement nous rendre en Aragon. Au lieu d'aller tout droit à Cuença, nous nous engageâmes dans les montagnes qui sont devant cette ville, et par des sentiers qui n'étaient pas inconnus à mon guide, nous arrivâmes devant une grotte qui me parut avoir tout l'air d'un ermitage. Effectivement c'était celui où vous êtes venus hier au soir me demander un asile.

Pendant que j'en considérais les environs, qui offraient à ma vue un paysage des plus charmants, mon compagnon me dit : Il y a six ans que je passai par ici. Dans ce temps-là cette grotte servait de retraite à un vieil ermite qui me reçut charitablement. Il me fit part de ses provisions. Je me souviens que c'était un saint homme, et qu'il me tint des discours qui pensèrent me détacher du monde. Il vit peut-être encore. Je vais m'en éclaircir. En achevant ces mots, le curieux Ambroise descendit de dessus sa mule et entra dans l'ermitage. Il y demeura quelques moments. Puis il revint, et, m'appelant : Venez, me dit-il, don Raphaël, venez voir une chose très touchante. Je mis aussitôt pied à terre. Nous attachâmes nos mules à des arbres, et je suivis Lamela dans la grotte, où j'aperçus sur un grabat un vieil anachorète tout étendu, pâle et mourant. Une barbe blanche et fort épaisse lui couvrait l'estomac, et l'on voyait dans ses mains jointes un grand rosaire entrelacé. Au bruit que nous fîmes en nous approchant de lui, il ouvrit des yeux que la mort déjà commençait à fermer, et après nous avoir envisagés un instant : *Qui que vous soyez*, nous dit-il, *mes frères, profitez du spectacle qui se présente à vos regards. J'ai passé quarante années dans le monde et soixante dans cette solitude. Ah qu'en ce moment le temps que j'ai donné à mes plaisirs me paraît long, et qu'au contraire celui que j'ai consacré à la pénitence me semble court ! Hélas, je crains que les austérités*

de frère Juan n'aient pas assez expié les péchés du licencié
don Juan de Solis.

Il n'eut pas achevé ces mots, qu'il expira. Nous fûmes
frappés de cette mort. Ces sortes d'objets font toujours
quelque impression sur les plus grands libertins même.
Mais nous n'en fûmes pas longtemps touchés. Nous
oubliâmes bientôt ce qu'il venait de nous dire, et nous
commençâmes à faire un inventaire de tout ce qui était
dans l'ermitage. Ce qui ne nous occupa pas infiniment,
tous les meubles consistant dans ceux que vous avez pu
remarquer dans la grotte. Le frère Juan n'était pas seulement mal meublé, il avait encore une très mauvaise cuisine. Nous ne trouvâmes chez lui pour toutes provisions
que des noisettes et quelques grignons de pain d'orge fort
durs, que les gencives du saint homme n'avaient apparemment pu broyer. Je dis ses gencives car nous remarquâmes
que toutes les dents lui étaient tombées. Tout ce que cette
demeure solitaire contenait, tout ce que nous considérions nous faisait regarder ce bon anachorète comme un
saint. Une chose seule nous choqua : nous ouvrîmes un
papier plié en forme de lettre qu'il avait mis sur une table,
et par lequel il priait la personne qui lirait ce billet de
porter son rosaire et ses sandales à l'évêque de Cuença.
Nous ne savions dans quel esprit ce nouveau père du
désert pouvait avoir envie de faire un pareil présent à son
évêque. Cela nous semblait blesser l'humilité, et nous
paraissait d'un homme qui voulait trancher du bienheu-
reux [1]. Peut-être aussi n'y avait-il là-dedans que de la simplicité [2]. C'est ce que je ne déciderai point.

En nous entretenant là-dessus, il vint une idée assez
plaisante à Lamela. Demeurons, me dit-il, dans cet ermi-
tage. Déguisons-nous en ermites. Enterrons le frère Juan.
Vous passerez pour lui, et moi, sous le nom de frère
Antoine, j'irai quêter dans les villes et les bourgs voisins.
Outre que nous serons à couvert des perquisitions du cor-

---

1. Qui voulait se faire passer pour un saint (en chargeant l'évêque de
conserver pieusement ses reliques).
2. De la simplicité d'esprit.

regidor, car je ne pense pas qu'on s'avise de nous venir chercher ici, j'ai à Cuença de bonnes connaissances que nous pourrons entretenir. J'approuvai cette bizarre imagination, moins pour les raisons qu'Ambroise me disait que par fantaisie et comme pour jouer un rôle dans une pièce de théâtre. Nous fîmes une fosse à trente ou quarante pas de la grotte, et nous y enterrâmes modestement le vieil anachorète, après l'avoir dépouillé de ses habits, c'est-à-dire d'une simple robe que nouait par le milieu une ceinture de cuir. Nous lui coupâmes aussi la barbe pour m'en faire une postiche, et enfin après ses funérailles nous prîmes possession de l'ermitage.

Nous fîmes fort mauvaise chère le premier jour. Il nous fallut vivre des provisions du défunt ; mais le lendemain, avant le lever de l'aurore, Lamela se mit en campagne avec les deux mules qu'il alla vendre à Toralva, et le soir il revint chargé de vivres et d'autres choses qu'il avait achetées. Il en apporta tout ce qui était nécessaire pour nous travestir. Il se fit lui-même une robe de bure et une petite barbe rousse de crin de cheval, qu'il s'attacha si artistement aux oreilles qu'on eût juré qu'elle était naturelle. Il n'y a point de garçon au monde plus adroit que lui. Il tressa aussi la barbe du frère Juan ; il me l'appliqua, et mon bonnet de laine brune achevait de couvrir l'artifice ; on peut dire que rien ne manquait à notre déguisement. Nous nous trouvions l'un et l'autre si plaisamment équipés, que nous ne pouvions sans rire nous regarder sous ces habits, qui véritablement ne nous convenaient guère. Avec la robe du frère Juan, j'avais son rosaire et ses sandales, dont je ne me fis pas un scrupule de priver l'évêque de Cuença.

Il y avait déjà trois jours que nous étions dans l'ermitage, sans y avoir vu paraître personne ; mais le quatrième, il entra dans la grotte deux paysans. Ils apportaient du pain, du fromage et des oignons au défunt qu'ils croyaient encore vivant. Je me jetai sur notre grabat dès que je les aperçus, et il ne me fut pas difficile de les tromper. Outre qu'on ne voyait point assez pour pouvoir bien distinguer mes traits, j'imitai le mieux que je pus, le son de la voix du frère Juan, dont j'avais entendu les dernières paroles. Ils n'eurent aucun soupçon de cette supercherie. Ils parurent seulement étonnés de rencontrer là un autre ermite ; mais Lamela, remarquant leur surprise, leur dit d'un air hypocrite : Mes frères, ne soyez pas surpris de me voir dans cette solitude. J'ai quitté mon ermitage que j'avais en Aragon pour venir ici tenir compagnie au vénérable et discret frère Juan, qui dans l'extrême vieillesse où il est, a besoin d'un camarade qui puisse pourvoir à ses besoins. Les paysans donnèrent à la charité d'Ambroise des louanges infinies, et témoignèrent qu'ils étaient bien aises de pouvoir se vanter d'avoir deux saints personnages dans leur contrée.

Lamela, chargé d'une grande besace, qu'il n'avait pas oublié d'acheter, alla pour la première fois quêter dans la ville de Cuença, qui n'est éloignée de l'ermitage que d'une petite lieue. Avec l'extérieur pieux qu'il a reçu de la nature et l'art de le faire valoir qu'il possède au suprême degré, il ne manqua pas d'exciter les personnes charitables à lui faire l'aumône. Il remplit sa besace de leurs libéralités. Monsieur Ambroise, lui dis-je à son retour, je vous félicite de l'heureux talent que vous avez pour attendrir les âmes chrétiennes. Vive Dieu, l'on dirait que vous avez été frère quêteur chez les capucins [1]. J'ai fait bien autre chose que remplir mon bissac, me répondit-il. Vous saurez que j'ai déterré certaine nymphe [2] appelée Barbe que j'aimais autrefois. Je l'ai trouvée bien changée. Elle s'est mise comme nous dans la dévotion. Elle demeure avec deux ou trois autres béates qui édifient le monde en public et mènent une vie scandaleuse en particulier. Elle ne me reconnaissait pas d'abord. Comment donc, lui ai-je dit, madame Barbe, est-il possible que vous ne remettiez point un de vos anciens amis, votre serviteur Ambroise ? Par

---

1. *Capucins* : « religieux de l'ordre de Saint François de la plus étroite observance. Ils portent des capuchons pointus et sont vêtus de gris. Ils vont toujours nus pieds, jamais en carrosse, et les hommes ne rasent jamais leur barbe » (Furetière).

2. J'ai retrouvé une fille.

ma foi, seigneur de Lamela, s'est-elle écriée, je ne me serais jamais attendue à vous revoir sous les habits que vous portez. Par quelle aventure êtes-vous devenu ermite ? C'est ce que je ne puis vous raconter présentement, lui ai-je reparti. Le détail est un peu long, mais je viendrai demain au soir satisfaire votre curiosité. De plus, je vous amènerai le frère Juan, mon compagnon. Le frère Juan, a-t-elle interrompu, ce bon ermite qui a un ermitage auprès de cette ville ? Vous n'y pensez pas. On dit qu'il a plus de cent ans. Il est vrai, lui ai-je dit, qu'il a eu cet âge-là. Mais il est bien rajeuni depuis quelques jours. Il n'est pas plus vieux que moi. Hé bien qu'il vienne avec vous, a répliqué Barbe. Je vois bien qu'il y a du mystère là-dessous.

Nous ne manquâmes pas le lendemain, dès qu'il fut nuit, d'aller chez ces bigotes, qui pour nous mieux recevoir avaient préparé un grand repas. Nous ôtâmes d'abord nos barbes et nos habits d'anachorètes, et sans façon nous fîmes connaître à ces princesses qui nous étions. De leur côté, de peur de demeurer en reste de franchise avec nous, elles nous montrèrent de quoi sont capables de fausses dévotes, quand elles bannissent la grimace. Nous passâmes presque toute la nuit à table, et nous ne nous retirâmes à notre grotte qu'un moment avant le jour. Nous y retournâmes bientôt après ; ou pour mieux dire, nous fîmes la même chose pendant trois mois, et nous mangeâmes avec ces créatures plus des deux tiers de nos espèces. Mais un jaloux qui a tout découvert en a informé la justice, qui doit aujourd'hui se transporter à l'ermitage pour se saisir de nos personnes. Hier Ambroise en quêtant à Cuença rencontra une de nos béates qui lui donna un billet et lui dit : Une femme de mes amies m'écrit cette lettre que j'allais vous envoyer par un homme exprès. Montrez-la au frère Juan, et prenez vos mesures là-dessus. C'est ce billet, messieurs, que Lamela m'a mis entre les mains devant vous, et qui nous a si brusquement fait quitter notre demeure solitaire.

CHAPITRE 2

Du conseil que don Raphaël et ses auditeurs tinrent
ensemble, et de l'aventure qui leur arriva
lorsqu'ils voulurent sortir du bois.

Quand don Raphaël eut achevé de conter son histoire, dont le récit me parut un peu long, don Alphonse par politesse lui témoigna qu'elle l'avait fort diverti. Après cela, le seigneur Ambroise prit la parole, et l'adressant au compagnon de ses exploits : Don Raphaël, lui dit-il, songez que le soleil se couche. Il serait à propos, ce me semble, de délibérer sur ce que nous avons à faire. Vous avez raison, lui répondit son camarade ; il faut déterminer l'endroit où nous voulons aller. Pour moi, reprit Lamela, je suis d'avis que nous nous remettions en chemin sans perdre de temps, que nous gagnions Requena cette nuit, et que demain nous entrions dans le royaume de Valence où nous donnerons l'essor à notre industrie. Je pressens que nous y ferons de bons coups. Son confrère qui croyait là-dessus ses pressentiments infaillibles, se rangea de son opinion. Pour don Alphonse et moi, comme nous nous laissions conduire par ces deux honnêtes gens, nous attendîmes, sans rien dire, le résultat de la conférence.

Il fut donc résolu que nous prendrions la route de Requena, et nous commençâmes à nous y disposer. Nous fîmes un repas semblable à celui du matin, puis nous chargeâmes le cheval de l'outre et du reste de nos provisions. Ensuite la nuit qui survint nous prêtant l'obscurité dont nous avions besoin pour marcher sûrement, nous voulûmes sortir du bois ; mais nous n'eûmes pas fait cent pas, que nous découvrîmes entre les arbres une lumière qui nous donna beaucoup à penser. Que signifie cela, dit don Raphaël ? Ne serait-ce point les furets de la justice de Cuença qu'on aurait mis sur nos traces, et qui nous sentant dans cette forêt, nous y viendraient chercher ? Je ne le crois pas, dit Ambroise. Ce sont plutôt des voyageurs. La nuit les aura surpris et ils seront entrés dans ce bois pour y attendre le jour ; mais, ajouta-t-il, je puis me tromper. Je vais reconnaître ce que c'est. Demeurez ici tous trois. Je serai de retour dans un moment. À ces mots, il s'avance vers la lumière qui n'était pas fort éloignée ; il s'en approche à pas de loup. Il écarte doucement les feuilles et les branches qui s'opposent à son passage, et regarde avec toute l'attention que la chose lui parait mériter. Il vit sur l'herbe, autour d'une chandelle qui brûlait dans une motte de terre, quatre hommes assis qui achevaient de manger un pâté et de vider une assez grosse outre qu'ils baisaient à la ronde. Il aperçut encore à quelques pas d'eux une femme et un cavalier attachés à des arbres, et un peu plus loin une chaise roulante, avec deux mules richement caparaçonnées[1]. Il jugea d'abord que les hommes assis devaient être des voleurs, et les discours qu'il leur entendit tenir lui firent connaître qu'il ne se trompait pas dans sa conjecture. Les quatre brigands faisaient voir une égale envie de posséder la dame qui était tombée entre leurs mains, et ils parlaient de la tirer au sort. Lamela instruit de ce que c'était, vint nous rejoindre, et nous fit un fidèle rapport de tout ce qu'il avait vu et entendu.

Messieurs, dit alors don Alphonse, cette dame et ce cavalier que les voleurs ont attachés à des arbres sont peut-être des personnes de la première qualité. Souffrirons-nous que des brigands les fassent servir de victimes à leur barbarie et à leur brutalité ? Croyez-moi, chargeons ces bandits. Qu'ils tombent sous nos coups. J'y consens, dit don Raphaël. Je ne suis pas moins prêt à faire une bonne action qu'une mauvaise. Ambroise de son côté témoigna qu'il ne demandait pas mieux que de prêter la main à une entreprise si louable, et dont il prévoyait, disait-il, que nous serions bien payés. J'ose dire aussi qu'en cette occasion le péril ne m'épouvanta point, et que jamais aucun chevalier errant ne se montra plus prompt

---

1. Recouvertes d'un *caparaçon* ou « couverture qu'on met sur les chevaux. Les caparaçons ordinaires sont d'une simple toile, ou treillis. Ceux des chevaux de main [menés par la bride] sont de drap, ornés et chargés des armes, ou des chiffres du maître » (Furetière).

au service des demoiselles. Mais pour dire les choses sans trahir la vérité, le danger n'était pas grand ; car Lamela nous ayant rapporté que les armes des voleurs étaient toutes en un monceau à dix ou douze pas d'eux, il ne nous fut pas fort difficile d'exécuter notre dessein. Nous liâmes notre cheval à un arbre, et nous nous approchâmes à petit bruit de l'endroit où étaient les brigands. Ils s'entretenaient avec beaucoup de chaleur et faisaient un bruit qui nous aidait à les surprendre. Nous nous rendîmes maîtres de leurs armes avant qu'il nous découvrissent, puis tirant sur eux à bout portant, nous les étendîmes tous sur la place.

Pendant cette expédition la chandelle s'éteignit, de sorte que nous demeurâmes dans l'obscurité. Nous ne laissâmes pas toutefois de délier l'homme et la femme, que la crainte tenait saisis à un point qu'ils n'avaient pas la force de nous remercier de ce que nous venions de faire pour eux. Il est vrai qu'ils ignoraient encore s'ils devaient nous regarder comme leurs libérateurs, ou comme de nouveaux bandits qui ne les enlevaient point aux autres pour les mieux traiter. Mais nous les rassurâmes en leur disant que nous allions les conduire jusqu'à une hôtellerie qu'Ambroise soutenait être à une demi-lieue de là, et qu'ils pourraient en cet endroit prendre toutes les précautions nécessaires pour se rendre sûrement où ils avaient affaire. Après cette assurance, dont ils parurent très satisfaits, nous les remîmes dans leur chaise, et les tirâmes hors du bois en tenant la bride de leurs mules. Nos anachorètes visitèrent ensuite les poches des vaincus. Puis nous allâmes reprendre le cheval de don Alphonse. Nous prîmes aussi ceux des voleurs que nous trouvâmes attachés à des arbres auprès du champ de bataille. Puis emmenant avec nous tous ces chevaux nous suivîmes le frère Antoine, qui monta sur une des mules pour mener la chaise à l'hôtellerie, où nous n'arrivâmes pourtant que deux heures après, quoiqu'il eût assuré qu'elle n'était pas fort éloignée du bois.

Nous frappâmes rudement à la porte. Tout le monde était déjà couché dans la maison. L'hôte et l'hôtesse se levèrent à la hâte, et ne furent nullement fâchés de voir troubler leur

repos par l'arrivée d'un équipage qui paraissait devoir faire
chez eux beaucoup plus de dépense qu'il n'en fit. Toute
l'hôtellerie fut éclairée dans un moment. Don Alphonse et
l'illustre fils de Lucinde donnèrent la main au cavalier et à
la dame pour les aider à descendre de la chaise ; ils leur servirent même d'écuyers jusqu'à la chambre où l'hôte les
conduisit. Il se fit là bien des compliments, et nous ne fûmes
pas peu étonnés quand nous apprîmes que c'était le comte
de Polan lui-même et sa fille Séraphine que nous venions de
délivrer. On ne saurait dire quelle fut la surprise de cette
dame non plus que celle de don Alphonse, lorsqu'ils se
reconnurent tous deux. Le comte n'y prit pas garde, tant il
était occupé d'autres choses. Il se mit à nous raconter de
quelle manière les voleurs l'avaient attaqué, et comment ils
s'étaient saisis de sa fille et de lui, après avoir tué son pos-
tillon, un page et un valet de chambre. Il finit en nous disant
qu'il sentait vivement l'obligation qu'il nous avait, et que si
nous voulions l'aller trouver à Tolède où il serait dans un
mois, nous éprouverions s'il était ingrat ou reconnaissant.

La fille de ce seigneur n'oublia pas de nous remercier
aussi de son heureuse délivrance, et comme nous
jugeâmes Raphaël et moi que nous ferions plaisir à don
Alphonse si nous lui donnions le moyen de parler un
moment en particulier à cette jeune veuve, nous y réus-
sîmes en amusant le comte de Polan. Belle Séraphine, dit
tout bas don Alphonse à la dame, je cesse de me plaindre
du sort qui m'oblige à vivre comme un homme banni de
la société civile, puisque j'ai eu le bonheur de contribuer
au service important qui vous a été rendu. Hé quoi, lui
répondit-elle en soupirant, c'est vous qui m'avez sauvé la
vie et l'honneur ! C'est à vous que nous sommes, mon
père et moi, si redevables ? Ah don Alphonse, pourquoi
avez-vous tué mon frère ? Elle ne lui en dit pas davantage ;
mais il comprit assez par ces paroles et par le ton dont
elles furent prononcées, que s'il aimait éperdument Séraphine, il n'en était guère moins aimé.

FIN DU CINQUIÈME LIVRE.

LIVRE SIXIÈME

CHAPITRE PREMIER

*De ce que Gil Blas et ses compagnons firent
après avoir quitté le comte de Polan ;
du projet important qu'Ambroise forma,
et de quelle manière il fut exécuté.*

Le comte de Polan après avoir passé la moitié de la nuit à nous remercier, et à nous assurer que nous pouvions compter sur sa reconnaissance, appela l'hôte pour le consulter sur les moyens de se rendre sûrement à Tunis, où il avait dessein d'aller. Nous laissâmes ce seigneur prendre ses mesures là-dessus. Nous sortîmes de l'hôtellerie, et suivîmes la route qu'il plut à Lamela de choisir.

Après deux heures de chemin, le jour nous surprit auprès de Campillo. Nous gagnâmes promptement les montagnes qui sont entre ce bourg et Requena. Nous y passâmes la journée à nous reposer, et à compter nos finances que l'argent des voleurs avait fort augmentées, car on avait trouvé dans leurs poches plus de trois cents pistoles. Nous nous remîmes en marche au commencement de la nuit, et le lendemain matin nous entrâmes dans le royaume de Valence. Nous nous retirâmes dans le premier bois qui s'offrit à nos yeux. Nous nous y enfonçâmes, et nous arrivâmes à un endroit où coulait un ruisseau d'une onde cristalline qui allait joindre lentement les eaux du Guadalaviar [1]. L'ombre que les arbres nous prêtaient et l'herbe que le lieu fournissait abondamment à nos chevaux nous auraient déterminés à nous y arrêter, quand nous n'aurions pas été dans cette résolution.

Nous mîmes donc là pied à terre, et nous nous disposions à passer la journée fort agréablement ; mais lorsque nous voulûmes déjeuner, nous nous aperçûmes qu'il nous restait très peu de vivres. Le pain commençait à nous manquer, et notre outre était devenue un corps sans âme. Messieurs, nous dit Ambroise, les plus charmantes retraites ne me plaisent guère sans Bacchus et sans Cérès [2]. Il faut renouveler nos provisions. Je vais pour cet effet à Xelva [3]. C'est une assez belle ville, qui n'est qu'à deux lieues d'ici. J'aurai bientôt fait ce petit voyage. En parlant de cette sorte, il chargea un cheval de l'outre et de la besace, monta dessus, et sortit du bois avec une vitesse qui promettait un prompt retour.

Il ne revint pourtant pas si tôt qu'il nous l'avait fait espérer. Plus de la moitié du jour s'écoula : la nuit même déjà s'apprêtait à couvrir les arbres de ses ailes noires, quand nous revîmes notre pourvoyeur, dont le retardement commençait à nous donner de l'inquiétude. Il trompa notre attente par la quantité de choses dont il revint chargé. Il apportait non seulement l'outre plein d'un vin excellent et la besace remplie de pain et de toutes sortes de gibier rôti, il y avait encore sur son cheval un gros paquet de hardes que nous regardâmes avec beaucoup d'attention. Il s'en aperçut, et nous dit en souriant : Je le donne à don Raphaël et à toute la terre ensemble à deviner pourquoi j'ai acheté ces hardes-là. En disant ces paroles, il défit le paquet pour nous montrer en détail ce que nous considérions en gros. Il nous fit voir un manteau et une robe noire fort longue ; deux pourpoints avec leurs hauts-de-chausses ; une de ces écritoires composées de deux pièces liées par un cordon, et dont le cornet est

---

1. Ce fleuve, également appelé Turia, traverse Valence.
2. Divinités romaines consacrées à la vigne et aux moissons.
3. Ou Chelva.

séparé de l'étui où l'on met les plumes ; une main [1] de
beau papier blanc ; un cadenas avec un gros cachet et de
la cire verte ; et lorsqu'il nous eut enfin exhibé toutes ses
emplettes, don Raphaël lui dit en plaisantant : Vive Dieu,
monsieur Ambroise, il faut avouer que vous avez fait là
un bon achat. Quel usage, s'il vous plaît, en prétendez-
vous faire ? Un admirable, répondit Lamela. Toutes ces
choses ne m'ont coûté que dix doublons, et je suis persuadé que nous en retirerons plus de cinq cents. Comptez
là-dessus. Je ne suis pas homme à me charger de nippes
inutiles, et pour vous prouver que je n'ai point acheté tout
cela comme un sot, je vais vous communiquer un projet
que j'ai formé.

Après avoir fait ma provision de pain, poursuivit-il, je
suis entré chez un rôtisseur où j'ai ordonné qu'on mît à
la broche six perdrix, autant de poulets et de lapereaux.
Tandis que ces viandes cuisaient, il arrive un homme en
colère, et qui, se plaignant hautement des manières d'un
marchand de la ville à son égard, dit au rôtisseur : Par
saint Jacques, Samuel Simon est le marchand de Xelva le
plus ridicule. Il vient de me faire un affront en pleine boutique. Le ladre n'a pas voulu me faire crédit de six aunes
de drap. Cependant il sait bien que je suis un artisan sol-
vable et qu'il n'y a rien à perdre avec moi. N'admirez-vous
pas cet animal ? il vend volontiers à crédit aux personnes
de qualité. Il aime mieux hasarder avec eux que d'obliger
un honnête bourgeois sans rien risquer. Quelle manie ! le
maudit Juif ! puisse-t-il y être attrapé ! Mes souhaits
seront accomplis quelque jour. Il y a bien des marchands
qui m'en répondraient [2].

En entendant parler ainsi cet artisan, qui a dit beaucoup d'autres choses encore, j'ai eu je ne sais quel pressentiment que je friponnerai ce Samuel Simon. Mon ami,

---

1. Une liasse. Une main de papier contient vingt-cinq feuilles pliées
ensemble.
2. Qui me l'assureraient. *En répondre* « se dit en discours familier de
ce qu'on affirme avec certitude, sans en être autrement garant » (Furetière).

ai-je dit à l'homme qui se plaignait de ce marchand, de quel caractère est ce personnage dont vous parlez ? D'un très mauvais caractère, a-t-il répondu brusquement. Je vous le donne pour un usurier tout des plus vifs, quoiqu'il affecte des allures d'un homme de bien. C'est un Juif qui s'est fait catholique ; mais dans le fond de l'âme il est encore juif comme Pilate [1], car on dit qu'il a fait abjuration par intérêt.

J'ai prêté une oreille attentive à tous les discours de l'artisan, et je n'ai pas manqué, au sortir de chez le rôtisseur, de m'informer de la demeure de Samuel Simon. Une personne me l'enseigne. On me la montre. Je parcours des yeux sa boutique. J'examine tout, et mon imagination, prompte à m'obéir, enfante une fourberie que je digère et qui me paraît digne du valet du seigneur Gil Blas. Je vais à la friperie où j'achète ces habits que j'apporte ; l'un pour jouer le rôle d'inquisiteur, l'autre pour représenter un greffier, et le troisième enfin, pour faire le personnage d'un alguazil.

Ah mon cher Ambroise, interrompit en cet endroit don Raphaël tout transporté de joie, la merveilleuse idée ! le beau plan ! Je suis jaloux de l'invention. Je donnerais volontiers les plus grands traits de ma vie pour un effort d'esprit si heureux ! Oui, Lamela, poursuivit-il, je vois, mon ami, toute la richesse de ton dessein ; et l'exécution ne doit pas t'inquiéter. Tu as besoin de deux bons acteurs qui te secondent. Ils sont tout trouvés. Tu as un air de béat ; tu feras fort bien l'inquisiteur. Moi, je représenterai le greffier, et le seigneur Gil Blas, s'il lui plaît, jouera le rôle de l'alguazil. Voilà, continua-t-il, les personnages distribués ; demain nous jouerons la pièce [2] ; et je réponds

---

1. Ponce-Pilate était préfet de Rome en Judée au début du Ier siècle, à l'époque de la crucifixion de Jésus, d'après la légende chrétienne. Il était citoyen romain et non pas juif, mais le nom de Pilate est passé en insulte : le héros du *Buscón* l'apprend à ses dépens à l'école (Quevedo, *La Vie de l'aventurier don Pablo de Ségovie*, chap. 2).

2. Cette « friponnerie » est une adaptation, par Lesage, de la nouvelle *El Proteo de Madrid* du recueil de Castillo Solórzano, *Tardes entretenidas* (1625).

du succès, à moins qu'il n'arrive quelqu'un de ces contretemps qui confondent les desseins les mieux concertés.

Je ne concevais encore que très confusément le projet
que don Raphaël trouvait si beau ; mais on me mit au fait
en soupant, et le tour me parut ingénieux. Après avoir
expédié une partie du gibier et fait à notre outre une
copieuse saignée, nous nous étendîmes sur l'herbe, et nous
fûmes bientôt endormis. Debout, debout, s'écria le seigneur Ambroise à la pointe du jour ! Des gens qui ont
une grande entreprise à exécuter ne doivent pas être
paresseux. Malepeste, monsieur l'inquisiteur, lui dit don
Raphaël en se réveillant, que vous êtes alerte ! Cela ne
vaut pas le diable pour monsieur Samuel Simon. J'en
demeure d'accord, reprit Lamela. Je vous dirai de plus,
ajouta-t-il en riant, que j'ai rêvé cette nuit que je lui arra-
chais des poils de la barbe. N'est-ce pas là un vilain songe
pour lui, monsieur le greffier ? Ces plaisanteries furent
suivies de mille autres qui nous mirent tous de belle
humeur. Nous déjeunâmes gaiement, et nous nous disposâmes ensuite à faire nos personnages. Ambroise se revêtit
de la longue robe et du manteau, de sorte qu'il avait tout
l'air d'un commissaire du Saint-Office [1]. Nous nous
habillâmes aussi don Raphaël et moi de façon que nous
ne ressemblions point mal aux greffiers et aux alguazils.
Nous employâmes bien du temps à nous déguiser, et il
était plus de deux heures après midi, lorsque nous sortîmes du bois pour nous rendre à Xelva. Il est vrai que
rien ne nous pressait, et que nous ne devions commencer
la comédie qu'à l'entrée de la nuit. Aussi nous n'allâmes
qu'au petit pas, et nous nous arrêtâmes aux portes de la
ville pour y attendre la fin du jour.

Dès qu'elle fut arrivée, nous laissâmes nos chevaux
dans cet endroit, sous la garde de don Alphonse, qui se
sut bon gré de n'avoir point d'autre rôle à faire. Don
Raphaël, Ambroise et moi, nous allâmes d'abord, non
chez Samuel Simon, mais chez un cabaretier qui demeurait à deux pas de sa maison. Monsieur l'inquisiteur

_____

1. D'un commissaire de l'Inquisition.

marchait le premier. Il entre, et dit gravement à l'hôte :
Maître, je voudrais vous parler en particulier. L'hôte nous
mena dans une salle, où Lamela, le voyant seul avec nous,
lui dit : Je suis commissaire du Saint-Office, et je viens ici
pour une affaire très importante. À ces paroles, le cabaretier pâlit et répondit d'une voix tremblante qu'il ne
croyait pas avoir donné sujet à la sainte Inquisition de se
plaindre de lui. Aussi, reprit Ambroise d'un air doux, ne
songe-t-elle point à vous faire de la peine. À Dieu ne
plaise que trop prompte à punir, elle confonde le crime
avec l'innocence. Elle est sévère, mais toujours juste. En
un mot, pour éprouver ses châtiments, il faut les avoir
mérités. Ce n'est donc pas vous qui m'amenez à Xelva.
C'est un certain marchand qu'on appelle Samuel Simon.
Il nous a été fait de lui un très mauvais rapport. Il est,
dit-on, toujours juif, et il n'a embrassé le christianisme
que par des motifs purement humains. Je vous ordonne
de la part du Saint-Office de me dire ce que vous savez
de cet homme-là. Gardez-vous, comme son voisin et peut-
être son ami, de vouloir l'excuser, car, je vous le déclare, si
j'aperçois dans votre témoignage le moindre ménagement,
vous êtes perdu vous-même. Allons, greffier, poursuivit-il
en se tournant vers Raphaël, faites votre devoir.

Monsieur le greffier qui tenait déjà à la main son papier
et son écritoire, s'assit à une table, et se prépara de l'air
du monde le plus sérieux à écrire la déposition de l'hôte,
qui de son côté protesta qu'il ne trahirait point la vérité.
Cela étant, lui dit le commissaire inquisiteur, nous n'avons
qu'à commencer. Répondez seulement à mes questions ;
je ne vous en demande pas davantage. Voyez-vous Samuel
Simon fréquenter les églises ? C'est à quoi je n'ai pas pris
garde, répondit le cabaretier. Je ne me souviens pas de
l'avoir vu à l'église. Bon, s'écria l'inquisiteur, écrivez
qu'on ne le voit jamais dans les églises. Je ne dis pas cela,
monsieur le commissaire, répliqua l'hôte. Je dis seulement
que je ne l'ai point vu. Il peut être dans une église où je
serai, sans que je l'aperçoive. Mon ami, reprit Lamela,
vous oubliez qu'il ne faut point dans votre interrogatoire
excuser Samuel Simon. Je vous en ai dit les conséquences.

Vous ne devez dire que des choses qui soient contre lui et pas un mot en sa faveur. Sur ce pied-là, seigneur licencié, repartit l'hôte vous ne tirerez pas grand fruit de ma déposition. Je ne connais point le marchand dont il s'agit ; je n'en puis dire ni bien ni mal ; mais, si vous voulez savoir comment il vit dans son domestique, je vais appeler Gaspard son garçon que vous interrogerez. Ce garçon vient ici quelquefois boire avec ses amis. Quelle langue ! Il vous dira toute la vie de son maître, et donnera sur ma parole de l'occupation à votre greffier.

J'aime votre franchise, dit alors Ambroise, et c'est témoigner du zèle pour le Saint-Office, que de m'enseigner un homme instruit des mœurs de Simon. J'en rendrai compte à l'Inquisition. Hâtez-vous donc, continua-t-il, d'aller chercher ce Gaspard dont vous parlez ; mais faites les choses discrètement ; que son maître ne se doute point de ce qui se passe ! Le cabaretier s'acquitta de sa commission avec beaucoup de secret et de diligence. Il amena le garçon marchand. C'était un jeune homme des plus babillards, et tel qu'il nous le fallait. Soyez le bienvenu, mon enfant, lui dit Lamela. Vous voyez en moi un inquisiteur nommé par le Saint-Office pour informer contre Samuel Simon, que l'on accuse de judaïser [1]. Vous demeurez chez lui ; par conséquent vous êtes témoin de la plupart de ses actions. Je ne crois pas qu'il soit nécessaire de vous avertir que vous êtes obligé de déclarer ce que vous savez de lui, quand je vous l'ordonnerai de la part de la sainte Inquisition. Seigneur licencié, répondit le garçon marchand, je suis tout prêt à vous contenter là-dessus, sans que vous me l'ordonniez de la part du Saint-Office. Si l'on mettait mon maître sur mon chapitre, je suis persuadé qu'il ne m'épargnerait point. Ainsi je ne le ménagerai pas non plus, et je vous dirai premièrement que c'est un sournois dont il est impossible de démêler les mouvements ; un homme qui affecte tous les dehors d'un saint

---

1. Samuel Simon est un marrane, un juif converti, bon gré mal gré, au christianisme. Continuer à pratiquer le judaïsme était un délit puni de mort dans l'Espagne toute catholique de Philippe II.

personnage, et qui dans le fond n'est nullement vertueux. Il va tous les soirs chez une petite grisette... Je suis bien aise d'apprendre cela, interrompit Ambroise ; et je vois par ce que vous me dites que c'est un homme de mauvaises mœurs. Mais répondez précisément aux questions que je vais vous faire. C'est particulièrement sur la religion que je suis chargé de savoir quels sont ses sentiments. Dites-moi, mangez-vous du porc dans votre maison ? Je ne pense pas, répondit Gaspard, que nous en ayons mangé deux fois depuis une année que j'y demeure. Fort bien, reprit Monsieur l'inquisiteur, écrivez, greffier, qu'on ne mange jamais de porc chez Samuel Simon. En récompense [1], continua-t-il, on y mange sans doute quelquefois de l'agneau ? Oui quelquefois, repartit le garçon ; nous en avons par exemple mangé un aux dernières fêtes de Pâques. L'époque est heureuse, s'écria le commissaire, écrivez, greffier, que Simon fait la Pâque [2]. Cela va le mieux du monde, et il me paraît que nous avons reçu de bons mémoires [3].

Apprenez-moi encore, mon ami, poursuivit Lamela, si vous n'avez jamais vu votre maître caresser de petits enfants. Mille fois, répondit Gaspard. Lorsqu'il voit passer de petits garçons devant notre boutique, pour peu qu'ils soient jolis, il les arrête et les flatte. Écrivez, greffier, interrompit l'inquisiteur, que Samuel Simon est violemment soupçonné d'attirer chez lui les enfants des chrétiens pour les égorger. L'aimable prosélyte ! Oh oh, monsieur Simon, vous aurez affaire au Saint-Office sur ma parole ! Ne vous imaginez pas qu'il vous laisse faire impunément vos barbares sacrifices. Courage, zélé Gaspard, dit-il au garçon marchand, déclarez tout. Achevez de faire connaître que ce faux catholique est attaché plus que jamais aux coutumes et aux cérémonies des Juifs. N'est-il

---

1. En revanche.
2. À Pâques (de l'hébreu *pessah* : « passage »), les Juifs célèbrent la sortie d'Égypte par un repas traditionnel, tandis que les chrétiens fêtent la résurrection du Christ.
3. Des témoignages de dénonciation contre Samuel Simon.

pas vrai que dans la semaine vous le voyez un jour dans une inaction totale ? Non, répondit Gaspard, je n'ai point remarqué celui-là. Je m'aperçois seulement qu'il y a des jours où il s'enferme dans son cabinet et qu'il y demeure très longtemps. Hé nous y voilà, s'écria le commissaire, il fait le sabbat, ou je ne suis pas inquisiteur [1]. Marquez, greffier, marquez qu'il observe religieusement le jeûne du sabbat. Ah l'abominable homme ! Il ne me reste plus qu'une chose à demander. Ne parle-t-il pas aussi de Jérusalem ? Fort souvent, repartit le garçon. Il nous conte l'histoire des Juifs et de quelle manière fut détruit le temple de Jérusalem. Justement, reprit Ambroise ; ne laissez pas échapper ce trait-là, greffier ; écrivez en gros caractères que Samuel Simon ne respire que la restauration du Temple, et qu'il médite jour et nuit le rétablissement de la nation. Je n'en veux pas savoir davantage, et il est inutile de faire d'autres questions. Ce que vient de déposer le véridique Gaspard suffirait pour faire brûler toute une juiverie.

Après que Monsieur le commissaire du Saint-Office eut interrogé de cette sorte le garçon marchand, il lui dit qu'il pouvait se retirer, mais il lui ordonna de la part de la sainte Inquisition de ne point parler à son maître de ce qui venait de se passer. Gaspard promit d'obéir et s'en alla. Nous ne tardâmes guère à le suivre ; nous sortîmes de l'hôtellerie aussi gravement que nous y étions entrés, et nous allâmes frapper à la porte de Samuel Simon. Il vint lui-même ouvrir, et s'il fut étonné de voir chez lui trois figures comme les nôtres, il le fut bien davantage, quand Lamela, qui portait la parole, lui dit d'un ton impératif : Maître Samuel, je vous ordonne, de la part de la sainte Inquisition dont j'ai l'honneur d'être commissaire, de me donner tout à l'heure la clef de votre cabinet. Je veux voir si je ne trouverai point de quoi justifier les mémoires qui nous ont été présentés contre vous.

Le marchand, que ce discours déconcerta, fit deux pas en arrière comme si on lui eût donné une bourrade dans l'estomac. Bien loin de se douter de quelque supercherie de notre part, il s'imagina de bonne foi qu'un ennemi secret l'avait voulu rendre suspect au Saint-Office ; peut-être aussi que, ne se sentant pas trop bon catholique, il avait sujet d'appréhender une information. Quoi qu'il en soit, je n'ai jamais vu d'homme plus troublé. Il obéit sans résistance, et avec tout le respect que peut avoir un homme qui craint l'Inquisition. Il nous ouvrit son cabinet : Du moins, lui dit Ambroise en y entrant, du moins recevez-vous sans rébellion les ordres du Saint-Office ; mais, ajouta-t-il, retirez-vous dans une autre chambre et me laissez librement remplir mon emploi. Samuel ne se révolta pas plus contre cet ordre que contre le premier. Il se tint dans sa boutique, et nous entrâmes tous trois dans son cabinet, où sans perdre de temps nous nous mîmes à chercher ses espèces. Nous les trouvâmes sans peine ; elles étaient dans un coffre ouvert et il y en avait beaucoup plus que nous n'en pouvions emporter. Elles consistaient en un grand nombre de sacs amoncelés, mais le tout en argent. Nous aurions mieux aimé de l'or ; cependant les choses ne pouvant être autrement, il fallut s'accommoder à la nécessité. Nous remplîmes nos poches de ducats. Nous en mîmes dans nos chausses, et dans tous les autres endroits que nous jugeâmes propres à les recéler. Enfin, nous en étions pesamment chargés sans qu'il y parût, et cela par l'adresse d'Ambroise et par celle de don Raphaël qui me firent voir par là qu'il n'est rien tel que de savoir son métier.

Nous sortîmes du cabinet, après y avoir si bien fait notre main, et alors pour une raison que le lecteur devinera fort aisément, Monsieur l'inquisiteur tira son cadenas qu'il voulut attacher lui-même à la porte. Ensuite il y mit le scellé. Puis il dit à Simon : Maître Samuel, je vous défends de la part de la sainte Inquisition de toucher à ce cadenas, de même qu'à ce sceau que vous devez respecter puisque c'est le propre sceau du Saint-Office. Je reviendrai ici demain à la même heure pour le lever et vous apporter

des ordres. À ces mots, il se fit ouvrir la porte de la rue
que nous enfilâmes joyeusement l'un après l'autre. Dès
que nous eûmes fait une cinquantaine de pas, nous commençâmes à marcher avec tant de vitesse et de légèreté,
qu'à peine touchions-nous la terre malgré le fardeau que
nous portions. Nous fûmes bientôt hors de la ville, et,
remontant sur nos chevaux, nous les poussâmes vers
Ségorbe, en rendant grâce au dieu Mercure [1] d'un si heureux événement.

CHAPITRE 2

De la résolution que don Alphonse et Gil Blas
prirent après cette aventure.

Nous allâmes toute la nuit, selon notre louable coutume,
et nous nous trouvâmes au lever de l'aurore auprès d'un
petit village à deux lieues de Ségorbe. Comme nous étions
tous fatigués, nous quittâmes volontiers le grand chemin
pour gagner des saules que nous aperçûmes au pied d'une
colline à dix ou douze cents pas du village, où nous ne
jugeâmes point à propos de nous arrêter. Nous trouvâmes
que ces saules faisaient un agréable ombrage et qu'un ruisseau lavait le pied de ces arbres. L'endroit nous plut, et nous
résolûmes d'y passer la journée. Nous mîmes donc pied à
terre. Nous débridâmes nos chevaux pour les laisser paître,
et nous nous couchâmes sur l'herbe. Nous nous y reposâmes un peu. Ensuite nous achevâmes de vider notre
besace et notre outre. Après un ample déjeuner, nous
comptâmes tout l'argent que nous avions pris à Samuel
Simon. Ce qui montait à trois mille ducats. De sorte
qu'avec cette somme et celle que nous avions déjà, nous
pouvions nous vanter de n'être point mal en fonds.

---

1. Dieu protecteur des marchands et des voyageurs, et par extension,
des voleurs.

Comme il fallait aller à la provision, Ambroise et don Raphaël, après avoir quitté leurs habits d'inquisiteur et de greffier, dirent qu'ils voulaient se charger de ce soin-là tous deux ; que l'aventure de Xelva ne faisait que les mettre en goût, et qu'ils avaient envie de se rendre à Ségorbe pour voir s'il ne se présenterait pas quelque occasion de faire un nouveau coup. Vous n'avez, ajouta le fils de Lucinde, qu'à nous attendre sous ces saules. Nous ne tarderons pas à vous revenir joindre. Seigneur don Raphaël, m'écriai-je en riant, dites-nous plutôt de vous attendre sous l'orme [1]. Si vous nous quittez, nous avons bien la mine de ne vous revoir de longtemps. Ce soupçon nous offense, répliqua le seigneur Ambroise ; mais nous méritons que vous nous fassiez cet outrage. Vous êtes excusable de vous défier de nous, après ce que nous avons fait à Valladolid, et de vous imaginer que nous ne ferions pas plus de scrupule de vous abandonner que les camarades que nous avons laissés dans cette ville. Vous vous trompez pourtant. Les confrères à qui nous avons faussé compagnie étaient des personnes d'un fort mauvais caractère, et dont la société commençait à nous devenir insupportable. Il faut rendre cette justice aux gens de notre profession, qu'il n'y a point d'associés dans la vie civile que l'intérêt divise moins ; mais quand il n'y a pas entre nous de conformité d'inclinations, notre bonne intelligence peut s'altérer comme celle du reste des hommes. Ainsi, seigneur Gil Blas, poursuivit Lamela, je vous prie, vous et le seigneur don Alphonse, d'avoir un peu plus de confiance en nous, et de vous mettre l'esprit en repos sur l'envie que nous avons, don Raphaël et moi, d'aller à Ségorbe.

Il est bien aisé, dit alors le fils de Lucinde, de leur ôter là-dessus tout sujet d'inquiétude. Ils n'ont qu'à demeurer maîtres de la caisse. Ils auront entre leurs mains une bonne caution de notre retour. Vous voyez, seigneur Gil Blas, ajouta-t-il, que nous allons d'abord au fait. Vous serez tous deux nantis, et je puis vous assurer que nous

---

1. « *Attendez-moi sous l'orme* se dit pour donner un rendez-vous où on n'a pas dessein de se trouver » (Furetière).

partirons Ambroise et moi sans appréhender que vous ne
nous souffliez ce précieux nantissement [1]. Après une
marque si certaine de notre bonne foi, ne vous fierez-vous
pas entièrement à nous ? Oui, messieurs, leur dis-je ; et
vous pouvez présentement faire tout ce qu'il vous plaira.
Ils partirent sur-le-champ chargés de l'outre et de la
besace, et me laissèrent sous les saules avec don Alphonse,
qui me dit après leur départ : Il faut, seigneur Gil Blas, il
faut que je vous ouvre mon cœur. Je me reproche d'avoir
eu la complaisance de venir jusqu'ici avec ces deux fripons. Vous ne sauriez croire combien de fois je m'en suis
déjà repenti. Hier au soir, pendant que je gardais les chevaux, j'ai fait mille réflexions mortifiantes. J'ai pensé qu'il
ne convient point à un jeune homme qui a des principes
d'honneur de vivre avec des gens aussi vicieux que don
Raphaël et Lamela : que si par malheur un jour, et cela
peut fort bien arriver, le succès d'une fourberie est tel que
nous tombions entre les mains de la justice, j'aurai la
honte d'être puni avec eux comme un voleur, et d'éprouver un châtiment infâme. Ces images s'offrent sans cesse
à mon esprit, et je vous avouerai que j'ai résolu, pour
n'être plus complice des mauvaises actions qu'ils feront,
de me séparer d'eux pour jamais. Je ne crois pas, continua-t-il, que vous désapprouviez mon dessein. Non, je
vous assure, lui répondis-je ; quoique vous m'ayez vu faire
le personnage d'alguazil dans la comédie de Samuel
Simon, ne vous imaginez pas que ces sortes de pièces
soient de mon goût. Je prends le Ciel à témoin qu'en
jouant un si beau rôle, je me suis dit à moi-même : Ma
foi, monsieur Gil Blas, si la justice venait à vous saisir au
collet présentement, vous mériteriez bien le salaire qui
vous en reviendrait. Je ne me sens donc pas plus disposé
que vous, seigneur don Alphonse, à demeurer en si bonne
compagnie ; et si vous le trouvez bon, je vous accompa-
gnerai. Quand ces messieurs seront de retour, nous leur

---

1. « Gage que donne un débiteur à son créancier en meubles ou
autres effets pour le payement de son dû » (Furetière).

demanderons à partager nos finances, et demain matin, ou dès cette nuit même, nous prendrons congé d'eux.

L'amant de la belle Séraphine approuva ce que je proposais. Gagnons, me dit-il, Valence, et nous nous embarquerons pour l'Italie, où nous pourrons nous engager au service de la république de Venise. Ne vaut-il pas mieux embrasser le parti des armes, que de mener la vie lâche et coupable que nous menons ? Nous serons même en état de faire assez bonne figure avec l'argent que nous aurons. Ce n'est pas, ajouta-t-il, que je me serve sans remords d'un bien si mal acquis ; mais outre que la nécessité m'y oblige, si jamais je fais la moindre fortune dans la guerre, je jure que je dédommagerai Samuel Simon. J'assurai don Alphonse que j'étais dans les mêmes sentiments, et nous résolûmes enfin de quitter nos camarades dès le lendemain avant le jour. Nous ne fûmes point tentés de profiter de leur absence, c'est-à-dire de déménager sur-le-champ avec la caisse ; la confiance qu'ils nous avaient marquée en nous laissant maîtres des espèces, ne nous permit pas seulement d'en avoir la pensée.

Ambroise et don Raphaël revinrent de Ségorbe sur la fin du jour. La première chose qu'ils nous dirent fut que leur voyage avait été très heureux ; qu'ils venaient de jeter les fondements d'une fourberie, qui selon toutes les apparences nous serait encore plus utile que celle du soir précédent. Et là-dessus, le fils de Lucinde voulut nous mettre au fait ; mais don Alphonse prit alors la parole, et leur déclara qu'il était dans la résolution de se séparer d'eux. Je leur appris de mon côté que j'avais le même dessein. Ils firent vainement tout leur possible pour nous engager à les accompagner dans leurs expéditions ; nous prîmes congé d'eux le lendemain matin, après avoir fait un partage égal de nos espèces, et nous tirâmes vers Valence.

CHAPITRE 3 ET DERNIER

Après quel désagréable incident don Alphonse
se trouva au comble de sa joie,
et par quelle aventure Gil Blas
se vit tout à coup dans une heureuse situation.

Nous poussâmes gaiement jusqu'à Bunol, où par malheur il fallut nous arrêter. Don Alphonse tomba malade. Il lui prit une grosse fièvre avec des redoublements qui me firent craindre pour sa vie. Heureusement il n'y avait point là de médecins et j'en fus quitte pour la peur. Il se trouva hors de danger au bout de trois jours, et mes soins achevèrent de le rétablir. Il se montra très sensible à tout ce que j'avais fait pour lui, et comme nous nous sentions véritablement de l'inclination l'un pour l'autre, nous nous jurâmes une éternelle amitié.

Nous nous remîmes en chemin, toujours résolus, quand nous serions à Valence, de profiter de la première occasion qui s'offrirait de passer en Italie. Mais le Ciel disposa de nous autrement. Nous vîmes à la porte d'un beau château des paysans de l'un et de l'autre sexe qui dansaient en rond et se réjouissaient. Nous nous approchâmes d'eux pour voir leur fête, et don Alphonse ne s'attendait à rien moins qu'à la surprise dont il fut tout à coup saisi. Il aperçut le baron de Steinbach, qui de son côté, l'ayant reconnu, vint à lui les bras ouverts et lui dit avec transport : Ah don Alphonse, c'est vous ! l'agréable rencontre ! pendant qu'on vous cherche partout, le hasard vous présente à mes yeux.

Mon compagnon descendit de cheval aussitôt, et courut embrasser le baron, dont la joie me parut immodérée. Venez, mon fils, lui dit ensuite ce bon vieillard, vous allez apprendre qui vous êtes et jouir du plus heureux sort. En achevant ces paroles, il l'emmena dans le château. J'y entrai aussi avec eux ; car tandis qu'ils s'étaient embrassés, j'avais mis pied à terre et attaché nos chevaux à un arbre. Le maître du château fut la première personne que nous rencontrâmes. C'était un homme de cinquante ans et de très bonne mine : Seigneur, lui

dit le baron de Steinbach en lui présentant don Alphonse,
vous voyez votre fils. À ces mots, don César de Leyva, ainsi
se nommait le maître du château, jeta ses bras au cou de don
Alphonse, et pleurant de joie : Mon cher fils, lui dit-il, reconnaissez l'auteur de vos jours. Si je vous ai laissé ignorer si
longtemps votre condition, croyez que je me suis fait en cela
une cruelle violence. J'en ai mille fois soupiré de douleur,
mais je n'ai pu faire autrement. J'avais épousé votre mère par
inclination ; elle était d'une naissance fort inférieure à la
mienne. Je vivais sous l'autorité d'un père dur, qui me rédui-
sait à la nécessité de tenir secret un mariage contracté sans
son aveu. Le baron de Steinbach seul était dans ma confidence, et c'est de concert avec moi qu'il vous a élevé. Enfin
mon père n'est plus et je puis déclarer que vous êtes mon
unique héritier. Ce n'est pas tout, ajouta-t-il, je vous marie
avec une jeune dame dont la noblesse égale la mienne. Seigneur, interrompit don Alphonse, ne me faites point payer
trop cher le bonheur que vous m'annoncez. Ne puis-je savoir
que j'ai l'honneur d'être votre fils, sans apprendre en même
temps que vous voulez me rendre malheureux ? Ah seigneur,
ne soyez pas plus cruel que votre père. S'il n'a point approuvé
vos amours, du moins il ne vous a point forcé de prendre une
femme. Mon fils, répliqua don César, je ne prétends pas non
plus tyranniser vos désirs. Mais ayez la complaisance de voir
la dame que je vous destine. C'est tout ce que j'exige de votre
obéissance. Quoique ce soit une personne charmante et un
parti fort avantageux pour vous, je promets de ne vous pas
contraindre à l'épouser. Elle est dans ce château. Suivez-moi.
Vous allez convenir qu'il n'y a point d'objet plus aimable. En
disant cela, il conduisit don Alphonse dans un appartement
où je m'introduisis après eux avec le baron de Steinbach.

    Là était le comte de Polan avec ses deux filles Séraphine
et Julie, et don Fernand de Leyva, son gendre, qui était
neveu de don César. Il y avait encore d'autres dames et
d'autres cavaliers. Don Fernand, comme on l'a dit, avait
enlevé Julie, et c'était à l'occasion du mariage de ces deux
amants que les paysans des environs s'étaient assemblés
ce jour-là pour se réjouir. Sitôt que don Alphonse parut,
et que son père l'eut présenté à la compagnie, le comte de

Polan se leva et courut l'embrasser en disant : Que mon libérateur soit le bienvenu. Don Alphonse, poursuivit-il en lui adressant la parole, connaissez le pouvoir que la vertu a sur les âmes généreuses ; si vous avez tué mon fils, vous m'avez sauvé la vie. Je vous sacrifie mon ressentiment et vous donne cette même Séraphine à qui vous avez sauvé l'honneur. Par là je m'acquitte envers vous. Le fils de don César ne manqua pas de témoigner au comte de Polan combien il était pénétré de ses bontés ; et je ne sais s'il eut plus de joie d'avoir découvert sa naissance, que d'apprendre qu'il allait devenir l'époux de Séraphine. Effectivement ce mariage se fit quelques jours après au grand contentement des parties les plus intéressées.

Comme j'étais aussi un des libérateurs du comte de Polan, ce seigneur, qui me reconnut, me dit qu'il se chargeait du soin de faire ma fortune ; mais je le remerciai de sa générosité, et je ne voulus point quitter don Alphonse, qui me fit intendant de sa maison et m'honora de sa confiance. À peine fut-il marié, qu'ayant sur le cœur le tour qui avait été fait à Samuel Simon, il m'envoya porter à ce marchand tout l'argent qui lui avait été volé. J'allai donc faire une restitution, c'était commencer le métier d'intendant par où l'on devrait le finir [1].

FIN DU SECOND TOME.

---

1. Le tome III de 1724 s'ouvre sur cette restitution promise : « J'allai donc à Xelva porter au bon Samuel Simon les trois mille ducats que nous lui avions volés. J'avouerai franchement que je fus tenté sur la route de m'approprier cet argent, pour commencer mon intendance sous d'heureux auspices. Je pouvais faire ce coup impunément, je n'avais qu'à voyager cinq ou six jours, et m'en retourner ensuite comme si je me fusse acquitté de ma commission. Don Alphonse et son père n'auraient pas soupçonné ma fidélité. Je ne succombai pourtant point à la tentation ; je puis même dire que je la surmontai en garçon d'honneur. Ce qui n'était pas peu louable dans un jeune homme qui avait fréquenté de grands fripons. Bien des personnes qui ne voient que d'honnêtes gens ne sont pas si scrupuleuses ; celles surtout à qui l'on a confié des dépôts qu'elles peuvent retenir sans intéresser leur réputation pourraient en dire des nouvelles » (VII, 1, éd. citée, p. 315).

ANNEXES

ITINÉRAIRES DE GIL BLAS ET DE RAPHAËL

Itinéraire de Gil Blas

Gil Blas quitte Oviedo (I, 2) pour se rendre à Salamanque. Il fait halte à Peñaflor [1], s'enfuit de l'hôtellerie de Cacabelos (I, 3), puis est enfermé six mois dans la caverne des voleurs (I, 4). Après avoir libéré doña Mencia et gagné Astorga (I, 10), il est arrêté et mis en prison pendant deux mois. Il gagne Burgos où il est récompensé par doña Mencia (I, 14). Il part pour Madrid.

À Valladolid, Gil est dépouillé par Ambroise, Camille et Raphaël (I, 16). Il retrouve Fabrice (I, 17) qui le place chez Sedillo (II, 1). Il est engagé par le médecin Sangrado (II, 3). Il se venge de Camille mais retourne au cachot. Il quitte la ville, effrayé par les menaces d'un joueur de paume dont il a fait périr la maîtresse (II, 5).

Gil rencontre sur la route un garçon barbier qu'il accompagne jusqu'à Ségovie. Après Ponte de Duero [2], ils croisent un comédien qui trempe des croûtes dans une fontaine (II, 8). À Olmedo, il assiste à un spectacle donné par Thomas de la Fuente (II, 9), oncle du barbier.

À Madrid, il entre au service de don Bernard de Castil Blazo (III, 1). Il retrouve le capitaine Rolando (III, 2), et sert le petit-maître don Mathias (III, 3) jusqu'à sa mort (III, 8). Il fait la

---

1. Toponyme inventé par Lesage (formé sur « Peñafiel » ?), de même que Cacabelos.

2. L'itinéraire est ici fantaisiste : le Douro (Rio Duero) coule à plus de 80 kilomètres au nord de Ségovie.

connaissance de Laure (III, 5), et devient « une espèce d'homme d'affaire » de la comédienne Arsénie (III, 9). Dégoûté des « désordres de la vie comique » (et de Laure en particulier), Gil entre dans « une plus honnête maison », celle de don Vincent et de sa fille Aurore (IV, 1).

À la mort de son père, Aurore de Guzman emmène Gil Blas à Salamanque pour faire la conquête de don Luis Pacheco (IV, 3, 5 et 6). L'essieu du carrosse se rompt « entre Avila et Villaflor ». Ils passent la nuit dans le château de doña Elvira, qui leur raconte l'histoire du tableau (IV, 4). De retour à Madrid, Gil entre au service de Gonzale Pacheco (IV, 7), puis de la marquise de Chaves, d'où il est chassé par le « petit secrétaire » (IV, 8-9).

Il visite Tolède et se dirige vers Cuenca pour se rendre en Aragon (IV, 9). Il avertit don Alphonse qu'il est recherché par les archers. Ils se mettent à couvert de l'orage dans un ermitage (IV, 9). Gil retrouve Raphaël et Ambroise déguisés en anachorètes (IV, 11). Les archers aux trousses, ils se cachent tous les quatre « dans un bois fort épais entre Villardesa et Almodabar » (IV, 11), où ils délivrent Séraphine et son père (V, 2). Ils font halte près de Chelva (Xelva), dépouillent Samuel Simon (VI, 1), et se séparent à la hauteur de Ségorbe (VI, 2). Peu avant Valence, Gil et Alphonse s'arrêtent à Bunol, tout près du château de don César de Leyva, le véritable père d'Alphonse (VI, 3). Gil Blas devient l'intendant de don Alphonse et Séraphine.

Itinéraire de Raphaël (V, 1)

Raphaël est le fils d'une comédienne de Madrid nommée Lucinde. À quinze ans, il s'acoquine avec des chevaliers d'industrie de Tolède. À vingt ans, il gagne Alcantara dans l'Estrémadure (près de la frontière portugaise) où il dépouille deux jeunes bourgeois de Plazencia. Il gagne Mérida, s'associe avec Moralés, réussit à duper Jérôme de Moyadas mais non l'alguazil qui le chasse de la ville. Sur la route de Trujillo, Moralés retrouve son frère et l'accompagne à Majorque. L'expédition embarque à Alicante et fait escale sur l'île de la Cabrera, où Raphaël est capturé par des pirates maures.

Esclavage paisible à Alger où Raphaël retrouve sa mère devenue mahométane. Il quitte le pays et gagne le duché de Florence *via* Livourne. Il devient l'entremetteur du grand-duc. Banni de Florence, il revient en Espagne, et rencontre Camille à

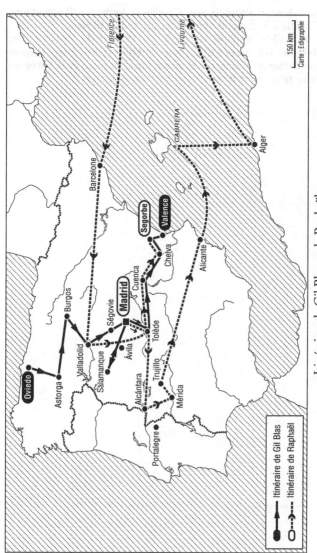

Itinéraires de Gil Blas et de Raphaël

Barcelone. Il s'associe avec Camille et Ambroise. Il abandonne Camille à Valladolid après avoir dépouillé Gil Blas.

À Tolède, Raphaël est dupé par le mari de Violante, don Baltazar. Il le tue et s'enfuit avec Ambroise dans « les montagnes qui entourent Cuença ». Raphaël prend la place et la barbe du frère Juan, mort de vieillesse dans son ermitage.

AVERTISSEMENT
DU *MARCOS DE OBREGÓN*
DE VICENTE ESPINEL
(1618)

Profitant de la vogue des pastorales et des romans espagnols au début du XVIIᵉ siècle, le sieur d'Audiguier traduit le *Marcos de Obregón* de Vicente Espinel l'année même de sa publication, en 1618. Il fait précéder sa traduction d'un Avertissement à la fin duquel il insère la fable des deux écoliers, qu'Espinel avait lui-même placée en tête de son ouvrage et que Lesage reprendra en la modifiant[1].

AVERTISSEMENT AU LECTEUR
[PAR LE SIEUR D'AUDIGUIER]

Lecteur, ce livre m'étant apporté de Madrid au sortir de la presse, la nouveauté qui plaît à tout le monde, et donne prix aux plus mauvais fruits, trouva chez moi le crédit qu'elle a partout [...]. J'ai néanmoins trouvé de bonnes choses en cestui-ci, mais si mal disposées, qu'on peut dire de lui, qu'il tient beaucoup de bons propos sans aucun propos. [...]
Mais pourquoi donc le traduisez-vous ? c'est toujours redire une même chose : j'en ai donné des raisons partout ailleurs, et en ce livre ici, j'ai fini mon épître, et commencé m[a] préface par ces raisons. Néanmoins pour les payer d'une seule, je ne leur veux pas dire que c'est parce qu'il me plaît, mais parce qu'ils [les lecteurs français] le veulent eux-mêmes ; s'ils n'étaient si curieux de voir les livres espagnols, il ne se trouverait point des

---

1. Voir la Présentation, *supra*, p. 20-21.

gens qui me priassent de les tourner en français, et je me contenterais bien de les lire en leur propre langue. Je ne blâme point cette curiosité, ils ne doivent point blâmer aussi le désir que j'ai de les contenter. Et quant à ce que j'ai dit des Espagnols, il ne porte que sur la présomption qu'ils ont d'exceller en leur mauvaise façon d'écrire, pleine de redites : lesquelles notre auteur tâche d'excuser par un assez bon conte, de deux écoliers qui s'en allaient d'Antequere [1] à Salamanque [2] : l'un nonchalant, ennemi du travail et du savoir, et l'autre diligent, et curieux de travailler, et d'apprendre : et bien que différents en toutes choses, ils étaient semblables en celle-là seule, qu'ils étaient tous deux pauvres. Cheminant donc un soir à la saison du printemps par ces pleines campagnes, et mourant de soif, ils arrivèrent à un puits, où s'étant un peu rafraîchis, ils virent une petite pierre écrite en lettres gothiques à demi effacées d'antiquité qui disaient ainsi, *Conditur unio, Conditur unio* [3]. Pourquoi, dit alors l'ignorant, est-ce que cet ivrogne a gravé deux fois cela ? Car le propre des ignorants est d'être injurieux et téméraires. L'autre se tut, et croyant que ce n'était pas sans mystère, dit qu'il était las, et qu'il voulait se reposer là, où il fut laissé de son compagnon. Se voyant seul, il discourt ainsi en lui-même : *unio* veut dire union, et *unio* veut dire perle. Je désire de voir quel secret il y a ici dessous. Et haussant la pierre, [il] trouve l'union d'amour des deux amants d'Antequere, et en leur col une grosse perle, avec un collier d'inestimable valeur. Voilà le conte que fait notre auteur pour nous apprendre à lire son livre, où il dit luimême qu'il n'y a feuille qui n'ait son objet particulier, hors ce qu'elle dit. C'est-à-dire qu'étant Espagnol et prêtre, il nous veut faire entendre qu'il y a un sens mystique, outre le littéral : comme il faut avouer que sous l'écorce de plusieurs contes, il se cache de belles moralités. Au reste, lecteur, je ne suis point ennemi des Espagnols, mais des discoureurs, entre lesquels les plus importuns sont à mon avis les historiens, et entre les historiens quelques uns de nos Français qui ne doivent rien aux Espagnols. Adieu [4].

---

1. Antequera, ville d'Andalousie située dans la province de Malaga.

2. À partir d'ici commence le texte d'Espinel.

3. « La perle est cachée » ou « on a caché la perle ». Le verbe *condere* a plusieurs sens (« ensevelir », « cacher »), de même que le substantif *unio* (« union » ou « perle »).

4. Vicente Espinel, *Relations de Marc d'Obregón* (*Relaciones de Marcos de Obregón*, 1618), traduites par le sieur d'Audiguier, à Paris, chez Jean Petit-Pas, 1618.

QUELQUES JUGEMENTS
SUR *GIL BLAS*

GIL BLAS AU XVIIIᵉ SIÈCLE

Les premiers comptes rendus du *Gil Blas* fixent les grandes lignes de la critique pour plus d'un siècle : vérité des portraits, vigueur de la satire et ambition totalisante sont les traits caractéristiques de ce « tableau de la vie humaine ».

Compte rendu paru dans le Journal littéraire *de La Haye (1715)*

L'*Histoire de Gil Blas* est un roman satirique, comme le *Guzmán d'Alfarache*, moins ingénieux et moins suivi ; mais aussi beaucoup moins chargé de réflexions et moralités. C'est de même un ouvrage accommodé à la française, plutôt qu'une traduction de l'espagnol. Le train de vie des *petits-maîtres* et des *comédiens* de Paris y est assez bien décrit ; et ce ne sont point là les endroits de l'ouvrage qu'on lira avec le moins de plaisir. C'est assez inutilement, ce semble, que l'auteur a pris soin de déclarer à la tête de son roman, que les *lecteurs malins auraient tort d'appliquer les portraits qui sont dans le présent livre ; qu'il ne s'est proposé que de représenter la vie des hommes telle qu'elle est ; qu'à Dieu ne plaise qu'il ait voulu désigner quelques personnes en particulier ; qu'on voit en Castille comme en France des médecins dont la méthode est de trop faire saigner leurs malades :* En effet, malgré cette déclaration, on ne laissera pas de reconnaître sous ses personnes feintes quelques personnes qu'il a en vue. Quelque protestation qu'il fasse, il ne nous persuadera jamais, par exemple, que ses médecins *Andrios* et *Oquetos* soient deux médecins de Madrid. Ces noms sont trop peu altérés pour qu'on n'y reconnaisse pas deux célèbres médecins de la faculté de Paris, assez connus par les démêlés qu'ils ont eus ensembles : et si tout étrangers que nous sommes, nous avons bien pu les reconnaître, combien d'autres n'en reconnaîtront pas ceux qui sont sur les lieux, et qui connaissent par conséquent mieux que nous la carte de Paris [1] ?

Compte rendu paru dans Le Mercure de France (1724)

Histoire de Gil Blas de Santillane, par M. Le Sage, tome III, Édition nouvelle, À Paris, chez la veuve de Pierre Ribou, 1724, vol. in-12 de 362 pages, orné de quantité de planches en taille-douce.

Comme ce n'est ici qu'une continuation du même ouvrage, nous ne parlerons que de ce troisième tome. C'est une suite d'aventures ménagées avec art par l'auteur pour faire un tableau de la vie humaine. M. Le Sage a pris soin de rendre cet ouvrage également utile et agréable. Il conduit toujours son lecteur par des chemins semés de fleurs. La netteté de son style, la richesse de ses expressions, la variété des matières qu'il traite, et surtout le sel attique qu'il verse partout à pleines mains, n'y laissent qu'une chose à désirer, c'est un peu plus de tendresse pour ses confrères [...] [2].

On peut juger du reste de l'ouvrage par cet échantillon. M. Le Sage ne se dément point. Sa diction est partout également soutenue, pure et pleine d'agréments. Les historiettes qu'il amène à propos à mesure que le sujet le demande sont tout à fait intéressantes, et du ton qu'il faut pour amuser le lecteur. Il conduit son héros de poste en poste, et de situation en situation, et dans tous les états de la vie où il le place, il trouve très heureusement une source de préceptes très utiles et une saine morale [3].

GIL BLAS AU XIXe SIÈCLE

Au XIXe siècle, La Harpe et ses successeurs développent à satiété l'idée que ce roman est une « école du monde » : « Toutes les formes de la vie et de l'humaine nature se rencontrent dans Gil Blas », écrit Sainte-Beuve : « Gil

1. *Journal littéraire de La Haye*, 1715, t. VII (1), p. 217-218.
2. Suivent des extraits de la mésaventure de Gil Blas chez l'archevêque de Grenade (VII, 3 et 4).
3. *Le Mercure de France*, juin 1724, p. 1378-1382.

Blas, tout à l'opposé de René, c'est vous, c'est moi, c'est tout le monde[1]. » Seuls des écrivains comme Scott ou Hugo perçoivent et interprètent plus en profondeur le travail d'écriture et la poétique du texte. S'attachant à sa dimension satirique, Flaubert le mentionnera quant à lui pour annoncer à Louise Colet, avec son style épistolaire expressif, le projet de *Bouvard et Pécuchet* : « Il faut se raidir et emmerder l'humanité qui nous emmerde ! Oh ! je me vengerai ! je me vengerai ! Dans quinze ans d'ici, j'entreprendrai un grand roman moderne où j'en passerai en revue ! Je crois que *Gil Blas* peut être refait[2]. »

La Harpe, Cours de littérature *(1804)*

Gil Blas est un chef-d'œuvre ; il est du petit nombre des romans qu'on relit toujours avec plaisir ; c'est un tableau moral et animé de la vie humaine ; toutes les conditions y paraissent pour recevoir ou donner une leçon. C'est là que l'instruction n'est jamais sans agrément. *Utile dulci* devait être la devise de cet excellent livre[3], que la bonne plaisanterie assaisonne partout. Plusieurs traits ont passé en proverbes, comme les homélies de l'archevêque de Grenade[4]. L'interrogatoire des domestiques de Samuel Simon[5] est digne de Molière : et quelle sanglante satire de l'Inquisition ! Ailleurs, quelle peinture de l'audience d'un premier commis, de l'impertinence des comédiens, de la vanité d'un parvenu, de la folie d'un poète, de la mollesse des chanoines, de l'intérieur d'une grande maison, du caractère des grands, des mœurs de leurs domestiques ! C'est l'école du monde que *Gil Blas.* On reproche à l'auteur de n'avoir peint presque jamais que des fripons. Qu'importe, si les portraits sont reconnaissables ! Il a fait d'ailleurs son métier, car le roman et la comédie sont un genre de satire. On lui reproche trop de détails subalternes ; mais

---

1. *Portraits littéraires : Lesage*, rééd. in *Les Grands Écrivains français* par Sainte-Beuve, éd. M. Allem, Garnier, 1930, p. 10-11.
2. Lettre du 28 juin 1853, in Flaubert, *Correspondance*, éd. J. Bruneau, Gallimard, « Bibliothèque de la Pléiade », 1980, t. II, p. 367.
3. Extrait d'une célèbre citation d'Horace : « Il obtient tous les suffrages, celui qui unit l'utile à l'agréable, et plaît et instruit en même temps » (*Art poétique*, éd. F. Richard, GF-Flammarion, 1967, p. 268).
4. VII, 3-4.
5. VI, 1.

ils sont tous vrais, et aucun n'est indifférent. Il n'est point tombé
dans cette profusion gratuite de circonstances minutieuses,
qu'on prend aujourd'hui pour de la vérité, et qui ne signifie rien.
On connaît les personnages de *Gil Blas* ; on a vécu avec eux ;
on les retrouve à tout moment. Pourquoi ? Parce que dans la
peinture qu'il en fait, il n'y a pas un trait sans dessein et sans
effets. Lesage avait bien de l'esprit, mais il met tant de talent à
le cacher, il aime tant à se cacher derrière ses personnages, il
s'occupe si peu de lui qu'il faut avoir de bons yeux pour voir
l'auteur dans l'ouvrage et apprécier à la fois l'un et l'autre [1].

Victor Hugo : parallèle entre Lesage et Walter Scott (1819)

Il pourrait, à mon sens, jaillir des réflexions utiles de la comparaison entre les romans de Lesage et de Walter Scott, tous
deux supérieurs dans leur genre. Lesage, ce me semble, est plus
spirituel ; Walter Scott est plus original ; l'un excelle à raconter
les aventures d'un homme ; l'autre mêle à l'histoire d'un individu, la peinture de tout un peuple, de tout un siècle ; le premier
se rit de toute vérité de lieux, de mœurs, d'histoire ; le second,
scrupuleusement fidèle à cette vérité même, lui doit l'éclat
magique de ses tableaux. Dans tous deux, les caractères sont
tracés avec art ; mais dans Walter Scott, ils paraissent mieux
soutenus, parce qu'ils sont plus saillants, d'une nature plus
fraîche et moins polie. Lesage sacrifie souvent la conscience de
ses héros au comique d'une intrigue, Walter Scott donne à ses
héros des âmes plus sévères ; leurs principes, leurs préjugés
même ont quelque chose de noble en ce qu'ils ne savent point
plier devant les événements. On s'étonne, après avoir lu un
roman de Lesage, de la prodigieuse variété du plan ; on s'étonne
encore plus, en achevant un roman de Scott, de la simplicité du
canevas ; c'est que le premier met son imagination dans les faits
et le second dans les détails ; l'un peint la vie, l'autre peint le
cœur. Enfin, la lecture des ouvrages de Lesage, donne en
quelque sorte l'expérience du sort ; la lecture de ceux de Walter
Scott donne l'expérience des hommes [2].

1. La Harpe, *Lycée ou Cours de littérature ancienne et moderne*, Paris,
H. Agasse, an XII (1804), t. XIV, p. 236-237.
2. Compte rendu de l'édition Neufchâteau de *Gil Blas* dans *Le
Conservateur littéraire* en 1819 (in *OC* de V. Hugo, éd. J. Massin, Club

Walter Scott, « Alain Lesage » (1822)

[...] De tous ceux qui connaissent ce charmant ouvrage, et qui aiment à se rappeler, comme une des occupations les plus agréables de leur vie, le temps où ils l'ont dévoré pour la première fois, il est peu de lecteurs qui ne reviennent de temps en temps à ce livre immortel avec toute l'ardeur et la vive émotion qu'éveille le souvenir d'un premier amour. Peu importe l'époque où nous nous sommes trouvés pour la première fois sous le charme, que ce soit dans l'enfance, où nous étions surtout amusés par la caverne des voleurs et les autres aventures romanesques de Gil Blas ; que ce soit plus tard dans l'adolescence, alors que notre ignorance du monde nous empêchait encore de sentir la satire fine et amère cachée dans tant de passages ; ou enfin que ce soit lorsque nous étions déjà assez instruits pour comprendre toutes les diverses allusions à l'histoire et aux affaires publiques, ou assez ignorants pour ne point chercher à voir dans le récit autre chose que ce qu'il découvre directement, l'enchanteur n'en exerça pas moins sur nous un pouvoir absolu dans toutes les circonstances. [...]

Le titre d'auteur original de ce délicieux ouvrage a été sottement, je dirais presque avec ingratitude, contesté à Lesage par ces critiques qui s'imaginent découvrir un plagiat dès qu'ils peuvent apercevoir une espèce de ressemblance entre le plan général d'un bon ouvrage et celui d'un autre de même nature, qui a été traité plus anciennement par un écrivain inférieur. Un des passe-temps favoris de la sottise laborieuse consiste à découvrir de pareilles coïncidences : car elles semblent rabaisser le génie supérieur à l'échelle ordinaire de l'humanité, et par conséquent mettre l'auteur de niveau avec ses critiques. [...]

Toute la composition de *Gil Blas*, d'un bout à l'autre, me paraît, dans ce qui constitue l'essence d'une œuvre littéraire, tout aussi originale que la lecture en est délicieuse.

Le héros qui raconte lui-même son histoire avec ses propres réflexions est une conception qui n'a pas encore été égalée dans aucune fable romanesque ; et cependant Gil Blas se montre un personnage si réel que nous ne pouvons nous dépouiller de l'idée que nous lisons le récit de quelqu'un qui a véritablement joué un rôle dans les scènes dont il nous entretient. Gil Blas a toutes les faiblesses et les inconséquences inhérentes à notre nature, et

---

français du livre, 1967, t. I, p. 702). Victor Hugo avait collaboré à la notice de cette édition.

que nous reconnaissons chaque jour en nous ou dans nos amis.
Il n'est point par nature un fripon plein d'esprit, tel que ceux
que les Espagnols ont peints sous les traits de Pablo ou de
Guzmán [1], et tel que celui que Lesage a créé dans le personnage
subalterne de Scipion. Gil Blas au contraire est naturellement
porté à l'honnêteté ; mais son esprit est par malheur trop facilement séduit pour résister aux tentations du mauvais exemple ou
de l'occasion. Il est timide par tempérament, et cependant
capable d'actions courageuses, rusé et intelligent, mais souvent
dupe de sa vanité. Il a assez d'esprit pour nous faire souvent
rire d'autrui avec lui, et assez de sottise pour que la plaisanterie
retombe souvent sur lui-même. Généreux, d'un bon naturel,
humain, il a assez de vertus pour nous le faire aimer ; quant au
respect, c'est la dernière chose qu'il demande à son lecteur. Bref,
Gil Blas est le principal acteur d'un théâtre où, quoique remplissant souvent un rôle secondaire, tout ce qu'il nous met sous les
yeux reçoit l'empreinte de ses opinions, de ses remarques et de
ses sentiments. Nous ressentons l'individualité de Gil Blas aussi
bien dans la caverne des voleurs que dans le palais de l'archevêque de Grenade, dans les bureaux du ministre, et dans toutes
les autres scènes à travers lesquelles il sait nous conduire d'une
manière si agréable ; en général, ses différentes aventures n'ont
entre elles qu'une liaison très légère, ou plutôt elles n'ont qu'un
seul rapport, celui d'être arrivées à la même personne. De ce
point de vue, on peut dire que le roman peint plutôt des caractères que des événements ; mais quoiqu'il n'y ait point à proprement parler d'action principale, il y a tant d'événements dans
les épisodes que l'ouvrage ne languit pas un seul instant.

[...] Tout dans *Gil Blas* respire le naturel, la bonne humeur, la
gaîté, la légèreté et la vivacité ; même dans la caverne des voleurs
brillent les éclairs de cet esprit dont Lesage illumine toute son
histoire. Cet ouvrage laisse le lecteur content de lui-même et du
genre humain ; les fautes de l'homme y paraissent plutôt des
folies que des vices, et les malheurs sont si bien mêlés au ridicule
qu'ils déclenchent en même temps le rire et la compassion. [...] [2]

---

1. Pablo de Ségovie et Guzmán de Alfarache, héros respectifs des
romans picaresques de Quevedo et d'Alemán.
2. Notice biographique et critique, publiée à Édimbourg dans la collection « Ballantyne's Novelist's Library » en 1822. Nous reproduisons
les pages qui portent sur *Gil Blas*. Traduction française de Defauconpret
(W. Scott, *Œuvres complètes*, t. IX, Paris, Gosselin et Sautelet, 1826),
rectifiée par nous sur le texte de l'édition établie par I. Williams (*On
Novelists and Fiction*, Londres, Routledge and Kegan, 1968, p. 124-128).

Balzac et Lesage

Le nom du créateur de Gil Blas et de Turcaret est souvent cité par Balzac : « Turcaret est devenu le souverain », écrit-il dans *Splendeurs et misères des courtisanes*. Les épisodes favoris de *Gil Blas* (la cuisinière des voleurs, l'archevêque de Grenade) apparaissent régulièrement dans *La Comédie humaine*. Admirant la fécondité de son imagination, Balzac place Lesage au même niveau que Walter Scott, Voltaire, Shakespeare ou encore Boccace (préface de *Pierrette*). Dans son étude sur *La Chartreuse de Parme* (1840), il oppose la « littérature des Images » (terre d'élection des poètes : Hugo, Chateaubriand, Lamartine, Vigny, Gautier) à la « littérature des Idées », caractérisée par l'abondance de faits, la sobriété d'images, la concision (représentée par Stendhal, Musset, Mérimée, Nodier, Voltaire, Lesage), et propose une « troisième voie » plus adaptée à l'ambition démiurgique du romancier moderne :

> Je ne crois pas la peinture de la société moderne possible par le procédé sévère de la littérature du dix-septième et du dix-huitième siècles. L'introduction de l'élément dramatique, de l'image, du tableau, de la description, du dialogue me paraît indispensable dans la littérature moderne. Avouons-le franchement, *Gil Blas* est fatigant comme forme : l'entassement des événements et des idées a je ne sais quoi de stérile. L'Idée, devenue Personnage, est d'une plus belle intelligence [1].

Ce jugement est moins une condamnation du *Gil Blas* qu'une invitation à dépasser l'esthétique de Lesage : le romancier visionnaire qu'est Balzac postule la « loi dominatrice » de « l'unité dans la composition », qui rend indissociable le fait et l'Idée.

---

1. *Étude sur M. Beyle* (article de la *Revue parisienne* du 25 septembre 1840), in Balzac, *Écrits sur le roman*, anthologie éditée par S. Vachon, LGF, Le Livre de poche, 2000, p. 201-202.

CHRONOLOGIE

1668 : Naissance à Sarzeau (Morbihan) d'Alain René Lesage. Son père est avocat et notaire (greffier à la cour royale de Rhuis), sa mère est la fille d'un procureur.

1677 : Mort de sa mère.

1682 : Mort de son père. Placé sous tutelle, l'orphelin est spolié par son oncle.

1686 : Entre au collège des Jésuites de Vannes. Découvre le théâtre avec le père Boschard.

1690 : Termine ses études de droit à Paris comme clerc de notaire, commis d'un financier.

1694 : Mariage avec la fille d'un bourgeois parisien, Marie-Élisabeth Huyard. Le couple aura quatre enfants (une fille qui restera chez ses parents, un abbé et deux comédiens).

1695 : Naissance d'un premier fils qui deviendra comédien au Théâtre-Français sous le nom de Montmesnil (ou Montmény). Première publication : *Lettres galantes d'Aristénète*, d'après un recueil de lettres grecques (recyclé en 1740 dans la seconde partie de *La Valise trouvée*).

1698 : Se lie avec l'abbé de Lionne, fils d'un ministre des affaires étrangères de Louis XIV, qui lui verse jusqu'en 1721 une rente de 600 livres (environ 6000 euros) et l'encourage à traduire la littérature espagnole.

1700 : Publie un volume de *Théâtre espagnol* comportant deux comédies : *Le Traître puni* de Francisco de Rojas et *Don Félix de Mendoce* de Lope de Vega.

1702 : *Le Point d'honneur*, pièce adaptée de Rojas par Lesage, ne connaît que deux représentations au Théâtre-Français.

1704 : Traduit les *Nouvelles Aventures de l'admirable Don Quichotte de la Manche*, continuation du roman de Cervantès par Avellanada (Challe écrira de son côté une *Continuation de l'admirable Don Quichotte*, publiée en 1713).

1707 : Double succès du *Diable boiteux* (roman inspiré d'*El Diablo cojuelo* de Luis Vélez de Guevara) et d'une comédie en un acte,

Crispin rival de son maître, jouée au Théâtre-Français. Accueil plus réservé pour *Don César Ursin,* d'après Calderón.

1708 : Les Comédiens-Français refusent de monter *La Tontine,* comédie en un acte, qui ne sera jouée qu'en 1732.

1709 : Création de *Turcaret* le 14 février, sur ordre du Dauphin. Malgré son succès, la pièce est retirée après sept représentations. Lesage se brouille avec les Comédiens-Français.

1710-1712 : L'orientaliste Pétis de la Croix publie *Les Mille et Un Jours,* traduction d'un volume de contes turcs. La collaboration de Lesage à ce recueil reste probable mais non prouvée ; en revanche, il adaptera librement plusieurs de ces contes à la Foire.

1712 : Lesage va travailler pendant vingt-cinq ans avec les forains. Seul ou avec d'autres auteurs (d'Orneval, Piron, Fuzelier, Dominique, Lafont, Fromaget, Autreau, Carolet), il écrit une soixantaine de pièces courtes, gaies et parodiques, pour les acteurs des foires Saint-Germain (début février-fin mars) et Saint-Laurent (début juillet-fin septembre).

1713 : Premiers succès à la Foire : *Arlequin roi de Serendib, Arlequin invisible* et *Arlequin Thétis.*

1714 : Poursuit avec un triptyque : *La Foire de Guibray, Arlequin Mahomet* (présenté par Arlequin) et *Le Tombeau de Nostradamus* (présenté par un Comédien-Italien).

1715 : *La Ceinture de Vénus, Télémaque, Colombine Arlequin et Arlequin Colombine,* toujours à la Foire. Lesage publie les deux premiers tomes de l'*Histoire de Gil Blas de Santillane.*

1716 : *Arlequin Hulla ou la Femme répudiée, Le Tableau du mariage, L'École des amants.*

1717-1721 : Publie *Roland l'amoureux,* traduction française du roman de Boiardo (1494).

1718-1720 : Écrit pour les forains : *Arlequin Orphée le cadet, Arlequin valet de Merlin, La Querelle des théâtres, Le Monde renversé, Les Amours de Nanterre, Les Funérailles de la Foire, Le Rappel de la Foire à la vie, La Statue merveilleuse, L'Île des Amazones.*

1721 : Lesage et d'Orneval préfacent le premier volume du *Théâtre de la Foire ou l'Opéra-Comique* (Paris, Gandouin et Prault). Les forains jouent *Robinson, Arlequin Endymion, Le Régiment de la Calotte, La Tête noire, La Boîte de Pandore, La Forêt de Dodone, La Fausse Foire.*

1722 : Écrit trois pièces pour les marionnettistes (*L'Ombre du cocher poète, Pierrot Romulus, Le Rémouleur d'amour*) et quatre pour les acteurs italiens de la Foire (*Le Jeune Vieillard, La Foire des Fées, La Force de l'Amour, Le Dieu du Hasard*).

1724 : Troisième tome du *Gil Blas.* À la Foire : *Les Captifs d'Alger, L'Oracle muet, La Pudeur à la Foire, La Matrone de Charenton, Les Vendanges de la Foire.*

1725 : *L'Enchanteur mirliton, Le Temple de Mémoire, Les Enragés.*
1726 : *Les Pélerins de La Mecque, Les Comédiens corsaires, L'Obstacle favorable.*
1727 : *Les Débris de la Foire, Les Noces de Proserpine.*
1729 : *La Princesse de la Chine, Le Corsaire de Salé, Les Spectacles malades.*
1730 : *L'Opéra-Comique assiégé, L'Industrie, Zémine et Almanzor, Les Routes du monde, L'Amour marin, L'Espérance.* Reprise de *Turcaret* avec Montmesnil, fils de Lesage, dans le rôle-titre.
1732 : *Les Désespérés, La Fille sauvage ou la Sauvagesse* à la Foire. Publie *Les Aventures de M. Robert Chevalier, dit de Beauchêne,* roman d'aventures en forme de mémoires d'un flibustier et *Les Aventures plaisantes de Guzmán d'Alfarache,* adaptation abrégée du roman picaresque de Mateo Alemán (publié en 1599 et 1605).
1734 : *Les Mariages du Canada, Le Rival dangereux, Les Deux Frères* à la Foire.
Estevanille Gonzalez, surnommé le garçon de bonne humeur, roman imité de l'espagnol.
1735 : Quatrième tome du *Gil Blas,* rabâchage des trois précédents.
1736-1737 : À la Foire : *Le Mari préféré, L'Histoire de l'Opéra-Comique.*
Publie *Le Bachelier de Salamanque, mémoires et aventures de don Chérubin de la Ronda,* recyclage laborieux des aventures de Gil Blas. Parution des derniers tomes du *Théâtre de la Foire* (10 volumes publiés depuis 1721).
1738 : *La Basoche du Parnasse* et *Le Neveu supposé,* dernières pièces écrites pour les forains.
1740 : *La Valise trouvée,* roman fourre-tout.
1743 : Publie un *Mélange amusant de saillies d'esprit et de traits historiques des plus frappants.* Mort de son fils Montmesnil. Lesage quitte Paris pour Boulogne-sur-Mer.
1747 : Corrige à près de 80 ans l'édition de *Gil Blas.* Meurt le 17 novembre.
1818 : Neufchâteau établit une édition savante du *Gil Blas,* basée sur le texte de 1747, qui fera longtemps autorité (Paris, Didot, 3 vol.).
1823 : Dernière édition « complète » de l'œuvre romanesque et théâtrale de Lesage (Paris, Boulland-Tardieu, 16 vol.).

BIBLIOGRAPHIE

Éditions intégrales modernes
*de l'*Histoire de Gil Blas de Santillane

Éd. M. Bardon, Classiques Garnier, 1962, 2 vol. (texte de l'éd.
  de 1747).
Éd. Étiemble, Gallimard, « Folio », 1973, 2 vol. (texte de 1732-
  1737, précédemment publié dans les *Romanciers du XVIIIᵉ*
  siècle, Gallimard, « Bibliothèque de la Pléiade », t. I, 1960).
Éd. R. Laufer, GF-Flammarion, 1977 (texte de 1715, 1724 et
  1735).

Autres œuvres de Lesage rééditées

Capitaine et flibustier. Les Aventures du chevalier de Beauchêne,
  Phébus, 2002.
Le Diable boiteux, éd. R. Laufer, Gallimard, « Folio », 1984
  (texte de 1726).
Le Diable boiteux, éd. B. Didier, GF-Flammarion, 2004 (texte
  de 1707).
Roland l'amoureux de Boiardo, traduit par Lesage, éd.
  D. Alexandre-Gras, Presses universitaires de Saint-Étienne,
  2001.
Théâtre de la Foire, par Lesage, Fuzelier et d'Orneval (*La Cein-*
  ture de Vénus. – Arlequin Hulla. – Le Monde renversé. – La
  Forêt de Dodone. – La Boîte de Pandore. – Les Amours dégui-
  sés), éd. I. et J.-L. Vissière, Desjonquères, 2000.
Turcaret, éd. P. Hourcade, GF-Flammarion, 1998.
Turcaret. – Crispin rival de son maître, éd. N. Rizzoni, LGF, Le
  Livre de poche, 1999.
Turcaret, éd. P. Frantz, Gallimard, « Folio Théâtre », 2003.
La Valise trouvée, éd. P. Brunel et F. Mancier, Imprimerie natio-
  nale, 2002.

Ouvrages critiques sur Lesage romancier et sur Gil Blas en particulier

ASSAF (Francis), *Lesage et le picaresque*, Nizet, 1983.

CAVILLAC (Cécile), *L'Espagne dans la trilogie « picaresque » de Lesage : emprunts littéraires, empreinte culturelle*, Atelier de reproduction des thèses de Lille III, 1984.

COOK (Malcolm), *Lesage. Gil Blas*, Londres, Grant & Cutler, « Critical Guides to French Texts », 1988.

DAIGNAULT (Richard), *Lesage*, Montréal, Libre Expression, 1981.

DIDIER (Béatrice), *Histoire de Gil Blas de Santillane*, Gallimard, « Foliothèque », 2003.

GARNIER (Philippe), *Retours et répétitions dans l'Histoire de Gil Blas*, L'Harmattan, 2002.

KLÜPPELHOLZ (Heinz), *La Technique des emprunts dans Gil Blas*, Bern, Peter Lang, 1981.

LAUFER (Roger), *Lesage ou le métier de romancier*, Gallimard, 1971. [Ouvrage fondateur du renouveau des études sur Lesage.]

Lesage, écrivain (1695-1735), textes réunis par J. Wagner, Amsterdam, Rodopi, 1997 (abrégé ci-après en *Lesage, écrivain*).

MANCIER (Frédéric), *Le Modèle aristocratique français et espagnol dans l'œuvre romanesque de Lesage. L'Histoire de Gil Blas de Santillane : un cas exemplaire*, Brindisi/Paris, Schena Editore/Presses de l'université de Paris-Sorbonne, 2001.

RAVIEZ (François) et LIÈVRE (Éloïse), *Gil Blas de Lesage. Livres I-VI*, Atlande, 2002.

RODRIGUEZ (Alain), *Théâtralité et romanesque dans l'œuvre de Lesage*, Atelier de reproduction des thèses de Lille III/Septentrion, 2002.

WAGNER (Jacques) et ZAERCHER (Véronique), *L'Histoire de Gil Blas de Santillane (livres I-VI)*, Armand Colin, 2002.

Recueils d'articles consacrés intégralement à Gil Blas

D'une gaîté ingénieuse. L'Histoire de Gil Blas, roman de Lesage, dir. B. Didier et J.-P. Sermain, Louvain, Peeters, 2004 (abrégé ci-après en *D'une gaîté ingénieuse*).

Lectures du Gil Blas de Lesage, dir. J. Wagner, Clermont-Ferrand, Presses universitaires Blaise Pascal, 2003 (abrégé ci-après en *Lectures du Gil Blas*).

Articles et sections d'ouvrages portant sur Gil Blas

ARTIGAS-MENANT (Geneviève), « Lesage-Asmodée dans *Gil Blas* », in *D'une gaîté ingénieuse.*

BAHIER-PORTE (Christelle), « Les portraits dans *Gil Blas* », in *D'une gaîté ingénieuse.*

—, *La Poétique d'Alain René Lesage*, Honoré Champion, 2006, *passim.*

BATLAY (Jenny H.), « L'art du portrait dans *Gil Blas* », *SVEC*, n° 124, 1974, p. 181-189.

BERCHTOLD (Jacques), « Incarcérations et évolution sociale dans le *Gil Blas* de 1715-1724 », *Les Prisons du roman*, chap. 17, Genève, Droz, 2000, p. 529-574.

—, « Le bestiaire de Lesage : l'exemple du *Gil Blas* et du *Guzmán d'Alfarache* », in *Lectures du Gil Blas.*

—, « Les motifs du sang dans *Gil Blas* », in *D'une gaîté ingénieuse.*

BERLAN (Françoise), « *Gil Blas* ou les figures de la contrefaçon », in *Styles, genres, auteurs*, vol. 2, éd. A.-M. Garagnon, Presses universitaires de la Sorbonne, 2002, p. 77-97.

BERNIER (Marc-André), « La séduction dans l'*Histoire de Gil Blas de Santillane* », in *Lectures du Gil Blas.*

BESSIRE (François), « Les références à l'Antiquité et à la Bible dans le premier *Gil Blas* », in *Lectures du Gil Blas.*

BRUNEL (Pierre), « L'*Histoire de Gil Blas de Santillane* : Ibérie contre Hibernie », in *Lectures du Gil Blas.*

CAMPBELL (Glenn), « L'enchâssement dans *Gil Blas* », in *Lesage, écrivain.*

CAVILLAC (Cécile), « La dialectique du service dans *Gil Blas* », *RHLF*, 1989, p. 643-660.

—, « Les petits-maîtres et le valet-maître : étude de *Gil Blas*, III, 3 », in *Lesage, écrivain.*

—, « Picaresque et merveilleux dans les six premiers livres de *Gil Blas* », in *D'une gaîté ingénieuse.*

CHUPEAU (Jacques), « Les *Gil Blas* de la jeunesse », in *Lesage, écrivain.*

COULET (Henri), « Lesage », in *Le Roman jusqu'à la Révolution*, Armand Colin, 1967, p. 330-342.

CUSSAC (Hélène), « La retraite chez *Gil Blas* : entre Pascal et Rousseau », in *Lectures du Gil Blas.*

DÉMORIS (René), « Le picaresque », in *Le Roman à la première personne*, Genève, Droz, 2002 [1975], p. 339-375. [Étude capitale sur *Gil Blas.*]

—, « L'économie des échanges dans le *Gil Blas* de 1715 », in *D'une gaîté ingénieuse.*

DIDIER (Béatrice), « Les nostalgies de Gil Blas », *Méthode !*, n° 3, 2002, p. 131-136.

ESCOLA (Marc), « Récits perdus à Santillane », in *D'une gaîté ingénieuse.*

FAJEN (Robert), « Die Illusion der Klarheit. Stilreflexion und anthropologischer Diskurs in Lesages *Gil Blas* », *Archiv für das Studium der neueren Sprache und Literatur*, Berlin, n° 239, 2002, p. 332-354.

FAZZIOLA (Peter), « Classical allusions and Lesage's comic style », *Classical and Modern Literature*, n° XIII (2), 1993, p. 117-125.

FRANTZ (Pierre), article « Lesage » du *Dictionnaire des littératures de langue française*, Bordas, 1987, p. 1379-1381.

FRAUTSCHI (Richard) et HACKEL (Rainer), « Le comportement verbal du narrateur dans *Gil Blas*. Quelques observations quantitatives », *SVEC*, n° 192, 1980, p. 1340-1352.

GARGUILO (René), « *Le Diable boiteux* et *Gil Blas de Santillane* de Lesage. Manipulations culturelles ou créations originales », in *Traducción y adaptación cultural : España-Francia*, éd. M.L. Donaire, Universidad de Oviedo, 1991, p. 221-229.

GEVREY (Françoise), « L'*Histoire de Gil Blas de Santillane* est-elle un roman d'aventures ? », in *Lectures du Gil Blas.*

—, « Gil Blas, le personnage introuvable », in *D'une gaîté ingénieuse.*

HOWELLS (Robin), « Lecture bakhtinienne de *Gil Blas* », in *Lesage, écrivain.*

HUET (Marie-Hélène), « *Gil Blas de Santillane* », in *Le Héros et son double. Essai sur le roman d'ascension sociale au XVIIIe siècle*, José Corti, 1975, p. 11-30. [Ouvrage utile.]

JAUBERT (Anna), « L'hétérogénéité énonciative dans *Gil Blas*. Report de voix et clivage de la voix », in *Styles, genres, auteurs*, vol. 2, éd. A.-M. Garagnon, Presses universitaires de la Sorbonne, 2002, p. 99-110.

JOLY (Raymond), « La fiction autobiographique [*Gil Blas*] », in *The Triomph of culture. Eighteenth Century Perspectives*, éd. P. Fritz et D. Williams, Toronto, Hakkert, 1972, p. 169-189.

KAPLAN (Jane Payne), « Food as structural catalyst in *Gil Blas* », *Food and Foodways*, 1988, n° 2 (4), p. 393-434. [Étude originale et précise.]

LADEN (Marie-Paule), « Lesage's *Gil Blas* : double imitation, duplicious writing », *Degré second*, n° 7, 1983, p. 1-25.

LAHOUATI (Gérard), « L'aventure dans *Gil Blas* », *Méthode !*, n° 3, 2002, p. 137-147.

—, « Le monde souterrain : *Gil Blas*, roman initiatique », in *D'une gaîté ingénieuse*.

LAVEZZI (Élisabeth), « La coulisse et le tableau : à propos d'une description de tableau dans *Gil Blas* (IV, 3-4) », *Les Cahiers Forell*, n° 9, 1998, p. 67-94.

LEBORGNE (Érik), « Balzac lecteur de *Gil Blas*. Essai de mythologie romanesque comparée », *L'Année balzacienne*, n° 20, 1999, p. 29-46.

—, « Les amours de Santillane : Gil et Laure », *Méthode !*, n° 3, 2002, p. 149-156.

—, « Grotesque et humour noir dans *Gil Blas* », in *D'une gaîté ingénieuse*.

—, « Le régent et le système de Law vus par Melon, Montesquieu, Prévost et Lesage », *Féeries*, n° 3, 2006, p. 105-135.

LUCIANI (Gérard), « Un écho de *Gil Blas* à Venise au XVIIIᵉ siècle », in *Lectures du Gil Blas*.

MARGERIT (Olivier), « État présent des études sur Lesage (1970-1994) », in *Lesage, écrivain*.

MARTIN (Christophe), « Gil Blas ou le jeu des apparences », in *D'une gaîté ingénieuse*.

MCKENNA (Antony), « Lesage en 1715 : l'évolution des idées morales », in *Lesage, écrivain*.

MENANT (Sylvain), « *Gil Blas* entre séries externes et séries internes », in *D'une gaîté ingénieuse*.

MOLHO (Maurice), Introduction aux *Romans picaresques espagnols*, Gallimard, « Bibliothèque de la Pléiade », 1968, p. CXIII-CXXVII. [Sur *Marcos de Obregón* et *Gil Blas*.]

MOLINO (Jean), « Les six premiers livres de *Gil Blas* », *Annales de la faculté des Lettres d'Aix-en-Provence*, n° 44, 1968, p. 81-101. [Article fondateur de la critique moderne sur *Gil Blas*.]

—, « Du roman picaresque au roman philosophique. Les livres VII-IX de *Gil Blas* », in *Mélanges à la mémoire d'A. Joucla-Ruau*, Université de Provence, 1973, t. II, p. 945-960.

MYLNE (Vivienne), « Structure and symbolism in *Gil Blas* », *French Studies*, n° 15, 1961, p. 134-145.

NIDERST (Alain), « Le christianisme de *Gil Blas* », in *Lectures du Gil Blas*.

OUDART (Jean), « Récit et *histoires* dans les romans de Lesage », *Recherches et travaux*, n° 13, 1976, p. 31-40.

PASCAL (Jean-Noël), « *Gil Blas*, un roman de dramaturge : thème, procédés, scénarios », in *Lectures du Gil Blas*.

PELCKMANS (Paul), « Vieillesse de Gil Blas », in *Lesage, écrivain*.

—, « Le revers tragique d'un roman gai. À propos du "Mariage de vengeance" (IV, 4) », in *Lectures du Gil Blas*.

PENKE (Olga), « Les rapports entre la structure et la signification dans l'*Histoire de Gil Blas de Santillane* », in *Analyses de romans*, Debrecen, Kossuth Lajos, 1985, p. 37-55.

PERRIN (Jean-François), « Sur la référence théâtrale dans les six premiers livres de *Gil Blas* », in *D'une gaîté ingénieuse*.

PHALÈSE (Hubert de), *Les Bons Contes et les Bons Mots de Gil Blas*, Saint-Genouph, Nizet, 2002.

PINGAUD (Bernard), « *Gil Blas* ou le dégagement », préface (1969) reprise dans *L'Expérience romanesque*, Gallimard, « Idées », 1983, p. 46-65.

PROUST (Jacques), « Lesage ou le regard intérieur : recherches sur la place et la fonction de la description dans *Gil Blas* », article de 1971 repris dans *L'Objet et le texte*, Genève, Droz, 1980, p. 75-105. [Article fondateur de la critique moderne.]

—, « De Lesage à Balzac, deux styles, deux conceptions du monde », *Romanistische Zeitschrift für Literaturgeschichte*, n° 7, 1983, p. 45-52.

RIZZONI (Nathalie), « De l'origine théâtrale de *Gil Blas* », *RHLF*, 2003/4, p. 823-845. [Article de fond sur les liens entre le roman et le théâtre de la Foire.]

ROBICHEZ (Jacques), « Le refus de la description dans *Gil Blas* », *Travaux de littérature et de linguistique*, n° 2, 1975.

RUNTE (Roseann), « Le rôle du théâtre dans *Gil Blas* », *Dalhousie French Studies*, n° 38, 1997, p. 57-67.

SERMAIN (Jean-Paul), « *Gil Blas* et la morale du conte », *Méthode !*, n° 3, 2002, p. 157-162.

—, *Métafictions (1670-1730)*, Honoré Champion, 2002, p. 121-128.

—, « Lesage et le langage de Gil Blas », in *D'une gaîté ingénieuse*.

SOUILLER (Didier), *Le Roman picaresque*, PUF, 1980, « Que
sais-je ? », p. 78-86.

—, « Lesage et l'image de l'histoire de l'Espagne », in *L'Histoire
de l'Espagne dans la littérature française*, Honoré Champion,
2003, p. 397-414.

STEWART (Philip), *Rereading eight early French novels*, Birmin-
gham, Alabama, 1984, p. 89-127.

VOLPILHAC-AUGER (Catherine), « Voyage au pays des noms.
Fonctions et modalités de la nomination dans *Gil Blas de Santillane* », in *Lectures du Gil Blas*.

—, « Diego le simple, Diego le double (*Gil Blas*, II, 7) », in *D'une
gaîté ingénieuse*.

WAGNER (Jacques), « Les gaîtés de Gil Blas ou les vigilances du
mémorialiste », in *Lesage, écrivain*.

—, « L'ironie des voix superposées dans le *Gil Blas* de Lesage »,
Cahiers de narratologie, Université de Nice, n° 10, 2001,
p. 509-524.

—, « L'Orient voilé de Raphaël dans *Gil Blas* », *Tangence*, n° 65,
2001, p. 33-51.

—, « Relire *Gil Blas* aujourd'hui » et « Écrire : d'une esthétique
de la langue à une morale de la littérature », in *Lectures du
Gil Blas*.

—, « Le rire dans les six premiers livres de *Gil Blas* », in *D'une
gaîté ingénieuse*.

WEHLE (Winfried), « Zufall und epische Integration. Wandel
des Erzählmodells und Sozialisation des Schelms in der *Histoire de Gil Blas de Santillane* », *Romanistisches Jahrbuch*,
n° 23, 1972, p. 103-129.

WEIL (Michèle), « La violence chez Lesage romancier », in
Lesage, écrivain.

WILLIAMS (Ioan), « L'*Histoire de Gil Blas de Santillane* », in
The Idea of the Novel in Europe 1600-1800, Londres, McMil-
lan, 1978, p. 118-132.

TABLE

HISTOIRE DE GIL BLAS DE SANTILLANE
(Livres I à VI)

TOME PREMIER

LIVRE PREMIER

Livre second

TABLE					485

TOME SECOND

LIVRE QUATRIÈME

LIVRE CINQUIÈME

LIVRE SIXIÈME

TABLE   487

Imprimé en France par CPI
en novembre 2019

Dépôt légal : février 2008
N° d'édition : L.01EHPN000115.A004
N° d'impression : 156200